Ullstein Sachbuch

ZUM BUCH:

»... die schonungslose Abrechnung Iacoccas mit seinem ehemaligen ›Boß‹ Henry Ford ...« *Die Welt*

»Ein engagiertes Buch, geschrieben in einer oft rauhen, egomanischen Sprache – rauh wie der gesunde Klang eines Automotors.«
*Wall Street Journal*

»Das Buch ist wie Iacocca selbst – ein Sieger.« *Toronto Star*

»Seit Menschengedenken hat es keine Memoiren wie diese aus der Business-Welt gegeben.« *Publishers Weekly*

»Ein überaus spannendes und lesenswertes Buch.« *Wirtschaftswoche*

ZU DEN AUTOREN:

Lido (Lee) Anthony Iacocca, 1924 als Sohn italienischer Einwanderer in Allentown, Pennsylvania, geboren, trat im Alter von 22 Jahren nach seinem Ingenieurstudium bei Ford ein. Hier vollzog sich in rascher Folge seine Traumkarriere bis zum Präsidenten dieser Gesellschaft. 1978 wurde er aus persönlichen Gründen von Henry Ford II. gefeuert und gleich danach vom konkursreifen Chrysler-Konzern, dem drittgrößten Automobilunternehmen der USA, engagiert. Er übernahm die hoffnungslos verschuldete Firma und brachte sie innerhalb von vier Jahren wieder in die Gewinnzone.

William Novak, 36, ist ein sogenannter ›Kollaborateur‹, d. h. ein bezahlter Autor, der Autobiographien wichtiger Persönlichkeiten nach deren Informationen verfaßt. An diesem Buch arbeitete er insgesamt zwei Jahre.

Lee Iacocca
William Novak

# Iacocca – Eine amerikanische Karriere

Mit 13 Abbildungen

Ullstein Sachbuch

Ullstein Sachbuch
Ullstein Buch Nr. 34388
im Verlag Ullstein GmbH,
Frankfurt/M – Berlin
Amerikanischer Originaltitel:
*Iacocca – An Autobiography*
Übersetzt von Brigitte Stein

Ungekürzte Ausgabe

Umschlagentwurf: Lutz Kober
Unter Verwendung eines Fotos
von Anthony Loew

Mit freundlicher Genehmigung der
Econ Verlags GmbH, Düsseldorf/Wien

Printed in Germany 1987
Druck und Verarbeitung:
Clausen & Bosse, Leck
ISBN 3 548 34388 0

Mai 1987

CIP-Kurztitelaufnahme
der Deutschen Bibliothek

**Iacocca, Lee:**
Iacocca: e. amerikan. Karriere /
Lee Iacocca u. William Novak.
[Übers. von Brigitte Stein]. –
Ungekürzte Ausg. – Frankfurt/M;
Berlin: Ullstein, 1987.
(Ullstein-Buch; Nr. 34388:
Ullstein-Sachbuch)
Einheitssacht.: Iacocca ⟨dt.⟩
ISBN 3-548-34388-0

NE: Novak, William [Bearb.]; GT

Meiner<br>geliebten Mary<br>für Deinen Mut<br>und Deine Loyalität<br>gegenüber uns dreien.

# Inhalt

# Danksagungen

Es ist üblich für einen Autor, allen Personen zu danken, die ihm bei seinem Buch geholfen haben. Aber da dies eine Autobiographie ist, will ich zunächst einigen Menschen danken, die mir in meinem Leben geholfen haben – meinen wahren Freunden, die zu mir gehalten haben, als meine Welt in Stücke ging: Bischof Ed Broderick, Bill Curran, Vic Damone, Alejandro deTomaso, Bill Fugazy, Frank Klotz, Walter Murphy, Bill Winn und Gio, meinem Friseur. Und meinem Arzt, James Barron, der mir geholfen hat, Leib und Seele zusammenzuhalten.

Ich möchte der »Gang« danken, die ihren behaglichen Ruhestand aufgab, um mir bei Chrysler zu helfen – Paul Bergmoser, Don DeLa-Rossa, Gar Laux, Hans Matthias und John Naughton – und den Jungtürken wie Jerry Greewald, Steve Miller, Leo Kelmenson und Ron DeLuca, die ihre guten und sicheren Jobs verließen und die Ärmel hochkrempelten, um eine todgeweihte Firma zu retten.

In meinen achtunddreißig Jahren in der Autoindustrie war ich mit drei Sekretärinnen gesegnet, die mir einen guten Ruf verschafften. Die erste war Betty Martin, eine Person mit solchem Talent, daß neben ihr viele Ford-Manager verblaßten. Die zweite, Dorothy Carr, verließ Ford an dem Tag, an dem ich gefeuert wurde, und folgte mir aus purer Loyalität zu Chrysler, obwohl sie dadurch ihre Pension gefährdete. Und die dritte, meine jetzige Sekretärin Bonnie Gatewood, eine altbewährte Chrysler-Kraft, kann beiden das Wasser reichen.

Ich bin meinen alten Freunden von Ford dankbar, den wenigen kostbaren Freunden, die mir in den düsteren Zeiten die Treue hielten:

Calvin Beauregard, Hank Carlini, Jay Dugan, Matt McLaughlin, John Morissey, Wes Small, Hal Sperlich und Frank Zimmerman.

Ich möchte Nessa Rapaport, meiner Lektorin, danken, die dafür sorgte, daß dieses Buch »Ein Montagsauto« wurde; den Leuten von Bantam Books, die so viel Mühe aufwandten, insbesondere Jack Romanos, Stuart Applebaum, Heather Florence, Alberto Vitale und Lou Wolfe; und meinem unschätzbaren Mitautor, William Novak.

Und natürlich meinen Töchtern Kathi und Lia, die der eigentliche Mittelpunkt meines Lebens waren und immer noch sind.

# Zur Einführung

Wo immer ich hinkomme, stellen mir die Leute dieselben Fragen. Was ist das Geheimnis Ihres Erfolges? Warum hat Henry Ford Sie gefeuert? Wie haben Sie Chrysler gerettet?

Ich konnte diese Frage nie mit einem Satz beantworten, deshalb begann ich allmählich gewohnheitsmäßig zu sagen: »Wenn ich mein Buch schreibe, werden Sie es erfahren.«

Im Laufe der Jahre hörte ich mich das so oft sagen, daß ich schließlich anfing, selbst daran zu glauben. Am Ende blieb mir keine andere Wahl, als das Buch zu schreiben, über das ich so lange geredet hatte.

Warum ich es geschrieben habe? Sicher nicht, um berühmt zu werden. Die Fernsehspots für Chrysler hatten mich bereits berühmter gemacht, als ich je sein wollte.

Und ich habe es nicht geschrieben, um reich zu werden. Ich habe bereits alle materiellen Güter, die ein Mensch brauchen könnte. Deshalb widme ich jeden Pfennig, den ich mit diesem Buch verdiene, dem Joslin Diabetes Center in Boston.

Und ich habe dieses Buch nicht geschrieben, um mich an Henry Ford dafür zu rächen, daß er mich feuerte. Das habe ich bereits auf die altmodische amerikanische Weise getan – durch ein Duell auf dem Marktplatz.

Die Wahrheit ist, daß ich dieses Buch geschrieben habe, um die Chroniken zu berichtigen (und selbst Klarheit zu gewinnen), um die Geschichte meines Lebens bei Ford und bei Chrysler so zu erzählen, wie sie sich wirklich zutrug. Während ich daran arbeitete und mein Leben aufs neue durchlebte, dachte ich immer wieder an all die jungen

Menschen, denen ich begegne, wenn ich an Universitäten und Handelsschulen spreche. Wenn ihnen dieses Buch ein realistisches Bild der Faszination und Herausforderung der heutigen Großindustrie in Amerika geben kann und eine Idee davon, wofür es sich lohnt zu kämpfen, dann wird sich diese ganze Mühe gelohnt haben.

# Prolog

Sie sind im Begriff, die Geschichte eines Mannes zu lesen, der außergewöhnliche Erfolge erzielt hat. Aber in meinem Leben hat es auch ziemlich schlimme Zeiten gegeben. Ja, wenn ich auf meine 38 Jahre in der Autoindustrie zurückblicke, dann ist mir ein Tag am lebhaftesten in Erinnerung, der nicht das geringste mit neuen Autos, Beförderungen und Gewinnen zu tun hatte.

Ich kam als Sohn von Einwanderern zur Welt, und ich arbeitete mich bis zum Präsidentenstuhl der Ford Motor Company hoch. Als ich da schließlich ankam, fühlte ich mich wie die Nummer Eins in der Welt. Aber dann sagte das Schicksal zu mir: »Warte. Wir sind noch nicht fertig mit dir. Du wirst es erleben, was es heißt, vom Mount Everest heruntergekickt zu werden!«

Am 13. Juli 1978 wurde ich entlassen. Ich war acht Jahre Präsident von Ford und 32 Jahre Mitarbeiter dieses Unternehmens gewesen. Ich hatte noch nie woanders gearbeitet. Und jetzt war ich plötzlich arbeitslos. Es war mörderisch.

Offiziell sollte mein Anstellungsverhältnis in drei Monaten enden. Aber laut der von mir eingereichten »Kündigung« sollte ich im Anschluß an diese Frist ein Büro zur Benutzung erhalten, bis ich einen neuen Job fand.

Am 15. Oktober, meinem letzten Tag im Büro und rein zufällig meinem 54. Geburtstag, fuhr mich mein Chauffeur zum letztenmal ins »Welthauptquartier« in Dearborn. Bevor ich das Haus verließ, küßte ich meine Frau Mary und meine beiden Töchter Kathy und Lia. Meine Familie hatte während meiner letzten, turbulenten Monate bei Ford furchtbar gelitten, und das erfüllte mich mit Wut. Vielleicht hatte ich mein eigenes Schicksal selbst verschuldet. Aber was war mit Mary und den Mädchen? Warum mußten sie das durchmachen? Sie waren die unschuldigen Opfer des Despoten, dessen Name das Gebäude zierte.

Auch heute ist ihr Schmerz immer noch in mir lebendig. Es ist wie mit der Löwin und ihren Jungen. Wenn der Jäger weiß, was ihm guttut, läßt er die Kleinen in Frieden. Henry Ford hat meinen Kindern Leid zugefügt; das werde ich ihm niemals vergessen.

Gleich am nächsten Tag stieg ich in mein Auto und machte mich auf den Weg in mein neues Büro. Es befand sich in einem obskuren Lagerhaus in der Telegraph Road, wenige Kilometer vom World Headquarters entfernt. Aber für mich war es wie ein Besuch auf einem anderen Planeten.

Ich war nicht ganz sicher, wo sich das Büro befand und brauchte ein paar Minuten, um das richtige Gebäude zu finden. Als ich schließlich dort anlangte, wußte ich nicht einmal, wo ich parken sollte.

Wie sich herausstellte, waren eine Menge Leute da, die es mir zeigten. Irgend jemand hatte die Medien alarmiert, daß der eben abgesetzte Präsident von Ford an diesem Morgen hier zur Arbeit erscheinen würde, und es hatte sich eine kleine Meute eingefunden, um mich in Empfang zu nehmen. Ein Fernsehreporter stieß mir ein Mikrophon vors Gesicht und fragte mich: »Wie fühlen Sie sich jetzt, wo Sie nach acht Jahren an der Spitze in dieses Lagerhaus kommen?«

Ich brachte es nicht fertig, ihm zu antworten. Was hätte ich sagen können? Als ich außer Kamerareichweite war, murmelte ich die Wahrheit. »Ich fühle mich beschissen«, sagte ich.

Mein neues Büro war nicht viel größer als eine Zelle, es enthielt nichts außer einem kleinen Schreibtisch und einem Telefon. Meine Sekretärin, Dorothy Carr, war bereits da; sie hatte Tränen in den Augen. Wortlos zeigte sie auf die Risse im Linoleumboden und die beiden Kaffeetassen aus Plastik auf dem Schreibtisch. Noch gestern hatten wir beide in einer Luxuswelt gearbeitet. Das Büro des Präsidenten hatte die Größe einer Suite in einem Grand Hotel. Ich hatte mein eigenes Bad. Ich hatte sogar meine eigenen Wohnräume. Als Ford-Chef wurde ich von weißbefrackten Kellnern bedient, die den ganzen Tag zur Verfügung standen. Einmal nahm ich italienische Verwandte mit ins Büro, um ihnen meinen Arbeitsplatz zu zeigen. Sie glaubten, sie seien gestorben und in den Himmel gekommen.

Heute hätte ich eine Million Meilen davon entfernt sein können. Einige Minuten nach meiner Ankunft kam der Lagerverwalter vorbei, um mir einen Höflichkeitsbesuch abzustatten. Er bot an, mir vom Automaten im Gang eine Tasse Kaffee zu holen. Es war eine freundliche Geste, aber meine Deplaziertheit an diesem Ort machte uns beide verlegen.

Für mich war das Sibirien. Es war die Verbannung in den letzten Winkel des Königreichs. Ich war so vor den Kopf geschlagen, daß ich einige Minuten brauchte, um mir klarzumachen, daß ich keinen Grund hatte zu bleiben. Ein Telefon hatte ich zu Hause auch, und die Post konnte mir jemand bringen. Ich verließ den Bau noch vor 10 Uhr und setzte keinen Fuß mehr dorthin.

Diese letzte Demütigung war noch viel schlimmer als die Entlassung. Es reichte, um in mir Mordlust zu wecken – ich war nicht ganz sicher, wen ich umbringen wollte, Henry Ford oder mich. Mord oder Selbstmord kamen zwar nie ernsthaft in Frage, aber ich fing an, etwas mehr zu trinken – und viel mehr zu zittern. Ich hatte wirklich das Gefühl, auszuklinken.

Auf seinem Lebensweg gelangt man an Tausende von kleinen Gabelungen und an ein paar ganz große – die Augenblicke der Abrechnung, Augenblicke der Wahrheit. An einem solchen Scheideweg befand ich mich, als ich darüber nachgrübelte, was ich tun sollte. Sollte ich alles zusammenpacken und mich zur Ruhe setzen? Ich war 54 Jahre alt. Ich hatte bereits eine Menge geschafft. Finanziell war ich abgesichert. Ich konnte es mir leisten, den Rest meines Lebens Golf zu spielen.

Im Leben eines jeden Menschen gibt es Zeiten, in denen aus Unglück Fortschritt erwächst. Es gibt Zeiten, wo einem die Dinge so schlimm erscheinen, daß man das Schicksal bei den Hörnern packen und schütteln muß. Ich bin überzeugt, daß es dieser Morgen im Lagerhaus war, der mich wenige Wochen später bewog, die Präsidentschaft von Chrysler zu übernehmen.

Die persönliche Kränkung hätte ich ertragen können. Aber diese gezielte öffentliche Demütigung war zuviel für mich. Ich war voller Aggressionen, und ich hatte eine simple Wahl: Ich konnte diese Aggressionen gegen mich selbst richten, mit katastrophalen Folgen.

Oder ich konnte einen Teil dieser Energie dazu benutzen, um etwas Produktives zu tun.

»Mach dich nicht verrückt!« riet mir Mary, »zahl es ihnen heim!« In Zeiten der Not und des Mißgeschicks ist es immer am besten, möglichst aktiv zu sein und die eigene Wut und Energie in etwas Positives hineinzupowern.

Wie sich herausstellte, kam ich vom Regen in die Traufe. Ein Jahr nachdem ich meinen Vertrag unterschrieben hatte, war Chrysler nur noch eine Haaresbreite vom Bankrott entfernt. Es gab viele Tage bei Chrysler, an denen ich mich fragte, wie ich mich in diesen Schlamassel hineinwühlen konnte. Von Ford gefeuert worden zu sein, war schlimm genug. Aber bei Chrysler mit dem sinkenden Schiff unterzugehen, war mehr, als ich verdient hatte.

Zum Glück erholte sich Chrysler von seiner Begegnung mit dem Tod. Heute bin ich ein Held. Aber das ist merkwürdigerweise alles auf diesen Augenblick der Wahrheit in dem Lagerhaus zurückzuführen. Mit Entschlossenheit, mit Glück und mit der Hilfe vieler guter Leute gelang es mir, mich wieder aus dem Staub zu erheben.

Jetzt will ich Ihnen meine Geschichte erzählen.

# MADE IN AMERICA

# I
# Die Familie

Nicola Iacocca, mein Vater, kam 1902 im Alter von zwölf Jahren nach Amerika – arm, allein und voll Angst. Er pflegte zu sagen, das einzige, woran er glaubte, als er hier ankam, war, daß die Welt rund sei. Und das nur deshalb, weil ihm ein anderer italienischer Junge namens Christoph Columbus fast auf den Tag genau 410 Jahre vorausgegangen war.

Als das Schiff in den Hafen von New York einlief, stand mein Vater an der Reling und erblickte die Freiheitsstatue, dieses große Symbol der Hoffnung für Millionen von Einwanderern. Als er auf seiner zweiten Überfahrt die Statue wiedersah, war er ein frischgebackener amerikanischer Staatsbürger – und hatte nur seine Mutter, seine junge Frau und die Hoffnung an seiner Seite. Für Nicola und Antoinette war Amerika das Land der Freiheit – der Freiheit, alles zu werden, was man sein wollte, wenn der Wunsch nur stark genug war und man bereit war, dafür zu arbeiten.

Dies war die einzige Lektion, die mein Vater seinen Kindern vermittelte. Ich kann nur hoffen, daß meine eigene auf ebenso fruchtbaren Boden fällt.

In meiner Jugend in Allentown, Pennsylvania, hielt meine Familie so eng zusammen, daß ich manchmal das Gefühl hatte, daß wir eine einzige aus vier Teilen bestehende Person seien.

Meine Eltern gaben meiner Schwester Delma und mir immer das Gefühl, wichtig und etwas Besonderes zu sein. Nichts war ihnen zuviel Arbeit oder zuviel Mühe. Auch wenn mein Vater mit einem Dutzend anderer Sachen beschäftigt war, hatte er dennoch immer Zeit für uns. Meine Mutter war immer bereit, unser Lieblingsessen zu kochen, nur um uns glücklich zu machen. Bis zum heutigen Tag kocht sie mir jedesmal, wenn ich zu Besuch komme, meine zwei Lieblingsgerichte – Hühnersuppe mit kleinen Kalbfleischklößen und Ravioli, gefüllt mit Ricotta-Käse. Von all den großartigen neapolitanischen Köchinnen muß sie eine der besten sein.

Mein Vater und ich standen einander sehr nahe. Ich liebte es, ihm eine Freude zu machen, und er platzte fast vor Stolz über meine Leistungen. Wenn ich in der Schule einen Rechtschreibwettbewerb gewann, war er im siebten Himmel. In späteren Jahren rief ich meinen Vater jedesmal sofort an, wenn ich befördert wurde, und er hatte nichts Dringenderes zu tun, als es allen seinen Freunden zu erzählen. Sooft ich bei Ford ein neues Auto herausbrachte, wollte er der erste sein, der es fuhr. Und als ich 1970 zum Präsidenten der Ford Motor Company ernannt wurde, weiß ich nicht, wer von uns beiden darüber mehr aus dem Häuschen war.

Wie viele gebürtige Italiener zeigten meine Eltern ihre Gefühle und ihre Liebe sehr offen – nicht nur zu Hause, sondern auch in der Öffentlichkeit. Die meisten meiner Freunde umarmten niemals ihre Väter. Ich nehme an, sie hatten Angst davor, nicht stark und unabhängig zu erscheinen. Aber ich umarmte und küßte meinen Vater bei jeder Gelegenheit – nichts erschien mir natürlicher.

Er war ein rastloser und erfinderischer Mensch, der ständig neue Dinge ausprobierte. Einmal kaufte er zwei Feigenbäume und fand tatsächlich eine Möglichkeit, sie in dem rauhen Klima von Allentown großzuziehen. Er war auch der erste Mensch in der Stadt, der sich ein Motorrad kaufte – eine alte Harley Davidson, mit der er über die ungepflasterten Straßen unserer kleinen Stadt preschte. Leider kamen mein Vater und sein Motorrad nicht besonders gut miteinander aus. Der heiße Ofen warf ihn so oft ab, daß er sich schließlich von ihm trennte. Die Folge war, daß er nie wieder Vertrauen zu einem Fahrzeug mit weniger als vier Rädern faßte.

Wegen des verdammten Motorrads durfte ich in meiner Jugend kein Fahrrad haben. Wenn ich Radfahren wollte, mußte ich mir von einem Freund ein Rad leihen. Dafür ließ mich mein Vater ans Steuer seines Autos, sobald ich sechzehn war. Auf diese Weise war ich das einzige Kind in Allentown, das von einem Dreirad direkt auf einen Ford umstieg.

Mein Vater liebte Autos. Tatsächlich besaß er eines der ersten *Model Ts*. Er zählte zu den wenigen Einwohnern von Allentown, die Autofahren konnten, und er bastelte immer an Autos herum und zerbrach sich den Kopf, wie man sie verbessern könnte. Wie jeder Autofahrer in der damaligen Zeit hatte er häufig Reifenpannen. Jahrelang suchte er besessen nach einer Möglichkeit, mit einem Platten noch ein paar Meilen weit fahren zu können. Bis zum heutigen Tag denke ich immer an meinen Vater, sooft sich auf dem Reifensektor eine neue Entwicklung abzeichnet.

Er war in Amerika verliebt, und er verfolgte seinen amerikanischen Traum mit seiner ganzen Kraft. Als der Erste Weltkrieg ausbrach, meldete er sich freiwillig zur Armee – teils aus Patriotismus und teils, wie er mir später gestand, um etwas größeren Einfluß über sein Geschick zu erlangen. Er hatte hart gearbeitet, um nach Amerika zu kommen und die Staatsbürgerschaft zu erhalten, und ihn schauderte vor der Aussicht, nach Europa zurückgeschickt zu werden, um in Italien oder Frankreich zu kämpfen. Zu seinem Glück wurde er in Camp Crane stationiert, einem Ausbildungszentrum der Armee, das sich nur wenige Meilen von seinem Haus entfernt befand. Da er Autofahren konnte, erhielt er die Aufgabe, Ambulanzfahrer auszubilden.

Nicola Iacocca war aus San Marco – etwa dreißig Kilometer nördlich von Neapel in der italienischen Provinz Campania – nach Amerika gekommen. Wie so viele Einwanderer, war er voller Ehrgeiz und Hoffnung. In Amerika wohnte er kurze Zeit bei seinem Stiefbruder in Garrett, Pennsylvania. Dort heuerte mein Vater in einem Kohlenbergwerk an, aber er haßte es so sehr, daß er nach einem Tag wieder kündigte. Er sagte häufig, das sei der einzige Tag in seinem Leben gewesen, an dem er für jemand anderen gearbeitet habe.

Er übersiedelte bald ostwärts nach Allentown, wo er einen weiteren Bruder hatte. Bis zum Jahr 1921 hatte er durch Gelegenheitsarbeiten, hauptsächlich als Schustergeselle, genügend Geld gespart, um nach San Marco zurückkehren und seine verwitwete Mutter herüberholen zu können. Er brachte schließlich aber auch meine Mutter nach Amerika mit. Während seines Aufenthalts in Italien verliebte sich der 31jährige Junggeselle in die 17jährige Tochter eines Schuhmachermeisters. Nach wenigen Wochen heirateten sie.

Im Lauf der Jahre haben verschiedene Journalisten die Geschichte verbreitet (oder übernommen), daß meine Eltern ihre Flitterwochen am Lido von Venedig verbracht hätten und daß ich zur Erinnerung an diese glückliche Zeit Lido genannt worden sei. Es ist eine wunderschöne Geschichte, die nur einen Haken hat: sie ist nicht wahr. Mein Vater fuhr zwar an den Lido, aber vor der Hochzeit, nicht danach. Und da ihn der Bruder meiner Mutter begleitete, bezweifle ich, daß es ein sehr romantischer Urlaub war.

Die Überfahrt meiner Eltern nach Amerika war nicht leicht. Meine Mutter erkrankte an Typhus und verbrachte die ganze Seereise in der Krankenstation des Schiffes. Als sie in Ellis Island eintrafen, waren ihr alle Haare ausgegangen. Nach dem Gesetz hätte sie nach Italien zurückgeschickt werden müssen. Aber mein Vater war ein durchsetzungsfähiger, sehr beredter Mensch, der bereits gelernt hatte, sich in der neuen Welt zurechtzufinden. Irgendwie gelang es ihm, die Einwanderungsbeamten zu überzeugen, daß seine frisch angetraute Frau bloß seekrank sei.

Ich kam drei Jahre später, am 15. Oktober 1924, zur Welt. Mein Vater hatte inzwischen ein Hot-dog-Restaurant mit dem Namen *Orpheum Wiener House* eröffnet. Es war genau das richtige Geschäft für jemand ohne viel Bargeld. Das einzige, was er im Grunde brauchte, um anzufangen, waren ein Grill, ein Brötchenwärmer und ein paar Stühle.

Mein Vater hat mir immer zwei Dinge eingehämmert: Hüte dich vor kapitalintensiven Geschäften, denn zuletzt übernehmen dich doch die Banken. (Auf diesen Rat hätte ich besser hören sollen!) Wenn die Zeiten schlecht sind, geh in die Lebensmittelbranche, denn so schlimm es auch kommen mag, die Leute brauchen auf jeden Fall etwas zu essen. Tatsächlich gelang es dem *Orpheum Wiener House*, sich während der ganzen Wirtschaftskrise zu halten.

Später nahm er meine Onkel Theodore und Marco in das Geschäft herein. Bis heute braten Theodores Söhne Julius und Albert Iacocca immer noch Hot dogs in Allentown. Die Firma heißt jetzt Yocco's, denn etwa so sprachen die Pennsylvania Dutch, die deutschstämmigen Einwohner des Ortes, unseren Namen aus.

Ich war ziemlich nah daran, selbst in die Gastronomie einzusteigen. Im Jahr 1952 dachte ich ernsthaft daran, von Ford wegzugehen und eine Restaurantkette aufzuziehen. Die Ford-Vertretungen wurden als unabhängige Konzessionen vergeben, und ich hatte die Idee, daß man durch Vergabe von Restaurant-Konzessionen schnell reich werden könnte. Mein Plan war, zehn Fast-food-Filialen mit einer zentralen Einkaufsorganisation auf die Beine zu stellen. Das war lange bevor Ray Kroc von McDonald's auch nur davon träumte, und ich frage mich manchmal, ob ich meine wahre Berufung im Leben verfehlt habe. Wer weiß? Vielleicht hätte ich heute eine halbe Milliarde Dollar und eine große Aufschrift über dem Eingang: *Über zehn Milliarden Mahlzeiten serviert.*

Ein paar Jahre später machte ich tatsächlich meinen eigenen Laden auf, einen kleinen Sandwich Shop in Allentown mit dem Namen *The Four Chefs.* Dort wurden »Philadelphia Käsesteaks« verkauft, dünn geschnittenes Steak mit geschmolzenem Käse auf einem italienischen Brötchen. Mein Vater richtete den Laden ein, und ich steckte das Geld hinein. Er ging sehr gut – im Grunde zu gut, denn was ich eigentlich brauchte, war ein Abschreibungsunternehmen. Wir verdienten im ersten Jahr 125000 Dollar, was sich so verheerend auf meine Steuerklasse auswirkte, daß ich ihn wieder abstoßen mußte. Durch die *Four Chefs* machte ich zum erstenmal Bekanntschaft mit dem Frisieren von Bilanzen und dem progressiven Charakter unserer Steuergesetze.

Faktisch war ich im Lebensmittelgeschäft, lange bevor ich etwas mit Autos zu tun hatte. Als ich zehn war, wurde in Allentown einer der ersten Supermärkte des Landes eröffnet. Nach der Schule und an Wochenenden stellten sich meine kleinen Kumpel und ich mit unseren roten Karren an der Tür auf wie eine Reihe von Taxis vor einem Hotel. Wir boten den herauskommenden Kunden an, gegen ein kleines Trinkgeld ihre Tüten nach Hause zu befördern. Rückblickend erscheint es mir durchaus vernünftig; ich war sozusagen im Transportsektor der Lebensmittelindustrie tätig.

Als Teenager hatte ich einen Wochenendjob in einem Obstladen, der einem Griechen namens Jimmy Kritis gehörte. Ich stand vor Morgengrauen auf, um auf den Markt zu fahren und dort einzukaufen, er zahlte mir zwei Dollar pro Tag – plus soviel Obst und Gemüse, wie ich nach einem sechzehnstündigen Arbeitstag nach Hause schleppen konnte.

Mein Vater hatte inzwischen bereits andere Unternehmungen neben dem *Orpheum Wiener House.* Schon früh beteiligte er sich an einer im ganzen Land vertretenen Kette namens *U-Drive-It,* eine der ersten Mietwagenfirmen. Im Laufe der Zeit baute er sich einen Fuhrpark von etwa 30 Autos, überwiegend Fords, auf. Mein Vater war auch mit einem gewissen Charly Charles befreundet, dessen Sohn Edward Charles bei einem Ford-Händler arbeitete. Ed übernahm später selbst eine Vertretung und führte mich da in die faszinierende Welt des Autohandels ein. Als ich fünfzehn war, hatte mich Eddie bereits für die Idee gewonnen, in das Autogeschäft einzusteigen. Von diesem Tag an waren alle meine Energien genau auf dieses Ziel gerichtet.

Meinem Vater verdanke ich wahrscheinlich meinen Instinkt für das Marketing. Er besaß auch einige Kinos; eines davon, das *Franklin*, ist noch heute in Betrieb. Alteingesessene Bewohner von Allentown erzählten mir, mein Vater sei ein solches Verkaufsgenie gewesen, daß die Kinder, die die Samstag-Matinees besuchten, auf seine Sonderangebote schärfer waren als auf die Filme. Die Leute reden heute noch davon, daß er einmal ankündigte, die zehn Kinder mit den schmutzigsten Gesichtern würden umsonst reinkommen.

Heute wird das *Franklin* kaum noch von Jugendlichen besucht. Es heißt jetzt *Jenrette*, und statt Tom Mix und Charlie Chaplin laufen dort jetzt Pornos.

In wirtschaftlicher Hinsicht ging es mit unserer Familie mal bergauf und mal bergab. Wie vielen Amerikanern ging es uns in den zwanziger Jahren gut. Mein Vater begann, neben seinen anderen Geschäften mit Immobilien viel Geld zu verdienen. Einige Jahre lang waren wir ziemlich wohlhabend. Aber dann kam die Depression, die große Krise.

Niemand, der sie miterlebt hat, wird das je vergessen. Mein Vater verlor sein ganzes Geld, und wir büßten beinahe unser Haus ein. Ich erinnere mich, wie ich meine Schwester, die ein paar Jahre älter ist, fragte, ob wir ausziehen müßten und wo wir dann unterkommen könnten. Ich war damals erst sechs oder sieben Jahre alt, aber die Angst, die ich vor der Zukunft hatte, steckt mir noch in den Knochen. Schlechte Zeiten sind unauslöschlich. Sie bleiben einem bis ans Lebensende gegenwärtig.

In diesen schwierigen Jahren erwies sich meine Mutter als sehr findig. Sie war eine echte Einwanderermutter, das Rückgrat der Familie. Ein Suppenknochen für ein paar Pfennige wurde in unserem Haus mehrfach verwertet, und wir hatten immer genug zu essen. Ich erinnere mich, daß sie häufig Junghühner kaufte – drei Stück für 25 Cents – und sie selbst schlachtete, weil sie sich nicht darauf verlassen wollte, daß der Fleischer sie frisch verkaufte. Als sich die Krise verschlimmerte, half sie im Restaurant meines Vaters aus. Einmal arbeitete sie in einer Seidentextilfabrik, wo sie Hemden nähte. Was auch nötig war, um uns über Wasser zu halten, sie nahm es gern auf sich. Sie ist heute noch eine schöne Frau – die jünger aussieht als ich.

Wie so viele Familien damals, hielt auch uns der starke Glaube an Gott aufrecht. In unserer Familie wurde sehr viel gebetet. Ich mußte jeden Sonntag zur Messe gehen und alle ein, zwei Wochen die heilige Kommunion empfangen. Ich brauchte einige Jahre, um ganz zu begreifen, warum ich vor einem Priester eine gute Beichte ablegen mußte, bevor ich zur Kommunion ging, aber als Halbwüchsiger begann ich, die Bedeutung dieses am häufigsten mißverstandenen Ritus der katholischen Kirche zu erfassen. Ich mußte mir meine Verfehlungen gegen meine Freunde nicht nur eingestehen; ich mußte sie laut aussprechen. In späteren Jahren fühlte ich mich nach der Beichte vollkommen erfrischt. Ich begann sogar an Wochenend-Exerzitien teilzunehmen, bei denen mir Jesuiten in der Gewissenserforschung unter vier Augen halfen, mir über meine Lebensführung klarzuwerden.

Die Notwendigkeit, regelmäßig Gut und Böse abzuwägen, erwies sich als die beste Therapie, die ich je hatte.

Trotz mancher schlechten Zeiten erlebten wir auch viel Freude. Damals gab es noch kein Fernsehen, deshalb beschäftigten sich die Menschen stärker miteinander. Am Sonntag nach der Kirche war unser Haus immer voll mit Verwandten und Freunden, es wurde gelacht, Pasta gegessen und Rotwein getrunken. Wir lasen damals auch viele Bücher, und an jedem Sonntagabend versammelten wir uns natürlich um das alte Philco-Radio, um uns unsere Lieblingssendungen wie *Edgar Bergen, Charlie McCarthy* und *Inner Sanctum* anzuhören.

Für meinen Vater war die Depression jedoch der Schock seines Lebens. Er kam nie darüber hinweg. Nach jahrelangem Kampf hatte er schließlich viel Geld gemacht. Und dann war fast über Nacht alles weg. Als ich klein war, pflegte er zu sagen, ich müsse zur Schule gehen, um zu lernen, was das Wort »Depression« bedeute. Er selbst hatte nur die vierte Klasse abgeschlossen. »Wenn mir jemand gesagt hätte, was eine Depression ist«, sagte er oft, »dann hätte ich nicht mit Hilfe von Hypotheken eine Firma nach der anderen gegründet.«

Das war 1931. Ich war erst sieben, aber ich wußte schon damals, daß etwas ganz fürchterlich schiefgelaufen war. Später an der Universität lernte ich alles über Konjunkturzyklen, und bei Ford und Chrysler lernte ich, wie man sie übersteht. Aber die Erfahrungen unserer

Familie gaben mir einen frühen Vorgeschmack kommender Entwicklungen.

Meine Eltern photographierten sehr gern, und das Photoalbum unserer Familie erzählt mir viel. Von der Geburt bis zu meinem sechsten Lebensjahr bin ich mit Satinschuhen und gestickten Jacken bekleidet. Auf den Babyphotos halte ich eine silberne Rassel in der Hand. Plötzlich, etwa ab 1930, beginnen meine Kleider etwas verbeult auszusehen. Meine Schwester und ich bekamen keine neuen Sachen mehr. Ich begriff das nicht wirklich, und da war etwas, was mein Vater mir nicht erklären konnte. Wie kann man zu einem Kind sagen: »Ich habe alles bis auf mein letztes Hemd verloren, mein Junge, aber ich weiß nicht, warum«?

Durch die Depression wurde ich zu einem Materialisten. Jahre später, als ich meinen Studienabschluß machte, war meine Einstellung: »Bleibt mir mit Philosophie vom Leibe. Wenn ich 25 bin, möchte ich zehntausend im Jahr verdienen und dann Millionär werden.« Ich war nicht an einem wohlklingenden Titel interessiert; mir ging es um Kohle.

Auch heute noch, als »arbeitender Reicher«, lege ich mein Geld auf sehr konservative Weise an. Ich fürchte mich nicht davor, arm zu werden, aber irgendwo im Hinterkopf sitzt immer noch das Bewußtsein, daß der Blitz wieder einschlagen kann und meine Familie dann nicht genug zu essen hat.

Ganz gleich, wie es mir finanziell gerade geht, die Depression ist nie aus meinem Bewußtsein verschwunden. Bis zum heutigen Tag hasse ich Verschwendung. Als die Krawattenmode von schmal zu breit wechselte, hob ich alle meine alten Binder auf, bis schmal wieder modern war. Essen wegzuwerfen, ein halbes Steak vom Teller in den Mülleimer zu schieben, macht mich immer noch wahnsinnig. Es ist mir gelungen, diese Einstellung auch meinen Töchtern zu vermitteln, und ich habe bemerkt, daß sie nur dann Geld ausgeben, wenn sie einen guten Gegenwert bekommen – jedenfalls fliegen sie auf Sonderangebote!

Während der Wirtschaftskrise kamen die Schecks meines Vaters mehr als einmal mit der unvergeßlichen Aufschrift »ungenügende Deckung« zu ihm zurück. Das brachte ihn jedesmal aus der Fassung, weil Kreditwürdigkeit in seinen Augen unerläßlich für die Integrität einer Person oder eines Unternehmens war. Er predigte Delma und mir ständig sein Evangelium finanzieller Verantwortlichkeit, das heißt nicht mehr auszugeben als wir einnahmen. Die Inanspruchnahme von Krediten war für ihn die Wurzel allen Übels. Kein Mitglied unserer Familie durfte je eine Kreditkarte benutzen oder je irgend etwas auf Pump kaufen – und das blieb so bis zuletzt!

In dieser Hinsicht war mein Vater seiner Zeit etwas voraus. Er sah vorher, daß das Verantwortungsgefühl der Menschen in bezug auf Geld durch Ratenkäufe und Verschuldung unterminiert werden würde. Er sagte voraus, daß die leichte Verfügbarkeit von Krediten schließlich unsere gesamte Gesellschaft verseuchen und aushöhlen würde und daß die Verbraucher in Schwierigkeiten geraten würden, sobald sie anfingen, mit ihren kleinen Kreditkarten so umzugehen, als stünde dahinter ein gefülltes Bankkonto. »Wenn du dir etwas ausborgst«, pflegte er zu mir zu sagen, »selbst zwanzig Cents von einem Schulkameraden, dann schreib dir's auf, damit du nicht vergißt, es zurückzuzahlen.«

Ich fragte mich oft, wie er reagiert hätte, wenn er noch erlebt hätte, wie ich mich 1981 verschuldete, um die Chrysler Corporation über Wasser zu halten. Es handelte sich um viel mehr als zwanzig Cents: die Gesamtsumme der Darlehen betrug 1,2 Milliarden Dollar. Obwohl ich mich an den Rat meines Vaters erinnerte, hatte ich das komische Gefühl, daß ich dieses Darlehen nicht vergessen würde, auch wenn ich es mir nicht aufschrieb.

Man sagt, daß Menschen ihrem Geldbeutel entsprechend wählen; das traf auf meinen Vater zweifellos zu: seine politischen Ansichten änderten sich mit seinem Einkommen. Als wir arm waren, waren wir Demokraten. Die Demokraten waren, wie jeder wußte, die Partei des kleinen Mannes. Sie vertraten die Auffassung, daß man imstande sein sollte, seine Familie zu ernähren und seinen Kindern eine gute Erziehung zukommen zu lassen, wenn man bereit war, hart zu arbeiten und nicht zu gammeln.

Aber wenn die Zeiten gut waren – vor der Wirtschaftskrise und dann wieder, als sie schließlich vorbei war –, waren wir Republikaner. Schließlich hatten wir hart für unser Geld gearbeitet, und wir verdienten, es zu behalten.

Als Erwachsener machte ich eine ähnliche politische Wandlung durch. Solange ich bei Ford und die Welt noch in Ordnung war, war ich ein Republikaner. Aber als ich die Führung bei Chrysler übernahm und mehrere hunderttausend Menschen plötzlich in Gefahr waren, ihre Arbeit zu verlieren, erwiesen sich die Demokraten als diejenigen, die pragmatisch genug waren, das Nötige zu tun. Wenn sich die Chrysler-Krise unter einer republikanischen Regierung ereignet hätte, wäre der Konzern den Bach runtergegangen, bevor man »Herbert Hoover« sagen kann.

Immer wenn es in unserer Familie hart auf hart ging, war es mein Vater, der uns Mut machte. Was auch immer passierte, er war stets für uns da. Er war ein Philosoph, voll kleiner Sprüche und Weisheiten über den Lauf der Welt. Seine Lieblingsmaxime war, daß das Leben seine Höhen und Tiefen habe und daß jeder Mensch mit seinem eigenen Bündel an Problemen fertig werden müsse. »Du mußt dich im Leben mit ein bißchen Kummer abfinden«, sagte er zu mir, wenn ich bedrückt war wegen einer schlechten Note in der Schule oder irgendeiner anderen Enttäuschung. »Du wirst nie wirklich wissen, was Glück ist, wenn du nicht etwas hast, womit du es vergleichen kannst.«

Andererseits konnte er keinen von uns unglücklich sehen und versuchte immer, uns aufzuheitern. Sooft ich mir über etwas Sorgen machte, sagte er: »Sag mir, Lido, worüber hast du dich vorigen Monat so aufgeregt? Oder letztes Jahr? Siehst du, du weißt es nicht einmal mehr! Und darum ist vielleicht auch das, was dir heute so zu schaffen macht, in Wirklichkeit gar nicht so schlimm. Vergiß es und denk an morgen.«

In schweren Zeiten war immer er der Optimist. »Warte nur«, sagte er immer zu mir, wenn alles finster aussah, »die Sonne wird wieder herauskommen. Sie hat es immer noch getan.« Viele Jahre später, als ich mich bemühte, Chrysler vor dem Bankrott zu retten, fehlten mir die tröstlichen Worte meines Vaters. Ich sagte mir: »Na, Papa, wo bleibt die Sonne, sag mir das!« Er hatte es nie zugelassen, daß sich einer von uns der Verzweiflung hingab, und ich muß gestehen, daß es 1981 mehr als einen Augenblick gab, in dem ich drauf und dran war, das Handtuch zu werfen. Ich behielt in diesen Wochen meinen Kopf oben, indem ich mir seinen Lieblingsspruch vorsagte: »Im Augenblick sieht es übel aus, aber denk daran, auch das geht vorüber.«

Ein absoluter Tick von ihm war, daß man in allem, was man tat, sein Bestes zu geben hatte. Wenn wir in ein Restaurant gingen und die Kellnerin unhöflich war, dann rief er sie nach dem Essen zu sich und verpaßte ihr seine übliche Standpauke: »Ich gebe Ihnen einen echten Tip«, hob er an (Tip bedeutet im Englischen außerdem Trinkgeld – Anm. d. Übers.). »Warum sind Sie so unglücklich in diesem Job? Zwingt Sie jemand, Kellnerin zu sein? Wenn Sie unfreundlich sind, dann signalisieren Sie allen, daß Ihnen Ihre Arbeit keinen Spaß macht. Wir wollen uns gut unterhalten, und Sie vermiesen uns die Stimmung. Wenn Sie wirklich eine Kellnerin sein wollen, dann sollten Sie daran arbeiten, die verdammt noch mal beste Kellnerin der Welt zu sein. Wenn nicht, suchen Sie sich einen anderen Beruf.«

In seinen eigenen Restaurants pflegte er jeden Angestellten sofort zu feuern, der zu einem Kunden unhöflich war. Er sagte zu dem oder der Betreffenden: »Sie können hier nicht arbeiten, ganz egal, wie gut Sie sind, weil Sie die Kunden verscheuchen.« Das traf den Kern der Sache, und ich glaube, ich bin genauso. Ich finde immer noch, daß auch das größte Talent keine Entschuldigung für bewußte Grobheit ist.

Mein Vater mahnte mich immer, das Leben zu genießen, und er lebte selbst nach diesem Grundsatz. Soviel er auch arbeitete, er achtete immer darauf, genügend Zeit übrigzulassen, um Freude am Leben zu haben. Er kegelte gern und pokerte und hatte viel für gutes Essen und Trinken sowie speziell für gute Freunde übrig. Er freundete sich stets mit meinen Arbeitskollegen an. Ich glaube, daß er während meiner Jahre bei Ford dort mehr Leute kannte als ich.

Im Jahr 1971, zwei Jahre, bevor mein Vater starb, gab ich anläßlich der goldenen Hochzeit meiner Eltern ein großes Fest. Einer meiner Cousins arbeitete im amerikanischen Münzamt. Ihn beauftragte ich, eine Medaille zu entwerfen, die auf der einen Seite meine Eltern und auf der anderen die kleine Kirche in Italien zeigte, in der sie geheiratet hatten. Auf dem Fest erhielt jeder Gast diese Medaille in Bronze.

Im gleichen Jahr begleiteten meine Frau und ich meine Eltern nach Italien, wo sie ihre Heimatstadt besuchen und alle ihre alten Freunde und Verwandten wiedersehen wollten. Damals wußten wir bereits, daß mein Vater Leukämie hatte. Er erhielt alle zwei Wochen Bluttransfusionen und nahm ständig ab. Als wir ihn einmal mehrere Stunden lang aus den Augen verloren, fürchteten wir, er sei ohnmächtig geworden oder habe einen Zusammenbruch erlitten. Wir fanden ihn schließlich in einem winzigen Laden in Amalfi, wo er freudig erregt für alle seine Freunde in den USA Andenken aus Keramik kaufte.

Bis zu seinem Ende im Jahr 1973 tat er sein Bestes, das Leben zu genießen. Er tanzte und aß nicht mehr soviel, aber er war unerhört tapfer und voller Lebenswillen. Dennoch waren die letzten paar Jahre hart für ihn und auch für uns alle. Es war schwer zu ertragen, ihn so hinfällig zu sehen – und noch schwerer, nichts dagegen tun zu können.

Wenn ich mich jetzt an meinen Vater erinnere, sehe ich einen Mann von großer Vitalität und grenzenloser Energie vor mir. Einmal war ich in Palm Springs bei einer Konferenz der Ford-Händler, und ich lud meinen Vater ein, zu einem kurzen Urlaub hinzukommen. Nach dem Ende der Konferenz gingen einige von uns zum Golfspielen. Obwohl mein Vater nie im Leben auf einem Golfplatz gewesen war, forderten wir ihn auf, mitzukommen.

Sobald er den Ball geschlagen hatte, begann er ihm hinterherzulaufen – mit seinen siebzig Jahren rannte er den ganzen Weg. Ich mußte ihn ständig erinnern: »Papa, laß dir Zeit. Golf ist ein Spiel, bei dem man geht!«

Aber so war mein Vater. Er sagte immer: »Warum gehen, wenn man laufen kann?«

# II
# Schuljahre

Ich war elf Jahre alt, als mir gesagt wurde, daß wir Italiener seien. Bis dahin wußte ich zwar, daß wir aus Europa kamen, aber ich wußte nicht, aus welchem Land – oder wo es liegt. Ich erinnere mich, daß ich auf einer Landkarte von Europa tatsächlich nach Orten namens Spaghetti und Makkaroni suchte.

Damals versuchte man die Tatsache, daß man Italiener war, eher zu verbergen, besonders, wenn man in einer Kleinstadt lebte. In Allentown wohnten fast ausschließlich Pennsylvania-Deutsche, und als Kind mußte ich mir viele Hänseleien gefallenlassen, weil ich anders war. Manchmal wurde ich in Raufereien mit Jungen verwickelt, die mir Schimpfnamen nachriefen. Aber ich erinnerte mich an die Warnung meines Vaters: »Wenn er größer ist als du, dann schlag nicht zurück. Benutz dein Hirn und nicht deine Fäuste.«

Das Vorurteil gegen Italiener beschränkte sich leider nicht auf meine Altersgenossen. Es gab sogar einige Lehrer, die mich halblaut den »kleinen Spaghettifresser« nannten. Der Konflikt meiner Volkszugehörigkeit spitzte sich am 13. Juni 1933 zu, als ich in der dritten Klasse war. Ich erinnere mich genau an das Datum, weil der 13. Juni der Tag des heiligen Antonius war, ein wichtiges Ereignis in unserer Familie. Der Vorname meiner Mutter ist Antoinette, und mein zweiter Vorname ist Anthony. Deshalb feierten wir jedes Jahr am 13. Juni in unserem Hause ein großes Fest.

Bei dieser Gelegenheit machte meine Mutter stets Pizza. Sie stammt aus Neapel, dem Geburtsort der Pizza. Bis zum heutigen Tag bäckt meine Mutter die besten Pizzas im Lande, wenn nicht in der ganzen Welt.

In diesem Jahr feierten wir ein besonders schönes Fest mit unseren Freunden und Verwandten. Wie üblich war da auch ein riesiges Bierfaß. Schon im Alter von neun Jahren wurde mir gestattet, ein bißchen Bier zu nippen – solange ich es zu Hause und unter strenger Aufsicht tat. Vielleicht ist das der Grund, warum ich mich später an der Oberschule und am College nie vollaufen ließ. In unserem Hause war Alkohol (gewöhnlich hausgemachter Rotwein) ein selbstverständlicher Bestandteil des Lebens – aber immer in Maßen.

In jenen Jahren war Pizza in Amerika so gut wie unbekannt. Inzwischen zählt sie natürlich neben Hamburgers und Brathähnchen zu den amerikanischen Lieblingsgerichten. Aber damals hatte niemand, der nicht aus Italien kam, je davon gehört.

Am Morgen nach dem Fest begann ich gegenüber den anderen Kindern in der Schule anzugeben. »Mensch, hatten wir gestern eine Party!«

»Ach ja?« fragte mich jemand. »Was für eine Party?«

»Eine Pizza-Party«, antwortete ich.

»Eine Pizza-Party? Was für ein doofes Spaghettiwort ist denn das?« Alle lachten.

»Moment mal«, sagte ich. »Ihr eßt doch alle gern Pie.« Sie waren alle ziemlich dicklich, deshalb wußte ich, daß ich nicht falsch lag.

»Na ja, genau das ist eine Pizza. Ein Pie gefüllt mit Tomaten.«

Ich hätte aufhören sollen, solange ich die Nase vorn hatte, denn ihr Lachen wurde jetzt hysterisch. Sie hatten nicht die blasseste Ahnung, wovon ich redete. Aber sie wußten, wenn es etwas Italienisches war, mußte es schlecht sein. Das einzig Gute an dem ganzen Vorfall war, daß er sich gegen Ende des Schuljahres ereignete. Über den Sommer geriet die Pizza-Episode in Vergessenheit.

Aber in Wirklichkeit vergaß ich es nie. Diese Typen stopften sich täglich mit Siruppasteten voll, die so klebrig wie Fliegenpapier waren, aber es wäre mir nie eingefallen, sie auszulachen, weil sie Siruppasteten zum Frühstück aßen. Schließlich ist Amerika heute nicht mit Siruppasteten-Buden bepflastert. Aber der Gedanke, eines Tages ein Trendsetter zu sein, ist kein Trost für einen Neunjährigen.

Ich war nicht das einzige Opfer von Vorurteilen in meiner Klasse. Da waren auch zwei jüdische Kinder; ich war mit beiden befreundet.

Dorothy Warsaw war immer die Klassenbeste, und ich war meistens Zweiter. Das andere jüdische Kind, Benamie Sussman, war der Sohn eines orthodoxen Juden, der einen schwarzen Hut und einen Bart hatte. Die Sussmans wurden in Allentown wie Geächtete behandelt.

Die anderen Kinder hielten sich von diesen beiden fern, als hätten sie Lepra. Zuerst verstand ich es nicht. Aber in der dritten Klasse begann ich, es zu begreifen. Als Italiener rangierte ich etwas höher als die jüdischen Kinder – aber nicht viel. Ich sah niemals einen Schwarzen in Allentown, bis ich in die Oberschule kam.

Daß ich als Kind Vorurteilen ausgesetzt war, hat mich gezeichnet. Ich erinnere mich deutlich daran, und es hinterläßt immer noch einen schlechten Geschmack in meinem Mund.

Leider begegnete ich auch nach meinem Weggang von Allentown vielen Vorurteilen. Diesmal fand ich sie nicht bei Schulkindern, sondern bei Männern in mächtigen und angesehenen Positionen der Automobilindustrie. Im Jahr 1981, als ich Gerald Greenwald zum Vizepräsidenten von Chrysler ernannte, gab man mir zu verstehen, daß eine solche Ernennung noch nie dagewesen sei. Bis dahin war kein Jude je in die obersten Ränge der Großen Drei unter den amerikanischen Autoherstellern aufgestiegen. Ich kann mir nicht vorstellen, daß keiner qualifiziert gewesen wäre.

Rückblickend erinnere ich mich an bestimmte Episoden meiner Kindheit, die mir einen Vorgeschmack von der Welt der Erwachsenen gaben. Als ich in der sechsten Klasse war, fand die Wahl des Captains des Schüler-Ordnungsdienstes statt. Alle Ordner hatten weiße Gürtel und ein silbernes Abzeichen, aber der Captain hatte eine eigene Uniform mit besonderen Abzeichen. Ich wünschte mir sehnlichst, diese Uniform tragen zu dürfen, und war entschlossen, Captain zu werden.

Als die Stimmen ausgezählt waren, stellte sich heraus, daß ich 22 zu 20 gegen ein anderes Kind verloren hatte. Ich war bitter enttäuscht. Am nächsten Tag war ich bei einer Samstagnachmittags-Matinee in unserem Kino, wo wir gewöhnlich Tom-Mix-Filme sahen.

In der Reihe vor mir saß der größte Junge in unserer Klasse. Er drehte sich um und sah mich. »Du blöder Ithaker«, sagte er. »Du hast die Wahl verloren.«

»Ich weiß«, sagte ich. »Aber warum nennst du mich blöd?«

»Darum«, sagte er. »Wir sind nur 38 Kinder in der Klasse. Aber 42

Stimmen wurden abgegeben. Könnt ihr Spaghettis nicht einmal zählen?«

Mein Gegner hatte bei der Wahl geschummelt! Ich ging zur Lehrerin und sagte ihr, daß einige Kinder zwei Stimmen abgegeben hätten.

»Rühren wir da lieber nicht daran«, sagte sie zu mir. Sie vertuschte es. Sie wollte keinen Skandal. Dieser Vorfall machte einen tiefen Eindruck auf mich. Es war meine erste harte Lektion, daß es im Leben nicht immer gerecht zuging.

In jeder anderen Hinsicht fühlte ich mich jedoch in der Schule sehr wohl. Ich war ein fleißiger Schüler. Ich war auch der Liebling vieler meiner Lehrerinnen, die mich stets mit der Aufgabe auszeichneten, die Bleistifte zu spitzen, die Tafeln abzuwischen oder die Schulglocke zu läuten. Wenn man mich nach den Namen meiner Professoren im College oder an der Uni fragen würde, könnte ich kaum mehr als drei oder vier nennen. Aber ich erinnere mich immer noch an die Lehrerinnen, die mich in der Grund- und Oberschule unterrichteten.

Das Wichtigste, was ich in der Schule lernte, war, mich auszudrükken. Miss Raber, unsere Lehrerin in der neunten Klasse, ließ uns an jedem Wochenende einen Aufsatz von 500 Worten schreiben. Woche für Woche mußten wir diese verdammte Arbeit vorweisen. Aber am Ende des Jahres hatten wir gelernt, uns schriftlich mitzuteilen.

In der Klasse fragte sie uns über die Liste der Begriffe aus, die in jeder Nummer von *Readers Digest* enthalten ist. Ohne Vorwarnung riß sie sie aus dem Heft und gab uns den Vokabel-Test. Dies wurde mir zu einer bleibenden Gewohnheit – bis zum heutigen Tag schaue ich mir in jeder Ausgabe des *Digest* immer noch die Wörterliste an.

Nachdem wir einige Monate lang diese Tests gemacht hatten, kannten wir eine Menge Wörter. Aber wir wußten noch nicht, wie man sie gebraucht. An diesem Punkt begann Miss Raber mit uns freie Rede zu üben. Ich war gut darin und durfte deshalb in unser Diskussionsteam, das von Mr. Virgil Parks, unserem Lateinlehrer, geleitet wurde. Dort entwickelte ich meine rhetorischen Fähigkeiten und lernte zu extemporieren.

Zuerst hatte ich entsetzliche Angst. Meine Knie zitterten – und bis zum heutigen Tag habe ich etwas Lampenfieber, bevor ich eine Rede halte. Aber die Erfahrungen, die ich im Diskussionsteam gesammelt hatte, waren entscheidend. Man kann brillante Ideen haben, aber wenn man sie nicht vermitteln kann, dann nützt einem die ganze

Grütze nichts. Wenn man vierzehn ist, hilft einem nichts besser rhetorisch auf die Sprünge, als in der Frage »Sollte die Todesstrafe abgeschafft werden?« abwechselnd beide Standpunkte zu vertreten. Dies war ein heißes Eisen im Jahr 1938 – und ich glaube, ich habe beide Positionen mindestens 25mal verfochten.

Das nächste Jahr war ein Wendepunkt. Ich erkrankte an akutem Gelenkrheumatismus. Als ich zum erstenmal dieses Herzklopfen hatte, verlor ich fast das Bewußtsein – vor Angst. Ich dachte, das Herz springe mir aus der Brust. Mein Arzt sagte: »Mach dir keine Sorgen. Leg einen Eisbeutel darauf.« Ich geriet in Panik: Was sollte ich mit diesem Eisklumpen auf meiner Brust? Wahrscheinlich lag ich schon im Sterben!

Damals starb man tatsächlich noch an Gelenkrheumatismus. Behandelt wurde diese Krankheit mit Birkenrindenpillen, die die Infektion aus den Gelenken vertreiben sollten. Die waren so stark, daß man jede Viertelstunde Tabletten gegen Magensäure nehmen mußte, um nicht zu erbrechen. (Heute behandelt man natürlich mit Antibiotika.)

Gelenkrheumatismus ist immer eine Gefahr für das Herz. Aber ich hatte Glück. Obwohl ich achtzehn Kilo abnahm und sechs Monate im Bett verbrachte, wurde ich schließlich wieder ganz gesund. Aber ich werde nie diese Schienen mit den Wattebäuschchen vergessen, die mit Gaultheriaöl getränkt waren und die bösen Schmerzen in den Knien, Knöcheln, Ellbogen und Handgelenken lindern sollten. Zwar dämpften sie die inneren Schmerzen, dafür hatte man an der Haut Verbrennungen dritten Grades. Heute klingt das primitiv – aber Darvon und Demerol waren noch nicht erfunden.

Bevor ich krank wurde, war ich ein ganz guter Baseballspieler gewesen. Ich war ein großer Yankee-Fan, und Joe DiMaggio, Tony Lazzeri und Frankie Crossetti – lauter Italiener – waren meine Helden. Wie die meisten Jungen träumte ich davon, in einer der oberen Ligen zu spielen. Aber meine lange Krankheit machte mir einen Strich durch die Rechnung. Ich gab den Sport auf und begann Schach, Bridge und vor allem Poker zu spielen. Poker spiele ich immer noch gern, und ich gewinne meist. Man kann dabei vorzüglich lernen, wann man aus einem Vorteil Nutzen ziehen, wann man sich zurückhalten und wann man bluffen sollte. (Jahre später kam mir das bei schwierigen Verhandlungen mit den Gewerkschaften zweifellos zustatten!)

Vor allem entdeckte ich für mich, während ich da flach auf dem

Rücken lag, die Welt der Bücher. Ich las wie verrückt – alles, was mir in die Hände kam. Besonders gut gefielen mir die Geschichten von John O'Hara. Meine Tante brachte mir *Treffpunkt in Samarra*, ein ziemlich gewagtes Buch für die damalige Zeit. Als der Arzt es neben meinem Bett sah, flippte er beinahe aus. In seinen Augen war das kein Buch für einen Teenager mit Herzanfällen.

Jahre später, als mich Gail Sheehy für *Esquire* interviewte, erwähnte ich *Treffpunkt in Samarra*. Sie bemerkte, daß das ein Roman über Manager sei und fragte mich, ob ich glaubte, daß es mich bei der Wahl meiner Laufbahn beeinflußt habe. Keine Spur! Ich kann mich im Zusammenhang mit diesem Buch nur daran erinnern, daß es mein Interesse an Sex weckte.

Ich muß meine Nase aber auch in die Schulbücher gesteckt haben, denn in der Oberschule zählte ich jedes Jahr zu den Klassenbesten, mit lauter Einsern in Mathematik. Ich war im Latein-Club und gewann drei Jahre hintereinander einen Preis als bester Lateinschüler. Seit vierzig Jahren habe ich kein Wort davon benutzt! Allerdings war es eine Hilfe für meinen englischen Wortschatz, und ich war einer der wenigen Jugendlichen, die dem Pfarrer bei der Sonntagsmesse folgen konnten. Dann führte Papst Johannes die Messe in der Landessprache ein, und damit war auch dieser Nutzen erloschen.

Ein guter Schüler zu sein, war sehr wichtig für mich – aber es genügte mir nicht. Daneben liefen bei mir immer noch viele andere Dinge. In der High School war ich im Schauspiel-Club und im Debattier-Club aktiv. Nach meiner Krankheit, als ich nicht mehr am Sport teilnehmen konnte, wurde ich Manager des Schwimmerteams. Das bedeutete, daß ich die Handtücher trug und die Badeanzüge auswusch.

Schon in der siebten Klasse hatte ich eine Leidenschaft für Jazz und Swing entwickelt. Dies war die Big-Band-Ära, und meine Freunde und ich lauschten jedes Wochenende den Klängen der Big-Bands. Meist hörte ich bloß zu, obwohl ich den Shag und den Lyndy Hop ziemlich gut tanzen konnte. Wir gingen zum *Empire Ball Room* in Allentown und ins *Sunnybrook* in Pottstown, Pennsylvania. Wenn ich es mir leisten konnte, ging ich ins *Hotel Pennsylvania* in New York oder Frank Daleys *Meadowbrook* am Pompton Turnpike.

Einmal erlebte ich einen Wettstreit der Bands von Tommy Dorsey und Glenn Miller – alles für 88 Cents. Damals war Musik mein Leben.

Ich hatte *Downbeat* und *Metronome* abbonniert und kannte die Namen aller Musiker in allen bekannteren Bands.

Ich hatte inzwischen selbst angefangen, Tenorsaxophon zu spielen. Ich wurde sogar aufgefordert, in der Schulkapelle die erste Trompete zu spielen. Aber ich gab die Musik auf, um mich der Politik zuzuwenden. In der siebten und achten Klasse wollte ich Klassensprecher sein – und das wurde ich auch.

In der neunten Klasse kandidierte ich für das Amt des Schulsprechers. Jimmy Leiby, mein bester Freund, war ein Genie. Er wurde mein Wahlkampfmanager und zog einen richtigen politischen Apparat auf. Ich gewann die Wahl mit einem Sieg, der einem Erdrutsch gleichkam, und das stieg mir in den Kopf. Um im Jargon der damaligen Zeit zu sprechen, ich hielt mich wirklich für »Hot Shit«.

Aber sobald ich gewählt war, verlor ich den Kontakt mit meiner Basis. Ich hielt mich für etwas besser als die übrigen und begann, mich wie ein Snob zu benehmen. Ich hatte noch nicht gelernt, was ich inzwischen weiß – daß Kontaktfähigkeit alles ist.

Die Folge war, daß ich im zweiten Halbjahr die Wahl verlor. Das war ein schrecklicher Schlag. Ich hatte die Musik aufgegeben, um in der Schülervertretung zu sein, und jetzt war meine politische Laufbahn schon wieder zu Ende, weil ich nicht genug Hände geschüttelt hatte und freundlich gewesen war. Das war eine wichtige Lektion in bezug auf Führungsfähigkeit.

Trotz all meiner außerschulischen Befähigung landete ich beim Abitur unter 900 Schülern an zwölfter Stelle. Um Ihnen einen Begriff von den Erwartungen zu geben, mit denen ich aufwuchs – die Reaktion meines Vaters war: »Warum bist du nicht Erster geworden?« Wenn man ihn reden hörte, hätte man meinen können, ich sei durchgefallen!

Als ich mich aufs College vorbereitete, verfügte ich über eine solide Grundlage in den wichtigsten Fertigkeiten: Lesen, Schreiben und freie Rede. Mit guten Lehrern und der Fähigkeit, sich zu konzentrieren, kann man es mit diesen Kenntnissen ziemlich weit bringen.

Als mich später meine Kinder fragten, welche Fächer sie belegen sollten, habe ich ihnen stets den Rat gegeben, sich eine gute geisteswissenschaftliche Grundlage anzueignen. Obwohl ich sehr an die Notwendigkeit glaube, aus der Geschichte zu lernen, hielt ich es nicht für wesentlich, ob sie sich alle Daten und Orte des Sezessionskriegs merkten. Das Entscheidende ist eine solide Grundlage im Lesen und Schreiben.

Als ich kurz vor dem Abitur stand, ereignete sich der Überfall Japans auf Pearl Harbor. Präsident Roosevelts Reden entflammten unseren Patriotismus, und das ganze Land scharte sich um die Fahne. Über Nacht wurde ganz Amerika zu einer Einheit zusammengeschweißt. Ich lernte etwas aus dieser Krise, das ich seither nie vergessen habe: Es bedarf oft äußerer Widerstände, damit Menschen wieder zusammmenhalten.

Wie die meisten jungen Männer konnte ich es in jenem Dezember 1941 kaum erwarten, eingezogen zu werden. Ironischerweise hat mir die Krankheit, an der ich fast gestorben wäre, letzten Endes vielleicht das Leben gerettet. Zu meiner ungeheuren Enttäuschung wurde ich als 4F klassifiziert – »aus medizinischen Gründen zurückgestellt« –, was bedeutete, daß ich nicht in die Luftwaffe eintreten und am Krieg teilnehmen konnte. Obwohl ich wieder fast ganz gesund war und mich hervorragend fühlte, hatte die Armee entschieden, niemanden zu nehmen, der Gelenkrheumatismus gehabt hatte. Aber ich fühlte mich nicht krank. Und ein oder zwei Jahre später, als ich zum erstenmal ärztlich wegen der Lebensversicherung untersucht wurde, sagte der Arzt zu mir: »Sie sind ein gesunder junger Kerl. Warum sind sie nicht in Europa?«

Die meisten meiner Klassenkameraden wurden einberufen, und viele von ihnen starben. Wir waren der Abiturjahrgang 1942, und die Jungen, die siebzehn oder achtzehn waren, kamen zur Grundausbildung und gingen dann sofort über den Atlantik, wo ihnen die Deutschen einen üblen Empfang bereiteten. Auch heute noch blättere ich manchmal in meinem Abituralbum und schüttle traurig und ungläubig den Kopf über all die Schüler von Allentown High, die in Europa und Asien für die Demokratie ihr Leben ließen.

Da der Zweite Weltkrieg keine Ähnlichkeit mit Vietnam hatte, können jüngere Leser vielleicht nicht ganz verstehen, wie man sich damals fühlte, wenn man seinem Land nicht dienen konnte, jetzt, wo es einen am dringendsten brauchte. Der Patriotismus hatte einen Höhepunkt erreicht, und ich wünschte mir nichts sehnlicher, als mit einem Bomber über Deutschland zu fliegen, um Rache an Hitler und seinen Truppen zu nehmen.

Während des Krieges aus medizinischen Gründen zurückgestellt zu sein, erschien mir wie eine Schande, und ich begann mich selbst für einen Bürger zweiter Klasse zu halten. Die meisten meiner Freunde und Verwandten waren in Europa, um gegen die Deutschen zu kämpfen. Ich kam mir vor wie der einzige junge Mann in Amerika, der nicht im Felde war. Deshalb tat ich das einzige, was mir übrigblieb: ich vergrub den Kopf in meinen Büchern.

Ich hatte begonnen, mich für Maschinenbau zu interessieren und informierte mich über verschiedene Hochschulen, die sich auf dieses Gebiet spezialisiert hatten. Eine der besten im Lande war Purdue. Ich bewarb mich dort um ein Stipendium, und als ich es nicht bekam, war ich verzweifelt. Cal Tech, MIT (Massachusetts Institute of Technology), Cornell und Lehigh genossen jedoch ebenfalls einen hervorragenden Ruf in Maschinenbau. Ich wählte schließlich Lehigh, weil es von meinem Haus in Allentown in einer halben Autostunde zu erreichen war und ich mich nicht zu weit von meiner Familie entfernen mußte.

Lehigh University in Bethlehem, Pennsylvania, war eine Art Ableger der Bethlehem Stahlwerke. Ihr Studienangebot in Metallurgie und Chemie zählte zu den besten der Welt. Aber die Studienanfänger wurden dort so hart rangenommen wie Rekruten in der Grundausbildung. Jeder Student, dessen Notendurchschnitt zu wünschen übrigließ, wurde am Ende des zweiten Studienjahres höflich aufgefordert, die Universität zu verlassen. Ich hatte an sechs Tagen der Woche Vorlesungen, einschließlich eines Seminars in Statistik, das jeden Samstagmorgen um acht Uhr früh stattfand. Die meisten Studenten ließen es sausen, aber ich bekam die beste Note – weniger wegen meiner Kenntnisse in Statistik, sondern für die Beharrlichkeit, mit der ich jede Woche erschien, während meine Kommilitonen ihre Freitagabend-Exzesse ausschliefen.

Damit will ich nicht sagen, daß ich mir als Student keinerlei Vergnügen gönnte. Mir machte es schon auch Spaß, einen draufzumachen, und ich fehlte weder bei Football-Spielen noch bei Biergelagen. Dazwischen gab es immer wieder Ausflüge nach New York und Philadelphia, wo ich Freundinnen hatte.

Aber jetzt im Krieg hatte ich keine Lust, herumzugammeln. Schon als kleiner Junge hatte ich gelernt, meine Hausaufgaben gleich nach der Schule zu machen, damit ich nach dem Abendessen spielen konnte. Als ich zu studieren begann, konnte ich mich konzentrieren und mich ohne Radio oder andere Ablenkungen in die Bücher vertiefen. Ich sagte mir: »Die nächsten drei Stunden stürze ich mich ganz in diese Arbeit, und wenn die drei Stunden um sind, lege ich alles beiseite und gehe ins Kino.«

Die Fähigkeit, sich zu konzentrieren und die eigene Zeit gut zu nutzen, ist entscheidend, wenn man in der Industrie Erfolg haben will – und das gilt auch für fast jedes andere Gebiet. Seit meinem Studium habe ich die Woche über immer hart gearbeitet und mich bemüht, die Wochenenden für die Familie und die Erholung freizuhalten. Außer in wirklichen Krisenzeiten habe ich nie am Freitagabend, Samstag oder Sonntag gearbeitet. An jedem Sonntagabend bringe ich das Adrenalin wieder zum Fließen, indem ich mir eine Liste der Dinge mache, die ich in der kommenden Woche über die Bühne bringen möchte. Im Grunde ist es immer noch derselbe Zeitplan, an den ich mich in Lehigh gewöhnt habe.

Ich wundere mich ständig über die große Zahl Menschen, die nicht Herr ihrer eigenen Zeiteinteilung zu sein scheinen. Im Laufe der Jahre sind viele der leitenden Angestellten zu mir gekommen und haben mir voll Stolz erzählt: »Mensch, letztes Jahr habe ich so rangeklotzt, daß ich gar keinen Urlaub nehmen konnte.« In Wirklichkeit ist das nichts, worauf man stolz sein sollte. Am liebsten würde ich jedesmal antworten: »Dummkopf. Du willst mir weismachen, daß du die Verantwortung für ein 80-Millionen-Dollar-Projekt tragen kannst und bringst es nicht fertig, zwei Wochen im Jahr so einzuplanen, daß du mit deiner Familie wegfahren und das Leben genießen kannst?«

Wenn man guten Gebrauch von seiner Zeit machen will, muß man wissen, was am wichtigsten ist, und sich dann mit ganzer Kraft dafür einsetzen. Das ist eine weitere Lektion, die ich in Lehigh lernte. Am nächsten Tag erwarteten mich vielleicht Seminare in fünf verschiedenen Fächern, einschließlich einer mündlichen Prüfung, bei der ich mich nicht blamieren wollte, deshalb mußte ich mich vorbereiten. Jeder, der in der Wirtschaft Verantwortung übernehmen will, muß ziemlich bald lernen, Prioritäten zu setzen. Der zeitliche Rahmen sieht da natürlich etwas anders aus. Während des Studiums mußte ich überlegen, was ich an einem Abend zustande bringen konnte. In der Wirtschaft hat man es häufiger mit Fristen von drei Monaten bis drei Jahren zu tun.

Nach meinen Erfahrungen gewöhnt man sich entweder früh im Leben an diese Art von positivem Denken oder gar nicht. Prioritäten zu setzen und die Zeit gut zu nutzen, kann man nicht in Harvard lernen. Formale Bildung kann einem eine Menge vermitteln, aber viele der Fähigkeiten, auf die es im Leben ankommt, muß man sich selber beibringen.

An der Universität kam mir aber nicht nur meine Konzentrationsfähigkeit zustatten. Ich hatte auch Glück. Als mehr und mehr Studenten eingezogen wurden, schrumpften die Klassen in Lehigh mehr und mehr. Professoren, die in ihren Vorlesungen an fünfzig Hörer gewohnt waren, unterrichteten plötzlich ein Seminar mit fünf Teilnehmern. Die Folge war, daß ich eine sehr exklusive Collegebildung genoß.

Wenn die Klassen klein sind, erhält jeder einzelne genügend Aufmerksamkeit. Der Professor konnte es sich leisten, zu bemerken: »Sag mir, warum du dieses Konstruktionsproblem nicht lösen konntest, und ich werde es dir erklären.« Durch einen historischen Zufall erhielt ich also eine fabelhafte Ausbildung. Unmittelbar nach dem Krieg, als die Exsoldaten mit Hilfe der Stipendien unter dem G.I.-Bill an die Hochschulen drängten, wären im gleichen Seminar in Lehigh vielleicht 70 Mann gesessen. Unter diesen Umständen hätte ich nicht halb soviel gelernt.

Was mich motivierte, war auch der Druck, den mein Vater ausübte. Dies war typisch für Einwandererfamilien, in denen von jedem Kind, das das Glück hatte, zu studieren, erwartet wurde, es solle den Bildungsmangel seiner Eltern kompensieren. Es lag an mir, aus all den Chancen, die sie nie hatten, Nutzen zu ziehen, deshalb mußte ich zu den Klassenbesten zählen.

Das war allerdings leichter gesagt als getan. Im ersten Semester ging es mir besonders schlecht. Als ich auf der Liste der Jahresbesten nicht erschien, machte mir mein Vater die Hölle heiß – aber wie! Nachdem ich in der Oberschule so schlau gewesen war, wo ich beim Abitur zu den Besten zählte, wie konnte ich dann wenige Monate später so vernagelt sein? Er nahm an, daß ich Playboy spielte. Ich konnte ihm nicht begreiflich machen, daß es an der Universität ganz anders zuging als in der High-School. In Lehigh waren alle gut, oder sie hätten es gar nicht geschafft, dahin zu kommen.

Im ersten Jahr fiel ich beinahe in Physik durch. Wir hatten einen Professor namens Bergmann, einen Wiener Emigranten, der einen so starken Akzent hatte, daß ich ihn kaum verstand. Er war ein hervorragender Wissenschaftler, aber es fehlte ihm die Geduld, Erstsemester zu unterrichten. Zu meinem Pech war seine Vorlesung für alle obligatorisch, die Maschinenbau als Hauptfach hatten.

Trotz meiner Schwierigkeiten in seinem Fach entwickelte sich so etwas wie eine Freundschaft zwischen Professor Bergmann und mir. Wir machten zusammen Spaziergänge auf dem Campus, bei denen er mir die neuesten Entwicklungen in der Physik auseinandersetzte. Er interessierte sich besonders für die Atomspaltung, die damals noch dem Reich der Science-fiction anzugehören schien. Für mich war das alles Chinesisch, ich verstand nur einen Bruchteil seiner Ausführungen, obwohl es mir gelang, den wichtigsten Gedankengängen zu folgen.

Bergmann hatte etwas Geheimnisvolles an sich. Jeden Freitag brach er den Unterricht abrupt ab und verschwand bis zum folgenden Montag vom Campus. Erst mehrere Jahre später erfuhr ich schließlich sein Geheimnis. Angesichts seiner Interessen hätte ich es mir wahrscheinlich denken können. Er verbrachte jedes Wochenende in New York, wo er am Manhattan-Projekt arbeitete. Mit anderen Worten: Wenn Bergmann nicht in Lehigh unterrichtete, arbeitete er an der Atombombe.

Trotz unserer Freundschaft und trotz der privaten Nachhilfe schaffte ich im ersten Studienjahr nur eine Vier in Physik – meine schlechteste Note in Lehigh. Ich war an der Oberschule ein guter Mathematiker gewesen, aber auf die Welt der höheren Analysis und der Differentialgleichungen war ich einfach nicht vorbereitet.

Mit der Zeit wurde ich klüger und sattelte von Maschinenbau auf Ingenieurwesen um. Bald darauf besserten sich auch meine Noten. Im vierten Jahr wandte ich mich von den Feinheiten der Hydraulik und Thermodynamik ab und konzentrierte mich auf volkswirtschaftliche und betriebswirtschaftliche Vorlesungen wie Personalfragen, Statistik und Buchhaltung. In diesen Fächern war ich viel besser und schloß mein letztes Jahr mit lauter Einsern ab. Man sagt, daß die heutige Generation konkurrenzbesessen sei. Ihr hättet uns sehen sollen!

Neben all den technischen und wirtschaftlichen Fächern studierte ich in Lehigh auch vier Jahre Psychologie und Psychopathologie. Ich scherze nicht, wenn ich sage, daß dies wahrscheinlich die wertvollsten Kenntnisse waren, die ich an der Universität erwarb. Es ist zwar ein schlechtes Wortspiel, aber es stimmt: Diese Kenntnisse sind mir im Umgang mit den Schreckschrauben der Industrie besser zustatten gekommen, als mein ganzes technisches Wissen im Umgang mit den Schrauben und Muttern der Autos.

In einem Seminar verbrachten wir jede Woche drei Nachmittage und Abende in der psychiatrischen Abteilung des allgemeinen Krankenhauses von Allentown, das etwa fünf Meilen vom Campus entfernt liegt. Wir sahen sie alle – manisch-depressive, schizophrene und auch gewalttätige Patienten. Unser Lehrer war ein Professor namens Rossman, und es nötigte mir Bewunderung ab, ihn mit diesen psychisch Kranken arbeiten zu sehen.

Im Mittelpunkt dieser Lehrveranstaltung standen nicht mehr und nicht weniger als die Antriebskräfte menschlichen Verhaltens. Was motiviert diesen Mann? Wie entstanden die Probleme dieser Frau? Was treibt Sammy an? Was veranlaßt Joe, sich im Alter von fünfzig Jahren wie ein Halbwüchsiger zu benehmen? Für unsere Abschlußprüfung wurden wir mit einer Gruppe neuer Patienten bekanntgemacht. Unsere Aufgabe bestand darin, von jedem innerhalb weniger Minuten eine diagnostische Analyse zu machen.

Dank dieser Schulung lernte ich, Menschen ziemlich rasch richtig einzuschätzen. Bis zum heutigen Tag habe ich gewöhnlich schon nach der ersten Begegnung einen ziemlich genauen Eindruck von einem Menschen. Dies ist eine wichtige Fähigkeit, denn die richtigen Leute einzustellen, ist das Beste, was ein Manager tun kann.

Aber es gibt zwei wirklich wichtige Dinge bei einem Bewerber, die man bei einem kurzen Einstellungsgespräch einfach nicht herausfinden kann. Das erste ist, ob der Betreffende faul ist, und das zweite, ob er gesunden Menschenverstand besitzt. Es gibt keine qualitative Analyse, die einem sagt, ob jemand zulangen kann oder ob er Scharfsinn – oder Hausverstand – zeigen wird, wenn es darum geht, Entscheidungen zu treffen.

Ich wünschte, es gäbe irgendeinen Apparat, mit dem man diese Qualitäten messen kann, die letzten Endes die Spreu vom Weizen trennen.

Ich schloß mein Studium in Lehigh nach acht Semestern ab, was bedeutete, daß ich mir keine Sommerferien gönnte. Ich wollte, ich hätte mir die Zeit genommen, an den Blumen zu riechen, wie mir mein Vater immer geraten hatte. Aber der Krieg tobte, und da meine Freunde in Europa und Asien kämpften – und starben –, durfte auch ich mir keine Pause gönnen.

Neben meinem Studium engagierte ich mich noch für die verschiedensten anderen Dinge. Weitaus am interessantesten war meine Arbeit an der Schulzeitung, *The Brown and White*. Mein erster Auftrag als Reporter war ein Interview mit einem Professor, der ein kleines Auto auf den Betrieb mit Holzkohle umgerüstet hatte. (Das war natürlich viele Jahre vor der Energiekrise.) Die Geschichte muß ziemlich gut gewesen sein, denn sie wurde von *Associated Press* übernommen und erschien in hundert Zeitungen.

Wegen dieses Artikels wurde ich Umbruchredakteur. In dieser Position, so wurde mir bald klar, konzentriert sich die eigentliche Macht der Zeitung. Jahre später las ich das Buch von Gay Talese über die *New York Times*, in dem einer der Redakteure sagt, die mächtigste Position in einer Zeitung habe nicht der für die Leitartikel zuständige Redakteur, sondern der Verfasser der Schlagzeilen und der Schlußredakteur.

Das war eine Lektion, die ich bereits gelernt hatte. Als Umbruchredakteur wurde mir ziemlich rasch klar, daß die meisten Leute die Artikel nicht lesen. Statt dessen begnügen sie sich mit den Schlagzeilen und Untertiteln. Wer die verfaßt, hat einen enormen Einfluß darauf, wie die Meldungen beim Leser ankommen.

Darüber hinaus mußte ich je nach dem verfügbaren Platz die Länge der einzelnen Artikel festsetzen. Ich hatte da völlig freie Hand, und oft kürzte ich einen guten Artikel um eine Handbreit, weil ich Platz für die Anzeigen brauchte. Ich lernte auch, unseren Reportern durch den überlegten Einsatz von Überschriften und Untertiteln ein Schnippchen zu schlagen. Jahre später erkannte ich, wann ich von den Layoutern der angesehensten Zeitungen und Zeitschriften des Landes gelinkt wurde. Ihre Tricks kannte ich aus eigener Praxis!

Schon vor meinem Studienabschluß wollte ich bei Ford arbeiten. Ich hatte einen verbeulten 60-PS-Ford, Baujahr 1938 – dadurch begann ich mich für die Firma zu interessieren. Mehr als einmal passierte es mir, daß das Stufenzahnrad in meinem Getriebe plötzlich kaputtging, wenn ich bergauf fuhr. Irgendein namenloser Manager in der Konzernzentrale in Dearborn, Michigan, war offenbar zu der Überzeugung gelangt, daß eine größere Sparsamkeit im Verbrauch zu erzielen sei, wenn man einen V8-Motor nur mit 60 PS ausstattete. Das wäre eine gute Idee gewesen, wenn sie das Auto auf Gegenden wie Iowa beschränkt hätten. Lehigh liegt auf einem Berg.

»Die Jungs brauchen mich«, pflegte ich gegenüber meinen Freunden zu witzeln. »Wer so schlechte Autos baut, braucht Unterstützung.«

Wer damals einen Ford besaß, hatte Gelegenheit, eine Menge über Autos zu lernen. Während des Krieges waren alle Autowerke mit der Herstellung von Waffen beschäftigt; es wurden keine neuen Autos gebaut. Selbst Ersatzteile wurden rar. Die Leute suchten auf dem Schwarzmarkt oder auf Schrottplätzen danach. Wenn man das Glück hatte, damals ein Auto zu besitzen, dann lernte man, es gut zu pflegen. Die kriegsbedingte Knappheit an Personenwagen war so groß, daß ich diesen Ford nach Abschluß meines Studiums für 450 Dollars verkaufen konnte. Wenn man bedenkt, daß mein Vater das Auto für nur 250 Dollar gekauft hatte, machte ich einen recht guten Schnitt.

Während meiner Studienzeit kostete der Liter Benzin nur dreieinhalb Cents. Aber wegen des Krieges herrschte ein echter Treibstoffmangel. Als Technikstudent erhielt ich eine C-Karte, was bedeutete, daß mein Studium kriegswichtig sei. (Kann man das heute glauben!) Es war nicht so patriotisch, wie in Europa oder Asien zu sein, aber zumindest war es ein kleines Ehrenabzeichen, das besagte, daß ich – eines Tages – einen Beitrag zur Verteidigung meines Landes leisten würde.

Im Frühling meines letzten Studienjahres waren Ingenieure sehr gefragt. Ich führte etwa zwanzig Einstellungsgespräche und konnte es mir buchstäblich aussuchen, wo ich arbeiten wollte.

Aber mein Herz hing an Autos. Da ich immer noch zu Ford gehen wollte, verabredete ich einen Termin mit dem Personalchef des Konzerns, dessen Name, so unglaublich es klingt, Leander Hamilton McCormick-Goodheart war. Er erschien auf dem Universitätsgelände in einem Mark I, einem jener schicken Lincoln Continentals, die aussahen, als seien es Spezialanfertigungen. Dieses Auto verdrehte mir endgültig den Kopf. Sobald ich einen Blick darauf geworfen und den Ledergeruch des Innenraums geschnuppert hatte, wollte ich den Rest meines Lebens für Ford arbeiten.

Fords Einstellungspolitik bestand damals darin, fünfzig Universitäten zu besuchen und von jeder einen Absolventen auszuwählen. Dies ist mir immer etwas dumm erschienen. Wenn Isaac Newton und Albert Einstein Studienkollegen gewesen wären, dann hätte Ford nur einen von ihnen nehmen können. McCormick-Goodheart interviewte mehrere Lehigh-Studenten, aber seine Wahl fiel auf mich, und ich war im siebten Himmel.

Nach der Abschlußfeier und vor Beginn meiner Ausbildung bei Ford machte ich mit meinen Eltern einen kurzen Urlaub in Shipbottom, New Jersey. Dort erreichte mich ein Brief von Bernadine Lenky, der Leiterin der Stellenvermittlung in Lehigh. Sie legte mir das Angebot eines Stipendiums für ein Aufbaustudium in Princeton bei, eine Beihilfe, die sowohl die Studiengebühren als auch die Lehrbücher und sogar einen Lebenskostenzuschuß umfaßte.

Bernadine schrieb mir, daß alljährlich nur zwei solche Stiftungsstipendien vergeben wurden, und riet mir, mich zu bewerben. »Ich weiß, daß Sie nicht vorhatten, Ihr Studium fortzusetzen«, schrieb sie mir, »aber dieses Angebot klingt wirklich fabelhaft.« Ich schrieb an Princeton mit der Bitte um weitere Einzelheiten, und sie ersuchten mich um meine Zeugnisse. Kurz darauf wurde mir die Wallace-Memorial-Fellowship zuerkannt.

Nach einem Blick auf den Campus wußte ich, daß ich dahin wollte. Und ich stellte mir vor, daß es auch meiner Karriere nicht schaden würde, meinen Namen mit einem Diplom zu schmücken.

Plötzlich standen mir zwei ausgezeichnete Chancen offen. Ich sprach mit McCormick-Goodheart über mein Dilemma. »Wenn man Sie in Princeton haben will«, meinte er, »dann gehen Sie bloß hin und machen Sie Ihr Diplom. Wir reservieren Ihnen eine Stelle, bis Sie fertig sind.« Dies war genau die Antwort, auf die ich gehofft hatte, und ich war der glücklichste Mensch der Welt.

Das Studium in Princeton machte wirklich Spaß. Verglichen mit der Hektik von Lehigh herrschte eine entspannte Atmosphäre. Als Wahlfächer nahm ich Politikwissenschaften und ein neues Gebiet – Kunststoffe. Ebenso wie in Lehigh war die Zahl der Studenten pro Lehrkraft wegen des Krieges überaus günstig. Einer meiner Professoren, ein Mann namens Moody, galt als der berühmteste Hydraulikexperte der Welt. Er hatte am Grand-Coulee-Damm und vielen anderen Projekten mitgewirkt, doch es gab nur vier Studenten in seinem Seminar.

Einmal hörte ich mir eine Vorlesung von Einstein an. Ich begriff nicht wirklich, wovon er redete, aber allein seine Gegenwart war faszinierend. Unser Institut war nicht weit vom Institute for Advanced Studies entfernt, wo Einstein lehrte, und ich sah ihn von Zeit zu Zeit bei seinen Spaziergängen.

Ich hatte drei Semester Zeit, um meine Dissertation zu schreiben, aber ich war so erpicht darauf, bei Ford einzutreten, daß ich sie in zwei Semestern abschloß. Meine Arbeit bestand darin, einen hydraulischen Dynamometer zu konstruieren und eigenhändig zu bauen. Ein Professor namens Sorenson bot mir an, mit mir zusammenzuarbeiten. Gemeinsam bauten wir das Ding und schlossen es an einen Motor an, den General Motors der Universität geschenkt hatte. Ich führte alle Tests durch, schloß meine Dissertation ab und ließ sie binden – sogar in Leder, so stolz war ich darauf.

Als ich nach Dearborn zurückkehrte, erfuhr ich, daß Leander McCormick-Goodheart inzwischen einberufen worden war. Dummerweise hatte ich es versäumt, während meines Jahres in Princeton mit ihm in Verbindung zu bleiben. Was noch schlimmer war, ich hatte mir seine Jobzusage nicht schriftlich geben lassen. Als ich in Princeton fertig war, gab es bei Ford niemand, der je von mir gehört hatte.

Schließlich bekam ich den Chef von McCormick-Goodheart, Bob Dunham, ans Telefon und erklärte ihm meine Situation. »Die Schulungsgruppe ist bereits aufgestellt«, sagte er, »wir haben unsere fünfzig Leute bereits beisammen. Aber bei diesen Umständen erscheint es unfair. Wenn Sie gleich losfahren können, dann nehmen wir Sie als einundfünfzigsten.« Am nächsten Tag fuhr mich mein Vater nach Philadelphia, wo ich den *Red Arrow* bestieg, um nach Detroit zu fahren und meine Karriere zu beginnen.

Die Fahrt dauerte die ganze Nacht, aber ich war zu aufgeregt, um schlafen zu können. Als ich in der Fort Street Station mit einem Seesack über der Schulter und fünfzig Dollar in der Tasche ankam, ging ich hinaus und fragte den ersten Menschen, der mir begegnete: »Wo geht es hier nach Dearborn?«

Er sagte: »Go west, young man – etwa zehn Meilen nach Westen!«

# DIE FORD STORY

# III
# Die ersten Schritte

Im August 1946 begann ich, bei Ford als Praktikant zu arbeiten. Unser Ausbildungsprogramm führte uns durch sämtliche Abteilungen des Werkes. Wir machten eine komplette Runde und verbrachten in jeder einzelnen Abteilung einige Tage oder eine Woche. Am Ende sollten wir jedes Stadium der Herstellung eines Autos kennengelernt haben.

Die Firma gab sich beträchtliche Mühe, um uns Erfahrungen aus erster Hand zu verschaffen. Wir wurden dem berühmten River-Rouge-Werk, dem größten industriellen Fertigungskomplex der Welt, zugeteilt. Der Ford Motor Company gehörten auch die Kohlen- und Kalksteinbergwerke, wir sahen daher den gesamten Fertigungsprozeß vom Anfang bis zum Ende – vom Abbau des Erzes über die Stahlkocherei bis zur Verarbeitung des Stahls zu Autos.

Zu den Stationen unserer Ausbildung zählten die Stückgießerei, die Fertigungsgießerei, die Erzloren, die Form- und Kernanfertigung, die Prüfstrecke, die Schmiedehalle und die Montagebänder. Aber unsere Ausbildung beschränkte sich nicht auf die Produktion. Wir verbrachten auch einige Zeit in der Einkaufsabteilung und sogar im Werkskrankenhaus.

Es gibt keine bessere Stelle auf der Welt, um zu lernen wie Autos wirklich hergestellt werden und wie der industrielle Prozeß funktioniert. Das Rouge-Werk war der Stolz des Unternehmens, und wir erhielten ständig Besuch von Delegationen aus dem Ausland, die sich bei uns umsehen wollten. Das war lange, bevor die Japaner Interesse an Detroit bekundeten, aber schließlich unternahmen auch sie tausend Pilgerfahrten nach River Rouge.

Endlich sah ich die praktische Anwendung von allem, worüber ich in Büchern gelesen hatte. In Lehigh hatte ich Metallurgie studiert, aber jetzt machte ich es selbst, arbeitete an Hochöfen und in Schmelzräumen. In der Kernmacherei durfte ich die Maschinen bedienen, über die ich bisher nur gelesen hatte, wie die Hobelmaschinen, die Fräsmaschinen und Drehbänke.

Ich verbrachte sogar vier Wochen am Endmontageband. Meine Aufgabe bestand darin, im Schaltkasten eines Lkw eine Abdeckung auf einen Kabelbaum zu montieren. Es war keine schwere Arbeit, aber fürchterlich monoton. Eines Tages kamen meine Mutter und mein Vater zu Besuch, und als mich mein Vater im Overall sah, lächelte er und sagte: »Siebzehn Jahre lang bist du in die Schule gegangen. Siehst du jetzt, was mit den Schwachköpfen passiert, die nicht Klassenbeste sind?«

Unsere Vorgesetzten waren ziemlich anständig, aber die Arbeiter brachten uns Mißtrauen und Ressentiments entgegen. Anfangs dachten wir, die Abzeichen mit der Aufschrift »Ingenieur-Praktikant« könnten schuld daran sein. Als wir uns beschwerten, wurden diese Abzeichen durch solche mit der Aufschrift »Verwaltung« ersetzt. Aber das machte die Sache nur noch schlimmer.

Bald wußte ich genügend Firmengeschichte, um zu verstehen, was vor sich ging. Um diese Zeit war Henry Ford, der Gründer, bereits ein alter Mann. Das Unternehmen wurde von einer Schar seiner Statthalter geleitet, vor allem Harry Bennett, der als ziemlich hartgesottener Kerl galt. Das Verhältnis zwischen den Arbeitern und dem Management war furchtbar, und die Ingenieur-Praktikanten mit ihren »Verwaltung«-Buttons standen dazwischen. Viele Arbeiter waren überzeugt, daß wir Spione waren, die sie bespitzeln sollten. Die Tatsache, daß wir frisch von der Hochschule kamen und hinter den Ohren noch nicht trocken waren, half auch nicht gerade.

Trotz der Spannungen taten wir unser Bestes, um uns unseres Lebens zu freuen. Wir waren eine Crew von 51 jungen Männern von verschiedenen Hochschulen, die zusammen wohnten, zusammen Bier tranken und das Leben in ihrer freien Zeit so intensiv wie möglich zu genießen suchten. Das Ausbildungsprogramm war ziemlich unorganisiert, und wenn man sich zwei Tage freinehmen und nach Chicago fahren wollte, dann fiel das niemandem weiter auf.

Nach der Halbzeit hatten wir eine Besprechung mit unseren Vorgesetzten. Mein Chef sagte: »Ach, Iacocca – Maschinenbau, hydraulische Dynamometer, automatische Schaltungen. Hm. Wir stellen gerade ein neues Team zur Entwicklung automatischer Schaltungen zusammen. Dort werden wir Sie hinschicken.«

Ich hatte neun Monate Ausbildung hinter mir und weitere neun vor mir. Aber Maschinenbau interessierte mich nicht mehr. Am ersten Tag hatte man mich eine Kupplungsfeder zeichnen lassen. Ich hatte einen ganzen Tag für diese detaillierte Konstruktionszeichnung gebraucht, und ich hatte mich gefragt: »Was zum Teufel tue ich da? Will ich den Rest meines Lebens so verbringen?«

Ich wollte bei Ford bleiben, aber nicht in der Konstruktion. Mich zog es dorthin, wo die eigentliche *action* war – Marketing oder Vertrieb. Ich arbeitete lieber mit Menschen als mit Maschinen. Meine Vorgesetzten im Ausbildungsprogramm fanden das natürlich gar nicht lustig. Schließlich hatte mich das Unternehmen von einer Maschinenbauschule weggeholt und eine Menge Zeit und Geld in meine Ausbildung investiert. Und jetzt wollte ich im Vertrieb arbeiten?

Als ich darauf beharrte, einigten wir uns auf einen Kompromiß. Ich setzte ihnen auseinander, daß es sinnlos sei, das Ausbildungsprogramm zu beenden und daß mein Diplom von Princeton ein Äquivalent der zweiten Hälfte des Programms darstelle. Sie waren schließlich bereit, mich gehen zu lassen, damit ich mir einen Job im Vertrieb suchen konnte. Aber ich mußte das selbst bewerkstelligen. »Wir möchten Sie gern bei Ford behalten«, sagte man mir. »Aber Sie müssen in den Außendienst gehen und sich selbst verkaufen, wenn Sie sich wirklich für die Vertriebslaufbahn entscheiden.«

Ich nahm sofort Kontakt mit Frank Zimmerman auf, meinen besten Freund im Ausbildungsprogramm. Zimmie hatte die Ausbildung als erster begonnen und schloß sie auch als erster ab. Ebenso wie ich hatte er sich gegen die Entwicklungsabteilung entschieden und hatte bereits eine Stelle als Lastwagen-Verkäufer im Großraum New York erobert. Als ich ihn in New York besuchte, benahmen wir uns wie zwei kleine Jungen in der Großstadt: ständig auf Achse von Restaurants zu Night Clubs, sogen wir den Glamour von Manhattan in vollen Zügen ein. »Gott«, dachte ich, »ich muß einfach wieder hierher zurückkommen.« Ich stammte aus dem Osten, deshalb fühlte ich mich hier wirklich zu Hause.

Der New Yorker Gebietsverkaufsleiter war gerade nicht da, als ich im Büro eintraf, deshalb mußte ich mit seinen beiden Assistenten sprechen. Ich war nervös. Meine Ausbildung hatte ich in Maschinenbau gemacht, nicht im Verkauf. Ich hatte nur die Chance, hier einen Job zu bekommen, wenn ich auf die beiden einen tollen Eindruck machte.

Ich hatte einen Empfehlungsbrief von Dearborn mitgebracht, den ich einem der beiden Männer übergab. Er nahm ihn entgegen, ohne seinen Blick von der Zeitung zu heben. Tatsächlich verbrachte er die gesamte halbe Stunde mit der Lektüre des *Wall Street Journal* und schaute kein einziges Mal hoch. Der andere Typ war kaum besser. Er warf einen Blick auf meine Schuhe und überprüfte, ob meine Krawatte gerade saß. Dann stellte er mir ein paar Fragen. Ich merkte, ihm mißfiel die Tatsache, daß ich studiert hatte und einige Zeit in Dearborn gewesen war. Vielleicht dachte er, ich sei gekommen, um ihn zu kontrollieren. Auf jeden Fall war es klar, daß er nicht die Absicht hatte, mich einzustellen. »Rufen Sie uns nicht an«, sagte er, »wir werden Sie anrufen.« Ich fühlte mich, als sei ich eben beim Vorsprechen auf dem Broadway durchgefallen. Meine einzige Hoffnung war, es bei einer anderen Gebietsvertretung zu versuchen, deshalb machte ich mit dem Leiter der Ford-Vertretung in Chester, Pennsylvania, in der Nähe von Philadelphia einen Termin. Diesmal hatte ich mehr Glück. Der Gebietsverkaufsleiter war nicht nur an diesem Tag anwesend – er war sogar bereit, mir eine Chance zu geben. Ich wurde für eine untergeordnete Schreibtischtätigkeit im Personenwagenverkauf eingestellt.

In Chester bestand meine Aufgabe darin, mit Einkäufern über die Zuteilung neuer Autos zu sprechen. Das fiel mir nicht leicht. Ich war damals schüchtern und linkisch und hatte jedesmal Muffensausen, wenn ich den Hörer abnahm. Vor jedem Anruf memorierte ich immer wieder, was ich sagen wollte, da ich immer befürchtete, abgewiesen zu werden.

Manche Leute meinen, Verkaufstalent sei angeboren, das könne man nicht lernen. Aber ich war kein Naturtalent. Die meisten meiner Kollegen waren viel lockerer und kontaktfreudiger als ich. In den ersten ein, zwei Jahren drückte ich mich reichlich theoretisch und geschraubt aus. Mit der Zeit sammelte ich Erfahrungen und wurde allmählich besser. Sobald ich alle Fakten beherrschte, arbeitete ich daran, sie besser zu präsentieren. Es dauerte nicht lange, und die Leute begannen auf mich zu hören.

Die Finessen des Verkaufs zu lernen, erfordert Zeit und Mühe. Man muß sie immer wieder üben, bis sie zur zweiten Natur werden. Nicht alle jungen Menschen verstehen das heute. Sie sehen einen erfolgreichen Geschäftsmann vor sich und denken nicht über all die Fehler nach, die er vielleicht gemacht hat, als er noch jünger war. Fehler sind ein Bestandteil des Lebens; man kann sie nicht vermeiden. Man kann nur hoffen, daß sie einem nicht zu teuer kommen und daß man denselben Fehler nicht zweimal macht.

Ebenso wie an der Universität hatte ich auch hier den richtigen Zeitpunkt erwischt. Während des Krieges waren keine Autos produziert worden, deshalb war zwischen 1945 und 1950 die Nachfrage groß. Jedes neue Auto wurde zum Listenpreis verkauft – wenn nicht darüber. Und alle Händler waren auf der Suche nach Kunden, die Gebrauchtwagen zum Eintauschen hatten, denn auch die klapprigste Mühle ließ sich noch mit einem hübschen Gewinn weiterverkaufen.

Obwohl ich eine untergeordnete Stellung hatte, gaben mir die Wartezeiten für neue Autos eine gewisse Macht. Wenn ich hätte schummeln wollen, hätte ich eine Menge für mich herausholen können. Es gab alle möglichen unredlichen Machenschaften. Fast überall, wohin man schaute, verschafften Angestellte der Gebietsvertretungen ihren Freunden Autos als Gegenleistung für Geschenke oder finanzielle Gefälligkeiten.

Die Händler wurden reich. Es gab keine Listenpreise, und die Kunden zahlten, was der Markt erforderte. Manche der Gebietsleiter wollten ihren Schnitt machen und manipulierten die Regeln, um ihr Ziel zu erreichen. Als idealistischer, grüner Junge, der erst vor einem Jahr die Hochschule verlassen hatte, war ich schockiert.

Mit der Zeit wagte ich mich hinter meinem Telefon hervor. Ich ging vom Schreibtisch in den Außendienst und besuchte als reisender Pkw- und Lkw-Vertreter die Händler, um ihnen Tips für den Verkauf zu geben. Ich genoß jede Minute. Endlich hatte ich der Schule den Rücken gekehrt und sah mich in der richtigen Welt um. Ich verbrachte meine Tage damit, in einem nagelneuen Auto umherzufahren und meine neuerworbene Weisheit mit ein paar hundert Händlern zu teilen – von denen jeder hoffte, daß ich ihn zum Millionär machen könnte.

Im Jahre 1949 wurde ich Gebietsverkaufsleiter in Wilkes-Barre,

Pennsylvania. Meine Aufgabe bestand darin, eng mit achtzehn Händlern zusammenzuarbeiten. Für mich war dies eine wichtige Erfahrung.

Die Händler sind immer das Rückgrat der amerikanischen Autoindustrie gewesen. Obwohl sie mit der Muttergesellschaft zusammenarbeiten, verkörpern sie im Grunde den Prototyp des amerikanischen Unternehmers. Sie sind das Herz unseres kapitalistischen Systems. Und sie bringen all die Autos, die von den Montagebändern rollen, an den Mann und warten sie.

Weil ich am Anfang meiner Laufbahn unmittelbar mit den Händlern zu tun hatte, wußte ich, was sie wert sind. Später, als ich in die Geschäftsführung aufstieg, war ich sehr darauf bedacht, sie zufriedenzustellen. Wenn man in dieser Branche Erfolg haben will, müssen alle als ein Team zusammenwirken. Und das bedeutet, daß die Zentrale und die Händler auf derselben Seite spielen müssen.

Leider haben die meisten Automanager, die ich kannte, diesen Gedanken nicht begriffen. Die Händler waren ihrerseits verärgert, weil sie selten eingeladen wurden, an der Haupttafel mitzuessen. Mir erscheint das höchst simpel und einleuchtend: Die Händler sind im Grunde die einzigen Kunden, die das Unternehmen hat. Es ist daher ein Gebot des gesunden Menschenverstandes, sich genau anzuhören, was sie zu sagen haben, selbst wenn einem nicht immer gefällt, was sie einem mitteilen.

Während meiner Jahre in Chester lernte ich eine Menge über den Autoeinzelhandel, das meiste von einem Verkaufsleiter namens Murray Kester in Wilkes-Barre. Murray war ein echter Profi, wenn es darum ging, Verkäufer auszubilden und zu motivieren.

Einer seiner kleinen Tricks bestand darin, jeden Kunden vier Wochen nach dem Kauf eines neuen Autos anzurufen. Murray fragte die Käufer immer: »Wie gefällt es Ihren Freunden?« Seine Strategie war einfach. Er argumentierte, daß sich der Kunde, den man fragt, wie er mit dem Auto zufrieden ist, verpflichtet fühlen könnte, irgendeinen Mangel zu erwähnen. Aber wenn man ihn fragte, wie seine Freunde es finden, dann mußte er einem versichern, wie toll das Auto sei.

Selbst wenn das Auto seinen Freunden nicht gefiel, würde er es nicht fertigbringen, das zuzugeben. Zumindest nicht so bald! Er mußte sich ja immer noch einreden, einen guten Kauf gemacht zu haben. Wenn man wirklich helle war, dann fragte man den Kunden nach den Namen und Telefonnummern seiner Freunde. Schließlich könnten sie ja daran interessiert sein, ein ähnliches Auto zu kaufen. Eines muß man sich klarmachen: Jeder, der irgend etwas kauft – ein Haus, ein Auto oder Wertpapiere –, wird seinen Kauf einige Wochen lang rechtfertigen, selbst wenn er einen Fehler gemacht hat.

Murray war auch ein fabelhafter Geschichtenerzähler. Einen Großteil seiner Stories hatte er von seinem Schwager, Henny Youngman. Einmal lud er Henny ein, von New York nach Philadelphia zu kommen und dort auf einer Vertretertagung im *Broadwood Hotel* zu sprechen. Henny brachte die Leute in Stimmung und stellte dann die neuesten Autos vor. Damals hörte ich zum erstenmal die geflügelten Worte: »Nehmen Sie meine Frau! Bitte!«

Murrays Vorbild folgend, gab ich den Händlern selbst auch einige Tips. So erklärte ich ihnen, daß sie den Käufer »qualifizieren« müßten, daß sie ihm die richtigen Fragen stellen müßten, die zu einem Abschluß führen könnten.

Wenn jemand ein rotes Kabriolett wünscht, dann verkauft man ihm das natürlich. Aber viele Kunden wissen nicht recht, was sie wollen, und die Aufgabe des Verkäufers ist es, ihnen zu helfen, das herauszufinden. Ich pflegte zu sagen, daß sich der Kauf eines Autos nicht grundlegend vom Kauf von Schuhen unterscheide. Ein Schuhverkäufer stellt zuerst die Schuhnummer fest, und dann fragt er den Kunden, ob er etwas Sportliches oder etwas Elegantes sucht. Dasselbe gilt für Autos. Man muß herausfinden, wofür der Kunde das Auto benutzen will und welchen anderen Familienmitgliedern es zur Verfügung stehen soll. Man muß auch in Erfahrung bringen, wieviel sich der Kunde leisten kann, damit man ihm die beste Finanzierungsmöglichkeit vorschlagen kann.

Murray wies immer darauf hin, wie wichtig es sei, einen Verkauf auch wirklich abzuschließen. Wir stellten fest, daß sich die meisten unserer Leute in den Anfangsstadien des Verkaufens gut bewährten, aber dann eine solche Angst vor Ablehnung hatten, daß sie potentielle Kunden oft wieder zur Tür hinausgehen ließen. Sie brachten es einfach nicht fertig, zu sagen: *Unterschreiben Sie hier.*

In Chester machte ich die Bekanntschaft eines weiteren bemerkenswerten Mannes, der einen größeren Einfluß auf mein Leben ausüben sollte als jeder andere Mensch, mit Ausnahme meines Vaters. Charlie Beacham war Ford-Hauptgebietsleiter für die gesamte Ostküste.

Ebenso wie ich hatte er Maschinenbau studiert, war aber später auf Vertrieb und Marketing umgestiegen. Er war fast so etwas wie ein Mentor für mich.

Charlie war ein Südstaatler, ein warmherziger, hochintelligenter Mann, sehr groß und imposant, mit einem wundervollen Lächeln. Er verstand es hervorragend, einen zu motivieren – ein Mann, für den man bereit war, eine Anhöhe zu stürmen, obwohl man sehr gut wußte, daß es einen Kopf und Kragen kosten konnte.

Er hatte die seltene Gabe, gleichzeitig streng und großzügig zu sein. Von den dreizehn Verkaufsbezirken in unserem Gebiet hatte meiner einmal die schlechtesten Resultate erzielt. Ich war deprimiert darüber, und als mich Charlie durch die Garage gehen sah, kam er herüber und legte seinen Arm um mich. »Warum sind Sie so deprimiert?« wollte er wissen.

»Mister Beacham«, antwortete ich, »wir haben dreizehn Bezirke, und ich bin diesen Monat die Nummer dreizehn im Verkauf geworden.«

»Ach was, lassen Sie sich davon nicht unterkriegen, irgend jemand muß Letzter sein«, sagte er und ging auf sein Auto zu. Bevor er einstieg, wandte er sich zu mir um. »Aber werden Sie nicht zweimal hintereinander Letzter!« rief er mir zu.

Er hatte eine sehr bilderreiche Sprache. Einmal war davon die Rede, einige Neulinge zu den Händlern in Philadelphia auf Besuch zu schikken, die ziemlich rabiate Kerle waren. Beacham hielt das für eine ganz schlechte Idee. Er sagte: »Diese Jungen sind doch so grün, daß sie im Frühjahr von den Kühen gefressen werden.«

Er konnte auch sehr direkt sein. »Machen Sie Geld!« pflegte er zu sagen. »Zum Teufel mit allem übrigen. Wir haben es mit einem Profitsystem zu tun, mein Junge. Der Rest ist Firlefanz.«

Beacham pflegte von »Straßenwissen« zu sprechen, die Dinge, die man einfach in den Knochen hat, die Grunderfahrungen, die man nicht über den Kopf vermittelt bekommt. »Denken Sie daran, Lee«, sagte er zu mir, »das einzige, worauf Sie sich als Mensch verlassen können, ist Ihre Fähigkeit zu denken und Ihr gesunder Menschenverstand. Das ist der einzige echte Vorteil, den wir gegenüber den Affen haben. Denken Sie daran, ein Pferd ist stärker und ein Hund ist freundlicher. Wenn Sie also eine Kugel Vanilleeis nicht von einem Pferdeapfel unterscheiden können – und viele können das nicht –, dann haben Sie einfach Pech gehabt, denn dann werden Sie es nie schaffen.«

Er akzeptierte Fehler, solange man die Verantwortung dafür übernahm. »Vergessen Sie nicht, daß alle Fehler machen«, sagte er oft. »Das Problem ist nur, daß sich die meisten Menschen einfach nicht dazu bekennen wollen. Wenn jemand Mist gebaut hat, wird er nie zugeben, daß es seine Schuld war, wenn es sich vermeiden läßt. Er wird versuchen, seiner Frau, seiner Freundin, seinen Kindern, seinem Hund oder dem Wetter die Schuld zu geben – aber niemals sich selbst. Wenn Sie also Mist bauen, dann kommen Sie mir nicht mit Ausreden – schauen Sie in den Spiegel, und dann kommen Sie zu mir.«

Auf Verkäufertagungen nahm sich Charlie manchmal ein paar Minuten Zeit, um all die Ausreden anzuführen, die er in letzter Zeit gehört hatte, warum sich die Autos nicht verkauften, damit niemand in Versuchung geriet, diese vorzubringen. Er respektierte Leute, die sich zu ihren eigenen Mißerfolgen bekannten. Er mochte Typen nicht, die ständig nach Alibis suchten oder immer noch alte Schlachten ausfochten, statt sich auf die kommenden zu konzentrieren. Charlie war ein Straßenkämpfer und ein Stratege, immer damit beschäftigt, seine nächsten Schritte vorauszuplanen.

Er war ein passionierter Zigarrenraucher, und selbst nachdem ihm der Arzt das Rauchen verboten hatte, konnte er sich nicht von den Glimmstengeln trennen. Er nahm die Zigarren in den Mund, ohne sie anzuzünden und kaute auf ihnen herum. Nach einer Weile nahm er sein Taschenmesser heraus und schnitt das durchgekaute Ende ab. Nach dem Ende einer Konferenz konnte man glauben, ein Kaninchen sei dagewesen – auf dem Schreibtisch häuften sich zehn bis fünfzehn schwarze Kügelchen, die bemerkenswerte Ähnlichkeit mit Kaninchenkötteln hatten.

Charlie konnte ein strenger Chef sein, wenn er glaubte, daß es die Situation erfordere. Bei einem Abendessen zur Feier meiner Wahl als Präsident von Ford im Jahr 1970 brachte ich endlich den Mut auf, Charlie öffentlich zu sagen, was ich über ihn dachte. »Es wird nie einen zweiten Charlie Beacham geben«, begann ich. »Er hat eine spezielle Nische in meinem Herzen – und manchmal hatte ich das Gefühl, er schnitzt sie sich eigenhändig. Er war nicht nur mein Mentor, er war mehr als das. Er war mein *Tor*mentor (= Peiniger), aber ich liebe ihn!«

Als ich selbstbewußter und erfolgreicher wurde, beauftragte mich Charlie, die Händler im Verkauf von Lastwagen zu unterweisen. Ich verfaßte sogar einen kleinen Leitfaden mit dem Titel *Die Einstellung und Ausbildung von Lkw-Verkäufern.* Es stand außer Zweifel, daß meine Entscheidung richtig gewesen war, die Technik aufzugeben. Die spannenden Dinge spielten sich im Vertrieb ab, und es gefiel mir ungeheuer, da mitzumischen.

Ebenso wie an der Universität verdankte ich meinen Erfolg in Chester nicht bloß meiner eigenen Tüchtigkeit. Auch hier hatte ich das Glück, zur rechten Zeit am rechten Ort zu sein. Bei Ford vollzog sich eben eine grundlegende Reorganisation. Die Folge war, daß Spielräume für einen raschen Aufstieg vorhanden waren. Die Gelegenheit war da, und ich ergriff sie. Es dauerte nicht lange, und Charlie schickte mich noch weiter aus.

Ich bereiste die Ostküste kreuz und quer von einer Stadt zur anderen, wie ein Vertreter, und führte alles, was ich für meine Aufgabe brauchte, mit mir – Diaprojektoren, Posters und Flip-charts. Am Sonntagabend kam ich in einer Stadt an und hielt dort einen fünftägigen Schulungskurs für die Ford-Lkw-Verkäufer des ganzen Gebiets ab. Ich redete den ganzen Tag. Und wie bei allem übrigen: Wenn man etwas oft genug macht, dann hat man es schließlich drauf.

Meine Arbeit brachte es mit sich, daß ich viele Ferngespräche führen mußte. Damals konnte man noch nicht selbst wählen, sondern mußte das Fräulein vom Amt bemühen. Die fragten mich nach meinem Namen, und ich sagte: »Iacocca.« Natürlich hatten sie keine Ahnung, wie man das schreibt, also gab es immer Schwierigkeiten mit dem Buchstabieren. Dann fragten sie mich nach meinem Vornamen, und wenn ich »Lido« sagte, dann brachen sie in Gelächter aus. Schließlich sagte ich mir, »Muß das sein?«, und begann, mich Lee zu nennen.

Vor meiner ersten Reise in den Süden rief mich Charlie in sein Büro. »Lee«, sagte er, »Sie fahren jetzt dahin, wo ich herkomme, und ich möchte Ihnen ein paar Tips geben. Erstens, Sie reden viel zu schnell für diese Leute, also machen Sie ein bißchen langsamer. Zweitens, denen wird Ihr Name nicht gefallen. Ich gebe Ihnen also folgenden Rat. Sagen Sie den Leuten, daß Sie einen komischen Vornamen haben – Iacocca – und daß Ihr Familienname Lee ist. Das dürfte den Südstaatlern gefallen.«

Er hatte recht. Ich begann jede Tagung mit dieser Mitteilung, und sofort war das Eis gebrochen. Auf diese Weise gelang es mir, die Südstaatler völlig zu entwaffnen. Sie vergaßen, daß ich ein italienischer Yankee war. Mit einem Schlag wurde ich als einer der Ihren akzeptiert.

Ich arbeitete hart auf diesen Reisen, bei denen ich diesmal mit der Bahn in Städte wie Norfolk, Charlotte, Atlanta und Jacksonville gelangte. Ich lernte die Händler und die Verkäufer im ganzen Süden kennen. Ich aß mehr Polenta und schlechte Soßen, als mir lieb war. Aber ich war glücklich. Ich hatte mir gewünscht, im Autogeschäft mehr mit Menschen zu tun zu haben und weniger mit der Technik, und jetzt war ich endlich soweit.

# IV
# Die Erbsenzähler

Nach ein paar guten Jahren in Chester erlitt ich einen unerwarteten Rückschlag. Zu Beginn der fünfziger Jahre gab es eine milde Rezession, und Ford beschloß drastische Kürzungen. Ein Drittel der Verkäufer wurde entlassen – darunter einige meiner besten Kumpel. Wahrscheinlich hätte ich froh sein sollen, mit einer Herabstufung davonzukommen, aber ich fühlte mich keinesfalls wie ein Glückspilz. Eine Weile war ich ziemlich verzweifelt. Damals dachte ich daran, in die Lebensmittelbranche überzuwechseln.

Aber wenn man wirklich an das glaubt, was man tut, dann muß man durchhalten, auch wenn sich einem Hindernisse in den Weg stellen. Sobald ich mich ausgeschmollt hatte, verdoppelte ich meine Anstrengungen und arbeitete noch härter. Nach wenigen Monaten hatte ich meinen alten Job wieder. Rückschläge sind ein natürlicher Bestandteil meines Lebens, es kommt bloß darauf an, wie man darauf reagiert. Wenn ich zu lange geschmollt hätte, dann wäre ich wahrscheinlich auch gefeuert worden.

Bis zum Jahr 1953 hatte ich mich zum stellvertretenden Gebietsverkaufsleiter von Philadelphia hochgearbeitet. Ob die Händler sie an den Mann bringen oder nicht, die Autos rollen ständig von den Montagebändern, und man muß sie irgendwie loswerden. Unter solchen Umständen lernt man, einen Zahn zuzulegen und rasch zu handeln. Man hat entweder etwas vorzuweisen, oder man gerät in Schwierigkeiten – und zwar schnell!

Wenn man erst mal eine Pechsträhne hat, kann es einen bös erwischen, aber ich hatte 1956 eine gute Strähne. Das war das Jahr, in dem

Ford beschloß, Sicherheit vor Leistung und Pferdestärken zu stellen. Der Konzern hatte ein Sicherheitspaket entwickelt, das unter anderem eine Polsterung des Armaturenbretts enthielt. Das Werk hatte uns einen Film mitgeschickt, den wir den Händlern zeigen sollten und der ihnen vor Augen führen sollte, wieviel mehr Sicherheit die Polsterung gewährte, falls ein Insasse mit dem Kopf auf dem Brett aufschlug. Um diesen Punkt zu verdeutlichen, behauptete der Sprecher im Film, die Polsterung sei so dick, daß ein Ei, das man aus dem ersten Stock darauffallen lasse, hochhüpfen würde, ohne zu zerbrechen.

Ich war hingerissen. Statt den Verkäufern die Sicherheitspolsterung mit Hilfe des Films schmackhaft zu machen, wollte ich ihnen ein weitaus dramatischeres Spektakel bieten, indem ich tatsächlich ein Ei auf die Polsterung fallen ließ. Etwa 1100 Männer waren bei der Vertretertagung anwesend, als ich die Vorzüge der phantastischen neuen Sicherheitspolsterung anzupreisen begann, die wir bei unseren 56er Modellen anboten. Ich hatte Lagen der Polsterung auf dem Podium ausgebreitet, und nun kletterte ich mit einem Karton voll frischer Eier auf eine hohe Leiter.

Das erste Ei, das ich fallen ließ, verfehlte die Polsterung und zerschellte auf dem Parkett. Das Publikum brach in Gelächter aus. Mit dem zweiten Ei zielte ich sorgfältiger, aber mein Assistent, der die Leiter hielt, machte in diesem Augenblick eine falsche Bewegung. Die Folge war, daß das Ei von seiner Schulter abprallte. Auch das wurde mit erheitertem Beifall quittiert.

Das dritte und vierte Ei landete genau dort, wo es sollte. Leider zerbrachen beide beim Aufprall. Mit dem fünften Ei erzielte ich endlich das gewünschte Resultat – das Publikum applaudierte mir stehend. Ich lernte zwei Lektionen an diesem Tag. Erstens, benutze nie Eier auf einer Verkäufertagung. Und zweitens, tritt nie vor die Kunden hin, ohne geprobt zu haben, was du ihnen sagen und zeigen willst, um dein Produkt zu verkaufen.

Ich war an diesem Tag auf Eierschalen ausgerutscht, und dies erwies sich als prophetisches Symbol für unsere Modelle dieses Jahres. Die Sicherheitskampagne erwies sich als Flop. Die Kampagne war gut geplant, und es wurde sehr viel Reklame gemacht, aber die Käufer sprachen nicht darauf an.

Obwohl der Absatz der 56er Fords überall lahm war, erzielte unser Gebiet die schlechtesten Resultate im ganzen Land. Kurz nach der

Eierepisode hatte ich eine andere – und wie ich hoffte – bessere Idee. Ich fand, daß jeder Kunde, der einen neuen 56er Ford kaufte, die Chance erhalten sollte, dies für eine bescheidene Anzahlung von 20 Prozent plus dreijährigen Ratenzahlungen von monatlich 56 Dollar zu tun. Das waren Zahlungsbedingungen, die sich fast jeder leisten konnte, und ich hoffte, daß dies den Absatz in unserem Gebiet beleben würde. Ich nannte meine Idee *»56 für '56«*.

Die Kreditfinanzierung für den Kauf neuer Autos begann damals eben erst anzulaufen. *»56 für '56«* startete wie eine Rakete. Innerhalb von nur drei Monaten schnellte das Gebiet von Philadelphia vom letzten Platz im Lande auf den ersten hoch. In Dearborn war Robert S. McNamara, der für Ford zuständige Vizepräsident – er wurde später unter Kennedy Verteidigungsminister –, von dem Plan so angetan, daß er ihn zu einem Bestandteil der nationalen Marketingstrategie des Unternehmens machte. Später meinte er, dieser Plan habe den Absatz um schätzungsweise 75 000 Autos erhöht.

Nach zehnjähriger Vorbereitung hatte ich nun plötzlich über Nacht Erfolg. Nun kannte man mich in der Konzernzentrale und redete sogar über mich. Gute zehn Jahre lang hatte ich mit der Ochsentour zugebracht, aber jetzt hatte ich den Durchbruch geschafft. Meine Zukunft sah plötzlich viel rosiger aus. Zur Belohnung wurde ich zum Gebietsverkaufsleiter von Washington D.C. befördert.

Inmitten all dieser Aufregung heiratete ich auch. Mary McLeary war Empfangsdame im Ford-Montagewerk in Chester gewesen. Wir hatten uns acht Jahre zuvor auf einer Feier nach der Präsentation unserer 49er Modelle im *Bellevue Stratford Hotel* in Philadelphia kennengelernt. Mehrere Jahre lang sahen wir uns mal häufiger, mal seltener, aber ich war ständig auf Achse, was unsere Romanze schwierig und langwierig gestaltete. Am 29. September 1956 heirateten wir schließlich in der katholischen Kirche St. Robert's in Chester.

Mary und ich hatten mehrere Monate lang nach einem Haus in Washington gesucht, aber kaum hatten wir eines gekauft, rief mich Charlie Beacham zu sich und sagte: »Sie werden versetzt.« Ich antwortete: »Sie machen wohl Scherze. Ich heirate nächste Woche, und ich habe soeben ein Haus gekauft.« Er sagte: »Es tut mir leid, aber wenn Sie Ihr Gehalt bekommen wollen, werden Sie sich den Scheck in Dearborn abholen müssen.« Ich mußte Mary nicht bloß sagen, daß wir plötzlich nach Detroit übersiedeln mußten, sondern ich mußte ihr auch auf unserer Hochzeitsreise beibringen, daß ich nach der Rückkehr in unser schönes Haus in Maryland nur eine Nacht mit ihr verbringen würde und dann losfahren mußte!

Charlie Beacham, der zum Vertriebsleiter der Ford Division für Personen- und Lastwagen befördert worden war, holte mich als seinen Lkw-Marketing-Manager für die gesamten USA nach Dearborn. Ein Jahr später war ich Leiter des Pkw-Marketing, und im März 1960 übernahm ich beide Funktionen.

Bei meiner ersten Begegnung mit Robert McNamara, meinem neuen Chef, sprachen wir über Teppiche. Obwohl ich begeistert über die Berufung in die Konzernzentrale war, machte ich mir über den hohen Betrag Sorgen, den ich in unser neues Haus in Washington investiert hatte. McNamara versuchte mich zu beruhigen, indem er mir zusicherte, daß die Gesellschaft das Haus von mir kaufen werde. Leider hatten Mary und ich eben Teppichböden für 2000 Dollar in dem Haus verlegen lassen, eine erhebliche Summe in der damaligen Zeit. Ich hatte gehofft, daß mich Ford auch dafür entschädigen würde, aber McNamara schüttelte den Kopf. »Bloß das Haus«, sagte er zu mir. »Aber machen Sie sich keine Sorgen«, fügte er hinzu. »Wir werden Ihnen die Teppiche mit Ihrer Prämie abgelten.«

Das klang in der Tat beruhigend, aber als ich in mein Büro zurückkehrte, kamen mir Zweifel. »Moment mal«, sagte ich mir, »ich weiß ja nicht einmal, wie hoch die Prämie gewesen wäre ohne die Teppiche, wie kann ich also sicher sein, daß ich nicht draufzahle?« Rückblickend erscheint die ganze Geschichte lächerlich, und McNamara und ich haben in späteren Jahren ein paarmal darüber gelacht. Damals ging es mir jedoch nicht um Prestige oder Macht, sondern um Geld.

Robert McNamara war elf Jahre zuvor als einer der berühmten *Whiz Kids*, der jungen Schlauköpfe, zu Ford gekommen. Als Henry Ford II 1945 die Marine verließ, um die Leitung des riesigen, aber kränkelnden Unternehmens seines Großvaters zu übernehmen, brauchte er nichts dringender als Leute mit Führungsqualitäten. Wie es das Schicksal wollte, fiel ihm die Lösung seiner Probleme in den Schoß. Und er war klug genug, die Gelegenheit zu ergreifen.

Kurz nach Kriegsende erhielt Henry von einer Gruppe von zehn jungen Luftwaffenoffizieren ein ungewöhnliches und Neugier erweckendes Telegramm. Sie wollten mit ihm über »eine Frage von Management-Bedeutung« sprechen, wie sie es in dem Telegramm ausdrückten. Als ihre Referenz nannten sie den Verteidigungsminister. Diese zehn Offiziere, die das Office of Statistical Control der Luftwaffe geleitet hatten, wollten weiterhin als Team zusammenarbeiten – nun in der Privatwirtschaft.

Henry Ford lud sie nach Detroit ein, wo ihm ihr Anführer, Oberst Charles (Tex) Thornton, auseinandersetzte, daß seine Männer die Kostenrentabilität bei Ford verbessern könnten, so wie sie es in der Air Force getan hätten. Thornton ließ auch keinen Zweifel daran, daß er Henry einen *package deal* anbiete. Wenn Henry interessiert sei, müsse er die ganze Riege heuern. Klugerweise willigte Henry ein. Obwohl keiner der Männer aus der Automobilbranche stammte, sollten zwei von ihnen, McNamara und Arjay Miller, später Präsidenten von Ford werden.

Die Luftwaffenoffiziere traten zur selben Zeit bei Ford ein wie ich als Praktikant. Auch sie wurden durch das ganze Unternehmen geschleust, aber statt alles über die Fertigung zu lernen wie wir, studierten sie Administration und Management des Konzerns. In den ersten vier Monaten wanderten sie von einer Abteilung zur nächsten, und sie stellten so viele Fragen, daß die Leute anfingen, sie die *Quiz Kids* zu nennen. Später, als ihr Erfolg bei Ford offenkundig wurde, erhielten sie den Spitznamen *Whiz Kids.*

Robert McNamara unterschied sich merklich von den anderen *Whiz Kids* und auch von seinen Managerkollegen bei Ford. Viele Leute fanden, daß es ihm an Wärme fehlte, und in der Tat verbreitete er eine kühle Atmosphäre. Er war jedenfalls nicht leicht zum Lachen zu bringen, außer in Gesellschaft von Beacham. Charlie wirkte auflockernd auf ihn, und obwohl die beiden Männer nicht hätten verschiedener sein können – oder vielleicht gerade deshalb –, kamen sie großartig miteinander aus. Trotz seines Rufs als menschlicher Roboter war McNamara im Grunde sowohl ein sehr gütiger Mann als auch ein loyaler Freund. Seine Intelligenz war so außerordentlich und so diszipliniert, daß sie oft seine Persönlichkeit überschattete.

Es war nicht immer leicht, mit ihm auszukommen, und seine hohen Maßstäbe persönlicher Integrität konnten einen manchmal auf die Palme treiben. Einmal brauchte er für einen Skiurlaub, den er vorhatte, ein Auto mit einem Dachskiträger. »Kein Problem«, sagte ich zu ihm, »ich lasse einen Träger auf einen unserer Firmenwagen in Denver montieren, den brauchen Sie nur abzuholen.« Aber er wollte nichts davon hören. Er bestand darauf, daß wir ihm von Hertz ein Auto mieteten, für den Dachträger extra bezahlten und ihm die Rechnung schickten. Er lehnte es entschieden ab, in seinem Urlaub einen Firmenwagen zu benutzen, obwohl wir jedes Wochenende Hunderte von Firmenautos aus Gefälligkeit an andere VIPs verliehen.

McNamara pflegte zu sagen, daß der Chef päpstlicher als der Papst und so sauber wie ein Wolfszahn sein müsse. Er predigte eine gewisse Zurückhaltung, und er praktizierte, was er predigte. Er gehörte nie zur Clique.

Während die meisten Automanager in den Villenvierteln von Grosse Point und Bloomfield Hills wohnten, lebten McNamara und seine Frau in Ann Arbor in der Nähe der Universität von Michigan. Bob war ein Intellektueller und umgab sich lieber mit Wissenschaftlern als mit Autoleuten. In seiner politischen Einstellung war er genauso unabhängig. In einer Welt, die automatisch auf seiten der Republikaner war, weil diese ihrerseits auf seiten der Großindustrie waren, war McNamara sowohl ein Liberaler als auch ein Demokrat.

Er war auch einer der intelligentesten Menschen, die mir je begegnet sind, mit einem phänomenalen IQ und dem totalen Durchblick. Er war ein geistiger Riese. Bei seiner erstaunlichen Fähigkeit, Fakten zu erfassen, behielt er auch alles, was er sich aneignete. Aber McNamara wußte mehr als die konkreten Fakten – er kannte auch die hypothetischen. Wenn man mit ihm redete, erkannte man, daß er im Geist bereits die entscheidenden Details für jede vorstellbare Option und jedes Szenarium durchgespielt hatte. Er lehrte mich, nie eine wichtige Entscheidung zu treffen, ohne wenigstens die Wahl zwischen Vanille oder Schokolade zu haben. Und wenn mehr als hundert Millionen Dollar auf dem Spiel stehen, sei zu empfehlen, auch noch Erdbeer zur Auswahl zu haben.

Wenn es darum ging, große Summen auszugeben, berechnete McNamara die Folgen jeder möglichen Entscheidung. Wie kein anderer, den ich kenne, konnte er ein Dutzend verschiedene Pläne im Kopf behalten und alle Fakten und Zahlen herunterrasseln, ohne je seine Unterlagen zu konsultieren.

»Sie sind rundherum so tüchtig«, pflegte er zu mir zu sagen. »Sie könnten allen alles verkaufen. Aber wir sind im Begriff, hier hundert Millionen Dollar auszugeben. Setzen Sie sich heute abend hin und bringen Sie Ihre großartige Idee zu Papier. Wenn Sie das nicht können, dann haben Sie sie nicht wirklich durchdacht.«

Das war eine wertvolle Lektion, und ich habe mich seither von seinem Vorbild leiten lassen. Sooft einer meiner Leute eine Idee hat, bitte ich ihn, sie schriftlich niederzulegen. Ich möchte nicht, daß mich jemand bloß durch seine schöne Stimme oder seinen Charme für einen Plan einnimmt. Man kann sich das wirklich nicht leisten.

McNamara und die anderen *Whiz Kids* gehörten einer neuen Generation von Führungskräften an, die etwas bei Ford einführten, was das Unternehmen dringend brauchte: ein geordnetes Finanzwesen. Viele Jahre lang war dieser Bereich Fords schwächster Punkt gewesen, schon seit der Zeit, als der alte Henry Ford noch selbst die Buchführung besorgte, indem er Zahlen auf die Rückseite eines Briefumschlages kritzelte.

Die *Whiz Kids* beförderten die Ford Motor Company in das 20. Jahrhundert. Sie führten ein System von Kontrollen ein, so daß jeder Bereich des Unternehmens zum erstenmal nach Gewinn und Verlust bewertet werden – und jeder leitende Angestellte für den finanziellen Erfolg oder Mißerfolg seines eigenen Sektors zur Verantwortung gezogen werden konnte.

Außer den *Whiz Kids* stellte Henry Ford II Dutzende von Absolventen der Harvard Business School ein. Für uns im Vertrieb, der Produktplanung und im Marketing waren die Finanzplaner die »Langhaarigen« – Männer mit Diplomen in Volks- und Betriebswirtschaft, die innerhalb des Unternehmens eine elitäre Gruppe bildeten. Sie waren eingestellt worden, um eine üble Mißwirtschaft zu beseitigen, und sie machten ihre Sache gut. Als sie fertig waren, hatten sie sich jedoch auch den größten Teil der Macht bei Ford angeeignet.

In der Wirtschaft werden die Finanzleute oft als Erbsenzähler bezeichnet. McNamara war der Prototyp des Erbsenzählers, und er verkörperte sowohl die Stärken als auch die Schwächen diese Typus. Die besten von ihnen – und Bob zählte dazu – waren Finanzgenies und verfügten über eindrucksvolle analytische Fähigkeiten. Im Zeitalter vor den Computern waren diese Leute die Computer.

Ihrem ganzen Charakter nach sind Finanzanalytiker in der Regel defensiv, konservativ und pessimistisch. Ihre natürlichen Gegenspieler sind die Leute im Vertrieb und im Marketing – aggressiv, spekulativ und optimistisch. Sie sagen immer: »Machen wir's!«, während die

Erbsenzähler immer Gründe finden, warum man es nicht tun sollte. In jedem Unternehmen braucht man beide Seiten der Gleichung, da die natürliche Spannung zwischen den beiden Gruppen ihr eigenes System von Kontrollen und Ausgleich hervorbringt.

Wenn die Erbsenzähler zu schwach sind, dann verausgabt sich das Unternehmen bis zum Bankrott. Wenn sie zu stark sind, reagiert die Firma nicht auf den Markt, beziehungsweise sie bleibt nicht konkurrenzfähig. Genau das geschah bei Ford in den siebziger Jahren. Die Finanzmanager begannen, sich als die einzigen klugen Leute im Konzern anzusehen. Ihre Haltung war: »Wenn wir sie nicht bremsen, dann werden uns diese Joker ruinieren.« Sie sahen ihre Aufgabe darin, den Konzern vor Traumtänzern und Radikalen zu retten, die Ford dem Pleitegeier ausliefern würden. Sie vergaßen, wie schnell sich die Dinge im Autogeschäft ändern können. Während ihr Unternehmen auf dem Markt verreckte, wollten sie bis zur Budgetkonferenz des nächsten Jahres Daumen drehen.

Robert McNamara war anders. Er war ein guter Geschäftsmann, aber der Verbraucherschutz lag ihm besonders am Herzen. Die Idee leuchtete ihm voll ein, das Auto als Gebrauchsgegenstand zu betrachten, dessen Zweck lediglich darin bestand, menschliche Grundbedürfnisse zu decken. Die meisten Luxusmodelle und Extras sah er als frivol an und akzeptierte sie nur wegen der höheren Gewinnspannen, die sie einbrachten. Aber McNamara war ein so kompetenter Manager und für den Konzern so wertvoll, daß er trotz seiner ideologischen Unabhängigkeit in der Hierarchie immer weiter aufstieg.

Obwohl er sein Auge auf die Position des Präsidenten von Ford geworfen hatte, rechnete er nicht damit, sie zu erreichen. »Ich komme da nie hin«, sagte er einmal zu mir, »weil Henry und ich über nichts derselben Meinung sind.« Mit dieser Einschätzung lag er richtig, aber seine Prognose war falsch.

Aber ich glaube nicht, daß er sich langfristig geirrt hätte. Bob war ein starker Mann, der um das kämpfte, woran er glaubte. Henry Ford hatte die üble Gewohnheit, starke Führerfiguren aus dem Weg zu räumen. McNamara wurde am 10. November 1960 Präsident, und ich wurde am gleichen Tag in seine alte Stellung des Vizepräsidenten und Generaldirektors der Ford Division befördert. Unsere Ernennungen erfolgten zum gleichen Zeitpunkt wie die Wahl von John F. Kennedy. Einige Tage später, als Kennedy sein Kabinett zusammenstellte, flogen Vertreter des gewählten Präsidenten nach Detroit, um mit Bob zu sprechen. McNamara, der unter anderem Professor an der Harvard Business School gewesen war, wurde das Finanzministerium angeboten. Er lehnte ab, aber Kennedy war sichtlich von ihm beeindruckt. Als ihm Kennedy später das Verteidigungsministerium anbot, sagte Bob ja.

Im Jahr 1959 hatte McNamara sein eigenes Auto herausgebracht. Der Falcon war das erste amerikanische Kompaktauto, und wie der zugkräftige Werbeslogan besagte, war es *»inexpensive – and built to stay that way«* (preiswert und so konstruiert, es zu bleiben). Es war auch äußerst erfolgreich: Allein schon im ersten Jahr konnte die hervorragende Zahl von 417 000 Stück abgesetzt werden. Ein solches Ergebnis war in der Autogeschichte noch nie dagewesen und mehr als genug, um McNamara den Posten des Präsidenten von Ford einzutragen.

McNamara hielt viel von einem praktischen Beförderungsmittel ohne Kinkerlitzchen, und mit dem Falcon setzte er seine Ideen in die Praxis um. Obwohl mir das Styling des Autos nicht gefiel – im Grunde hatte es keines –, mußte ich seinen Erfolg bewundern. Hier war ein Auto, das preislich mit den kleinen Importwagen konkurrieren konnte, die immer stärker hereindrängten und bereits fast zehn Prozent des amerikanischen Marktes besetzt hatten. Aber im Unterschied zu den Importwagen bot der Falcon sechs Personen Platz und war dadurch groß genug für die meisten amerikanischen Familien.

Wir bei Ford waren nicht die einzigen, die mit den Importwagen konkurrierten. Etwa zur selben Zeit brachte General Motors den Corvair heraus und Chrysler den Valiant. Aber der Falcon war bei weitem am erfolgreichsten, zum Teil, weil er am billigsten war.

Abgesehen vom niedrigen Preis stellte der Falcon auch einen hohen Gegenwert dar. Obwohl Sparsamkeit im Verbrauch 1960 sicher nicht zu den wichtigsten Aspekten zählte, war der Falcon in dieser Hinsicht ausgesprochen günstig. Was noch wichtiger ist, er erwarb sich einen guten Ruf als problemloses, solides und wartungsarmes Auto. Wegen seiner einfachen Konstruktion kamen Reparaturen, wenn sie dennoch nötig wurden, relativ billig. Das fiel so stark ins Gewicht, daß Versicherungen bereit waren, den Besitzern eines Falcon Rabatte einzuräumen.

Aber trotz seiner enormen Popularität brachte der Falcon nicht so viel Geld ein, wie wir gehofft hatten. Da er ein sparsames, kleines Auto war, hatte er eine begrenzte Gewinnspanne. Es standen auch nicht so viele Extras zur Verfügung, durch die sich unsere Einnahmen stark erhöht hätten. Nach meiner Beförderung zum Leiter der Ford Division begann ich, meine eigenen Ideen über die Produktion eines Autos zu entwickeln, das bei den Käufern ankommen *und* uns eine Menge Geld einbringen würde. Innerhalb weniger Jahre sollte ich Gelegenheit erhalten, diese Ideen in die Praxis umzusetzen.

# V
# Der Schlüssel zum Management

Im Alter von 36 Jahren war ich Generaldirektor der größten Produktionssparte des zweitgrößten Industriekonzerns der Welt. Gleichzeitig war ich so gut wie unbekannt. Die Hälfte der Belegschaft von Ford kannte mich nicht. Die andere Hälfte konnte meinen Namen nicht aussprechen.

Als mich Henry Ford im Dezember 1960 in sein Büro bestellte, war dies wie die Einladung zu einer Audienz beim lieben Gott. Wir hatten einander schon ein paarmal die Hände geschüttelt, aber dies war das erstemal, daß wir ein richtiges Gespräch miteinander führten. McNamara und Beacham hatten mir bereits gesagt, daß sie Henry überzeugt hätten, mich zum Leiter der Ford Division zu machen, aber sie rieten mir, mich unwissend zu stellen. Sie wußten, daß Henry bei mir den Eindruck erwecken wollte, es sei seine Idee gewesen.

Ich war hocherfreut über die Beförderung, aber ich begriff, daß ich dadurch in eine heikle Position geriet. Einerseits stand ich plötzlich an der Spitze des Elitesektors des Konzerns. Henry Ford hatte mir persönlich die Kronjuwelen anvertraut. Andererseits hatte ich bei meinem Aufstieg hundert ältere und erfahrenere Leute überholt. Manche von ihnen mißgönnten mir meinen raschen Erfolg, wie ich wußte. Außerdem hatte ich mich bisher noch nicht wirklich als Produktmanager ausgewiesen. An diesem Punkt meiner Karriere gab es noch kein Auto, auf das die Leute zeigen und von dem sie sagen konnten: »Iacocca hat das gemacht.«

Ich war also auf den Bereich angewiesen, den ich kannte: den Umgang mit Menschen. Ich mußte herausfinden, ob mir meine ganze

Schulung im Vertrieb und im Marketing beim Umgang mit den Angestellten nützen würde. Ich mußte alles anwenden, was ich von meinem Vater, von Charlie Beacham und mit eigenen Erfahrungen und Erkenntnissen gelernt hatte. Es hieß jetzt zu zeigen, was ich konnte.

Eine meiner ersten Ideen verdankte ich Wall Street. Die Ford Motor Company war erst vier Jahre zuvor, 1956, in eine Aktiengesellschaft umgewandelt worden. Wir waren jetzt im Besitz einer großen Gruppe von Aktionären, denen überaus viel an unserem Gedeihen und unserer Produktivität gelegen war. Ebenso wie andere Aktiengesellschaften übersandten wir unseren Aktionären alle drei Monate einen detaillierten Finanzbericht. Viermal im Jahr wurden sie durch diese Quartalsberichte ins Bild gesetzt, und viermal im Jahr schütteten wir aus unseren Gewinnen eine Dividende aus.

»Wenn unsere Aktionäre vierteljährliche Leistungsbilanzen erhielten, warum sollte das nicht auch für unsere Führungskräfte gelten?« fragte ich mich. Ich begann, das Managementsystem zu entwickeln, das ich heute noch benutze. In den folgenden Jahren legte ich meinen leitenden Angestellten regelmäßig einige grundlegende Fragen vor (und ersuchte sie, dasselbe mit ihren wichtigsten Leuten zu tun und so weiter bis zur untersten Ebene): »Welche Ziele haben Sie für die nächsten drei Monate? Welche Pläne, welche Prioritäten, welche Hoffnungen? Und was gedenken Sie zu tun, um sie zu realisieren?«

Oberflächlich betrachtet, mag dieses Verfahren kaum als mehr erscheinen als eine handfeste Methode, Angestellte gegenüber ihrem Chef zur Rechenschaft zu zwingen. Das stimmt natürlich. Aber es ist dennoch weit mehr, denn diese vierteljährliche Leistungsbilanz veranlaßt die Mitarbeiter, sich selbst über ihr Tun Rechenschaft zu geben. Sie zwingt nicht nur jeden leitenden Angestellten, sich über seine Ziele Gedanken zu machen, sondern ist auch ein wirksames Mittel, die Leute daran zu erinnern, ihre Träume nicht aus den Augen zu verlieren.

Alle drei Monate setzt sich jeder leitende Angestellte mit seinem unmittelbaren Vorgesetzten zusammen, um Bilanz über die Leistungen der jeweiligen Führungskraft zu ziehen und die Ziele für das nächste Quartal festzulegen. Sobald Einigkeit über diese Ziele besteht, legt sie der leitende Angestellte schriftlich nieder, und der Vorgesetzte zeichnet sie ab. Wie ich von McNamara lernte, ist die Disziplin, etwas schriftlich festzuhalten, der erste Schritt dazu, es in die

Tat umzusetzen. In Gesprächen kann man sich Unverbindlichkeiten und Unsinn aller Art leisten, oft, ohne es zu bemerken. Aber wenn man seine Gedanken zu Papier bringt, dann ist man gezwungen, sich genau auszudrücken. Auf diese Weise ist es schwieriger, sich selbst – oder jemand anderem – etwas vorzumachen.

Das System der vierteljährlichen Leistungsbilanz klingt fast zu einfach, aber es funktioniert. Und es funktioniert aus mehreren Gründen. Erstens gestattet es jedem Mitarbeiter, sein eigener Chef zu sein und sich seine Ziele selbst zu setzen. Zweitens macht es ihn produktiver und motiviert ihn von sich aus. Drittens bringt es frische Ideen zum Sprudeln. Die vierteljährliche Bilanz zwingt Manager, innezuhalten und sich zu fragen, was sie erreicht haben, was sie als nächstes erreichen wollen und welche Wege sie einschlagen sollten. Ich habe noch keine bessere Methode entdeckt, um neue Ansätze für Problemlösungen zu stimulieren.

Ein weiterer Vorteil des vierteljährlichen Checkups – insbesondere in einem großen Unternehmen – ist, daß man vermeidet, Leute aus den Augen zu verlieren. Es ist sehr schwierig, im System unterzutauchen, wenn man jedes Vierteljahr von seinem Vorgesetzten und indirekt von dessen Chef und vom Chef des Chefs überprüft wird. Auf diese Weise werden gute Leute nicht übersehen. Und, was genauso wichtig ist, schlechte Leute können sich nicht verstecken.

Schließlich, und dies ist vielleicht das allerwichtigste, zwingt das vierteljährliche Überprüfungssystem die Führungskräfte und ihre Chefs zu einem Dialog. In einer idealen Welt würde man keiner speziellen Institution bedürfen, um zu gewährleisten, daß diese Art von Interaktion stattfindet. Aber wenn eine Führungskraft und ihr Vorgesetzter nicht sehr gut miteinander klarkommen, dann müssen sie sich zumindest viermal im Jahr zusammensetzen, um zu entscheiden, was sie in den bevorstehenden Monaten miteinander erreichen wollen. Sie haben keine Möglichkeit, dieses Gespräch zu vermeiden, und im Lauf der Zeit verbessert sich gewöhnlich ihre Arbeitsbeziehung in dem Maße, in dem sie einander besser kennenlernen.

Bei diesen vierteljährlichen Besprechungen ist es die Aufgabe des Chefs, auf den Plan eines jeden Leitenden zu reagieren. Der Chef kann sagen: »Hören Sie, ich glaube, Sie haben Ihre Ziele etwas zu hoch gesteckt, aber wenn Sie meinen, all das in den nächsten drei Monaten verwirklichen zu können, dann packen Sie es an!« Oder: »Dieser Plan scheint mir vernünftig, aber es gibt hier gewisse Prioritäten, denen ich nicht zustimme. Sprechen wir das einmal durch.« Wie die Diskussion auch verlaufen mag, die Rolle des Chefs beginnt sich zu verändern. Allmählich wird er weniger eine Autoritätsfigur und mehr zu einem Berater und älteren Kollegen.

Als Daves Vorgesetzter könnte ich Dave zunächst fragen, was er in den nächsten drei Monaten zu verwirklichen hofft. Er könnte mir antworten, daß er unseren Marktanteil um einen halben Prozentpunkt erhöhen möchte. Ich erwidere: »Schön. Und wie wollen Sie das erreichen?«

Bevor ich diese Frage stelle, müssen wir uns über das konkrete Ziel einig sein, auf das er hinarbeitet. Aber das ist selten ein Problem. Wenn es einen Konflikt zwischen uns gibt, dann wird er sich viel häufiger um das Wie als um das Was drehen. Die meisten Führungskräfte zögern, ihre Leute mit dem Ball laufenzulassen. Aber es ist erstaunlich, wie schnell ein informierter und motivierter Mensch laufen kann.

Je mehr Dave das Gefühl hat, sich seine eigenen Ziele selbst gesteckt zu haben, desto größer ist die Wahrscheinlichkeit, daß er keine Hindernisse scheuen wird, um sie zu erreichen. Schließlich hat er sie selbst gewählt, und sein Chef hat sie gebilligt. Und weil Dave so verfahren möchte, wie er es für richtig hält, wird er sein Äußerstes tun, um zu beweisen, daß sein Vorgehen vernünftig ist.

Die vierteljährliche Leistungsbilanz bewährt sich ebenso gut, wenn David den Erwartungen nicht entspricht. In diesem Fall braucht der Chef gewöhnlich nichts zu sagen. In der Mehrzahl der Fälle wird Dave selbst darauf zu sprechen kommen, weil sein Mißerfolg so peinlich offenkundig ist.

Nach meinen Erfahrungen kommt der Mitarbeiter, der es nicht geschafft hat, nach den drei Monaten gewöhnlich an und erklärt entschuldigend, daß er sein Ziel nicht erreicht habe, bevor der Chef ein Wort sagt. Wenn das mehrere Quartale hintereinander geschieht, beginnt der Betreffende an sich selbst zu zweifeln. Es dämmert ihm, daß es sein Problem ist – und nicht die Schuld des Chefs.

Selbst dann ist gewöhnlich noch Zeit, eine konstruktive Maßnahme zu ergreifen. Oft sagt der Mitarbeiter selbst: »Es tut mir leid, ich bin dieser Aufgabe nicht gewachsen. Ich fühle mich überfordert. Könnten Sie mich woandershin versetzen?«

Es ist weitaus besser für alle Beteiligten, wenn ein Mitarbeiter von sich aus zu dieser Einsicht gelangt. Jedes Unternehmen hat schon gute Leute verloren, die einfach an der falschen Stelle waren und denen sowohl größere Befriedigung als auch größerer Erfolg beschieden gewesen wäre, wenn man sie in einen anderen Bereich versetzt hätte, statt sie zu entlassen. Je früher man Probleme dieser Art entdecken kann, desto besser sind natürlich die Chancen, sie zu lösen.

Ohne ein System regelmäßiger Überprüfungen können Führungskräfte, die sich in einer bestimmten Position nicht bewähren, Ressentiments gegen ihren Chef entwickeln. Oder der Mitarbeiter kann sich einbilden, er habe sein Ziel verfehlt, weil ihn sein Chef nicht leiden könne. Ich habe zu viele Fälle erlebt, in denen jemand jahrelang an der falschen Stelle saß. Meistens hatte die Geschäftsführung keine Möglichkeit, das festzustellen, bis es zu spät war.

Normalerweise bin ich nicht dafür, Leute ständig zu versetzen. Ich bin skeptisch gegenüber dem heutigen Trend, Leute durch verschiedene Abteilungen eines Unternehmens zu schleusen, als seien alle Kompetenzen austauschbar. Sie sind es nicht. Es ist, als würde man einen Herzspezialisten nehmen und sagen: »Er ist ein großartiger Herzchirurg. Lassen wir ihn nächste Woche eine Entbindung vornehmen.« Er wird der erste sein, der einem sagt, daß die Geburtshilfe ein völlig anderes Arbeitsgebiet ist und daß Fachkenntnisse auf einem Gebiet nicht Fähigkeiten oder Erfahrungen auf einem anderen ersetzen. Dasselbe gilt für die Wirtschaft.

Bei Ford und später bei Chrysler habe ich stets versucht, meine Mitarbeiter dazu anzuhalten, mein vierteljährliches Überprüfungssystem zu benutzen. »Auf diese Weise halte ich die Dinge unter Kontrolle«, erkläre ich. »Und ich werde Ihnen zeigen, wie es funktioniert. Ich sage nicht, daß Sie es so machen müssen. Aber wenn nicht, dann müssen Sie mir etwas zeigen, was zu denselben Ergebnissen führt.«

Im Laufe der vielen Jahre, in denen ich dieses System anwandte, habe ich gelernt, mich vor zwei potentiellen Problemen zu hüten. Erstens tendieren manche Mitarbeiter dazu, sich zu übernehmen. In manchen Fällen ist dagegen nichts einzuwenden, weil es zeigt, daß sich ein Mitarbeiter wirklich anstrengt. Selbst ein teilweiser Erfolg kann sehr viel für ihn bedeuten. Jeder Vorgesetzte, der etwas taugt, hat es lieber mit Leuten zu tun, die sich zuviel zumuten, als mit solchen, die zuwenig in Angriff nehmen.

Das zweite Problem ist die Neigung von Chefs, zu früh dazwischenzufunken. Während meines Aufstiegs war ich in dieser Hinsicht einer der schlimmsten Sünder. Ich konnte der Versuchung nicht widerstehen, mich einzumischen. Aber allmählich lernte ich Geduld. In den meisten Fällen wirkt das vierteljährliche Überprüfungssystem selbstregulierend; es funktioniert am besten, wenn ich mich nicht einmische. Wenn es gut läuft, bindet es die Mitarbeiter in einer konstruktiven Weise aneinander und richtet sie auf angemessene, gemeinsam gewählte Ziele aus. Mehr kann man nicht verlangen.

Wenn ich die Qualitäten, die eine gute Führungskraft ausmachen, in einem Begriff zusammenfassen müßte, dann würde ich sagen, daß es letztlich eine Frage der Tatkraft sei. Man kann die raffiniertesten Computer der Welt benutzen und alle Diagramme und Zahlen parat haben, aber am Ende muß man alle Informationen auf einen Nenner bringen, muß einen Zeitplan machen und muß *handeln.*

Und ich meine nicht bedenkenlos handeln. In der Presse werde ich manchmal als aus der Hüfte schießender, zur Improvisation neigender, charismatischer Führertypus dargestellt. Ich mag gelegentlich diesen Eindruck erwecken, aber wenn dieses Image wirklich zuträfe, hätte ich in diesem Geschäft niemals erfolgreich sein können.

In Wirklichkeit ist mein Führungsstil immer ziemlich konservativ gewesen. Wenn ich Risiken eingegangen bin, dann nur, nachdem ich mich vergewissert hatte, daß die Marktuntersuchungen meine instinktiven Vermutungen bestätigten. Ich lasse mich von der Intuition leiten – aber nur, wenn meine Vermutungen von den Tatsachen bekräftigt werden.

Zu viele Führungskräfte lassen sich in ihrer Entscheidungsfindung zu sehr bremsen, insbesondere diejenigen mit zuviel akademischer Bildung. Ich sagte einmal zu Philip Caldwell, der nach meinem Abgang Spitzenmann bei Ford wurde: »Dein Problem, Phil, ist, daß du in Harvard warst und daß man dir dort beigebracht hat, erst dann zu handeln, wenn dir alle Fakten vorliegen. Du hast 95 Prozent, aber du brauchst ein weiteres halbes Jahr, um auch noch die letzten fünf Prozent zu kriegen. Und wenn du sie endlich hast, dann werden deine Fakten veraltet sein, weil sich der Markt inzwischen weiterbewegt hat. Das ist das ganze Geheimnis des Lebens – Timing.«

Ein guter Wirtschaftsführer kann nicht so vorgehen. Es ist völlig natürlich, alle Fakten haben zu wollen und auf die Untersuchungen zu bauen, die einem garantieren, daß ein bestimmtes Programm funktionieren wird. Wenn man schließlich im Begriff ist, 300 Millionen Dollar in ein neues Produkt zu investieren, dann will man absolut sicher sein, daß man den richtigen Weg gewählt hat.

Theoretisch ist das schön und gut. Aber das wirkliche Leben gehorcht anderen Gesetzen. Natürlich hat man die Aufgabe, so viele relevante Fakten und Prognosen zu sammeln, wie nur irgend möglich. Aber an irgendeinem Punkt muß man den Sprung ins Ungewisse wagen. Erstens, weil selbst die richtige Entscheidung falsch ist, wenn sie zu spät erfolgt. Zweitens, weil es in den meisten Fällen so etwas wie Gewißheit gar nicht gibt. Manchmal gleicht selbst der beste Manager einem kleinen Jungen, der einen großen Hund an der Leine hat und darauf wartet, wo der Hund hinwill, damit er ihn dorthin führen kann.

Wieviel Informationen sind nötig, um eine Entscheidung zu treffen? Es ist unmöglich, dies in Zahlen auszudrücken, aber es liegt auf der Hand, daß man ein hohes Risiko eingeht, wenn man handelt, obwohl man nur 50 Prozent der Fakten kennt. Wenn das der Fall ist, dann braucht man entweder sehr viel Glück – oder einen fabelhaften Riecher. Manchmal kann ein solches Vorgehen angebracht sein, aber ein Eisenbahnnetz kann man auf diese Weise nicht leiten.

Andererseits wird man nie 100 Prozent der Fakten haben, die man braucht. Wie viele Industriezweige ist auch die Automobilindustrie heute einem ständigen Wandel unterworfen. Für uns in Detroit besteht die große Herausforderung stets darin, vorauszuahnen, was die Kunden in drei Jahren ansprechen wird. Ich schreibe diese Worte 1984, und wir planen bereits unsere Modelle für 1987 und 1988. Irgendwie muß ich versuchen vorauszusagen, was sich in drei und vier Jahren verkaufen wird, obwohl ich nicht mit Gewißheit sagen kann, was das Publikum nächsten Monat wünschen wird.

Wenn man nicht alle Fakten hat, dann muß man manchmal auf die eigenen Erfahrungen zurückgreifen. Sooft ich in einer Zeitung lese, daß Lee Iacocca gern aus der Hüfte schießt, sage ich mir: »Nun, vielleicht schießt er schon so lange, daß er inzwischen eine ziemlich gute Ahnung davon hat, wie man das Ziel trifft.«

Bis zu einem gewissen Grad habe ich mich immer von meinen Instinkten leiten lassen. Ich tummle mich gern in der Kampflinie. Ich habe nie zu den Leuten gezählt, die herumsitzen und sich in endlosen Strategiedebatten verlieren können.

Aber es gibt eine neue Rasse von Geschäftsleuten, überwiegend Leute mit Diplomen in Volks- und Betriebswirtschaft, die vor intuitiven Entscheidungen zurückscheuen. Zum Teil haben sie recht. Normalerweise reicht die Intuition nicht als Grundlage aus, um zu handeln. Aber viele dieser Leute verfallen in das andere Extrem. Sie scheinen zu glauben, daß jedes geschäftliche Problem auf eine Fallstudie reduziert werden kann. Das mag für die Universität zutreffen. Aber in der Wirtschaft muß jemand da sein, der sagt: »Okay, Leute, es ist Zeit zu handeln. Machen Sie sich bereit, in einer Stunde loszuschlagen.« Wenn ich geschichtliche Darstellungen des Zweiten Weltkriegs und der Invasion lese, kommt mir immer derselbe Gedanke: Eisenhower hätte die Sache fast geschmissen, weil er solange schwankte. Aber schließlich sagte er: »Egal, wie das Wetter aussieht, wir müssen jetzt handeln. Weiter zu warten könnte noch gefährlicher sein. Also ziehen wir die Sache durch!«

Dasselbe Prinzip gilt für die Wirtschaft. Es wird immer Leute geben, die ein, zwei weitere Monate für zusätzliche Untersuchungen über die Dachform eines neuen Autos aufwenden wollen. Obwohl diese Recherchen hilfreich sein mögen, können sie ihre Produktionspläne völlig über den Haufen werfen. Von einem gewissen Punkt an, wenn die meisten relevanten Fakten vorliegen, ist man dem Gesetz vom abnehmenden Grenzertrag ausgeliefert.

Deshalb ist ein gewisses Maß an Risikobereitschaft ganz wichtig. Ich bin mir bewußt, daß das nicht für alle gilt. Es gibt Leute, die morgens das Haus nicht ohne Schirm verlassen, selbst wenn die Sonne scheint. Leider wartet die Welt nicht immer, während man damit beschäftigt ist, seine Verluste vorauszuberechnen. Manchmal muß man einfach ein Risiko eingehen – und seine Fehler unterwegs korrigieren.

In den sechziger Jahren und während des größten Teils der siebziger Jahre waren diese Dinge nicht so wichtig wie heute. Damals war die Autoindustrie eine Art Goldesel. Wir strichen Gewinne ein, fast ohne uns anzustrengen. Aber heute können sich nur wenige Industriezweige den Luxus langsamer Entscheidungsprozesse leisten, ob es nun um einen Mann geht, der an der falschen Stelle steht, oder um die Planung einer neuen Modellserie, die in fünf Jahren auf den Markt kommen soll.

Trotz der Behauptungen in den Lehrbüchern werden die meisten wichtigen Entscheidungen in der Wirtschaft von einzelnen, nicht von

Ausschüssen getroffen. Mein Prinzip ist es immer gewesen, bis zum Augenblick der Entscheidung demokratisch zu verfahren. Dann übernehme ich das Kommando. »Okay, ich habe alle angehört«, sage ich. »Wir werden folgendes machen.«

Man wird immer Ausschüsse brauchen, weil sie den Menschen Gelegenheit geben, ihr Wissen auszutauschen und ihre Intentionen mitzuteilen. Aber wenn Ausschüsse an die Stelle einzelner treten – und bei Ford gibt es heute mehr Ausschüsse als bei General Motors –, dann beginnt die Produktivität abzunehmen.

Um es mit einem Satz zu sagen: Nichts in dieser Welt steht still. Ich gehe gern auf die Entenjagd, wo ständige Bewegung und Veränderung herrscht. Man kann auf eine Ente zielen und sie aufs Korn nehmen, aber die Ente hält nie still. *Um die Ente zu treffen, muß man die Flinte bewegen.* Aber ein Ausschuß, der mit einer wichtigen Entscheidung konfrontiert ist, kann sich nicht immer so rasch umstellen wie die Ereignisse, auf die er zu reagieren sucht. Wenn der Ausschuß bereit ist zu schießen, ist die Ente fortgeflogen.

Manager müssen nicht nur Entscheidungen treffen, sie müssen auch andere motivieren.

Als ich Generaldirektor der Ford Division war, wurde ich eingeladen, vor den Sloan-Stipendiaten an der Alfred-P.-Sloan-Managementschule des Massachusetts Institute of Technology zu sprechen. Die Sloan-Leute sind sehr begabt und haben ein erstklassiges Ausbildungsprogramm, das einen einwöchigen Europaaufenthalt zum Studium der EG, eine Woche in der Wall Street, eine Woche im Pentagon und so weiter einschließt.

Jeden Donnerstagabend spricht ein Gastredner aus Wirtschaft oder Industrie zu den Studenten. Als ich aufgefordert wurde, 1962 vor dieser Gruppe zu sprechen, fühlte ich mich geehrt, war aber auch etwas nervös. »Seien Sie unbesorgt«, sagte man zu mir. »Die Studenten versammeln sich nach dem Abendessen im Foyer. Sie werden ein paar Worte über die Autoindustrie sagen, und dann wird man Ihnen einige Fragen stellen.«

Ich sprach also kurz über die Herstellung und den Verkauf von Automobilen, und dann ersuchte ich um Fragen und Kommentare. Von einer so exklusiven Gruppe erwartete ich sehr abstrakte und theoretische Fragen; ich war daher überrascht, als einer wissen wollte: »Wie viele Leute arbeiten in der Ford Division?«

»Wir haben etwa 11 000 Mitarbeiter«, antwortete ich.

»Nun«, sagte der Student, »Sie verbringen den heutigen und morgigen Tag hier in Cambridge. Wer motiviert diese 11 000 Menschen, während Sie nicht im Büro sind?«

Das war eine sehr wichtige Frage, und ich erinnere mich noch heute an das Gesicht des jungen Mannes, der sie stellte. Er traf den Nagel auf den Kopf, weil Management nichts anderes ist als die Kunst, andere Menschen zu motivieren.

Verständlicherweise konnte ich nicht alle 11 000 Mitarbeiter namentlich kennen. Außer dem vierteljährlichen Überprüfungssystem mußte es also noch etwas anderes geben, was sie alle motivierte.

Die einzige Möglichkeit, Menschen zu motivieren, ist die Kommunikation. Obwohl ich in der High-School dem Debattier-Club angehört hatte, scheute ich zunächst davor zurück, in der Öffentlichkeit zu sprechen. In den ersten paar Jahren meiner Berufstätigkeit war ich introvertiert, ein Veilchen, das im verborgenen blüht.

Aber das war, bevor ich einen Kurs in öffentlichem Sprechen am Dale Carnegie Institute absolviert hatte. Damals war ich bei Ford soeben zum nationalen Lkw-Schulungsleiter ernannt worden. Der Konzern schickte mich mit einigen anderen Mitarbeitern zu Dale Carnegie, um uns in den Finessen der Rhetorik unterweisen zu lassen.

Der Lehrgang begann damit, daß man uns aus unseren Schneckenhäusern lockte. Manche Menschen – und ich zählte zu ihnen – können den ganzen Tag vor ein, zwei Leuten sprechen, aber sobald sie eine größere Gruppe vor sich haben, sind sie ziemlich nervös.

Eine Übung, an die ich mich erinnere, bestand darin, daß wir zwei Minuten lang über ein Thema extemporieren mußten, über das wir nichts wußten – wie beispielsweise Zen-Buddhismus. Man konnte zunächst sagen, daß man nicht wisse, was das sei, aber dann mußte man weiterreden – und ziemlich bald fiel einem irgend etwas dazu ein. Es ging darum, einen daran zu gewöhnen, während des Redens zu denken, kurz, zu improvisieren.

Wir lernten einige grundlegende Techniken der freien Rede, die ich immer noch praktiziere. Als Redner kann man sein Thema drauf haben, aber man darf nicht vergessen, daß die Zuhörer mit etwas für sie Neuem konfrontiert sind. Es empfiehlt sich daher, ihnen zunächst mitzuteilen, was man ihnen mitteilen will. Dann teilt man es ihnen mit. Schließlich faßt man das Gesagte nochmals für sie zusammen. Von diesem Prinzip bin ich nie abgewichen.

Eine weitere Technik, die wir lernten, war, die Zuhörer immer zu irgendeiner Handlung aufzufordern, bevor man schließt. Es spielt keine Rolle, zu welcher: schreiben Sie an Ihren Abgeordneten, rufen Sie Ihren Nachbarn an, lassen Sie sich eine bestimmte These durch den Kopf gehen. Mit anderen Worten, gehen Sie nicht fort, ohne einen Auftrag mitzunehmen.

Im Laufe der Wochen begann ich mich zunehmend zu lockern. Ziemlich bald war ich bereit, aufzustehen und zu sprechen, ohne aufgefordert werden zu müssen. Mir gefiel die Herausforderung. Es kam darauf an, Hemmungen abzustreifen, und in meinem Fall ist das zweifellos gelungen. Sobald ich anfing zu sprechen, konnte ich nicht genug davon kriegen. (Sicher gibt es Leute, die wünschen, ich hätte nicht so großen Gefallen daran gefunden!)

Bis heute halte ich große Stücke auf das Dale-Carnegie-Institut. Ich habe viele Ingenieure mit fabelhaften Ideen kennengelernt, denen es schwerfiel, diese anderen zu vermitteln. Es ist immer schade, wenn ein talentierter Mensch dem Vorstand oder einem Ausschuß seine Gedanken nicht mitteilen kann. In der Mehrzahl der Fälle würde ein Dale-Carnegie-Kurs den Durchbruch bringen.

Nicht jeder Manager muß sich mündlich oder schriftlich gut ausdrücken können. Aber heute verlassen mehr und mehr junge Leute die Schule ohne die grundlegende Fähigkeit, sich klar äußern zu können. Ich habe Dutzende von introvertierten Leuten auf Firmenkosten zu Dale Carnegie geschickt. In den allermeisten Fällen hat es sich wirklich gelohnt.

Ich wünschte nur, ich könnte ein Institut finden, wo die Leute lernen, auch zuzuhören. Ein guter Manager muß schließlich mindestens genauso gut zuhören wie reden können. Zu viele Menschen machen sich nicht klar, daß wirkliche Kommunikation eine wechselseitige Sache ist.

In der Wirtschaft muß man alle Mitarbeiter ermuntern, einen Beitrag zur gemeinsamen Sache zu leisten, um Aufgaben besser zu lösen. Man braucht nicht jeden einzelnen Vorschlag aufzugreifen, aber wenn man zu dem Mann nicht hingeht und sagt: »He, Ihre Idee ist phantastisch« und ihm auf die Schulter klopft, dann wird er mit keinem zweiten Vorschlag ankommen. Diese Art der Kommunikation vermittelt den Leuten das Gefühl, anerkannt und wichtig zu sein.

Man muß gut zuhören können, wenn man seine Mitarbeiter motivieren will. Genau da liegt der Unterschied zwischen einem mittelmäßigen und einem erstklassigen Unternehmen. Das befriedigendste Erlebnis, das ich als Manager habe, ist, einen als durchschnittlich oder mittelmäßig geltenden Menschen aufblühen zu sehen, einzig und allein, weil sich jemand seine Probleme angehört und ihm geholfen hat, sie zu lösen.

Die üblichere Form der Kommunikation mit den Mitarbeitern ist natürlich, sie als Gruppe anzusprechen. Eine Rede vor einer Versammlung – das beste Mittel, um eine große Gruppe zu motivieren – ist etwas völlig anderes als ein persönliches Gespräch. Zum einen bedarf es gründlicherer Vorbereitung. Da nützt alles nichts; man muß seine Hausaufgaben machen. Ein Redner kann sehr gut informiert sein, aber wenn er sich nicht genau überlegt hat, was er heute diesem Publikum mitteilen will, dann sollte er darauf verzichten, die wertvolle Zeit anderer Leute in Anspruch zu nehmen.

Es ist wichtig, Menschen in ihrer eigenen Sprache anzusprechen. Wenn einem das gut gelingt, werden sie sagen: »Hm, er hat genau gesagt, was ich dachte.« Und wenn sie beginnen, einen zu respektieren, dann werden sie einem bis in den Tod folgen. Sie folgen einem nicht, weil man irgendwelche geheimnisvollen Führungsqualitäten besitzt, sondern, weil man ihnen folgt.

So verfährt auch Bob Hope, wenn er einen Mann vorausschickt, um seine Zuhörer zu erforschen, damit er Witze machen kann, die mit ihnen und ihrer Situation zu tun haben. Wenn man einen solchen Auftritt im Fernsehen sieht, versteht man vielleicht gar nicht, was er sagt. Aber das Publikum im Saal weiß es zu würdigen, wenn sich ein Redner die Mühe gemacht hat, etwas über seine Zuhörer in Erfahrung zu bringen. Nicht alle können es sich leisten, einen Mann vorauszuschicken, aber die Botschaft ist klar: Öffentliches Sprechen bedeutet nicht unpersönliches Sprechen.

Obwohl ich wahrscheinlich zwei Stunden lang improvisieren könnte, benutze ich immer ein Manuskript. Ganz frei zu sprechen, ist einfach zu ermüdend. Meine Kompromißlösung besteht darin, einen vorbereiteten Text zu haben und davon abzuweichen, wann immer es mir nötig erscheint.

Wenn ich vor Mitarbeitern von Chrysler spreche, dann hat dies in der Regel geringeren Unterhaltungswert, als wenn es sich um das Abendessen eines Vereins handelt. Vor meinen eigenen Leuten geht es mir darum, so direkt und ungeschminkt wie möglich zu sprechen. Ich habe festgestellt, daß das beste Mittel, sie zu motivieren, darin besteht, sie in den Spielplan einzuweihen, damit sie alle daran teilhaben können. Ich muß meine eigenen Ziele erklären, genauso wie die anderen Führungskräfte ihre eigenen Zielsetzungen mit ihren Vorgesetzten abstimmen müssen. Und wenn sie diese Ziele erreichen, dann sollten sie mit mehr als freundlichen Worten belohnt werden. Geld und eine Beförderung sind die konkreten Mittel, mit denen ein Unternehmen jemandem bescheinigen kann, daß er/sie der wertvollste Mitspieler ist.

Wenn man jemandem eine Gehaltserhöhung gibt, dann ist das der richtige Zeitpunkt, um auch seine Verantwortung zu vermehren. Solange er Aufwind hat, belohnt man ihn für seine Leistungen und motiviert ihn gleichzeitig, noch mehr zu leisten. Draufsatteln immer nur, solange jemand obenauf ist, und nicht zu hart sein, wenn einer am Boden liegt. Wenn ein Mitarbeiter über seinen eigenen Mißerfolg bestürzt ist, dann riskiert man, ihn tief zu verletzen und ihm den Antrieb zu nehmen, sich zu bessern. Oder, wie Charlie Beacham zu sagen pflegte: »Wenn Sie jemand loben wollen, dann tun Sie es schriftlich. Wenn Sie ihn zusammenscheißen wollen, tun Sie es am Telefon.«

Charlie Beacham predigte mir ständig, keine Ein-Mann-Schau sein zu wollen. »Sie wollen alles selbst machen«, sagte er oft. »Sie können nicht delegieren. Verstehen Sie mich bitte nicht falsch. Sie sind der beste Mann, den ich habe. Vielleicht sind Sie sogar so gut wie zwei andere. Aber trotzdem – das sind immer noch bloß zwei. Sie haben jetzt hundert Mitarbeiter. Was passiert, wenn Sie zehntausend haben?«

Er bewies Weitsicht, weil ich in der Ford Division elftausend Leute unter mir hatte. Er lehrte mich, nicht allen die Arbeit abnehmen zu wollen. Und er brachte mir bei, wie man anderen Ziele setzt – und wie man sie motiviert, diese zu erreichen.

Ich war immer der Ansicht, daß ein Manager viel erreicht hat, wenn es ihm gelingt, einen anderen Menschen zu motivieren. Wenn es darum geht, den Laden zu schmeißen, dann ist Motivation alles. Man kann vielleicht die Arbeit von zwei Personen tun, aber man kann nicht zwei Personen *sein*. Statt dessen muß man seinen unmittelbaren Untergebenen inspirieren und ihn veranlassen, seine Mitarbeiter zu motivieren.

Einmal fragte ich meinen Freund Vince Lombardi, den legendären Football-Trainer, bei einem privaten Abendessen nach seinem Erfolgsrezept. Ich wollte genau wissen, was eine siegreiche Mannschaft ausmacht. Was er mir an diesem Abend sagte, trifft für die Wirtschaft genauso zu wie für den Sport.

»Zunächst muß man den Leuten die Grundbegriffe beibringen«, sagte Lombardi. »Ein Spieler muß die Grundregeln des Spiels beherrschen und muß wissen, was er an seinem Platz in der Mannschaft zu tun hat. Als nächstes muß man ihm Disziplin beibringen. Die Männer müssen als Mannschaft spielen, nicht als ein Haufen von Individualisten. Für Primadonnen ist da kein Platz.«

Er fuhr fort: »Aber es hat schon viele Trainer mit guten Mannschaften gegeben, die die Grundregeln beherrschen und genügend Disziplin haben, die aber trotzdem nicht gewinnen. Damit kommen wir zum dritten Faktor: Leute, die in einer Mannschaft zusammenspielen, müssen einander mögen. Sie müssen sich wirklich schätzen. Jeder Spieler muß an seinen Nebenmann denken und sich sagen: Wenn ich den Mann nicht decke, dann bricht sich der Max die Knochen. Ich muß meine Sache gut machen, damit er seine Aufgabe erfüllen kann.«

»Was den Unterschied zwischen Mittelmaß und Spitze ausmacht«, sagte Lombardi an diesem Abend, »ist die Sympathie, die diese Burschen füreinander empfinden. Die meisten Leute nennen es Teamgeist. Wenn die Spieler diese echte Zuneigung füreinander empfinden, dann kann man sicher sein, daß man eine siegreiche Mannschaft hat.«

Dann platzte er fast verlegen heraus: »Aber, Lee, wozu erzähle ich dir das? Du leitest ein Unternehmen. Es kommt aufs selbe raus, ob man an der Spitze eines Sportvereins oder eines Konzerns steht. Wird ein Auto denn von einem Mann allein gebaut?«

Lombardi sagte, er hätte Lust, Ford zu besuchen und sich anzusehen, wie Autos hergestellt werden, und ich versprach ihm, ihn nach Detroit einzuladen. Aber kurz nach unserem gemeinsamen Dinner kam er mit einem unheilbaren Leiden ins Krankenhaus. Ich war nur ein paarmal mit ihm zusammengetroffen, aber seine Worte blieben mir in Erinnerung: »Sooft ein Football-Spieler auf den Platz geht, muß er von unten nach oben spielen – von seinen Fußsohlen bis hin zum Kopf. Jeder Muskel muß ins Spiel kommen. Manche Typen spielen mit dem Kopf, und es stimmt ja, man muß intelligent sein, um auf irgendeinem Gebiet der Beste zu sein. Aber das wichtigste ist, daß man mit dem Herzen bei der Sache ist. Wenn man das Glück hat, einen Mann mit viel Hirn und viel Herz zu finden, dann wird der nie geschlagen vom Platz gehen.«

Er hatte natürlich recht. Ich habe zu viele Typen gesehen, die klug und talentiert sind, aber die einfach nicht in einer Mannschaft spielen können. Das sind die Führungskräfte, von denen andere sagen: »Ich möchte wissen, warum der es nicht weiter gebracht hat?« Jeder von uns kennt solche Leute, die alles Nötige mitzubringen scheinen und dennoch keine großen Sprünge machen. Ich spreche hier nicht von den Leuten, die gar nicht wirklich vorwärtskommen wollen oder die einfach schlicht faul sind. Ich denke an dynamische Leute, die Pläne hatten, in die Schule gingen, eine gute Stelle bekamen, sich eingesetzt haben, aber die dann steckengeblieben sind.

Wenn man mit diesen Leuten spricht, dann sagen sie einem oft, daß sie öfter Pech gehabt hätten oder vielleicht einen Chef, der sie nicht mochte. Auf jeden Fall stellen sie sich aber als Opfer dar. Aber man fragt sich, warum sie immer nur Pechsträhnen hatten und sich nie nach einer Chance umgesehen haben. Sicherlich spielt Glück auch eine Rolle. Aber ein Hauptgrund, warum fähige Leute nicht vorankommen, ist, daß sie mit ihren Kollegen nicht gut zusammenarbeiten können.

Ich kenne einen Mann, der sein Leben lang in der Autoindustrie tätig war. Er ist überaus gebildet und ein guter Organisator. Er ist auch ein fabelhafter Planer, wahrscheinlich einer der wertvollsten Männer in seiner Firma. Dennoch ist er nie in die Führungsetage aufgestiegen, weil er einfach nicht die Fähigkeit besitzt, mit Menschen umzugehen.

Oder nehmen Sie meine eigene Karriere. Ich kenne viele Leute, die klüger sind als ich und die viel mehr über Autos wissen. Trotzdem bin ich an allen vorbeigezogen. Warum? Weil ich brutal bin? Nein. Man setzt sich nicht lange durch, indem man Leute zur Schnecke macht. Man muß mit den Leuten reden können, ganz einfach.

Es gibt einen Satz, den ich in der Bewertung einer Führungskraft, so talentiert sie auch sein mag, nicht lesen möchte. Das ist der Satz: »Er hat Schwierigkeiten im Umgang mit anderen Menschen.«

Für mich ist der Mann damit erledigt. »Damit haben sie dem Mann den Garaus gemacht«, denke ich, wenn ich das lese. »Kommt mit anderen Menschen nicht klar? Dann sitzt er wirklich in der Tinte, denn was anderes haben wir nicht. Keine Hunde, keine Affen – nur Menschen. Und wenn er mit seinen Kollegen nicht klarkommt, was hat die Firma dann von ihm? Als Führungskraft besteht seine ganze Aufgabe darin, andere Leute zu motivieren. Wenn er das nicht kann, dann ist er an der falschen Stelle.

Dann gibt es da auch die Primadonna. Niemand mag diesen Typ, obwohl er manchmal toleriert wird, wenn er über genügend Gaben verfügt. Bei Ford hatten wir einen Topmanager, der sein Büro mit antikem Mobiliar ausgestattet haben wollte. Er beantragte eine Neuausstattung zum Preis von 1,25 Millionen Dollar (für einen Büroraum und ein halbes Bad). Ich war zufällig anwesend, als die Eingabe Henry Ford vorgelegt wurde. Und ich merkte, daß er wütend war, weil er an den Rand des Memos schrieb: »Begnügen Sie sich mit 750 000.« Dieser Manager weiß eine Menge über die Autoindustrie, aber nach meiner Ansicht ist er durch seinen Lebensstil als Führungskraft ungeeignet.

Ich erinnere mich an einen anderen Fall vor vielen Jahren, als Ford einen Spitzenmann einstellte, der die Marketing-Abteilung auf Vordermann bringen sollte. Er organisierte schließlich seinen eigenen Rausschmiß, weil er die Chuzpe hatte, einen persönlichen PR-Mann einzustellen. Er versuchte es so hinzustellen, als ob der Typ als Berater dienen solle, aber die Wahrheit kam sehr rasch ans Licht. Dieser Manager hatte keine größere Sorge, als seine eigenen Leistungen in der Presse gefeiert zu sehen. Verständlicherweise hielt er sich nicht sehr lange.

Ein gewisses Maß an Eigenwerbung ist andererseits natürlich und sogar notwendig. Ich habe Manager erlebt, die zu schüchtern oder zu ängstlich sind, um mit den Journalisten reden zu wollen, oder die nicht wünschen, daß irgend jemand weiß, wieviel sie geleistet haben. Obwohl General Motors diesen gesichtslosen Managertypus mit einem gewissen Erfolg gefördert hat, ist das nichts für mich. Wenn die Spitzenleute nicht einen gewissen Selbstbehauptungswillen haben, wie kann das Unternehmen dann lebendig und wettbewerbsfähig bleiben?

Es besteht ein Riesenunterschied zwischen einem starken Ich, das ganz wesentlich ist, und einem aufgeblähten Ich – das zerstörerisch sein kann. Ein Mann mit einem kräftigen Ich kennt seine eigenen Stärken. Er hat Selbstvertrauen. Er hat eine realistische Vorstellung davon, was er erreichen kann, und er geht konsequent auf sein Ziel los.

Der Mann mit einem aufgeblähten Ich ist dagegen ständig auf Anerkennung aus. Man muß ihm dauernd auf die Schulter klopfen. Er hält sich für etwas Besseres als alle anderen. Und er redet mit seinen Untergebenen von oben herab.

*The Wall Street Journal* hat einmal geschrieben, ich hätte »ein Ich so groß wie die freie Natur«. Aber wenn das wirklich zuträfe, dann wäre ich wohl kaum in einer Branche erfolgreich, in der es so sehr auf die Fähigkeit ankommt, gut mit anderen Menschen zusammenzuarbeiten.

Ich habe bereits erwähnt, daß ich es für wichtig halte, Dinge schriftlich festzuhalten. Aber auch das kann man übertreiben. Manche Leute scheinen es für richtig zu halten, ein Unternehmen in eine Papierfabrik zu verwandeln. Zum Teil ist das ein normaler menschlicher Zug. Es gibt immer Situationen in einem Büro, in denen manche Leute ein starkes Bedürfnis haben, ihre Blößen zu schützen, indem sie ein Memo für die Ablage produzieren. Seine Ideen zu Papier zu bringen, ist gewöhnlich die beste Methode, um sie zu durchdenken, das ist richtig. Aber das bedeutet nicht, daß alles, was man schreibt, unter den Kollegen zirkulieren sollte.

Das beste Mittel, um Ideen zu entwickeln, ist der persönliche Kontakt mit den eigenen Kollegen. Damit sind wir wieder bei der Bedeutung von Teamwork und Kontaktfähigkeit. Die kreativen Prozesse, die zwischen zwei oder drei Leuten ablaufen können, die sich zusammensetzen, sind manchmal unglaublich – und dies hat einen großen Teil meines eigenen Erfolgs ausgemacht.

Deshalb halte ich es so entschieden für nützlich, wenn sich Führungskräfte Zeit nehmen, miteinander zu reden – nicht immer in offiziellen Konferenzen, sondern einfach, um miteinander zu plaudern, einander auszuhelfen und Probleme zu lösen.

Leute, die mich in meinem Büro bei Chrysler besuchen, sind oft überrascht, daß ich keinen Computer Terminal auf meinem Schreibtisch habe. Vielleicht vergessen sie, daß alles, was ein Computer ausspuckt, von irgend jemand eingespeist worden sein muß. Das größte Problem, dem sich die amerikanische Industrie heute gegenübersieht, liegt in der Flut von Informationen, in denen die meisten Manager ertrinken. Das verwirrt sie, und sie wissen nicht, was sie mit all dem anfangen sollen.

Der Schlüssel zum Erfolg sind nicht Informationen. Das sind Menschen. Und der Typus von Mitarbeitern, die ich für die Positionen im Top-Management suche, das sind die emsigen Bienen. Das sind die Jungs, die versuchen, mehr zu tun, als von ihnen erwartet wird. Die geben immer ihr Bestes. Und sie unterstützen ihre Mitarbeiter und helfen ihnen, ihre Aufgaben besser zu erfüllen. Das ist eine Sache des Charakters.

Und dann sind da die anderen, die Neun-bis-fünf-Clique. Die wollen bloß zufriedengelassen werden und gesagt bekommen, was sie tun sollen. Die sagen: »Ich laß mich nicht durch die Mühle drehen. Ich will doch keinen Herzinfarkt kriegen.«

Bloß weil man sich engagiert und voll bei der Sache ist und sich wirklich hineinkniet, heißt das nicht, daß man nächste Woche an Bluthochdruck sterben wird!

Deshalb versuche ich, Leute mit diesem Drive zu finden. Man braucht nicht viele. Mit fünfundzwanzig solcher Burschen könnte ich die Regierung der Vereinigten Staaten leiten.

Bei Chrysler habe ich etwa ein Dutzend. Die Stärke dieser Manager besteht darin, daß sie es verstehen, zu delegieren und zu motivieren. Sie wissen, wie man die entscheidenden Punkte findet und wie man Prioritäten setzt. Es ist der Typ von Mensch, der sagen kann: »Vergessen Sie's, das kostet uns zehn Jahre. Ich sage Ihnen, was wir jetzt machen müssen.«

# VI
# Der Mustang

Meine Jahre als Generaldirektor der Ford Division waren die glücklichste Zeit meines Lebens. Meine Kollegen und ich waren damals auf Volldampf. Wir waren high vom Rauchen unserer eigenen Marke – einer Kombination von harter Arbeit und riesigen Träumen.

Damals konnte ich es nicht erwarten, morgens zur Arbeit zu kommen. Abends wollte ich nicht weggehen. Wir spielten ständig mit neuen Ideen und probierten Modelle auf der Teststrecke aus. Wir waren jung und übermütig. Wir betrachteten uns als Künstler, die im Begriff waren, die tollsten Meisterwerke hervorzubringen, die die Welt je gesehen hatte.

Im Jahr 1960 war das ganze Land optimistisch. Mit Kennedy im Weißen Haus wehte eine frische Brise über das Land. Sie vermittelte die unausgesprochene Botschaft, daß alles möglich sei. Der scharfe Kontrast zwischen dem neuen Jahrzehnt und den fünfziger Jahren, zwischen John F. Kennedy und Dwight D. Eisenhower, läßt sich in einem einzigen Wort zusammenfassen – Jugend.

Aber bevor ich meinen eigenen jugendlichen Träumen folgen konnte, mußte ich mich um andere Dinge kümmern. Nach dem spektakulären Erfolg des Falcon hatte Robert McNamara die Entwicklung eines weiteren neuen Autos genehmigt, eines in der Bundesrepublik gebauten Kompaktwagens mit der Bezeichnung Cardinal. Er sollte im Herbst 1962 auf den Markt kommen, und als ich die Ford Division übernahm, bestand eine meiner Aufgaben darin, seine Produktion zu überwachen.

Weil es McNamara um Sparsamkeit im Verbrauch und »das Auto

als Beförderungsmittel« ging, wurde der Cardinal als die amerikanische Antwort auf den Volkswagen konzipiert. Ebenso wie der Falcon war er klein, schmucklos und billig. Beide Modelle verrieten McNamaras tiefe Überzeugung, daß ein Auto der Fortbewegung diene und kein Spielzeug sei.

Nachdem ich einige Monate auf meinem neuen Posten war, flog ich in die Bundesrepublik, um zu sehen, welche Fortschritte McNamaras Auto machte. Es war mein erster Besuch in Europa, und das allein war schon aufregend. Aber als ich schließlich den Cardinal sah, war ich erschrocken.

Mit seinem V4-Motor und seinem Vorderradantrieb war es ein gutes Auto für den europäischen Markt. Aber in den Vereinigten Staaten bestand keine Chance, die 300 000 Stück abzusetzen, mit denen wir rechneten. Außerdem war der Cardinal zu klein und hatte keinen Kofferraum. Er war überaus sparsam im Betrieb, aber das war noch kein Verkaufsargument für den amerikanischen Verbraucher. Auch das Styling war schlecht. Der Cardinal sah aus, als hätte ihn ein Komitee entworfen.

Wie üblich, war McNamara seiner Zeit voraus – genau um zehn Jahre. Ein Jahrzehnt später, nach der OPEC-Krise, wäre der Cardinal unschlagbar gewesen.

In manchen Branchen ist es ein großer Vorteil, seiner Zeit voraus zu sein. Aber nicht in Detroit. Genausowenig, wie es sich die Autoindustrie leisten kann, zu weit hinter dem Verbraucher herzuhinken, kann sie es sich leisten, ihm zu weit weit voraus zu sein. Mit einem neuen Produkt zu früh herauszukommen, ist genauso schlecht, wie zu spät.

Es gibt ein verbreitetes Märchen, daß die Manager der Autoindustrie irgendwie die Öffentlichkeit manipulieren, daß wir den Leuten einreden, welche Art von Autos sie kaufen sollten – und daß sie uns folgen. Sooft ich das höre, grinse ich und denke: »Wenn das bloß wahr wäre!«

Die Wahrheit ist, daß wir nur absetzen können, was die Leute bereit sind zu kaufen. Tatsächlich folgen wir dem Verbraucher weit mehr, als wir ihn führen. Natürlich tun wir unser Bestes, um die Leute von den Vorzügen unseres Produkts zu überzeugen. Aber manchmal reichen auch unsere größten Anstrengungen nicht aus.

Das brauchte mir 1960 niemand in Erinnerung zu rufen. Der Konzern hatte sich noch kaum von dem wenige Jahre zurückliegenden Edsel-Fiasko erholt. Dies ist nicht der Ort, um auf die verschiedenen Gründe dieser traurigen Geschichte einzugehen. Ich begnüge mich mit der Feststellung, daß das Modell Edsel – mit dem weder McNamara noch ich irgend etwas zu tun hatten – ein so totaler Reinfall war, daß »Edsel« zu einem Synonym für Mißerfolg wurde.

Als ich aus der Bundesrepublik zurückkam, ging ich sofort zu Henry Ford. »Der Cardinal ist eine Niete«, sagte ich zu ihm. »Wenn wir uns so bald nach dem Edsel einen weiteren Flop leisten, dann geht die Firma in die Knie. Wir können uns einfach kein neues Modell leisten, das den jüngeren Käufern nicht gefällt.«

Ich betonte den Jugendaspekt aus zwei Gründen. Erstens wurde ich mir zunehmend der wirtschaftlichen Macht der jüngeren Generation bewußt, einer Macht, die in unserer Branche noch nicht erkannt worden war. Zweitens wußte ich, daß sich der Chef gern als groovy, als flotten Typ sah, der begriff, was junge Leute wollten.

Dann hatte ich eine Unterredung mit dem Top-Management und unserem Vorstand über das Schicksal des Cardinal. Bei diesen Gesprächen erhielt ich den Eindruck, daß die ganze Firma skeptisch in bezug auf das Auto war und daß die älteren Herren nur zu froh waren, daß ihnen ein Grünschnabel wie ich die Entscheidung abnahm. Auf diese Weise brauchte keiner von ihnen die unmittelbare Verantwortung zu übernehmen, falls es sich als gigantischer Fehler erweisen sollte, den Cardinal gestoppt zu haben. Obwohl der Konzern bereits 35 Millionen Dollar in das Auto investiert hatte, argumentierte ich, daß es sich nicht verkaufen werde und daß wir unsere Verluste kappen und aussteigen sollten.

Ich muß sie überzeugt haben, denn meine Entscheidung wurde mit nur zwei Gegenstimmen angenommen: die stammten von John Bugas, dem Leiter unserer internationalen Operationen, und Arjay Miller, unserem Controller. Bugas, ein guter Freund von mir, wollte natürlich, daß der Cardinal herauskommt, weil er im Ausland hergestellt wurde. Miller ging es um die 35 Millionen Dollar, die wir bereits hineingesteckt hatten. Als echter Erbsenzähler sah er in erster Linie den Verlust von 35 Millionen Dollar in diesem Quartal.

Sobald der Cardinal abserviert war, konnte ich anfangen, an meinen eigenen Projekten zu arbeiten. Sogleich brachte ich eine Schar intelligenter und kreativer junger Leute von der Ford Division in Kontakt miteinander. Wir fingen an, uns einmal wöchentlich im Fairlane Inn in Dearborn, etwa zwei Kilometer von unserem Büro entfernt, zum Abendessen und zu Gesprächen zu treffen.

Wir kamen in dem Hotel zusammen, weil viele Leute in der Firma bloß darauf warteten, uns stolpern zu sehen. Ich war ein Jungtürke, ein neuer Vizepräsident, der sich noch nicht bewährt hatte. Meine Mannen waren talentiert, aber sie waren nicht unbedingt die beliebtesten Leute in der Firma.

Don Frey, unser Produktmanager und jetziger Chef von Bell and Howell, war ein führendes Mitglied dieser Gruppe. Ebenso Hal Sperlich, der noch heute in einer Spitzenposition bei Chrysler mit mir zusammen ist. Die übrigen waren Frank Zimmerman von Marketing, Walter Murphy, unser PR-Manager und mein loyaler Freund in allen meinen Jahren bei Ford; und Sid Olson von J. Walter Thompson, ein brillanter Publizist, der früher Reden für Roosevelt geschrieben und unter anderem die Wendung »das Arsenal der Demokratie« geprägt hatte.

Das Fairlane Committee, wie wir uns selbst nannten, war eine clevere Crew. Wir waren uns vage bewußt, daß sich der Automarkt in den nächsten paar Jahren grundlegend verändern würde, obwohl man nicht mit Sicherheit sagen konnte, wie das vor sich gehen würde. Wir wußten auch, daß es General Motors gelungen war, das Billig-Auto Corvair in den heißen Renner Corvair Monza zu verwandeln, einfach, indem sie ihm ein paar sportliche Accessoires wie Einzelsitze, Knüppelschaltung und eine flotte Innenausstattung verpaßten. Wir bei Ford hatten den Leuten, die den Kauf eines Monza in Betracht zogen, nichts anzubieten, aber es war uns klar, daß sie einen wachsenden Markt repräsentieren.

Inzwischen erhielt unsere Public-Relations-Abteilung ständig Briefe von Leuten, die uns nahelegten, einen neuen zweisitzigen Thunderbird herauszubringen. Das überraschte uns, weil dieses Auto nicht sehr erfolgreich gewesen war und im Laufe von drei Jahren nur 53 000 Stück verkauft worden waren. Aber die Zuschriften sagten uns, daß sich der Verbrauchergeschmack veränderte. Vielleicht war der zweisitzige Thunderbird einfach seiner Zeit voraus gewesen, sagten wir uns. In uns verstärkte sich der deutliche Eindruck, daß wir jetzt wesentlich mehr als jährlich 18 000 Fahrzeuge dieses Typs verkaufen könnten, wenn das Auto noch auf dem Markt wäre.

Gleichzeitig bestätigten unsere Marktforscher, daß das jugendliche Image des neuen Jahrzehnts eine feste Grundlage in der demographischen Realität hatte. Zum einen sank das Durchschnittsalter der Bevölkerung in ungewöhnlich schnellem Tempo. Millionen von Teenagern, die im Baby-Boom nach dem Zweiten Weltkrieg geboren worden waren, drängten auf den nationalen Markt. Die Gruppe der 20- bis 24jährigen würde sich in den sechziger Jahren um über 50 Prozent erhöhen. Darüber hinaus würde mindestens die Hälfte der riesigen Zuwachsraten im Autoverkauf, die für die gesamte Branche im Laufe der nächsten zehn Jahre prognostiziert wurden, auf das Konto junger Erwachsener zwischen 18 und 34 gehen.

Die Marktforscher fügten eine schwer deutbare, aber interessante Fußnote an. Es gäbe nicht nur mehr junge Leute als je zuvor, sondern sie wären auch gebildeter als frühere Generationen. Wir wußten bereits, daß Leute mit Hochschulabschluß viel mehr Autos kaufen als ihre weniger gebildeten Altersgenossen, und unsere Hochrechnungen ergaben, daß sich die Studentenzahlen bis zum Jahr 1970 verdoppeln würden.

Ebenso interessante Veränderungen vollzogen sich unter den älteren Autokäufern. Wir registrierten nunmehr ein merkliches Abflauen des Interesses an sparsamen Autos, das die späten fünfziger Jahre gekennzeichnet hatte und das es dem Falcon ermöglichte, neue Rekordmarken zu setzen. Die Käufer begannen über das Spartanische und rein Funktionale hinaus nach sportlicheren und luxuriöseren Modellen Ausschau zu halten – genau wie dies 1984 der Fall ist.

Als wir all diese Informationen analysiert hatten, war die Schlußfolgerung unausbleiblich. Während der Edsel ein Auto auf der Suche nach einem Markt gewesen war, den es nie fand, *war hier ein Markt auf der Suche nach einem Auto.* Das normale Verfahren in Detroit war, ein Auto zu bauen und dann zu versuchen, seine Käufer zu identifizieren. Aber wir waren in der Lage, umgekehrt zu verfahren – und ein neues Produkt auf einen hungrigen neuen Markt zuzuschneiden.

Um bei diesen jungen Käufern Anklang zu finden, mußte jedes Auto drei Hauptvorzüge aufweisen: fabelhaftes Styling, starke Leistung und niedrigen Preis. Ein neues Modell zu entwickeln, das allen drei Anforderungen entsprach, würde nicht leicht sein. Aber falls es möglich war, hatten wir die Chance, einen großen Erfolg zu erzielen.

Wir führten weitere Recherchen durch und fanden etwas mehr über den sich verändernden Markt für neue Autos heraus. Erstens stieg die Zahl der Familien mit Zweitwagen enorm an, wobei das zweite Auto in der Regel kleiner und sportlicher war als das erste. Zweitens wurde eine wachsende Zahl von Autos von Frauen gekauft, die kleinere, leicht zu handhabende Autos bevorzugten. Auch Alleinstehende waren in zunehmendem Maß unter den Käufern neuer Autos vertreten, und sie wählten kleinere und sportlichere Modelle als ihre verheirateten Freunde. Schließlich zeichnete sich ab, daß die Amerikanerinnen und Amerikaner in den nächsten paar Jahren mehr Geld denn je zuvor für Verkehrsmittel und Unterhaltung würden ausgeben können.

Als wir diese Informationen hatten, begannen wir, uns die Verkaufsziffern des Falcon daraufhin anzusehen, was sie über unsere eigenen Kunden aussagten. Die Ergebnisse waren überraschend. Obwohl der Falcon als preisgünstiges, sparsames Auto vermarktet wurde, begannen weit mehr Kunden, als wir erwartet hatten, Extras wie automatische Schaltung, Weißwandreifen und stärkere Motoren zu ordern. Damals dämmerte mir zum erstenmal eine wichtige Tatsache in bezug auf Kleinwagen, die heute noch genauso gilt wie vor zwanzig Jahren: Die amerikanischen Autokäufer/innen sind so erpicht auf Sparsamkeit, daß sie bereit sind, dafür beinahe jeden Preis zu zahlen!

Das Auto, das wir bauen wollten, begann nun für das Fairlane Committee genauere Konturen anzunehmen. Es mußte klein sein – aber nicht zu klein. Der Markt für ein zweisitziges Auto mochte zwar expandieren, aber er beschränkte sich dennoch auf etwa 100 000, was bedeutete, daß ein Zweisitzer niemals Käufermassen anlocken würde. Unser Auto mußte daher vier Personen Platz bieten. Aus Leistungsgründen mußte es auch leicht sein – unsere Grenze lag bei etwa 1100 Kilogramm. Und schließlich mußte es preiswert sein. Unser Ziel war, daß es mit der Grundausstattung nicht mehr als 2500 Dollar kosten sollte.

Was das Styling betrifft, schwebte mir etwas ganz Bestimmtes vor. Ich pflegte zu Hause in einem Buch namens *Auto Universum* zu blättern, das Abbildungen aller jemals gebauten Autos enthält. Was mir dabei jedesmal in die Augen sprang, war der erste Continental Mark. Das war jedermanns Traumauto – zumindest das meine, seit Leander Hamilton McCormick-Goodheart 1945 damit nach Lehigh gekommen war. Was den Mark auszeichnete, war seine langgestreckte Motorhaube und sein kurzes Heck. Diese gestreckte Form gab dem Auto einen Anschein von Kraft und Leistung, und das war es, was die Käufer nach meiner Überzeugung suchten.

Je mehr wir in unserem Kreis darüber sprachen, desto konkreter wurden unsere Ideen. Unser Auto mußte ausgesprochen sportlich und unverwechselbar gestylt sein, mit bloß einem leichten Anflug von Nostalgie. Es mußte leicht zu identifizieren sein und anders als alles übrige, was auf dem Markt war. Es sollte wendig sein, aber dennoch vier Personen Platz bieten und auch einen geräumigen Kofferraum enthalten. Es mußte ein Sportwagen sein, der mehr als ein Sportwagen war. Wir wollten ein Auto entwickeln, mit dem man am Freitagabend zum Country Club, am Samstag zum Pferderennen und am Sonntag zur Kirche fahren konnte.

Mit anderen Worten: Wir wollten verschiedene Märkte gleichzeitig ansprechen. Wir mußten unsere Basis potentieller Kunden verbreitern, weil wir uns nur dann leisten konnten, dieses Auto zu gewaltigen Kosten zu produzieren, wenn wir es massenweise absetzten. Statt mehrere verschiedene Versionen desselben Produkts herauszubringen, wollten wir übereinstimmend ein Grundmodell mit einer breiten Palette von Extras anbieten. Auf diese Weise konnte der Kunde so viel Sparsamkeit, Luxus oder Leistung kaufen, wie er wollte – oder sich leisten konnte.

Aber die Frage war, ob wir uns das Auto leisten konnten. Ein von Grund auf vollkommen neues Auto würde uns 300 bis 400 Millionen Dollar kosten. Die Lösung lag in der Nutzung bereits vorhandener Bestandteile. Auf diese Weise konnten wir ein Vermögen an Produktionskosten einsparen. Die Motoren, Getriebe und Achsen für den Falcon existierten bereits; wenn wir sie adaptieren konnten, mußten wir nicht am Nullpunkt beginnen. Der Falcon konnte das neue Auto huckepack tragen und uns ein Vermögen sparen. Letzten Endes würde es uns gelingen, das neue Auto für bloße 75 Millionen Dollar zu entwickeln.

All das klang großartig. Aber nicht alle glaubten, daß es möglich sei. Dick Place, ein Produktplaner, meinte, aus einem Falcon einen Sportwagen zu machen, das sei, als wolle man die Oma mit einem Gummibusen ausstatten. Trotzdem beauftragte ich Don Frey und Hal Sperlich, mit der Idee zu spielen. Sie experimentierten mit mehreren verschiedenen Modellen, kamen aber zuletzt zu der Überzeugung, daß das Design und die Karosserie völlig neu gestaltet werden müßten. Wir konnten das Fahrgestell und den Motor vom Falcon übernehmen, aber das Auto brauchte, wie wir in Detroit sagen, eine völlig neue Haut und eine neue Verglasung – Windschutzscheibe, Seitenfenster und Rücklicht.

Ende 1961 setzten wir uns eine Produktionsfrist. Die New Yorker Weltausstellung sollte im April 1964 eröffnet werden, und dies erschien uns als der ideale Ort, um unser Auto herauszubringen. Obwohl neue Modelle üblicherweise im Herbst herauskommen, schwebte uns ein Produkt vor, das so aufregend und anders sein sollte, daß wir es wagen würden, es mitten in der Saison herauszubringen. Nur die Weltausstellung hatte das Format als Rahmen für das Auto unserer Träume.

Ein großes Stück fehlte noch in dem Puzzle: Wir hatten immer noch kein Design. In den ersten sieben Monaten des Jahres 1962 produzierten unsere Styling-Leute nicht weniger als achtzehn verschiedene Tonmodelle, in der Hoffnung, daß eines davon unseren Vorstellungen entsprechen könnte. Manche dieser Modelle waren gelungen, aber keines erschien uns genau richtig.

Ich wurde inzwischen schon ungeduldig. Wenn unser neues Auto im April 1964 fertig sein sollte, brauchten wir sofort ein Design. Es blieben uns noch 21 Monate, um den Vorschlag genehmigen zu lassen, uns auf ein endgültiges Stylingmodell zu einigen, eine Fabrik zu bestimmen, Ausrüstung zu beschaffen, Zulieferer ausfindig zu machen und uns mit den Händlern über den Verkauf des Endprodukts zu einigen. Der Sommer 1962 war zur Hälfte vorbei, und unsere einzige Chance, noch rechtzeitig zur Weltausstellung herauszukommen, bestand darin, bis zum 1. September ein in allen Einzelheiten gebilligtes Tonmodell vorzuweisen.

Da die Zeit knapp wurde, beschloß ich, unter unseren Designern einen Wettbewerb zu veranstalten. Am 27. Juli rief Gene Bordinat, unser Stylistik-Direktor, drei seiner Top-Designer in sein Büro. Er erklärte ihnen, daß jedes ihrer Ateliers mit mindestens einem Entwurf für den kleinen Sportwagen, den wir bauen wollten, an einem erstmaligen Wettbewerb teilnehmen würde.

Die Designer erhielten den Auftrag, ihre Tonmodelle bis zum 16. August für die Besichtigung durch das Topmanagement fertig zu haben. Wir verlangten eine Menge von diesen Leuten, weil man normalerweise ein Auto nicht so schnell entwerfen kann. Aber nach zweiwöchiger Arbeit rund um die Uhr konnten wir am festgesetzten Tag unter sieben Modellen wählen.

Klarer Sieger wurde das Modell von Dave Ash, dem Assistenten des Ford-Studio-Leiters Joe Oros. Als es etwa halb fertig war, hatte mich Joe zu einer Vorinspektion eingeladen. Sobald ich es erblickte, fiel mir eines auf: Obwohl es da auf dem Atelierboden stand, sah dieses braune Tonmodell aus, als bewege es sich.

Weil sie ihr Auto als katzenhaft empfanden, hatten Joe und Dave ihm den Namen Cougar (Puma) gegeben. Das Modell, das sie für die Präsentation am 16. August anfertigten, war weiß lackiert mit roten Rädern. Die hintere Stoßstange des Cougars war forsch hochgezogen. Hinter dem Frontgrill war ein stilisierter Puma zu sehen, was dem Modell eine Aura von Eleganz und Kraft verlieh.

Sofort nach der Präsentation wurde der Cougar zu Projektstudien in die Ford-Studios gerollt. Endlich hatten wir einen konkreten Vorschlag anzubieten. Aber wir hatten noch kein Auto. Dazu benötigten wir den Segen des Styling-Ausschusses – der aus dem Topmanagement des Konzerns bestand.

Ich wußte, daß mir ein schweres Gefecht bevorstand, als ich mich aufmachte, den Ausschuß für den Cougar zu gewinnen. Das begann schon damit, daß die älteren Manager im Gegensatz zu uns noch nicht davon überzeugt waren, daß der jugendliche Käufermarkt tatsächlich existierte. Und weil sie den Edsel noch frisch in Erinnerung hatten, waren sie vorsichtig und zögerten, ein weiteres neues Modell herauszubringen. Was die Sache noch schlimmer machte, sie hatten sich bereits zu einer überaus kostspieligen Neuausrüstung der regulären Modellserien für 1965 entschlossen. Es wurde als fraglich angesehen, ob sich der Konzern tatsächlich ein weiteres Auto leisten könne – selbst eines, das für relativ wenig Geld hergestellt werden konnte.

Arjay Miller, der bald neuer Präsident werden sollte, ließ eine Untersuchung über unseren Vorschlag anfertigen. Er war einigermaßen optimistisch hinsichtlich der Verkaufschancen, aber er machte sich Sorgen über drohenden »Kannibalismus« – das heißt, daß der Erfolg des neuen Autos auf Kosten anderer Ford-Produkte, insbesondere des Falcon, gehen könnte. Die Untersuchung, die er in Auftrag gab, kam zu dem Ergebnis, daß von dem Cougar 86 000 Stück abzusetzen seien. Das war eine respektable Zahl, aber sie war nicht ausreichend, um die enormen Kosten der Einführung eines neuen Modells zu rechtfertigen.

Zum Glück stand Henry Ford dem Plan jetzt aufgeschlossener gegenüber. Diese Offenheit bildete einen scharfen Gegensatz zu seiner Reaktion, als ich die Idee das erste Mal vor einem Gremium hochrangiger Führungskräfte vorgetragen hatte. Mitten in meinen Ausführungen hatte Henry plötzlich gesagt: »Ich gehe« und hatte den Konferenzraum verlassen. Ich hatte ihn noch nie so ablehnend gegenüber einer neuen Idee gesehen. Ich fuhr nach Hause und sagte zu Mary: »Ich bin heute mit meinem Lieblingsprojekt durchgefallen. Henry hat mich einfach sitzenlassen.«

Ich fühlte mich vernichtet, aber schon am nächsten Tag erfuhren wir, daß Henrys plötzlicher Aufbruch nichts mit meiner Präsentation zu tun hatte. Er war früh nach Hause gegangen, weil er sich schlecht gefühlt hatte. Er verbrachte die nächsten sechs Wochen mit Angina im Bett. Als er zurückkehrte, fühlte er sich in jeder Hinsicht besser und stand auch den Plänen für unser neues Auto wohlwollender gegenüber.

Später, als wir dabei waren, den Prototyp zu bauen, kam Henry eines Tages vorbei, um ihn sich anzusehen. Er kletterte in das Auto und erklärte: »Auf dem Rücksitz ist es etwas eng. Verlängern Sie ihn um ein paar Zentimeter, damit man mehr Platz für die Beine hat.«

Den Innenraum eines Autos auch nur um einige Zentimeter zu vergrößern, kann leider schon eine sehr teure Sache sein. Diese Erweiterung wirkte sich auch auf das Styling aus, und wir waren alle gegen diese Änderung. Aber wir wußten auch, daß Henrys Entscheidungen nicht diskutiert werden konnten. Sein Name stand auf dem Gebäude, worauf er uns hinzuweisen pflegte. Außerdem wären wir an diesem Punkt bereit gewesen, das Auto um eine Elle zu verlängern, wenn das die Bedingung gewesen wäre, um es bauen zu können.

Obwohl er es damals wahrscheinlich nicht wußte – ja es vielleicht immer noch nicht weiß –, spielte Henry auch bei der Namensgebung des neuen Autos eine Rolle. Bevor wir uns entschlossen, es Mustang zu nennen, lief es unter mehreren anderen Bezeichnungen. In den frühen Planungsstadien nannten wir es Special Falcon. Dann, nachdem das Oros-Ash-Modell akzeptiert worden war, den Cougar. Henry wollte es T-Bird II nennen, aber das gefiel niemandem.

Auf einer Produktplanungskonferenz im Mai engten wir die Auswahl auf Monte Carlo, Monaco, Torino und Cougar ein. Als wir erfuhren, daß die ersten beiden Namen von anderen Firmen beim Verband der Automobilhersteller registriert waren, blieben uns nur noch Torino und Cougar. Wir einigten uns schließlich auf Torino, der italienische Name der Autostadt Turin. Torino entsprach auch dem europäischen Touch, um den wir uns so bemüht hatten. Als eine Art Kompromiß beschlossen wir, den stilisierten Puma als Emblem des Torinos beizubehalten.

Während wir die Werbe-Kampagne für den Torino planten, erhielt ich einen Anruf unseres Top-Mannes im PR-Bereich, Charlie Moore. »Sie müssen einen anderen Namen für Ihr Auto wählen«, sagte er. Er erklärte, daß Henry in Scheidung begriffen sei und häufig in Gesellschaft von Cristina Vettore Austin gesehen werde, einer geschiedenen Italienerin des Jet-set, die er auf einer Party in Paris kennengelernt hatte. Einige von Henrys Untergebenen befürchteten, daß es zu ungünstiger Publicity und Klatsch führen werde, wenn wir dem neuen Auto einen italienischen Namen gaben, und daß das den Chef in Verlegenheit bringen könnte.

Wir mußten uns also schnell einen neuen Namen überlegen. Die Namensgebung eines Autos ist immer mit Auseinandersetzungen verbunden. Und aus gutem Grund: Die Wahl des richtigen Namens ist oft das schwierigste Problem. Es ist leichter, Türen und Dächer zu entwerfen, als einen Namen zu finden, da die Wahl zwangsläufig subjektiv ist. Manchmal gehen die Wogen der Emotionen ziemlich hoch.

John Conley, ein Mitarbeiter von J. Walter Thompson, unserer Werbeagentur, war ein Namensspezialist. Zuvor hatte er für den Thunderbird und den Falcon Vogelnamen für uns gefunden. Diesmal schickten wir ihn in die Stadtbibliothek von Detroit, um Tiernamen für uns herauszusuchen – von Aardvark bis Zebra. John brachte Tausende von Vorschlägen mit, von denen wir sechs auswählten: Bronco, Puma, Cheetah, Colt, Mustang und Cougar.

Mustang war der Name eines der Prototypen des Autos gewesen. Kurioserweise bezog er sich nicht auf das Pferd, sondern das legendäre Jagdflugzeug des Zweiten Weltkriegs. Aber wie dem auch sei, uns allen gefiel Mustang, und unsere Agentur fand, der Name vermittle etwas von der Faszination unermeßlicher Räume und sei so amerikanisch wie nur irgendwas.

In meiner Bibliothek zu Hause habe ich immer noch einen Abguß des Emblems des Cougar, welches mir die Designer in einer kleinen Nußholzschatulle zusammen mit der Bitte übersandten: »Bitte bleiben Sie hart. Akzeptieren Sie keinen anderen Namen als Cougar.« Es war eine Bitte, der ich nicht stattgeben konnte, aber wir verwendeten den Namen Cougar einige Jahre später für ein schönes neues Modell der Lincoln-Mercury-Serie.

Seit der Einführung des Mustang wurde ich immer wieder darauf hingewiesen, daß das Emblem des Pferdes auf dem Kühler in die falsche Richtung zeige, weil es im Uhrzeigersinn galoppierte statt andersherum, wie die Pferde auf den amerikanischen Rennbahnen laufen. Ich habe darauf stets geantwortet, daß der Mustang ein wildes Pferd, kein domestiziertes Rennpferd sei. Und ganz abgesehen von dem Emblem wuchs meine Sicherheit, daß es in die richtige Richtung laufe.

Sobald wir uns auf das Styling geeinigt hatten, mußten wir einige grundlegende Entscheidungen über die Innenausstattung treffen. Wir waren erpicht, die Kunden zufriedenzustellen, die Luxus wollten, aber wir wollten auch diejenigen ansprechen, die mehr an Leistung und Sparsamkeit interessiert waren. Andererseits wollten wir auch nicht ein völlig schmuckloses Auto produzieren. Der Mustang wurde ohnehin bereits als der Thunderbird des armen Mannes angesehen; es wäre keine gute Idee gewesen, einen Mustang des armen Mannes herauszubringen. Wir entschieden, daß selbst das Standardmodell mit der Luxus- und Leistungsversion vergleichbar sein müsse. Deshalb übernahmen wir Details wie die Einzelsitze, Vinylbezüge, Radkappen und Teppichbelag in die Grundausstattung jedes Autos.

Darüber hinaus schwebte uns eine Art Do-it-yourself-Auto vor, das alle Marktsegmente ansprechen würde. Wenn sich ein Kunde Luxus leisten konnte, dann standen ihm zusätzliche Accessoires und mehr PS zur Verfügung. Wenn er Luxus liebte, aber sich diese Extas nicht leisten konnte, dann würde er immer noch zufrieden sein, weil ihm hier verschiedene Optionen, für die er normalerweise bezahlen mußte, ohne Aufpreis geboten wurden.

Lange bevor das Auto herauskam, begannen wir Marktforschung zu betreiben. Einer unserer letzten Tests war besonders ermutigend. Wir luden eine ausgewählte Gruppe von 52 Ehepaaren aus Detroit und Umgebung in den Vorführraum unserer Styling-Abteilung. Jedes dieser Paare besaß bereits einen Wagen der Mittelklasse und bezog ein durchschnittliches Einkommen, was bedeutete, daß es sich nicht um die aussichtsreichsten potentiellen Erwerber eines Zweitwagens handelte. Wir führten sie in kleinen Gruppen in unser Styling-Studio, um ihnen den Prototyp des Mustang zu zeigen, und wir zeichneten ihre Eindrücke auf Band auf.

Wir stellten fest, daß Angestellte vom Styling des Autos beeindruckt waren, während Arbeiter den Mustang als ein Status- und Prestigesymbol betrachteten. Als wir sie ersuchten, den Preis des Autos zu schätzen, nannten fast alle eine Zahl, die mindestens um 1000 Dollar zu hoch lag. Als wir sie fragten, ob sie einen Mustang kaufen würden, verneinten die meisten. Sie erklärten, er sei zu teuer oder zu klein oder zu schwierig in der Handhabung.

Aber als wir ihnen den tatsächlichen Preis des Autos nannten, passierte etwas Merkwürdiges. Die meisten sagten: »Zum Teufel mit meinen Bedenken, ich möchte es haben!« Plötzlich waren ihre Ausreden verflogen. Sie nannten nun die verschiedensten neuen Gründe, die für dieses spezielle Auto sprachen. Einer der Befragten sagte: »Wenn ich dieses Auto in meiner Einfahrt parke, dann werden sich alle meine Nachbarn fragen, ob ich im Lotto gewonnen habe.« Ein anderer sagte: »Es sieht nicht aus wie ein Durchschnittsauto – und für diesen Preis kriegt man normalerweise nur ein Durchschnittsauto.«

Es lag auf der Hand, welchen Schluß wir daraus ziehen mußten. Wenn es darum ging, den Mustang auf den Markt zu werfen, mußten wir vor allem seinen niedrigen Preis hervorheben.

Der endgültige Listenpreis des Mustang zeugte von unserem frühen Entschluß, den Preis unter zweieinhalbtausend Dollar zu halten. Wir hatten schließlich ein Auto, das einige Zentimeter länger und knapp fünfzig Kilo schwerer war, als wir ursprünglich geplant hatten. Aber wir hielten das Preislimit, und der Mustang kostete ganze 2368 Dollar.

Die guten Omen hielten an. Im Januar 1964, nur wenige Wochen vor dem Stapellauf, stand das Wirtschaftsbarometer außergewöhnlich günstig. Wir sollten später erfahren, daß der Autoverkauf im ersten Quartal 1964 seine Rekordhöhe in der Geschichte erreichte. Außerdem war der Kongreß im Begriff, die Einkommensteuer zu senken, und das verfügbare Einkommen war gestiegen. Alles in allem genommen, zeugte die nationale Stimmung von großer Zuversicht und Optimismus.

Am 9. März 1964, 571 Tage, nachdem der Cougar von Oros-Ash unter seinen sechs Konkurrenten ausgewählt worden war, rollte der erste Mustang vom Montageband. Wir hatten uns vorgenommen, bis zum Einführungstag – dem 17. April – mindestens 8160 Fahrzeuge herzustellen, damit jeder Ford-Händler im Lande zumindest einen Mustang in seinem Ausstellungsraum hatte, wenn das Auto offiziell gestartet wurde.

In der Werbung für den Mustang zogen wir alle Register. Wir luden die Herausgeber von College-Zeitungen nach Dearborn ein und liehen ihnen für einige Wochen einen Mustang. Vier Tage vor dem offiziellen Start des Autos nahmen hundert Journalisten an einer riesigen Mustang-Rallye für 70 Wagen von New York nach Dearborn teil. Die Autos demonstrierten ihre Zuverlässigkeit, indem sie die Strecke von über 1100 Kilometern rasant und ohne Zwischenfälle bewältigten. Die Presse verlieh ihrer Begeisterung in einem massiven und nahezu lyrischen Aufgebot von Artikeln und Photos Ausdruck, die an prominenter Stelle in Hunderten von Zeitungen und Zeitschriften erschienen.

Am 17. April wurden die Fordvertretungen überall von Kunden überrannt. In Chicago mußte ein Händler die Türen seines Vorführraums schließen, weil sich draußen eine so große Menge drängte. Ein Händler in Pittsburgh berichtete, der Andrang der Kunden sei so stark gewesen, daß er seinen Mustang nicht von der Waschanlage herunterbekam. In Detroit erzählte uns ein anderer Händler, so viele Leute seien in Sportwagen gekommen, um den Mustang zu besichtigen, daß es auf seinem Parkplatz wie bei einer Rallye für ausländische Autos ausgesehen habe.

In Garland, Texas, versteigerte ein Ford-Dealer den einzigen Mustang in seinem Schaufenster unter 15 potentiellen Käufern. Er schlug ihn dem höchsten Anbieter zu – einem Mann, der darauf bestand, die Nacht in dem Auto zu verbringen, damit niemand anderer es kaufen konnte, während sein Scheck eingelöst wurde. Bei einer Vertretung in Seattle war der Fahrer eines vorüberfahrenden Zementlasters von dem ausgestellten Mustang so fasziniert, daß er die Kontrolle über sein Fahrzeug verlor und durch die Glasfront der Ausstellungshalle krachte.

Der Mustang sollte ein unglaublicher Renner werden. Am ersten Wochenende, an dem er zu kaufen war, stellte sich die noch nie dagewesene Zahl von vier Millionen Menschen bei den Fordvertretungen ein. Die Aufnahme, die das Auto in der Öffentlichkeit fand, übertraf unsere wildesten Hoffnungen.

Die Presse hatte entscheidenden Anteil an dieser Faszination. Dank der unermüdlichen Bemühungen von Walter Murphy in der Presseabteilung erschien der Mustang gleichzeitig auf den Titelseiten von *Time* und *Newsweek*. Dies war ein erstaunlicher Publicityerfolg für ein neues kommerzielles Produkt. Beide Nachrichtenmagazine spürten, daß wir einen Hit hatten, und ihre zusätzliche Publicity genau in der Woche, in der der Mustang herauskam, trug dazu bei, ihre Voraussage zu einer sich selbst erfüllenden Prophezeiung zu machen. Ich bin überzeugt, daß *Time* und *Newsweek* allein den Absatz von zusätzlichen hunderttausend Autos bewirkten.

Die gleichzeitigen Titelgeschichten hatten den Effekt von zwei gigantischen Werbespots. *Time* informierte seine Leser, daß sich mein Name mit »Try-a-Coke-ah« reime und fügte hinzu: »Iacocca hat mehr produziert als bloß ein weiteres neues Auto. Mit seiner langen Kühlerhaube und seinem kurzen Heck, seinem Ferrari-Flair und seinen weit offenen Luftstutzen gleicht der Mustang den europäischen Rennautos, die es den amerikanischen Sportwagenfans so sehr angetan haben. Doch Iacocca hat das Design des Mustangs so flexibel gehalten, seinen Preis so vernünftig und er bietet so zahlreiche Extras an, daß das Modell zwei Drittel aller amerikanischen Autokäufer ansprechen könnte. Der Mustang, der nur 2368 Dollar kostet und auf dessen vier Sitzen eine Kleinfamilie Platz hat, scheint dazu bestimmt, zu einer Art A-Modell von Sportwagen zu werden – sowohl für die Massen wie auch für die Fans.« Ich hätte es selbst nicht besser ausdrücken können.

Die Automobilfachpresse war nicht weniger enthusiastisch. »Ein Markt, der nach einem Auto suchte, hat es jetzt gefunden«, begann der Bericht in *Car Life*. Selbst *Consumer Reports*, das Detroit im allgemeinen nicht besonders gewogen ist, vermerkte das »fast völlige Fehlen schlechter Paßform und schlampiger Verarbeitung bei einem Auto, das in höllischem Tempo gebaut wurde.«

Aber wir hatten uns nicht darauf verlassen, daß die Presse für uns die Werbung besorgen würde. Am Einführungstag schalteten wir in

2600 Zeitungen ganzseitige Anzeigen. Wir bedienten uns der Mona-Lisa-Methode, wie ich es nenne: eine simple Abbildung des Profils in Weiß, dazu der Preis und die simple Unterschrift »Das Unerwartete«. Wenn das Produkt in Ordnung ist, bedarf es keiner großen Anpreisungen.

Wir überzogen auch die Fernsehsender mit Mustang-Werbespots. J. Walter Thompson produzierte eine ganze Serie von Spots mit einem Walter-Mitty-Motiv, basierend auf der Figur von James Thurber, einem Mann, der davon träumt, ein Rennfahrer oder Jetpilot zu sein. In einem dieser Spots verläßt Henry Foster, ein konservativer, wohlerzogener Antiquitätenhändler, seinen Laden mit einem Lunchpaket. »Haben Sie schon von Henry Foster gehört?« fragt die Dame im Laden nebenan. Henry geht um die Ecke und steigt in seinen roten Mustang. Er wirft seinen Filzhut in die Ecke und ersetzt ihn durch eine sportliche Tweedkappe aus seiner Tasche. Dann legt er sein Jackett ab, unter dem eine leuchtend rose Weste zum Vorschein kommt. Schließlich nimmt er seine altmodische Brille ab und setzt sich eine Rennfahrerbrille auf.

»Was ist bloß mit Henry los?« fährt die Frauenstimme fort.

»Ein Mustang ist mit Henry los!« erklärte eine andere Frau. Sie ist jung, attraktiv und wartet auf Henry auf einer grünen Wiese mit einem Picknick und einer Flasche Wein. Darüber hinaus führten wir im ganzen Land eine ausgeklügelte Werbekampagne durch. Wir stellten Mustangs in den fünfzehn wichtigsten Flughäfen und in den Foyers der Holiday Inns des ganzen Landes aus. Bei den Footballspielen der Universität von Michigan pachteten wir ein riesiges Gelände im Bereich der Parkplätze und stellten gigantische Werbetafeln auf. Wir veranlaßten auch Postwurfsendungen, mit denen wir Millionen von Kleinwagenbesitzern im ganzen Land ansprachen.

Bereits nach wenigen Wochen wurde mir klar, daß wir ein zweites Werk eröffnen mußten. Ursprünglich waren wir davon ausgegangen, daß im ersten Jahr 75 000 Fahrzeuge verkauft werden würden. Aber die Hochrechnungen stiegen ständig weiter, und vor der Einführung des Autos rechneten wir bereits mit einem Absatz von 200 000. Um auch nur diese Zahl bauen zu können, mußten wir das Topmanagement überreden, ein zweites Werk in San José, Kalifornien, auf die Produktion von Mustangs umzustellen.

Weil eine solche Knappheit an den Autos herrschte, war schwer zu sagen, wieviel wir tatsächlich hätten absetzen können. Einige Wochen nach dem Start des Mustang führte Frank Zimmerman deshalb in Dayton, Ohio (das den Spitznamen GM-Town hat, weil sich dort mehrere Werke von GM befinden), ein Experiment durch.

Er traf sich mit den Ford-Händlern in Dayton und erklärte ihnen: »Sie haben es hier mit einem schwierigen, hartumkämpften Markt zu tun, und der Mustang ist ein heißer Ofen. Wir wollen herausfinden, wie heiß er wirklich ist, deshalb geben wir jedem von Ihnen zehn Autos auf Lager, und wir werden Ihre Zubehörbestellungen umgehend erfüllen.«

Die Resultate waren erstaunlich. Wir eroberten etwa zehn Prozent des gesamten Automarkts in Dayton. Das war genau die Argumentationshilfe, die wir brauchten, und im September begannen wir, das Werk in San José umzustellen.

Unsere Jahreskapazität betrug jetzt 360 000 Fahrzeuge, und bald rüsteten wir ein drittes Werk in Metuchen, New Jersey, um. Diese beiden Umrüstungen stellten ein kostspieliges Risiko dar, aber wir hatten beim Falcon draufgezahlt, als wir unsere Erwartungen zu niedrig schraubten und dann nicht über die nötige Kapazität verfügten, um all die Autos zu produzieren, die wir brauchten. Diesen Fehler wollten wir kein zweites Mal machen.

Die Leute kauften Mustangs in Rekordzahlen. Die Extras und Accessoires verkauften sich genauso schnell. Unsere Kunden reagierten auf die lange Liste von Extras wie hungrige Holzfäller bei einem schwedischen Smorgasbord. Über 80 Prozent bestellten Weißwandreifen, 80 Prozent wollten Radios, 71 Prozent nahmen 8-Zylinder-Motoren, und 50 Prozent orderten die automatische Schaltung. Jeder zehnte Mustang wurde mit einem Drehzahlmesser und einer Uhr verkauft, die zusammen als »Rallye-Kombination« angeboten wurden. Bei einem Auto, das nur 2368 Dollar kostete, gaben unsere Kunden im Schnitt weitere tausend Dollar bloß für Zubehör aus!

Ich hatte mir für das erste Jahr ein Ziel gesetzt. Der Falcon hatte in seinem ersten Jahr einen Rekordabsatz von 417 174 Fahrzeugen erzielt, und das war die Zahl, die ich überbieten wollte. Wir hatten einen Slogan: »417 bis 4/17«, dem Geburtstag des Mustang. Am Abend des 16. April 1965 kaufte ein junger Kalifornier ein sportliches rotes Mustang-Cabrio. Er hatte soeben den 418 812. Mustang erstanden, und wir schlossen unser erstes Jahr mit einem neuen Rekord ab.

Die Erbsenzähler verkrochen sich in ihre Bunker, wobei sie brummelten, daß es offensichtlich mehr als eine Methode gebe, ein Auto zu bauen. Das Styling hatte den Ausschlag gegeben, und das war etwas, womit sie nicht gerechnet hatten. Aber sie waren nicht schüchtern, als es Zeit war, das Geld zu zählen. Allein in den ersten beiden Jahren brachte der Mustang Nettogewinne in Höhe von 1,1 Milliarden Dollar. Und das waren Dollar von 1964!

In den Wochen nach der Einführung des Mustang wurden wir mit Briefen zufriedener Kunden überschwemmt. Ich lese immer die Kundenbriefe, deshalb weiß ich sehr gut, daß die meisten Leute dem Hersteller nur dann schreiben, wenn es Probleme gibt. Im Fall des Mustang schrieben uns die Leute jedoch, um uns ihre Dankbarkeit und ihre Begeisterung zu bekunden. So ungefähr die einzigen Klagen, die ich hörte, betrafen die Knappheit der Mustang und die langen Wartelisten.

Einer der nettesten Briefe kam ganze vier Tage nach dem Start des Autos von einem Mann aus Brooklyn. »Ich mache mir nicht viel aus Autos«, schrieb er, »das ist so, seit die meisten Autos wie schwangere Austern aussehen. Außerdem ist New York der falsche Ort für ein Auto. Hundebesitzer ermuntern ihre Lieblinge, auf die Räder zu pinkeln. Slumkinder stehlen die Radkappen. Bullen verpassen einem Strafzettel. Tauben nisten auf dem Auto und Schlimmeres. Die Straßen sind ständig aufgerissen. Die Busse zerquetschen einen, die Taxis rammen einen, und die Parkgaragen kosten einen eine zweite Hypothek auf das Haus. Das Benzin ist um 30 Prozent teurer als überall sonst. Die Versicherungsprämien sind ein Skandal. Das Textilviertel ist unpassierbar, das Wall-Street-Viertel undurchquerbar, nach New Jersey kommt keiner durch.«

Und dann folgt der Schlußsatz: »Sobald ich den Zaster beisammen habe, kaufe ich mir daher einen Mustang.«

Eine Untersuchung der Mustang-Käufer ergab ein Durchschnittsalter von 31 Jahren, wobei aber jeder sechste in der Altersklasse zwischen 45 und 54 war, was bedeutete, daß das Auto nicht nur junge Leute ansprach. Fast zwei Drittel der Käufer waren verheiratet, und mehr als die Hälfte hatten Hochschulbildung.

Vor dem Ende des ersten Jahres gab es Mustang-Clubs – Hunderte – sowie Mustang-Sonnenbrillen, -Schlüsselketten und -Hüte und natürlich auch Spielzeugmustangs für Kinder. Ich wußte, daß wir es geschafft hatten, als wir im Schaufenster einer Bäckerei die Aufschrift sahen: »Unsere warmen Semmeln verkaufen sich wie Mustangs.«

Ich könnte den Rest dieses Buches leicht mit Mustang-Stories füllen, aber ich werde mich auf eine beschränken.

Auf einer meiner 52 Rundreisen durch Europa schlief ich eines Sonntagmorgens im Firmenflugzeug über der Eisbergroute – wo die *Titanic* sank. Unter uns war ein Wetterschiff mit einer armen, gottverlassenen Seele, einem Mann, der Wetterberichte an die Flugzeuge durchgab. Als wir das Schiff überflogen, funkten unsere Leute hinunter: »Wie geht's?«

»Ich kann mich nicht aufrecht halten«, antwortete der Wettermann. »Es ist ein so stürmischer Tag, die Wogen sind vier Meter hoch.«

Sie plauderten ein bißchen, und der Mann erfuhr, wer wir waren. »Ich habe einen Mustang«, sagte er sofort. »Habt Ihr Iacocca an Bord?«

Während dieses Funkgekrächzes kreuzte ein KLM-Flugzeug unseren Weg, und dessen Pilot schaltete sich ein: »Moment mal. Ist das die Ford-Maschine mit Iacocca? Ich möchte ihn gern sprechen.«

In diesem Augenblick kam eine PanAm-Maschine vorbei, und deren Pilot mischte sich ebenfalls ein.

All dies geschah, während ich schlief. Unser Pilot kommt herein und sagt zu mir: »Sie werden am Telefon verlangt. Wir haben ein Schiff und zwei Flugzeuge, die alle gleichzeitig mit Ihnen sprechen wollen.«

Ich sagte: »Ist den Leuten nichts mehr heilig? Es ist Sonntagmorgen, ich bin am Arsch der Welt, und es gibt kein Entkommen von diesem Mustang-Fimmel!«

Ich werde gemeinhin als der Vater des Mustang bezeichnet, obwohl es wie bei jedem Erfolg eine Menge Leute gibt, die bereit waren, dieses Verdienst für sich in Anspruch zu nehmen. Einem Fremden, der in Dearborn nach Leuten fragte, die für den Edsel verantwortlich waren, würde es ergehen wie dem alten Diogenes, als er mit seiner Laterne nach einem ehrlichen Mann suchte. Andererseits haben schon so viele Leute behauptet, der Vater des Mustang zu sein, daß ich mit der Mutter lieber nicht in der Öffentlichkeit gesehen werden möchte!

Alle guten Dinge haben einmal ein Ende, und der Mustang war keine Ausnahme. Im Jahr 1968 ergriff eine unserer Aktionärinnen auf der Jahresversammlung von Ford das Wort und beklagte sich: »Als der Thunderbird herauskam, war er ein schöner Sportwagen. Dann habt ihr ihn solange aufgeblasen, bis er seine Identität verlor. Dasselbe geschieht mit dem Mustang. Warum könnte ihr nicht ein kleines Auto klein lassen? Ihr bläht sie auf, dann bringt ihr wieder ein kleines heraus, bläht das auf, und dann bringt ihr wieder ein neues heraus.«

Leider hatte sie recht. Einige Jahre nach seiner Einführung war der Mustang kein sehniges Rennpferd mehr, er glich eher einem pummeligen Schwein. Im Jahr 1968 wurde Bunkie Knudsen neuer Präsident von Ford. Sofort verpaßte er dem Mustang einen monströsen Motor mit doppelt so vielen PS. Um diesen Motor zu verankern, mußte er das ganze Auto vergrößern. Im Jahr 1971 war der Mustang zwanzig Zentimeter länger, fünfzehn Zentimeter breiter, und an die 270 Kilogramm schwerer als das ursprüngliche Modell von 1965.

Es war nicht mehr dasselbe Auto, auch unsere schrumpfenden Absatzzahlen machten das nur zu deutlich. Im Jahr 1966 hatten wir 550 000 Mustangs verkauft. 1970 waren es nur noch 150 000 – ein katastrophaler Rückgang. Unsere Kunden hatten sich von uns abgewandt, weil wir uns von ihrem Auto abgewandt hatten. Statt wie ursprünglich 2368 Dollar kostete der Mustang beinahe 1000 Dollar mehr, und diese Preiserhöhung konnte nicht gänzlich der Inflation in die Schuhe geschoben werden.

Ende 1969 begannen wir, den Mustang II zu planen, eine Rückkehr zu dem kleinen Auto, das so erfolgreich gewesen war. Viele Leute in Detroit konnten kaum glauben, daß wir das machten, weil es gegen die ungeschriebene Regel verstieß, daß man ein erfolgreiches Auto nur größer – niemals kleiner – machen dürfe. Einen kleinen Mustang herauszubringen, bedeutete das Eingeständnis, daß wir einen Fehler gemacht hatten.

Das hatten wir natürlich. Um den Mustang II zu planen, wandte ich mich ein weiteres Mal an Hal Sperlich, der eine wichtige Rolle bei der Entstehung des ursprünglichen Mustang gespielt hatte. Hal und ich flogen nach Italien, um die Ghia-Studios in Turin zu besuchen, wo wir mit Alejandro deTomaso, dem Chefdesigner, zusammentrafen. In weniger als zwei Monaten kam deTomasos Prototyp in Dearborn an, und wir hatten ein fabelhaftes Styling.

Der Mustang II war sehr erfolgreich, wenn auch kein ganz so großer Hit wie das Original. Aber wir wußten nur zu gut, daß sich dieser Coup nur schwer würde wiederholen lassen.

# VII
# Encore?

Der Erfolg des Mustang zeichnete sich so rasch ab, daß ich noch vor seinem ersten Geburtstag mit einer größeren Beförderung belohnt wurde. Im Januar 1965 wurde ich Vizepräsident der Pkw- und Lkw-Produktion des Konzerns. Ich war nunmehr verantwortlich für die Planung, Herstellung und Vermarktung aller Autos und Lastwagen in den Hauptabteilungen Ford und Lincoln-Mercury.

Mein neues Büro befand sich im Glashaus, wie die Ford-Mitarbeiter die internationale Konzernzentrale nennen. Nun war ich auch einer der Großkopfeten, ich zählte nun auch zu den Auserwählten, die täglich mit Henry Ford zu Mittag aßen. Bis dahin war Henry für mich einfach der oberste Boß gewesen. Plötzlich sah ich ihn fast jeden Tag. Ich atmete jetzt nicht nur die dünne Luft des Topmanagement, ich war auch der neue Junge im Wohnblock, der junge Aufsteiger, der den Mustang herausgebracht hatte.

Außerdem war ich der spezielle Protegé Seiner Majestät. Nachdem McNamara 1960 wegging, um in die Kennedy-Administration einzutreten, hatte mich Henry mehr oder weniger adoptiert, und er behielt von Anfang an genau im Auge, was ich so trieb.

Als Vizepräsident einer Unternehmensgruppe hatte ich eine Reihe neuer Aufgaben und Verantwortungen, insbesondere auf dem Gebiet der Werbung und Promotion. Aber meine Hauptaufgabe bestand darin, »die Lincoln Mercury Division ein bißchen mit der Mustang-Salbe zu ölen«, wie Henry betonte.

Lincoln-Mercury war seit Jahren das schwächste Kind der Ford-Familie und eine Bürde für den übrigen Konzern gewesen. Diese

Hauptabteilung war in den vierziger Jahren ins Leben gerufen worden, aber zwanzig Jahre später trug sie sich immer noch nicht selbst. Es war sogar davon gesprochen worden, den Lincoln aufzugeben und diesen Teil des Konzerns zu verkaufen.

Dies war die Abteilung, die die teuren Prestigeautos herstellte. Das Unternehmen hatte gehofft und erwartet, daß der Kunde, der einmal ein Produkt der Ford Division gekauft hatte, früher oder später zu einem Mercury oder einem Lincoln »aufsteigen« würde, etwa wie sich ein General Motors-Kunde von einem Chevrolet oder Pontiac zu einem Buick oder Oldsmobile hocharbeitete.

Soweit die Theorie. In der Praxis wurden uns die meisten Ford-Besitzer am Ende untreu. Diejenigen, die es sich leisten konnten, auf ein größeres Auto umzusteigen, entschieden sich eher für einen Buick, einen Oldsmobile oder Cadillac als für einen Mercury oder Lincoln. Wir taten nichts anderes, als künftige Kunden für die Luxusautos von GM heranzuziehen.

Als ich mich in der Lincoln Mercury Division näher umsah, begriff ich, warum. Den Autos fehlte das gewisse Etwas. Nicht, daß sie nicht gut gewesen wären; es fehlte ihnen die eigene Note. Der Comet beispielsweise war im Grunde nur ein aufgemotzter Falcon, während der Mercury aussah wie ein zu groß geratener Ford. Was den Lincoln-Mercury-Autos fehlte, war eine unverwechselbare eigene Identität.

In all den Jahren war der Absatz schleppend gewesen. Der Lincoln sollte eine Konkurrenz für den Cadillac darstellen, aber die Verkaufszahlen des Cadillac waren ständig etwa fünfmal so hoch. Dem Mercury war ein ähnliches Schicksal beschieden, er konnte dem Duo Buick und Oldsmobile von GM wenig anhaben. Jetzt, 1965, war die Lincoln Mercury Division praktisch tot und bedurfte dringend einer Wiederbelebung.

Es lag nahe, den Händlern die Schuld zu geben, aber das wäre äußerst unfair gewesen. Vielmehr war es so, daß die Händler, die bis 1965 durchgehalten hatten, gut sein mußten, weil sie nicht den Vorteil eines erstklassigen Produkts hatten. Zweifellos waren sie ziemlich demoralisiert. Sie mußten motiviert werden. Sie brauchten ein neues Team von Gebietsverkaufsleitern. Und sie brauchten jemand im Glashaus, der sich wirklich für ihre Interessen einsetzte.

Aber vor allem anderen brauchten sie neue Produkte. Wir gingen sofort an die Arbeit, und 1967 hatten wir zwei neue Modelle anzubieten. Der Mercury Cougar war ein luxuriöser Sportwagen, zugeschnitten auf den Mustang-Fahrer, der sich nun etwas Feudaleres wünschte. Der Mercury Marquis war ein Luxusauto der Oberklasse und als Konkurrenz zum Buick und Oldsmobile gedacht.

Es war symptomatisch für unsere Probleme, daß Gar Laux, der Leiter der Lincoln Mercury Division nicht einmal wollte, daß der Marquis den Namen Mercury tragen sollte. Seiner Überzeugung nach war der Name Mercury bereits der Kuß des Todes, und das ihm anhaftende Image würde auch ein fabelhaftes Auto ruinieren. Ich mußte ihm klarmachen, daß wir durch die Einführung des neuen Marquis das Image von Lincoln-Mercury aufpolieren würden.

Um die Händler auf diese beiden Autos neugierig zu machen, war es wichtig, sie möglichst spektakulär zu präsentieren. Bis vor etwa zehn Jahren war der alljährliche Start der neuen Modelle aus Detroit ein bedeutendes Ereignis sowohl für die Händler als auch für die Öffentlichkeit. Die Händler hielten ihre neuen Autos bis zum Einführungstag unter Verschluß. Im ganzen Land spähten Jugendliche in die Schaufenster, in der Hoffnung, einen Blick auf die neuen Fords oder Chevys zu erhaschen. Heute ist dieses Ritual nur noch eine nostalgische Erinnerung.

Längst vorbei sind auch die großen Shows, die wir jedes Jahr in Las Vegas für die Händler arrangierten. Jeden Sommer bewirteten wir sie aufs üppigste und wendeten Millionen für eine spektakuläre Show auf, bei der wir die neuen Modelle vorstellten. Autos tauchten aus Springbrunnen, Mädchen sprangen aus Autos, Nebel wallten, Lichtorgeln blitzten auf. Und das alles umgeben von Traumkulissen. Diese Shows waren manchmal besser als am Broadway, aber hier waren die Autos die eigentlichen Stars.

Wir hatten auch ständig neue Leistungsanreize für die Händler. Damals schwammen die Großen Drei in Dollars. Alles, was wir anfaßten, war erstklassig. Wenn es darum ging, die Händler zu beeindrucken, spielte Geld keine Rolle. Viele der Händler machten eine Million Dollar im Jahr, und selbst die weniger erfolgreichen verdienten sich goldene Nasen.

In den sechziger Jahren boten wir den Händlern zahlreiche Reisen als Leistungsanreize und Prämien an. So reich sie auch sein mochten, eine gutgeplante Reise an einen exotischen Ort war etwas, das sie sich ungern entgehen ließen. Diese Reisen waren immer ein großer Hit, und viele der Händler freundeten sich dabei untereinander an, was ihre Moral noch mehr hob und ihr Engagement und ihr Zugehörigkeitsgefühl verstärkte.

Manchmal nahm ich als offizieller Gastgeber an diesen Reisen teil. Für mich war dies eine ausgezeichnete Gelegenheit, in kurzer Zeit mit vielen Händlern Kontakt zu bekommen. Es war auch eine ideale Chance, Arbeit und Vergnügen miteinander zu verbinden, und Mary und ich kamen dabei immer auf unsere Kosten.

Im September 1966 arrangierte Lincoln-Mercury eine spektakuläre Kreuzfahrt für die Händler, die eine bestimmte Absatzquote erreicht hatten. Wir heuerten die S.S. *Independence* zum Preis von 44 000 Dollar pro Tag und starteten von New York in die Karibik, wo wir unsere neuen Modelle vorführen wollten. Am zweiten Tag versammelten wir alle Händler bei Sonnenuntergang auf dem Achterschiff. Zur festgesetzten Minute ließen wir Hunderte von Heliumballons los, die in den Himmel aufstiegen und den Blick auf den Mercury Marquis von 1967 freigaben. Zusammen mit Matt McLaughlin, dem Hauptabteilungsleiter, stellte ich das Auto vor und beschrieb seine Vorzüge.

Zwei Abende später enthüllten wir auf der Insel St. Thomas den neuen Cougar. Wir befanden uns auf einem von Fackeln hell erleuchteten Strand, als sich ein Landungsboot aus dem Zweiten Weltkrieg näherte und seine Rampe senkte. Die Zuschauer hielten den Atem an, als ein funkelnder weißer Cougar über die Rampe auf den Strand herunterrollte. Die Tür des Autos öffnete sich und der Sänger Vic Damone stieg aus und begann seine Show abzuziehen. Ich habe im Laufe meines Lebens ziemlich ausgefallene Modellvorführungen gesehen, aber diese schoß wirklich den Vogel ab.

Die Händler hatten seit Jahren kein aufregendes Auto mehr anzubieten gehabt. Sie waren von dem Cougar begeistert. Ebenso wie der Mustang wirkte er sportlich, mit einem langen Kühler und einem kurzen Heck. Wie die Händler erwartet hatten, rissen sich die Kunden darum, und der Cougar wurde bald zum Aushängeschild der Lincoln Mercury Division. Heute ist ein 1967er Cougar in gutem Zustand ein begehrtes Sammelobjekt.

Diese spektakulären Präsentationen gingen zu einem Großteil auf das Konto von Frank Zimmerman, das fordeigene Werbegenie. Zimmie, der jetzt in South Carolina seinen Ruhestand genießt, ist ein unvergeßlicher Typ – dünn wie ein Schilfrohr, voll unerschöpflicher Energie und sehr witzig.

Die Zusammenarbeit mit Zimmie machte Spaß, aber sie stellte auch eine spezielle Herausforderung dar, weil er alle fünf Minuten eine neue Idee gebar. Etwa zehn Prozent seiner Ideen waren großartig, aber manche grenzten ans Absurde.

Als Werbegag für den Cougar wollte Zimmie beispielsweise einen dressierten Bären das Auto von New York nach Kalifornien chauffieren lassen. Nach einem Szenarium sollte ein Dompteur vorne neben ihm sitzen. Ein anderer Plan sah vor, daß ein Zwerg unter das Armaturenbrett kriechen und das Auto von dort aus mit Hilfe spezieller Vorrichtungen lenken sollte. Wie Zimmie es schilderte, sollte das Auto täglich dutzendemal halten, von den Passanten bestaunt, während die Presse Aufnahmen machte. »Stellt euch die Schlagzeilen vor«, schwärmte Zimmie. »Bär chauffiert Cougar von Küste zu Küste!«

Ich liebe kühne Ideen, aber diese war sogar mir etwas zu wild. Einige Jahre später erhielt Henry Ford einen Brief von einem Mann, der behauptete, seinem Pferd beigebracht zu haben, einen Lincoln Continental zu steuern. Das Pferd konnte sogar die Hupe betätigen, indem es die Nase daraufdrückte! Henry reichte den Brief an mich weiter, und ich gab ihn Zimmie. Das war das letzte Mal, daß ich davon hörte, und das ist wahrscheinlich besser so.

Wir benutzten tatsächlich ein lebendes Tier als Werbung für den Cougar. Auf Anregung von Kenyon & Eckhardt, der Werbeagentur für Lincoln-Mercury, griffen wir zum Nächstliegenden – einem echten Puma. Das New Yorker Büro der Agentur wurde mit der beachtlichen Aufgabe betraut, einen dressierten Puma ausfindig zu machen und ihn auf einem Lincoln-Mercury-Schild zu filmen. Das war keine Kleinigkeit, aber innerhalb eines Monats hatten wir einige kostbare Sekunden Film von einem fauchenden Puma auf dem Firmensignet. Die Ford Division hatte mit einem wilden Pferd Erfolg gehabt. Lincoln-Mercury wollte jetzt herausfinden, was eine Wildkatze vermochte.

Der Puma erwies sich als ein so wirksames Symbol, daß uns die Werbeagentur empfahl, »das Signet der Katze« für die ganze Division zu verwenden. Das taten wir, und es erwies sich als ein entscheidender Schritt zur Findung einer neuen Identität für Lincoln-Mercury. Das

Bild des Pumas auf dem Markenzeichen wurde in kurzer Zeit fast so bekannt wie das Oval von Ford und der fünfzackige Stern von Chrysler.

Um einen Markennamen bekanntzumachen, muß man zunächst verdeutlichen, wo diese Marke erhältlich ist. Deshalb ist das M-Zeichen von McDonald's so wirksam. Selbst ein kleines Kind weiß, daß man dort hingeht, um Hamburger zu essen. Bevor der Puma auf dem Signet erschien, hatten die meisten Leute noch nie von Lincoln-Mercury gehört. Heute ist der Name fast allen Amerikanern ein Begriff.

Zimmie fuhr inzwischen fort, Werbegags zu produzieren. Einmal durchkämmte er das Land nach Leuten mit dem Namen berühmter Leute, etwa Entdecker wie Christoph Columbus oder Admiral Byrd. Als er sie gefunden hatte, warb er sie an, um in unseren Anzeigen zu erscheinen, in denen es beispielsweise hieß: »Christoph Columbus hat soeben den neuen Mercury entdeckt.«

Kenyon & Eckhardt machten ausgezeichnete Werbung für den Cougar. Im Fall des Marquis waren wir uns einig, sein größter Vorzug sei das unglaublich ruhige Fahrverhalten. Mit dem Marquis hatte die Federungstechnik einen neuen Höhepunkt erreicht und das Resultat war das sanfteste, ausgeglichenste Fahrverhalten, das man sich vorstellen konnte.

Aber wie konnten wir das der Öffentlichkeit vermitteln? Unsere Ingenieure hatten den Werbeleuten gesagt, daß es sich im Marquis bequemer fuhr als in den teureren Autos der Konkurrenz. Die Reaktion der Agentur war: »Beweisen Sie das!« Die Ingenieure luden deshalb eine Gruppe von Werbeleuten auf unser Testgelände ein, verbanden ihnen die Augen und fuhren sie dann in Oldsmobiles, Buicks, Cadillacs und Marquis spazieren. Mit einer Ausnahme entschieden sich alle für den Marquis als Auto mit dem besten Fahrgefühl.

Dieser Test fand schließlich Eingang in die Werbekampagne. Kenyon & Eckhardt machten mehrere Werbespots, in denen Verbrauchern und in einem Fall Chauffeuren die Augen verbunden wurden, die dann das leise und erschütterungsfreie Fahrverhalten der Autos beurteilen sollten.

Bald brachte die Agentur weitere Spots, die ebenfalls diesen Vorzug hervorhoben. In einem Spot war ein Behälter mit ätzender Säure über einem teuren Pelzmantel aufgehängt. In einem anderen lief eine Schallplatte auf einem Plattenspieler, der sich auf dem Vordersitz befand. In einem dritten wurde Bart Starr, der Football-Spieler, im Auto mit einem Messer rasiert. Und in einem Spot wurde ein Behälter mit Nitroglyzerin auf dem Rücksitz spazierengefahren. Zum Beweis, daß das echt war, sprengten wir am Ende des Spots das Auto in die Luft! Am berühmtesten wurde aber der Werbespot, bei dem die Agentur einen holländischen Diamantschleifer bei der Arbeit filmte, während sich das Auto über ziemlich holprige Serpentinen hinunterschlängelte. Wer zu jung ist, um sich an diesen Spot zu erinnern, hat vielleicht eine klassische Parodie davon gesehen, die einige Jahre später in der Sendung *Saturday Night Live* gebracht wurde. In dieser Version wurde der Diamantschleifer durch einen Rabbi ersetzt, der im Begriff war, an einem Säugling eine rituelle Beschneidung vorzunehmen, während das Auto im Regen über schlechte Landstraßen fuhr. Die Spannung in der Diamantenschleiferszene verblaßte gegenüber der Erregung, die diese Szene beim Betrachter auslöste.

Nachdem der Marquis und der Cougar erfolgreich lanciert worden waren, stand die Mercury-Serie ziemlich gut da. Aber wir hatten immer noch keine Attraktion am oberen Ende der Skala. Wir brauchten einen neuen Lincoln, der für den Cadillac eine echte Konkurrenz darstellte.

Eines Abends, als ich in Kanada an einer Konferenz teilnahm, lag ich in meinem Hotel schlaflos im Bett. Plötzlich hatte ich eine Idee. Ich rief unseren Chefdesigner Gene Bordinat an. »Ich möchte dem Thunderbird einen Rolls-Royce-Grill verpassen«, sagte ich zu ihm.

Wir hatten damals einen viertürigen Thunderbird, der sich nur noch schleppend verkaufte. Mein Plan war, ein neues Auto unter Verwendung desselben Fahrgestells, Motors und sogar des Daches zu kreieren, aber genügend Veränderungen vorzunehmen, so daß das Auto wirklich neu aussah und nicht wie eine Kopie des T-Bird.

Während ich mir dieses neue Luxusauto vorzustellen versuchte, erinnerte ich mich an einen guten Präzedenzfall. Einige Jahre zuvor, in den späten Dreißigern, hatte Edsel Ford den Marc herausgebracht, ein nobles, unaufdringliches Auto der Luxusklasse, das für ein kleines, urteilsfähiges Publikum bestimmt war. Mitte der fünfziger Jahre hatte sein Sohn William Clay den Marc II gebaut, eine Weiterentwicklung des ursprünglichen Marc. Beide Autos waren Klassiker des Automobilbaus, die Rolls-Royces unter den amerikanischen Autos. Sie waren die Art von Autos, von denen die meisten Menschen träumen, die sich aber nur wenige leisten können.

Ich fand, es sei an der Zeit, die Marc-Serie mit einem Marc III fortzusetzen, basierend auf unserem Thunderbird, aber mit genügend Veränderungen, um ihm ein frisches und gewandeltes Aussehen zu geben. Der Marc III hatte eine sehr lange Motorhaube, ein kurzes Heck, einen starken V8-Motor und denselben kontinentalen Reservereifen auf dem Heck wie die ursprünglichen Marcs. Er war groß, imposant und sehr vornehm. Ich hatte gemischte Gefühle, als ihn ein Reporter mit einem deutschen Stabsauto aus dem Zweiten Weltkrieg verglich.

Wir brachten den Marc III im April 1968 heraus und überboten schon im ersten Jahr die Verkaufszahlen des Cadillac Eldorado, was unser langfristiges Ziel gewesen war. Die nächsten fünf Jahre lang sahnten wir kräftig ab, weil uns die Entwicklung des Autos so billig gekommen war. Wir hatten nicht mehr als 30 Millionen Dollar investiert, ein absoluter Klacks, weil wir vorhandene Teile und Designs verwenden konnten.

Ursprünglich hatten wir geplant, den Marc III bei Cartier, dem berühmten Juwelier auf der Fifth Avenue in Manhattan zu präsentieren. Die Geschäftsführer von Cartier waren sehr interessiert, deshalb flog Walter Murphy nach New York, um mit ihnen zu sprechen. Wir wollten die Eleganz des Autos ins rechte Licht setzen, indem wir die Presse zu einem Mitternachtssouper in den Juwelierladen einluden. So weit so gut. Aber als Walter erklärte, daß wir ein paar Mauern abreißen und ein oder zwei Schaufenster vergrößern müßten, um das Auto hineinzubekommen, überlegte es sich Cartier wieder. (Sie gestatteten uns aber, ihren Namen auf der Uhr des Marc III zu verwenden.)

Statt dessen brachten wir den Marc III in mehreren verschiedenen Städten heraus. In Hollywood stellten wir ihn in den Kulissen von *Camelot* auf eine Bühne, so daß die Leute über eine Treppe hinaufsteigen mußten, als huldigten sie einem König. In Detroit enthüllten wir das Auto auf einem Abendessen für amerikanische Zeitungsverleger. Statt das Auto auf eine Drehscheibe zu stellen, wie ein neues Modell üblicherweise präsentiert wird, setzten wir die *Verleger* auf eine Drehscheibe. Während sich ihre Perspektive änderte, erblickten sie eine Reihe historischer Lincolns und Marcs. Schließlich öffnete sich der Vorhang, und da stand der neue Marc III. Die Verleger waren so beeindruckt, daß viele von ihnen an Ort und Stelle einen Wagen bestellten.

Vor dem Marc III hatte die Lincoln Mercury Division praktisch bei jedem Luxuswagen Geld verloren. Wir verkauften nur etwa 18 000 Lincolns pro Jahr, und das genügte nicht, um die fixen Kosten zu amortisieren. In unserer Branche sind diese Kosten ungeheuer hoch. Ob man *ein* Fahrzeug oder eine Million produziert, man braucht eine Fabrik, und man muß die Gußformen entwickeln, um die Metallteile ausstanzen zu können. Wenn die Absatzprognosen falsch sind und man seine Ziele nicht erreicht, dann muß man diese fixen Kosten über eine kleinere Zahl von Autos abzahlen. Simpel ausgedrückt: Man geht pleite.

Sicher stimmt das alte Klischee: Je größer das Auto, desto größer der Gewinn. Am Verkauf von einem Marc verdienten wir soviel wie an zehn Falcons. Unser Profit belief sich auf erstaunliche 2000 Dollar pro Auto. Und das Geld begann so rasch hereinzukommen, daß es schwerfiel, den Überblick zu behalten. In unserem besten Jahr verdienten wir allein durch die Lincoln Division fast eine Milliarde Dollar – einer der größten Erfolge, die ich in meiner Karriere erzielt habe.

Wir setzten die Serie 1971 mit dem Marc IV fort. Ford ist diesem Rezept treu geblieben – gegenwärtig ist der Marc VII auf dem Markt. An keinem anderen Auto verdient Ford soviel wie am Marc, und dasselbe gilt bei General Motors für den Cadillac. All das steht in Einklang mit der Theorie von Alfred Sloan: Man muß jedem etwas bieten. Um sich abzusichern, braucht man immer auch ein Auto für den kleinen Mann – der erste Henry Ford dachte noch an nichts anderes. Aber dann braucht man auch Autos der Luxusklasse, denn man weiß ja nie, wann der kleine Mann seinen Job verliert. Auf eines scheint man sich in den Vereinigten Staaten selbst während einer Rezession verlassen zu können, nämlich, daß die Reichen reicher werden. Deshalb muß man immer Leckerbissen für sie bereithalten.

# VIII
# Der Weg an die Spitze

Im Jahr 1968 war ich zum aussichtsreichsten Anwärter auf die Präsidentschaft der Ford Motor Company geworden. Der Mustang hatte mir Beachtung verschafft. Der Marc III bewies, daß ich keine Eintagsfliege war. Ich war 44, Henry Ford hatte mich unter seine Fittiche genommen, und meine Zukunft hatte nie glänzender ausgesehen.

Aber gerade, als es schien, daß mich nichts aufhalten könne, kam mir das Schicksal in die Quere. General Motors bot Henry eine Chance, der er nicht widerstehen konnte.

GM hatte damals einen sehr angesehenen Stellvertretenden Vorstandsvorsitzenden namens Semon Knudsen mit dem Spitznamen »Bunkie«. Knudsen war ein MIT-Absolvent in Maschinenbau, der im Alter von 44 Jahren zum Leiter der Pontiac Division ernannt worden war. Damit war er der jüngste Hauptabteilungsleiter in der Geschichte von General Motors – eine Art von Auszeichnung, die in Detroit nicht unbemerkt bleibt.

Ein Grund für Knudsens Prominenz war, daß sein Vater einst Präsident von GM gewesen war. Viele Leute erwarteten, daß Bunkie den Fußstapfen seines Vaters folgen werde. Aber als GM trotz Bunkies solidem Renommee als Produkt-Manager Ed Cole zum nächsten Präsidenten wählte, war Bunkie bald klar, daß er an das Ende seiner Karriereleiter bei GM gekommen war.

So wie Avis Hertz im Auge behält und Macys Gimbels, verfolgten wir bei Ford stets die Entwicklungen bei General Motors. Speziell Henry war ein großer GM-Beobachter und -Bewunderer. Für ihn war die plötzliche Verfügbarkeit von Bunkie Knudsen ein Geschenk des

Himmels. Vielleicht glaubte Henry, daß Knudsen all die berühmte GM-Weisheit sozusagen in seinen Genen trage. Jedenfalls verlor er mit seinem Angebot keine Zeit. Als Henry hörte, daß Bunkie an Kündigung denke, rief er ihn sofort an.

Henry konnte Bunkie nicht gut einladen, in sein Büro zu kommen, weil es im Glashaus keine Geheimnisse gibt. In einer halben Stunde wäre die Presse über den Besuch informiert gewesen. Und er sah auch davon ab, Bunkie zu sich nach Hause einzuladen, als ihm klar wurde, daß seine Nachbarn in Grosse Pointe das mitkriegen könnten. Aber Henry liebte Intrigen, deshalb mietete er ein Oldsmobile von Hertz, hüllte sich in einen Regenmantel und fuhr in seinem besten 007-Stil hinüber zu Bunkies Haus in Bloomfield Hills.

Eine Woche später waren sie handelseinig. Knudsen sollte sofort seine Stelle als Präsident antreten, mit einem Jahresgehalt von 600 000 Dollar – genausoviel, wie Henry verdiente.

Um Platz für Knudsen zu schaffen, mußte Henry Arjay Miller loswerden, der in den vergangenen fünf Jahren unser Präsident gewesen war. Miller wurde abrupt zum Stellvertretenden Vorsitzenden befördert, eine neue Position, die speziell zu diesem Anlaß geschaffen wurde. Ein Jahr später kündigte er und wurde Direktor der Business School der Universität Stanford.

Bunkie wurde in der Thanksgiving-Woche 1968 eingestellt, während ich mit meiner Familie auf einem Skiurlaub war. Mitten in dem Urlaub erhielt ich einen Anruf von Henrys Büro mit der Aufforderung, am nächsten Tag zu erscheinen. Die Firma schickte sogar eine DC-3, um mich zurückzuholen.

Am Tag nach Thanksgiving ging ich zum Chef hinein. Henry wußte, ich würde schockiert darüber sein, daß er Bunkie als Präsident hereinholte, und er wollte mir seine Gründe erklären. Er war überzeugt, daß uns die Ergänzung unseres Teams bei Ford durch einen hochrangigen GM-Mann in den nächsten paar Jahren sehr zum Vorteil gereichen würde. Und er versicherte mir, Bunkies Eintritt in die Firma bedeute nicht, daß meine Karriere vorüber sei. Im Gegenteil. »Hör zu«, sagte er zu mir, »ich setze nach wie vor auf dich. Aber du bist noch jung. Es gibt Dinge, die du noch lernen mußt.«

Wie Henry es sah, würde Bunkie eine Fülle von Informationen über das GM-System mitbringen. Ich sei zwölf Jahre jünger als Knudsen, erinnerte er mich und bat mich, Geduld zu haben. Er machte klar, daß er mich nicht verlieren wollte. Und er ließ deutlich durchblicken, daß meine jetzige Geduld in Zukunft reich belohnt würde.

Einige Tage später rief mich Sidney Weinberg an, eines unserer älteren Aufsichtsratsmitglieder und ein legendärer Wall-Street-Experte. Er war jahrelang Henrys Mentor gewesen, aber er hatte auch eine große Schwäche für mich. Er nannte mich immer »Lehigh«.

Beim Mittagessen in seiner New Yorker Wohnung sagte Weinberg zu mir, er nehme an, ich sei über Knudsens Eintritt verärgert. Aber er riet mir, die Ohren steif zu halten. Sidney hatte dieselben Gerüchte gehört wie ich: daß GM insgeheim heilfroh sei, Knudsen loszusein. Weinberg hatte das von einem Spitzenmann bei GM persönlich gehört, der zu ihm sagte: »Ihr habt uns ein riesiges Problem vom Hals geschafft. Wir wußten nicht, was wir mit Knudsen tun sollten, bis ihn der gute alte Henry genommen hat. Wir könnten nicht dankbarer sein.«

»Wenn Bunkie so schlecht ist, wie man hört«, meinte Sidney, »wirst du bald genug an die Reihe kommen.«

Ich war nicht so sicher. Damals hatte ich es ungeheuer eilig, an die Spitze zu gelangen. Trotz Henrys Beschwichtigungen war Bunkies Ankunft ein harter Schlag für mich. Ich wollte unbedingt Präsident werden, und ich fand nicht, daß ich noch viel zu lernen hätte. Aus meiner Sicht war ich jedem Test unterworfen worden, den der Konzern zu bieten hatte, und ich hatte jeden mit fliegenden Fahnen bestanden.

Einige Wochen lang dachte ich ernsthaft an Kündigung. Ich hatte ein attraktives Angebot von Herb Siegel, einem Lehigh-Absolventen, der Chef von Chris-Craft war. Herb wollte Chris-Craft zu einem Mischkonzern in der Freizeitbranche ausbauen. Er mochte mich und respektierte, was ich bei Ford auf die Räder gestellt hatte.

»Überleg' doch mal«, sagte Herb, »wenn du dableibst, wirst du immer der Gnade von Henry Ford ausgeliefert sein, und wenn er dumm genug war, dich bei der Präsidentschaft zu übergehen, dann wird er dich wahrscheinlich später auch links liegenlassen.«

Es war eine echte Versuchung. Ich ging sogar so weit, mich in New York und Connecticut nach Häusern umzusehen. Auch Mary gefiel der Gedanke, an die Ostküste zurückzukehren. »Wenn es sonst nichts bringt, kriegen wir wenigstens wieder frischen Hummer«, meinte sie augenzwinkernd.

Am Ende beschloß ich, bei Ford zu bleiben. Ich mochte die Autoindustrie, und ich mochte die Ford Motor Company. Im Grunde konnte ich mir nicht vorstellen, anderswo zu arbeiten. Mit Henry auf meiner Seite erschien mir die Zukunft immer noch strahlend. Außerdem rechnete ich damit, daß Bunkie als Präsident enttäuschen werde und daß ich eher früher als später an die Reihe kommen würde.

In Detroit war Knudsens Wechsel von GM zu Ford das Stadtgespräch. In unserer Branche ist es immer eine Seltenheit gewesen, daß jemand abspringt und zur Konkurrenz geht. Bei GM, das selbst nach Detroiter Maßstäben im Rufe der Inzucht stand, war es fast noch nie dagewesen.

Was die Geschichte noch pikanter machte, war, daß Bunkie nicht der erste Knudsen war, der bei Ford arbeitete. Mehr als ein halbes Jahrhundert zuvor hatte Bunkies Vater, William Knudsen, für Henrys Großvater gearbeitet. Knudsen senior hatte die Errichtung von vierzehn Model-T-Werken innerhalb von zwei Jahren einschließlich der berühmten River-Rouge-Fabrik geleitet. Nach dem Ersten Weltkrieg wurde er nach Europa entsandt, wo er entscheidend an der Entstehung der dortigen Ford-Niederlassungen mitwirkte.

Nachdem er in die obersten Ränge des Konzerns aufgestiegen war, bekam Knudsen senior Probleme mit Ford senior, der ihn 1921 feuerte. Als Knudsen von Ford wegging, verdiente er 50 000 Dollar im Jahr, eine riesige Summe für die damalige Zeit. Ein Jahr später heuerte er bei General Motors an.

Der Kreis der Knudsen-Ford-Beziehung hatte sich nunmehr geschlossen. Detroit delektierte sich an dem Drama von Knudsens Einstellung, und die Presse schlachtete Bunkies Ernennung entsprechend aus. Es war auch tatsächlich eine griffige Geschichte: Henry Ford, der Enkel des Mannes, der William Knudsen vor die Tür gesetzt hatte, holte jetzt Knudsens Sohn als *seinen* Präsidenten zurück.

Als Bunkies Ernennung bekanntgegeben wurde, waren viele der Spitzenleute bei Ford verärgert, daß ein GM-Mann unser Chef sein sollte. Mir machte das besondere Bauchschmerzen, da es Gerüchte gab, daß Knudsen vorhabe, John Z. DeLorean mitzubringen, um mich kleinzuhalten. (DeLorean war damals ein kreativer junger Einzelgänger bei GM, der mit Bunkie in der Pontiac Division zusammengearbeitet hatte.)

Meine Kollegen und ich waren ziemlich sicher, daß sich das Managementsystem von GM bei Ford nicht gut bewähren werde. Aber nach Henrys Überzeugung würde die bloße Anwesenheit von Bunkie Knudsen im Glashaus ausreichen, den großen Erfolg von GM auf uns abfärben zu lassen.

Das geschah nicht. Ford hatte seine eigenen Methoden, um die Dinge auf den Weg zu bringen. Wir neigten dazu, rasch zu handeln, und es schien Bunkie schwerzufallen, mit uns Schritt zu halten. Außerdem war die Verwaltung nicht seine Stärke. Mir wurde bald klar, daß GM wahrscheinlich einen guten Grund gehabt hatte, ihn als Präsident zu übergehen.

Knudsen war mir gegenüber immer mißtrauisch. Er nahm an, daß ich es auf den Präsidentenstuhl abgesehen hatte, bevor er kam, und daß ich nach seinem Eintritt bei Ford immer noch danach trachtete. In beiden Punkten hatte er recht. Zum Glück waren wir beide zu beschäftigt, um viel Zeit auf Bürointrigen zu verschwenden. Aber wir hatten immer wieder Meinungsverschiedenheiten, insbesondere in bezug auf das Styling neuer Modelle.

Sobald Knudsen bei Ford eintrat, begann er den Mustang schwerer und größer zu machen. Er war fasziniert von Automobilrennen, aber er begriff nicht, daß deren große Zeit bereits vorüber war. Knudsen nahm es auch auf sich, unseren Thunderbird so umzugestalten, daß er einem Pontiac glich, was sich als totaler Reinfall erwies.

Als Führerfigur hatte Bunkie Knudsen nur geringen Einfluß auf den Konzern. Unter anderem versäumte er es, seine Spitzenleute von GM mitzubringen, um seine Pläne zu verwirklichen. Niemand bei Ford empfand besondere Loyalität gegenüber Knudsen, also war er ohne Machtbasis. Die Folge war, daß er in einer ihm fremden Atmosphäre allein war und nie wirklich akzeptiert wurde. Ein Jahrzehnt später, als ich zu Chrysler ging, war ich darauf bedacht, diesen Fehler nicht zu wiederholen.

Die Presse hat oft berichtet, daß ich einen Aufstand gegen Knudsen anführte. Aber sein Scheitern hatte wenig mit mir zu tun. Bunkie Knudsen versuchte Ford zu leiten, ohne unser System zu benutzen. Er ignorierte die vorhandenen Zuständigkeiten und verärgerte mich und viele andere Spitzenleute, indem er Entscheidungen in Bereichen traf, die in unsere Kompetenz fielen.

Ford und GM waren von Anfang an völlig verschiedene Unternehmen gewesen. Bei GM herrschte stets eine wohltemperierte Clubatmosphäre mit Dutzenden von Ausschüssen und mehreren Managementebenen. Bei Ford ist im Gegensatz dazu ein stärkerer Konkurrenzgeist spürbar. Entscheidungen wurden bei uns schneller getroffen, mit geringeren Kontrollen durch die Hierarchie und mehr unternehmerischem Elan. In der bedächtigen, wohlgeordneten Welt von GM war Bunkie Knudsen prächtig gediehen. Bei Ford war er ein Fisch ohne Wasser.

Knudsen hielt sich nur neunzehn Monate. Henry Ford hatte einen großen Publicity-Coup gelandet, indem er einen Spitzenmann von GM heuerte, aber er mußte bald die Erfahrung machen, daß der Erfolg in *einem* Autounternehmen nicht immer den Erfolg in einem anderen garantiert.

Ich wünschte, ich könnte sagen, daß Bunkie gefeuert wurde, weil er den Mustang ruinierte oder weil seine Ideen alle schlecht waren. Aber der wahre Grund für seine Entlassung war etwas ganz anderes. Bunkie Knudsen wurde gefeuert, weil er die Gewohnheit hatte, in Henrys Büro einzutreten, ohne anzuklopfen. Ja, tatsächlich – ohne anzuklopfen!

Ed O'Leary, einer von Henrys Assistenten, pflegte zu sagen: »Das treibt Henry auf die Palme. Die Tür geht auf, und Bunkie erscheint auf der Schwelle.«

Diese kleine Sünde war natürlich nur der sprichwörtliche Tropfen, der das Faß zum Überlaufen bringt in einer Beziehung, die von Anfang an nicht sehr gut gewesen war. Henry war der King, der keine Gleichen neben sich duldete, eine Tatsache, die Bunkie nicht zu begreifen schien. Er versuchte, sich bei Henry anzubiedern, und das war ein großer Fehler. Eines durfte man bei Ford niemals tun: dem Thron zu nahe kommen. »Halte gebührenden Abstand von Henry«, hatte mir Beacham Jahre zuvor geraten. »Denk daran, daß er blaues Blut hat. Deines ist bloß rot.«

Die Art und Weise, wie Henry Ford damals Bunkie Knudsen feuerte, ist eine hübsche Geschichte. Sie offenbart auch eine Menge über Henry. Am Montag abend des Labor Day-Wochenendes schickte er Ted Mecke, seinen Vizepräsidenten für Public Relations, in Bunkies Haus. Meckes Auftrag: Knudsen mitzuteilen, daß er entlassen werden sollte.

Aber Mecke brachte es nicht über sich, mit der Wahrheit herauszurücken. Er sagte bloß: »Henry hat mich hergeschickt, um Ihnen zu sagen, daß morgen im Büro schwierige Dinge auf Sie zukommen werden.«

»Moment mal«, warf Florence Knudsen, eine sehr willensstarke Frau ein. »Wozu sind Sie eigentlich gekommen? Wer hat Sie geschickt, und welche Botschaft haben Sie zu überbringen? Sind Sie gekommen, um meinen Mann zu entlassen?« Sie erriet die Wahrheit sofort, und Mecke blieb nichts anderes übrig, als sie zu bestätigen.

Am nächsten Morgen kam Henry den Gang entlanggerannt. Er war auf der Suche nach einem Verbündeten, und er wußte, daß ich mich freuen würde, Knudsen abtreten zu sehen. Aber Henry hatte Bunkie immer noch nicht gesagt, daß er entlassen war.

Schließlich sagte Mecke zu Bunkie: »Ich denke, Sie sollten zu Mr. Ford hinübergehen.«

Als Bunkie in Henrys Büro kam, fragte ihn Henry: »Hat Mecke mit Ihnen gesprochen?«

»Was, zum Teufel, geht hier vor?« fragte Bunkie. »Wollen Sie mich entlassen?«

Henry nickte. »Es ist einfach nicht gut gelaufen«, sagte er. Diese Art von vager Erklärung war echt Henry.

Einige Minuten später kam Henry wieder in mein Büro. »Bunkie hat eine Pressekonferenz einberufen!« stöhnte er.

»Was ist geschehen?« fragte ich. Ich konnte es mir schon ziemlich gut vorstellen, aber ich wollte es von ihm persönlich hören.

Henry versuchte mir mitzuteilen, daß er Bunkie soeben gefeuert habe. Aber als ich ihm da gegenüberstand und ihn ansah, schien er außerstande, die Worte herauszubringen. Schließlich stammelte er: »Bunkie kapiert nicht. Wir haben da Probleme.«

Dann ging es zu wie in einem Chaplin-Film. Als nächstes kam Bunkie in mein Büro und sagte: »Ich glaube, ich bin rausgeschmissen worden, aber ich bin nicht sicher.«

Sobald Knudsen weg war, wieselte Henry wieder herein und fragte: »Was hat er zu Ihnen gesagt?«

Einige Minuten später erschien er nochmals. »Was sollen wir machen?« ächzte er. »Bunkie will seine Pressekonferenz hier im Haus abhalten!«

»Nun ja«, antwortete ich, »wenn er geflogen ist, muß er eine Erklärung abgeben.«

»Klar ist er geflogen«, sagte Henry. »Aber ich finde, er sollte seine Pressekonferenz in einem Hotel halten, nicht hier in unserem Haus.«

Ich hatte gemischte Gefühle bei der ganzen Sache. Einerseits war ich heilfroh, daß Bunkie abserviert war. Auf der anderen Seite tat er mir wirklich leid. Ich fand es schlimm, daß die Amtszeit eines Präsidenten des Konzerns so enden mußte.

Aber Henry Ford brachte es nie über sich, jemanden persönlich zu entlassen. Die Dreckarbeit ließ er immer durch Handlanger verrichten.

Ich konnte nicht umhin, mich zu fragen: Steht das auch mir bevor? Ich redete an diesem Abend lange mit Mary. »Warum gibst du's nicht auf?« sagte sie. Wieder verspürte ich die Versuchung. Und wieder beschloß ich zu bleiben.

Am Tag von Bunkies Entlassung herrschte Jubel und Trubel, und es floß der Champagner. In der Presseabteilung prägte jemand ein (leider unübersetzbares) Wortspiel, das bald in der ganzen Firma berühmt wurde: »Henry Ford (The First) once said that history is Bunk. But today, Bunkie is history.« (Henry Ford [der Erste] hat einmal gesagt, daß Geschichte Quatsch[Bunk] ist. Aber heute ist Bunkie Geschichte.)

Selbst jetzt, nach Bunkies Abtritt, war Henry noch nicht bereit, mir den Posten anzubieten. Statt dessen setzte er ein Drei-Mann-Team ein. Ich war für das Nordamerikageschäft zuständig und damit *Primus inter pares.* Robert Stevenson wurde Chef von Ford International, und Robert Hampson leitete den Sektor des Unternehmens, der nichts mit Automobilen zu tun hatte.

Diese Troika hielt sich zum Glück nicht sehr lange. Im folgenden Jahr, am 10. Dezember 1970, bekam ich schriftlich, worauf ich gewartet hatte: die Position des Präsidenten von Ford.

Einige Tage, bevor er dies öffentlich bekanntgab, kam Henry in mein Büro, um mir zu sagen, was er vorhatte. Ich erinnere mich, daß ich dachte: »Das ist das tollste Weihnachtsgeschenk, das ich je bekommen habe!« Ein paar Augenblicke lang saßen wir bloß da, er mit einer Zigarette und ich mit einer Zigarre, und bliesen einander Rauch zu.

Sobald Henry die Tür hinter sich geschlossen hatte, rief ich meine Frau an. Dann telefonierte ich mit meinem Vater in Allentown, um ihm die Neuigkeit zu erzählen. Im Laufe seines langen und aktiven

Lebens hatte mein Vater viele glückliche Momente gehabt, aber ich bin sicher , daß mein Anruf an diesem Tag zu den schönsten zählte.

Als ich Präsident wurde, hatte die Ford Motor Company etwa 432 000 Beschäftigte. Unsere monatlichen Lohn- und Gehaltszahlungen betrugen mehr als 3,5 Milliarden Dollar. Allein in Nordamerika bauten wir fast 2,5 Millionen Autos und 750 000 Lastwagen jährlich. Die internationalen Niederlassungen erzeugten insgesamt weitere 1,5 Millionen Fahrzeuge. Der Gesamtumsatz von 1970 betrug 14,9 Milliarden Dollar, wobei wir einen Gewinn von 515 Millionen erzielten.

Nun waren 515 Millionen Dollar zwar nicht zu verachten, sie repräsentierten jedoch nur 3,5 Prozent des Gesamtumsatzes. In den frühen sechziger Jahren war die Gewinnmarge nie unter 5 Prozent gesunken. Ich war entschlossen, sie wieder über dieses Limit anzuheben.

Bekanntlich gibt es nur zwei Möglichkeiten, mehr Geld zu machen: Entweder man erhöht den Umsatz oder man senkt die Kosten. Mit dem Umsatz war ich zufrieden – zumindest für den Augenblick. Aber je genauer ich mir unseren Betrieb ansah, desto überzeugter war ich, daß wir viel mehr tun könnten, um unsere Kosten zu senken.

Einer der ersten Schritte, die ich als Präsident unternahm, war die Einberufung einer Konferenz der Topmanager, um ein Kostensenkungsprogramm einzuführen. Ich nannte es »4 x 50«, da es darauf abzielte, die Betriebskosten durch Eliminierung von vier Schwachstellen um je 50 Millionen Dollar zu senken: mangelhafte zeitliche Koordination, Produktkomplexität, Designkosten und veraltete Verfahrensweisen. Wenn es uns gelang, innerhalb von drei Jahren unser Ziel zu erreichen, dann würden unsere Gewinne um 200 Millionen Dollar steigen – eine Zunahme um fast vierzig Prozent –, ohne auch nur ein einziges zusätzliches Auto zu verkaufen.

Es gab genügend Raum für Verbesserungen. Beispielsweise brauchten wir jedes Jahr zwei Wochen, um unsere Fabriken auf die Produktion der Modelle des nächsten Jahres umzustellen. Während dieser Zeit waren die Fabriken einfach außer Betrieb, was bedeutete, daß sowohl die Maschinen als auch die Arbeiter nicht ausgelastet waren.

Durch konzentriertere Computerprogrammierung und bessere Planung gelang es uns, die Umstellungszeit von zwei Wochen auf zwei Tage zu reduzieren. Veränderungen dieser Art vollziehen sich natürlich nicht über Nacht. Aber 1974 waren wir so weit, daß unsere Werke an einem einzigen Wochenende – wenn die Fertigung sowieso ruhte – umgestellt werden konnten.

Ein weiterer Bereich, in dem wir Kosten einsparten, war der Transport. Die Frachtkosten betrugen zwar nur einen kleinen Prozentsatz unserer Gesamtausgaben, aber da sie immerhin bei über 500 Millionen Dollar jährlich lagen, lohnte es sich, einen zweiten Blick darauf zu werfen. Dies war etwas, worüber ich bisher noch nie nachgedacht hatte. Aber als ich der Sache nachging, stellte ich fest, daß die Eisenbahnen mit uns Schlitten fuhren. Sie berechneten die Kosten nicht nach dem Gewicht, sondern nach dem Volumen, und wir berücksichtigten das nicht in unseren Planungen.

Wir begannen, die Güterwagen viel voller zu laden. Ich erinnere mich, daß wir unter anderem einen Kotflügelentwurf um fünf Zentimeter stutzten, um zu erreichen, daß wir auf jeden Zug einige Autos mehr verladen konnten. Da riesige Summen auf dem Spiel standen, war ich nicht geneigt, für den Transport von Luft zu bezahlen. Wenn man es mit Zahlen wie 500 Millionen Dollar für Fracht zu tun hat, dann kann selbst eine winzige Einsparung von einem halben Prozent 2,5 Millionen Dollar ausmachen.

Ich führte auch ein Programm ein, das ich »die Nieten ausmerzen« nannte. In einem Konzern von der Größe des unsrigen gab es Dutzende von Abteilungen, die uns entweder Geld kosteten oder nur minimale Gewinne einbrachten. Ich bin immer überzeugt gewesen, daß in der Autoherstellung jeder Unternehmenszweig in Kosten-Nutzen-Kategorien gemessen werden kann. Jeder Werkleiter wußte – oder hätte wissen sollen –, ob seine Abteilung Gewinne für das Unternehmen erzielte oder ob die Teile, die er herstellte, mehr kosteten als der Betrag, für den sie von außerhalb hätten gekauft werden können.

Also kündigte ich an, daß die Manager drei Jahre Zeit hätten, ihre Abteilungen entweder rentabel zu machen oder sie zu schließen. Es war schlichter gesunder Menschenverstand, so wie sich der Leiter eines Kaufhauses sagt: »Diese Boutique ist ein reiner Zuschußbetrieb, also machen wir sie zu.«

Viele der unrentabelsten Abteilungen gehörten zu Philco-Ford, der Haushaltsgeräte- und Elektronikfirma, die wir 1961 erworben hatten. Der Kauf von Philco war ein schwerer Fehler; das Unternehmen machte zehn Jahre lang Millionen Dollar Verluste pro Jahr, bevor es endlich begann, einen Gewinn abzuwerfen. Viele Leute im Topmanagement hatten sich gegen diese Erwerbung ausgesprochen, aber Henry hatte darauf bestanden. Und was sich Henry in den Kopf gesetzt hatte, das geschah.

Wir bauten zu Beginn der siebziger Jahre schließlich an die zwanzig unrentable Unternehmenszweige ab. Einer davon war eine Fabrik, die Wäschereiausrüstungen herstellte. Bis zum heutigen Tag weiß ich nicht, was wir in Wäschereiausrüstungen zu suchen hatten. Aber aus irgendeinem Grund hatten wir zehn Jahre gebraucht, um diesen Laden dichtzumachen, der uns nie einen Penny eingebracht hatte.

Diese Programme zur Reduzierung von Kosten und Verlusten stellte eine neue Herausforderung für mich dar. Bis dahin hatte ich mich auf Verkauf, Marketing und Styling konzentriert. Aber als Präsident stand für mich an oberster Stelle die relativ trockene Aufgabe, Hunderte verschiedene Möglichkeiten ausfindig zu machen, um die Kosten zu senken und die Gewinne zu erhöhen. Die Folge war, daß ich mir schließlich die Achtung der Gruppe erwarb, die mir immer mißtraut hatte: der Erbsenzähler.

Ich hatte jetzt so viele verschiedene Aufgaben, daß ich mir einen anderen Arbeitsstil zulegen mußte. Obwohl ich es mir nicht gern eingestand, hatte ich nicht mehr die Ausdauer der Mustang-Jahre, in denen es mir nichts ausgemacht hatte, mir abends einen Hamburger zu holen und bis Mitternacht im Büro zu bleiben.

Die Ford Motor Company hatte fast eine Million Mitarbeiter in der ganzen Welt, und ich mußte mir vor Augen halten, daß ich nur einer davon war. Manchmal bedeutete das, daß ich einen Anrufer erst zwei Wochen später zurückrufen konnte. Aber ich fand, es sei wichtiger, meine geistige Gesundheit zu bewahren, als allen sofort gefällig zu sein.

Statt jeden Abend mit einem anderen Auto nach Hause zu fahren, um unsere verschiedenen Produkte besser kennenzulernen, hatte ich jetzt einen Fahrer. Auf dem Weg zum und vom Büro las und beantwortete ich gewöhnlich meine Post. Aber ich behielt meine alte wöchentliche Routine bei. Wenn ich nicht auf Reisen war, blieben meine Wochenenden für die Familie reserviert. Ich öffnete meinen Aktenkoffer nicht vor Sonntagabend. Dann zog ich mich zu Hause in meine Bibliothek zurück, widmete mich dem Aktenstudium und plante die bevorstehende Woche. Am Montagmorgen war ich sofort in Fahrt. Nicht weniger erwartete ich von meinen Mitarbeitern: Ich war immer der Ansicht, das Tempo des Chefs sei das Tempo des Teams.

Während meiner Jahre als Präsident von Ford traf ich ständig mit Leuten zusammen, die zu mir sagten: »Ich würde Ihren Job um alles Geld der Welt nicht wollen.« Ich wußte nie, wie ich auf eine solche Bemerkung reagieren sollte. Ich liebte meinen Job, obwohl er vielen Menschen als die Art von Position erschien, die einen verschleißt und fertigmacht. Ich habe das nie so empfunden. Ich fand ihn erregend und faszinierend.

Allerdings empfand ich eine gewisse Ernüchterung, nachdem ich die Position des Präsidenten erreicht hatte. Ich hatte Jahre damit zugebracht, den Gipfel zu erklimmen. Als ich ihn endlich erreicht hatte, begann ich mich zu fragen, warum ich es damit so eilig gehabt hatte. Ich war erst Mitte Vierzig, und ich hatte keine Idee, welches Ziel ich mir nun noch setzen könnte.

Ohne Zweifel genoß ich das Prestige und die Macht meiner Position. Aber im Rampenlicht zu stehen, war sicher ein zweifelhaftes Vergnügen. Das wurde mir an einem Freitagmorgen schlagartig klar, als ich auf dem Weg zur Arbeit war. Das Radio war an, und ich hörte mit halbem Ohr zu, als der Sprecher das Programm plötzlich mit einer Sondermeldung unterbrach. Offenbar war eine Gruppe amerikanischer Wirtschaftsführer, darunter auch ich, von der Manson-»Familie« zur Ermordung vorgemerkt worden.

Diese aufmunternde Nachricht stammte von Sandra Good, der Zimmergenossin von Squeaky Fromme, der jungen Dame, die verhaftet worden war, weil sie in Sacramento einen Anschlag auf Präsident Ford verübt hatte. Wenn man einen schnellen Muntermacher am Morgen benötigt, braucht man bloß zu hören, daß man auf irgend jemandes Hit-Liste steht!

Aber ich will mich nicht zu sehr über einen der besten Jobs der Welt beklagen. Wenn Henry der King war, dann war ich der Kronprinz. Und es stand außer Frage, daß mich der King mochte. Einmal kamen Henry und seine Frau Cristina zum Abendessen in unser Haus. Meine Eltern waren ebenfalls da, und Henry schwärmte ihnen den halben Abend vor, wie großartig ich sei und daß es ohne mich keine Ford Motor Company geben würde. Ein anderes Mal machte er mich mit seinem guten Freund L.B.J. bekannt. Henry betrachtete mich wirklich als seinen Protégé, und so behandelte er mich auch.

Dies waren die schönen Tage von Aranjuez. Alle Mitglieder des Topmanagement im Glashaus hatten teil am Wohlleben des königlichen Hofes. Wir hatten teil an etwas, das besser war als erste Klasse – wir lebten wie die Fürsten und hatten von allem nur das Beste. Weiß livrierte Kellner standen uns den ganzen Tag zur Verfügung, und wir aßen alle gemeinsam im Casino für die leitenden Angestellten.

Das war natürlich keine gewöhnliche Kantine. Es hatte mehr Ähnlichkeit mit einem der feinsten Restaurants des Landes. Seezunge aus Dover wurde täglich von England eingeflogen. Ungeachtet der Jahreszeit kamen die erlesensten Früchte auf den Tisch. Teures Konfekt, exotische Blumen – was man sich nur wünschen kann, wir hatten es. Und alles wurde von diesen professionellen Kellnern in ihrer weißen Livree serviert.

Anfangs zahlten wir pro Person zwei Dollar für ein solches Mittagessen. Zunächst waren es 1,50 Dollar gewesen, aber die Inflation trieb den Preis auf zwei Dollar hoch. Als Arjay Miller noch der für die Finanzen zuständige Vizepräsident war, beklagte er sich über diesen Preis. »Wir sollten wirklich für unser Essen nicht bezahlen müssen«, sagte er eines Tages. »Die Verköstigung von Angestellten ist für das Unternehmen abzugsfähig. Viele Firmen geben ihr Kantinenessen gratis aus. Aber wenn wir selbst dafür bezahlen, geht das von unseren Nettogehältern ab.« Wir waren alle in der Steuerklasse von 90 Prozent, das heißt, um zwei Dollar ausgeben zu können, mußten wir zwanzig Dollar verdienen.

Wir verwickelten uns in eine Diskussion darüber, wieviel unser Mittagessen die Firma de facto kostete. In typischer Ford-Manier ließen wir eine Untersuchung durchführen, um die tatsächlichen Kosten des Mittagessens im Casino zu ermitteln. Das Ergebnis war 104 Dollar pro Kopf – und das war vor zwanzig Jahren!

Im Casino konnte man alles bestellen, was man wollte, von Austern Rockefeller bis zu gebratenem Fasan. Aber Henry bestellte gewöhnlich einen Hamburger. Er aß selten etwas anderes. Eines Tages wandte er sich mir beim Essen zu und beklagte sich, daß sein eigener Koch zu Hause, der 30 000 oder 40 000 Dollar im Jahr verdiente, nicht einmal einen anständigen Hamburger machen könne. Aber nicht nur das – kein Restaurant, in dem er je gewesen war, konnte einen Hamburger so machen, wie er es gern hatte – nämlich so wie im Casino.

Ich koche gern, deshalb war ich von Henrys Beschwerde fasziniert.

Ich ging in die Küche, um mich mit Joe Bernardi, unserem schweizerisch-italienischen Küchenchef, zu unterhalten. »Joe«, sagte ich, »Henry schwärmt davon, wie Sie die Hamburger machen. Könnten Sie es mir zeigen?«

»Klar«, sagte Joe. »Aber Sie müssen eine Koryphäe sein, um es richtig zu machen, schauen Sie mir deshalb genau zu.«

Er ging zum Kühlschrank, nahm ein dickes New Yorker Steak heraus und ließ es durch den Fleischwolf laufen. Unten kam das Hackfleisch heraus, das Joe zu einem Hamburger formte. Dann klatschte er ihn auf den Grill.

»Irgendwelche Fragen?« sagte er.

Dann sah er mich mit einem halben Lächeln an und meinte: »Erstaunlich, welche Lorbeeren man ernten kann, wenn man ein Stück Fleisch für fünf Dollar nimmt!«

# IX
# Ärger im Paradies

Bevor ich Präsident wurde, kannte ich Henry Ford nur aus ziemlicher Distanz. Aber jetzt war mein Büro gleich neben seinem im Glashaus, und wir sahen einander ziemlich oft, wenn auch nur bei Konferenzen. Je besser ich Henry Ford kennenlernte, desto größere Sorgen machte ich mir über die Zukunft des Unternehmens – und meine eigene.

Das Glashaus war ein Palast, und Henry übte darin die absolute Herrschaft aus. Sooft er das Gebäude betrat, sprach es sich herum: *Der King ist eingetroffen.* Leitende Angestellte hingen dann in der Hoffnung, ihn zu treffen, in den Korridoren herum. Wenn sie Glück hatten, würde Mister Ford sie vielleicht bemerken, *hallo* sagen. Manchmal würde er sich vielleicht sogar dazu herablassen, mit ihnen zu reden.

Sooft Henry bei einer Konferenz auftauchte, veränderte sich abrupt die Atmosphäre. Er hatte die Macht über unser aller Leben und Tod. Er konnte plötzlich sagen: »Ab mit seinem Kopf« – und das tat er oft. Ohne eine faire Anhörung war damit eine weitere vielversprechende Karriere bei Ford zerstört.

Für Henry zählten die oberflächlichen Dinge. Er legte größten Wert auf das Äußere. Wenn jemand die richtigen Kleider anhatte und die richtigen Ausdrücke benutzte, die gerade im Schwange waren, war Henry beeindruckt. Aber ohne den richtigen Lack – keine Chance.

Eines Tages befahl mir Henry, einen leitenden Angestellten zu entlassen, der seiner Ansicht nach »eine Schwuchtel« war.

»Das ist ja lächerlich«, sagte ich. »Der Mann ist ein guter Freund von mir. Er ist verheiratet und hat ein Kind. Wir gehen zusammen Abendessen.«

»Wirf ihn raus!« wiederholte Henry. »Er ist schwul.«

»Wovon redest du?« sagte ich.

»Schau ihn doch an. Seine Hosen sind zu eng.«

»Henry«, sagte ich ruhig, »was, zum Teufel, haben seine Hosen mit sonst was zu tun?«

»Er ist ganz sicher schwul«, sagte Henry. »Er hat ein feminines Gehabe. Wirf ihn raus.«

Ich mußte schließlich einen guten Freund degradieren. Ich verbannte ihn aus dem Glashaus in die Etappe und fühlte mich dabei jämmerlich. Aber die einzige Alternative war, ihn zu entlassen.

Dieser willkürliche Gebrauch von Macht war nicht bloß ein Charakterfehler. Es war etwas, woran Henry tatsächlich glaubte.

Kurz nach meinem Amtsantritt als Präsident weihte mich Henry in seine Management-Philosophie ein. »Laß nicht zu, daß es sich ein Mitarbeiter zu einfach macht. Laß nicht zu, daß er sich anbiedert oder in eine Routine verfällt. Tu immer das Gegenteil dessen, was er erwartet. Halte deine Leute in Angst und Unsicherheit.«

Man könnte sich fragen, was den Vorsitzenden der Ford Motor Company, einen der mächtigsten Männer der Welt, veranlaßte, sich wie eine verwöhnte Göre zu benehmen. Was machte ihn so unsicher?

Die Antwort ist vielleicht, daß sich Henry Ford in seinem ganzen Leben nie etwas erarbeiten mußte. Vielleicht ist das der Fluch der Kinder reicher Leute, die ihr ganzes Geld erben. Ihr Leben ist ein Spaziergang durch den Park, wobei sie sich ständig fragen müssen, was ohne Papi aus ihnen geworden wäre. Arme Leute klagen, daß sie nie eine Chance hatten, aber der Reiche weiß nie, ob er aus eigener Kraft irgend etwas zustande gebracht hätte. Niemand sagt ihm je die Wahrheit. Man sagt ihm nur, was er hören will.

Mir schien es, als ob sich Henry Ford II, der Enkel des Gründers der Ford Motor Company, sein ganzes Leben lang Sorgen machte, daß er den Laden ruinieren könnte.

Vielleicht fühlte er sich deshalb so bedroht. Und vielleicht hielt er deshalb ständig Ausschau nach Palastrevolten. Wenn er zwei Männer im Gang miteinander reden sah, dann stand für ihn gleich fest: Sie müssen ein Komplott schmieden!

Ich will hier nicht den Psychiater spielen, aber ich hatte eine Theorie darüber, woher seine Ängste kamen. Als Henry jung war, litt sein Großvater unter schrecklicher Angst vor Entführern. Diese Kinder wuchsen mit verschlossenen Toren und Leibwächtern auf, mißtrauisch gegenüber jedem, der nicht zur unmittelbaren Familie gehörte.

So wurde Henry in bezug auf manche Dinge etwas paranoid. Zum Beispiel haßte er es, irgend etwas schriftlich festzuhalten. Obwohl wir beide das Unternehmen fast acht Jahre lang zusammen leiteten, trägt fast nichts in meinen Archiven aus der damaligen Zeit seine Unterschrift. Henry pflegte sich sogar damit zu brüsten, daß er keine Aktenablage habe. In Abständen verbrannte er alle seine Papiere.

»Das Zeug kann einem nur schaden«, sagte er dann zu mir. »Wer alle seine Akten aufhebt, bringt sich selber in Schlamassel. Früher oder später bekommt sie der Falsche zu lesen, und man hat den Schaden davon – oder die Firma.«

Nach Watergate, das einen tiefen Eindruck auf ihn machte, wurde es noch schlimmer mit ihm. »Siehst du«, sagte er, »ich hatte recht – da sieht man, wie es einem ergehen kann!«

Bei einem seiner seltenen Besuche in meinem Büro ließ er seine Blicke über meine Aktenordner schweifen. »Du bist verrückt«, sagte er. »Eines Tages kann dich das Kopf und Kragen kosten, all das aufzuheben.«

Er lebte nach dem Motto seines Großvaters: »Geschichte ist Quatsch (History is bunk).« Das wurde zu einer fixen Idee bei ihm. Seine Einstellung war: »Vernichte alle Beweismittel.«

Während meiner Amtszeit als Präsident saß Henry einmal dem berühmten kanadischen Photographen Karsh aus Ottawa für ein Porträt. Karsh arbeitete wie immer hervorragend. Das Photo war so schmeichelhaft, daß Henry seinen Freunden und Verwandten eigenhändig unterzeichnete Abzüge davon schickte.

Eines Tages sah mich Henrys Assistent Ted Mecke das Porträt bewundern.

»Wie finden Sie das neue Bild vom Chef?« fragte er.

»Hervorragend«, antwortete ich. »Übrigens«, fügte ich hinzu, »ich habe keine Bilder von Henry. Glauben Sie, daß ich eines von diesen haben könnte?«

»Sicher«, sagte Ted. »Ich lasse es von ihm signieren.«

Einige Tage später sagte Mecke zu mir: »Mr. Ford wollte das Bild nicht sofort signieren, deshalb habe ich es ihm dagelassen.«

Als ich das nächste Mal in Henrys Büro kam, bemerkte ich einen Abzug des Bildes auf seinem Schreibtisch. »Das ist eine hervorragende Aufnahme«, sagte ich.

»Danke«, antwortete er. »Das Photo ist für dich bestimmt. Ich bin bloß noch nicht dazu gekommen, es zu signieren.«

Er erwähnte es nie wieder, und ich bekam das Bild nie. Es löste sich einfach in Luft auf. Dieses Bild zu signieren, war für Henry eine zu intime Geste, selbst für seinen eigenen Präsidenten.

Henry schien keine dauerhaften, konkreten Andenken an unsere Freundschaft zu wollen – obwohl wir damals noch Freunde waren. Es war, als wisse er, daß er sich eines Tages gegen mich wenden werde, und als wolle er keine Beweise, daß wir einst auf gutem Fuß miteinander standen.

Selbst in diesen ersten Jahren hatten wir genügend Meinungsverschiedenheiten. Aber ich war immer sehr darauf bedacht, Zurückhaltung zu üben. Wenn ich größere Probleme mit ihm hatte, dann klammerte ich sie einfach aus. Wenn wir ernste Auseinandersetzungen hatten, dann beschränkte ich sie auf Gespräche unter vier Augen, wenn ich das Gefühl hatte, daß er wirklich bereit war, mir zuzuhören.

Als Präsident konnte ich es mir nicht leisten, Energie auf kleinlichen Streit zu verschwenden. Ich mußte ans große Ganze denken. Wie würde die Firma in fünf Jahren dastehen? Welches waren die wichtigsten Trends, die wir beachten mußten?

Nach dem arabisch-israelischen Krieg von 1973 und der darauf folgenden Ölkrise wurden die Antworten auf diese Fragen bald klar. Die Welt stand kopf, und wir mußten sofort reagieren. Kleine, benzinsparende Autos mit Vorderradantrieb würden in Zukunft gefragt sein.

Man mußte kein Genie sein, um sich das auszurechnen. Es genügte, die Verkaufszahlen von 1974 zu lesen, ein schreckliches Jahr für Detroit. Der Absatz ging bei GM um eineinhalb Millionen zurück. Ford verkaufte eine halbe Million weniger Fahrzeuge. Die Japaner hatten die meisten Kleinwagen anzubieten, und sie verkauften wie verrückt.

Eine Kleinwagenproduktion in den USA aufzuziehen, war ein sehr teures Unternehmen. Doch es gibt Zeiten, da hat man keine andere Wahl, als zu investieren. General Motors gab Milliarden Dollar für die »Verkleinerung« der gesamten Produktion aus. Auch Chrysler investierte ein kleines Vermögen in benzinsparende Modelle.

Aber für Henry bedeuteten kleine Autos eine Sackgasse. Sein Lieblingsspruch war: »Miniautos, Miniprofit.«

Nun ist es wahr, daß man mit kleinen Wagen kein Geld machen kann – zumindest nicht in den USA. Und das bewahrheitet sich jeden Tag mehr. Die Spannen sind bei kleinen Autos einfach nicht hoch genug.

Aber das bedeutete nicht, daß wir keine bauen sollten. Auch ohne die Aussicht auf eine zweite Ölkrise mußten wir unsere Händler bei Laune halten. Wenn wir ihnen die kleinen Autos nicht lieferten, nach denen die Leute verlangten, würden sie uns fallenlassen und Verträge mit Honda und Toyota unterschreiben, die etwas zu bieten hatten.

Es ist einfach eine Tatsache, daß man sich auch um die unteren Marktbereiche kümmern muß. Und wenn obendrein noch eine Energiekrise eintritt, dann erübrigt sich jede Diskussion. Keine kleinen, sparsamen Autos anzubieten, wäre für uns das gleiche gewesen, wie in einem Schuhgeschäft dem Kunden zu sagen: »Tut uns leid, wir führen nur ab Größe 42.«

Henry schluckte schwer an den kleinen Autos. Aber ich bestand darauf, daß wir einen Kleinwagen mit Vorderradantrieb bauen mußten – zumindest in Europa. Dort waren die Benzinpreise viel höher und die Straßen enger. Selbst Henry begriff, daß ein Kleinwagen in Europa sinnvoll war.

Ich sandte Hal Sperlich, unseren besten Produktplaner, über den Atlantik. In nur tausend Tagen entwickelten Hal und ich ein nagelneues Auto. Der Fiesta war sehr klein, hatte Vorderradantrieb und einen querliegenden Motor. Und er war fabelhaft. Ich wußte, wir hatten einen Renner. Zwanzig Jahre lang hatten uns die Erbsenzähler bei Ford Gründe geliefert, warum wir dieses Auto nie bauen sollten. Jetzt lehnten sogar die Spitzenleute unserer europäischen Division den Fiesta ab. Mein Vizepräsident der Internationalen Unternehmungen erzählte mir, daß Phil Caldwell, damals Präsident der europäischen Ford-Werke, entschieden dagegen war. Er sagte, ich hätte wohl zuviel gehascht, denn der Fiesta werde sich nie verkaufen und selbst wenn, würde kein Pfennig Gewinn dabei herausspringen.

Aber ich wußte, daß wir es versuchen mußten. Ich ging in Henrys Büro und stellte mich vor ihn: »Hör zu«, sagte ich zu ihm, »unsere Leute in Europa wollen dieses Auto nicht machen. Also mußt du dich hinter mich stellen. Ich will keinen Rückzieher wie beim Edsel. Wenn du nicht mit Leib und Seele dahinterstehst, dann vergessen wir es einfach.«

Das leuchtete Henry ein. Er war schließlich bereit, eine Milliarde Dollar für die Produktion des Fiesta auszugeben. Und es ist gut, daß er es getan hat. Der Fiesta war ein Volltreffer. Ob Henry es wußte oder nicht, das Auto rettete uns in Europa und war so wichtig für eine Wende dort, wie es der Mustang für die Ford Division in den Sechzigern war.

Sperlich und ich begannen sofort darüber zu reden, den Fiesta für das Modelljahr 1979 nach Amerika herüberzuholen. Wir sahen, wie die Importe aus Japan stiegen. Wir wußten, daß bei GM die X-Serie mit Vorderradantrieb unterwegs war. Chrysler kam mit seinem Omni und Horizon heraus, und Ford hatte nichts zu bieten.

Wie es aussah, war der Fiesta etwas zu klein für den amerikanischen Markt. Deshalb beschlossen Hal und ich, ihn umzumodeln, indem wir die Seiten etwas verbreiterten und damit im Inneren mehr Platz schufen. Wir nannten unseren Wagen den »aufgeblasenen Fiesta«. Sein Codename war der Wolf.

Inzwischen war es jedoch durch das Zusammentreffen japanischer Handelsvorteile mit unerträglich hohen Lohnkosten für amerikanische Firmen fast unmöglich geworden, mit dem Bau kleiner Autos konkurrenzfähig zu bleiben. Allein die Fertigungsanlagen für die vierzylindrigen Motoren und Getriebe hätten uns 500 Millionen Dollar gekostet. Und Henry war nicht bereit, dieses Risiko einzugehen.

Aber Sperlich und ich waren zu scharf auf dieses Projekt, um es kampflos aufzugeben. Es mußte einfach eine Möglichkeit geben, den Wolf zu bauen und einen Gewinn dabei zu machen.

Auf meiner nächsten Reise nach Japan arrangierte ich ein Treffen mit dem Topmanagement von Honda. Damals wollte Honda eigentlich gar keine Autos bauen. Sie zogen es vor, bei Motorrädern zu bleiben. Aber sie waren bereits darauf eingerichtet, kleine Motoren zu bauen, und sie waren darauf erpicht, mit uns zusammenzuarbeiten.

Ich verstand mich großartig mit Herrn Honda. Er lud mich in sein Haus ein und schmiß eine große Party mit einem riesigen Feuerwerk. Bevor ich Tokio verließ, waren wir uns einig geworden. Honda sollte uns jährlich 300 000 Antriebseinheiten zum Stückpreis von 711 Dollar liefern. Es war ein phantastisches Angebot – 711 Dollar für eine Motor-Getriebe-Einheit, die wir in jeden beliebigen Wagen einbauen konnten.

Ich war euphorisch, als ich aus Japan zurückkam. Der Wolf konnte einfach nicht danebengehen. Das würde der nächste Mustang sein! Hal und ich stellten einen schwarz-gelben Prototyp auf die Räder, der umwerfend war. Dieses Auto wäre eine Sensation geworden.

Aber als ich Henry von dem Geschäft mit Honda erzählte, legte er sofort sein Veto ein. »Kein Auto mit meinem Namen auf der Haube wird darunter einen japanischen Motor haben!« entschied er. Und das war das Ende einer großen Chance.

Henry mag die Japaner nicht gemocht haben, aber Europa faszinierte ihn. In unserem Lande gab es, besonders nach Vietnam, immer weniger Respekt vor der Autorität. Genauer gesagt, es gab immer weniger Respekt vor dem Namen Ford. In Europa war das ganz anders. Da drüben bedeutete das Familienvermögen noch etwas. Europa hatte noch sein altes Klassensystem. Es war die Heimat des Landadels, der Paläste und königlichen Familien. In Europa zählte es noch, welche Großeltern man hatte.

Einen unvergeßlichen Abend verbrachte ich mit Henry auf einem Schloß am Rhein. Geld spielte keine Rolle, wenn es darum ging, Henry Ford zu bewirten. Als wir ankamen, traute ich meinen Augen nicht. Ein Blasorchester – all diese Burschen in Lederhosen – war aufmarschiert, um ihn willkommen zu heißen. Während Henry würdevoll über die Zugbrücke schritt und die Schloßtreppe hinaufstieg, folgte ihm die Band dicht auf den Fersen und brachte ihm ein Ständchen. Ich wartete nur noch darauf, daß sie *»Hail to the Chief«* anstimmten.

Wo Henry in Europa auch hinkam, verkehrte er mit dem Hochadel. Er schäkerte mit den Hoheiten, trank mit ihnen und genoß ihre Huld. Er war von Europa so begeistert, daß er oft davon sprach, sich dort zur Ruhe zu setzen. Einmal, auf einer Jet-set-Party in Sardinien, erschien er mit einer amerikanischen Flagge, die auf seinen Hosenboden genäht war. Sogar die Europäer waren schockiert. Aber Henry hielt es bloß für einen gelungenen Scherz.

Deshalb war mein Erfolg mit dem Fiesta vielleicht ein Nagel zu meinem Sarg. In Amerika stellten meine Leistungen keine Bedrohung dar. Aber Europa war seine Domäne. Als die Leute begannen, mir in den heiligen Hallen des alten Kontinents Beifall zu spenden, begann er sich Sorgen zu machen. Henry sagte das nie offen, aber bestimmte Herrschaftsbereiche waren entschieden »off limits«. Dazu zählte Europa. Und dazu zählte die Wall Street.

1973 und Anfang 1974 begannen wir haufenweise Geld zu machen, selbst nach der OPEC-Krise. Unser Topmanagement fuhr nach New York, um mit einer Gruppe von hundert der wichtigsten Bankiers und Börsenanalytiker zu sprechen. Henry war immer gegen diese Treffen. »Ich möchte nicht für unsere Aktien die Werbetrommel rühren«, sagte er immer. Aber jede Aktiengesellschaft unterhielt Kontakte zu Mitgliedern der Finanzwelt. Es gehörte zur Geschäftsroutine.

Als Henry aufstand, um zu dieser Versammlung zu sprechen, hatte er ganz schön einen in der Krone. Er palaverte tatsächlich darüber, daß es mit der Firma bergab gehe. Ed Lundy, unser Top-Finanzmann, lehnte sich zu mir herüber und sagte: »Lee, jetzt mußt du in die Bresche springen. Wenn du die Lage nicht rettest, dann stehen wir alle wie die Idioten da.«

Ich stand auf und sprach, und das war für mich vielleicht der Anfang vom Ende.

Am nächsten Morgen rief mich Henry zu sich. »Du sprichst mit zu vielen Leuten draußen«, sagte er. Was er meinte war, es sei okay für mich, mit Händlern oder Lieferanten zu sprechen, aber ich sollte mich von Wall Street fernhalten. Die könnten sonst glauben, daß ich das Unternehmen leitete, und das paßte ihm gar nicht.

Am gleichen Tag wurden ähnliche in Chicago und San Francisco geplante Treffen abgesagt. »Das reicht«, sagte Henry. »Wir machen das nie wieder. Schluß damit, der Welt zu erzählen, was wir vorhaben.«

Henry hatte nichts dagegen, wenn ich Publicity bekam – solange es mit einem Produkt zusammenhing. Als ich auf dem Titelbild des *New York Time Magazine* erschien, sandte er mir ein Glückwunschtelegramm in mein Hotel in Rom. Aber wenn ich in seinen Einflußbereichen gelobt wurde, konnte er es nicht verkraften.

Nun ist eigentlich jeder Mensch in dieser Welt irgend jemandem Rechenschaft schuldig. Manche schulden ihren Eltern Rechenschaft – oder ihren Kindern. Andere müssen sich gegenüber ihrem Ehepartner, ihrem Chef oder vielleicht sogar ihrem Hund verantworten. Und wieder andere glauben, dem lieben Gott Rechenschaft zu schulden.

Aber Henry Ford mußte sich nie vor irgend jemandem verantworten. In einer Aktiengesellschaft schuldet der Vorstandsvorsitzende seiner Belegschaft und seinen Aktionären moralische Rechenschaft.

Den Mitgliedern seines Aufsichtsrats schuldet er de jure Rechenschaft. Aber Henry schien immer seinen Kopf durchsetzen zu können.

Die Ford Motor Company war 1956 in eine Aktiengesellschaft umgewandelt worden, aber Henry akzeptierte diese Veränderung nie wirklich. In seinen Augen war er ebenso wie sein Großvater der rechtmäßige Eigentümer – »Inhaber Henry Ford« – und konnte mit der Firma tun, was er wollte. Was den Aufsichtsrat betraf, glaubte er mehr als die meisten Firmenchefs an die Champignon-Behandlung – decke sie mit Dung zu und halte sie im dunkeln. Diese Einstellung wurde natürlich dadurch begünstigt, daß Henry und seine Familie, obwohl sie nur zwölf Prozent der Aktien besaßen, 40 Prozent der Stimmrechte hielten. Seine Einstellung zur Regierung unterschied sich nicht wesentlich von seiner Einstellung zum Konzern.

Eines Tages sagte er zu mir: »Zahlst du Einkommensteuer?«

»Machst du Witze?« antwortete ich. »Natürlich!« Was ich auch anstellte, 50 Prozent von allem, was ich verdiente, gingen ans Finanzamt.

»Ich fange an, mir Sorgen zu machen«, sagte er. »Dieses Jahr zahle ich 11 000 Dollar. Und das ist das erste Mal seit sechs Jahren, daß ich überhaupt etwas zahle!«

Ich konnte es nicht glauben. »Henry«, sagte ich, »wie machst du das bloß?«

»Meine Anwälte kümmern sich darum«, antwortete er.

»Hör mal«, sagte ich, »ich habe nichts dagegen, jedes Schlupfloch zu benutzen, das uns die Regierung läßt. Aber die Leute, die in unseren Fabriken arbeiten, zahlen fast so viel wie du! Meinst du nicht, du solltest deinen Teil beisteuern? Was ist mit der Landesverteidigung? Was ist mit der Army und der Air Force?«

Aber er sah das nicht ein. Obwohl ich keinen Grund zur Annahme habe, daß er gegen die Gesetze verstieß, war seine Einstellung: behumse die Regierung, wo es nur geht.

In all den Jahren unserer Zusammenarbeit habe ich ihn nie einen Pfennig seines eigenen Geldes ausgeben sehen. Schließlich heuerte eine Gruppe von Ford-Aktionären Roy Cohn an, den prominenten New Yorker Anwalt, und verklagte Henry, weil er Unternehmensgelder für die verschiedensten persönlichen Ausgaben verwendet habe. Wenn er beispielsweise nach London fuhr und dort in seinem eigenen Haus wohnte, ließ er sich das trotzdem von der Firma bezahlen. Er erkundigte sich sogar eingehend danach, was die Firma für meine Suite im Claridge zahlte, bloß damit seine Spesenrechnung im Rahmen blieb.

Die von Roy Cohn angestrengte Klage besagte, daß Henry Firmenflugzeuge benutzt habe, um seine eigenen Möbel aus Europa nach Detroit zu fliegen und die Hunde und Katzen seiner Schwester zu transportieren, wann immer sie ihre Lieblinge zum Friseur oder Pudelscherer schaffen wollte, und um Dom Perignon und Chateau Lafite von einer Ford-Villa zur anderen zu befördern.

Ich weiß nicht, ob alle diese Anschuldigungen stimmten, aber ich habe einmal einen Kamin im Firmenflugzeug für ihn von London nach Grosse Pointe transportiert.

Henry hatte es wirklich mit den Flugzeugen. Einmal kaufte die Firma von Nippon Airways einen 727 Jet, den Henry in einen Luxuskreuzer umwandelte. Die Anwälte machten Henry darauf aufmerksam, daß es unkorrekt sei, das Flugzeug für seine Urlaubsreisen und seine Spritztouren nach Europa zu verwenden, es sei denn, er komme selbst für die Kosten auf. Aber er würde eher nach Europa schwimmen, als sich dazu herabzulassen, der Firma etwas aus seiner eigenen Tasche zu vergüten.

Ich benutzte die 727 inzwischen regelmäßig für meine Geschäftsreisen ins Ausland. Dieses Flugzeug wurde zum Dorn in Henrys Auge. Er haßte es einfach, mich damit fliegen zu sehen, wenn er es nicht konnte.

Eines Tages gab Henry plötzlich Anweisung, das Flugzeug für fünf Millionen Dollar an den Schah von Iran zu verkaufen.

Der Leiter unserer Luftflotte war schockiert. »Sollten wir nicht wenigstens Angebote einholen?« fragte er. »Nein«, sagte Henry. »Ich will, daß dieses Flugzeug heute von hier verschwindet.« Die Firma verlor eine Menge Geld bei dem Geschäft.

Nach einer internen Rechnungsprüfung mußte Henry 34 000 Dollar an die Gesellschaft zurückzahlen. Er war in flagranti erwischt worden, und nicht einmal seine eigenen Rechnungsprüfer waren diesmal bereit, ihn ungeschoren davonkommen zu lassen. Henrys einzige Rechtfertigung war, seiner Frau die Schuld zuzuschieben, aber die Tatsache, daß er überhaupt ein Fehlverhalten zugab, war als solche bemerkenswert.

Die Roy-Cohn-Klage wurde schließlich außergerichtlich beigelegt. Obwohl die Aktionäre nichts bekamen, kassierte Cohn die Anwaltskosten für seine Bemühungen – an die 260 000 Dollar. Henry kam wieder einmal glimpflich davon.

Aber all dies war Kleinkram verglichen mit dem Renaissance-Center.

RenCen, wie es gewöhnlich genannt wird, ist ein funkelnder Komplex aus Bürogebäuden, Geschäften und dem höchsten Hotelbau der Welt. Dieses umfangreiche Projekt sollte der Sanierung des Stadtkerns von Detroit dienen, der immer öder und gefährlicher wurde, je mehr Firmen in die Vororte umzogen.

Henry beschloß, dieses Monument für seine Person selbst zu errichten und das Geld dafür zu beschaffen. Der offizielle Beitrag von Ford belief sich auf sechs Millionen Dollar – natürlich aus Firmenmitteln. Diese Summe verdoppelte sich bald auf zwölf Millionen Dollar. Mit der Zeit schwollen die investierten Firmengelder auf ungefähr hundert Millionen Dollar an. Zumindest war das die offizielle Version. Aber ich vermute, daß wir insgesamt wahrscheinlich weitere zweihundert Millionen Dollar in das RenCen steckten, wenn man die Kosten für die Verlegung von Hunderten von Angestellten mitrechnet, die nötig waren, um diese riesigen Bürotürme zu füllen. Natürlich wurde nur ein Bruchteil unserer riesigen Investitionen je publik gemacht.

Ich war ehrlich angewidert. Wir hätten dieses Geld dafür ausgeben sollen, um mit General Motors Schritt zu halten. Statt in luxuriöse Immobilien steckte GM seinen Profit in Kleinwagen. Mehrere Male sprach ich unter vier Augen mit Henry und machte ihm klar, wie ich darüber dachte. Aber er ignorierte mich.

Henrys Beteiligung am RenCen hätte ganz anders ausgesehen, wenn er nach den Grundsätzen der Carnegies, der Mellons oder der Rockefellers gehandelt hätte. Diese Familien wandten einen großen Teil ihres Privatvermögens für das öffentliche Wohl auf. Aber im Unterschied zu den großen Philanthropen schien Henrys Freigiebigkeit allzu oft auf dem Geld anderer Leute zu basieren – Geld, das nicht ihm gehörte, sondern dem Konzern und seinen Aktionären. Es überrascht nicht, daß die Aktionäre nie gefragt wurden.

RenCen war von Anfang an ein Reinfall. 1974, als es erst halb fertig war, fehlten bereits 100 Millionen Dollar.

Um diesen Betrag aufzubringen, beauftragte Henry Paul Bergmoser, den für den Einkauf zuständigen Vizepräsidenten, im Land herumzufliegen und andere Firmen unter Druck zu setzen, im RenCen zu »investieren«. Einundfünfzig Firmen brachten schließlich das Geld auf. Davon waren 38 von der Autoindustrie und insbesondere von Ford wirtschaftlich abhängig.

Bergmoser suchte die Geschäftsführer von Unternehmen wie U.S. Steel und Goodyear auf. Ohne mit der Wimper zu zucken, mußte er zu ihnen sagen: »Also, ich komme diesmal nicht in meiner Eigenschaft als Einkaufsleiter« – obwohl wir jährlich Geschäfte in Millionenhöhe mit diesen Firmen tätigten – »ich komme diesmal als persönlicher Vertreter von Henry Ford, und mein Besuch hat nichts mit der Ford Motor Company zu tun.«

Die Geschäftsführer von Firmen wie Budd, Rockwell und U.S. Steel brachen bei Bergies Vorrede in Lachen aus. Ed Speer, der Geschäftsleiter von U.S. Steel, sagte zu Bergie, das einzig richtige Symbol für das Renaissance-Center sei ein verdrehter Arm.

Wegen des Namens Ford erklärten sich einige der nobelsten Geschäfte der Vereinigten Staaten und Europas bereit, im RenCen einzuziehen. Aber sie bestanden alle auf finanziellen Garantien seitens des Konzerns. Dies führte zu der völlig lächerlichen Situation, daß die Ford Motor Company in das Boutiquen-, Juwelier- oder Schokoladengeschäft einsteigen und deren Verluste in den ersten paar Jahren decken mußte. Und die machten Verluste.

Während ich diese Worte schreibe, ist RenCen am Rande des wirtschaftlichen Zusammenbruchs. Heute bietet es nicht viel mehr als verwirrende Architektur und eine ganz gewöhnliche Ladenzeile – mit teuren Parkplätzen. Ach ja – da ist auch ein 2,7-Millionen-Dollar-Büro, komplett mit einer Wendeltreppe und einem offenen Kamin, das für Henry Ford als Stadtbüro gebaut wurde.

Ich frage mich oft: Wo ist die Presse geblieben? Damals wurde viel über Enthüllungsjournalismus geredet, aber niemand in Detroit oder sonstwo brachte die wahre Geschichte des Renaissance-Center ans Licht.

Ein Grund ist, daß Henry immer für Schlagzeilen sorgte und alle ihm seine Exzesse nachsahen. Außerdem waren wir ein wichtiger Anzeigenkunde. Niemand in Detroit – oder anderenorts – wollte es riskieren, einen so wichtigen Kunden zu verstimmen.

In meinen Augen war Henry immer ein Playboy. Bei der Arbeit verausgabte er sich nie. Eher schon bei seinen Vergnügungen. Er hatte eine Schwäche für Wein, Weib und Gesang.

Im Grunde hatte ich das Gefühl, daß er die Frauen haßte – außer seiner Mutter. Nach dem Tod von Henrys Vater war Eleanor Clay Ford Oberhaupt der Familie geworden und hatte ihrem Sohn Henry die Leitung übertragen. Sie legte ihm auch immer ein wenig die Zügel an.

Aber als sie 1976 starb, brach für ihn eine ganze Welt zusammen. Die einzige Frau in seinem Leben, die er respektierte, war verschwunden. Henry war der schlimmste Chauvinist; er war davon überzeugt, daß Frauen nur zum Vergnügen der Männer auf der Welt sind.

Einmal klagte er mir gegenüber, daß eines Tages Frauen die Ford Motor Company übernehmen und sie ruinieren würden. Das sei auch bei Gulf Oil geschehen, meinte er. Er fügte hinzu, daß die dreizehn Enkelkinder bei Ford jetzt über mehr Stimmrechte verfügten als sein Bruder, seine Schwester und er. Aber das wirklich Bedauerliche, meinte er, sei die Tatsache, daß von den dreizehn Enkeln sieben Mädchen und nur sechs Jungen seien. Und das sei das Problem, meinte er: Frauen seien unfähig, irgend etwas zu leiten.

Wie gewöhnlich durchschaute Mary ihn von Anfang an. Wiederholt sagte sie zu mir: »Alkohol baut alle Hemmungen ab, und der Mensch zeigt sich so, wie er wirklich ist. Also Vorsicht: dieser Mann ist ein *Schuft!*«

Mary war übrigens eine der wenigen Frauen, die er nicht verachtete. Bei einer Party zum 50. Geburtstag von Katie Curran, einer nahen Freundin von uns, gerieten Henry und Mary in ein langes Gespräch, während alle übrigen sich vollaufen ließen. Henry war damals trocken, und Mary trank nicht, weil sie Diabetes hatte. Sie redeten über die Tagungen des Topmanagements, die gewöhnlich in beliebten Urlaubsorten stattfanden. Als Mary Henry nahelegte, daß auch die Ehefrauen dazu eingeladen werden sollten, widersprach ihr Henry. »Ihr Frauen versucht bloß, euch gegenseitig auszustechen«, meinte er. »Das einzige, was euch interessiert, sind eure Kleider und euer Schmuck.«

»Da bist du völlig im Irrtum«, sagte sie zu ihm. »Wenn die Frauen dabei sind, kommen die Männer rechtzeitig ins Bett. Sie treiben sich nicht rum. Die Alkoholrechnung ist nur halb so hoch, und am Morgen erscheinen die Leute pünktlich zu den Sitzungen. Du erreichst viel mehr, wenn du die Frauen mit einlädst.«

Er hörte tatsächlich auf sie. Nachher sagte er zu mir: »Deine Frau hat einen gesunden Verstand.« Man mußte Henry in diesen Augenblicken der Nüchternheit ansprechen. Man mußte ihn packen und festnageln. Mary konnte das immer, ohne in Schwierigkeiten zu geraten. Henry markierte den Mann von Welt und den Europäer. Er konnte durchaus charmant sein. Er verstand sogar einiges von Wein und von Kunst.

Aber es war alles bloß Fassade. Nach der dritten Flasche Wein war er nicht mehr zurechnungsfähig. Dann verwandelte er sich vor aller Augen von Dr. Jekyll in Mr. Hyde.

Wegen seines Trinkens hielt ich bei gesellschaftlichen Anlässen Abstand von ihm. Beacham und McNamara, meine beiden Mentoren, hatten mich gewarnt: »Halte dich von ihm fern«, sagten sie. »Er wird sich betrinken, und du bekommst Ärger für nichts und wieder nichts.«

Ed O'Leary gab mir einen ähnlichen Rat. »Du wirst nie rausfliegen, weil du eine Milliarde Dollar Verlust gemacht hast«, sagte er zu mir. »Du wirst eines Abends rausfliegen, wenn Henry betrunken ist. Er wird dich einen Ithaker nennen, und ihr werdet Streit bekommen. Denk an meine Worte – es wird wegen nichts sein. Halte dich also immer aus seiner Schußlinie.«

Ich versuchte es, aber Henry begann, sich mehr als bloß ungehobelt zu entpuppen.

Der Wendepunkt, an dem ich die wahre Natur dieses Mannes kennenlernte, kam für mich 1974 bei einer Management-Sitzung, die sich mit dem Chancengleichheitsprogramm befaßte. Jede Hauptabteilung wurde aufgefordert, über ihre Fortschritte bei der Einstellung und Beförderung von Schwarzen zu berichten. Nachdem er sich die Berichte, die nicht beeindruckend waren, angehört hatte, wurde Henry wütend. »Das sind doch nur lauter Lippenbekenntnisse«, sagte er.

Dann richtete er einen leidenschaftlichen Appell an uns, mehr für die Schwarzen zu tun. Er deutete sogar an, daß die Prämien für leitende Angestellte bald von unseren Fortschritten auf diesem Gebiet abhängig sein könnten. »Dann werdet ihr sicher euren Hintern hochkriegen und tun, was für die Schwarzen getan werden muß«, schloß er.

Seine Vorhaltungen bei dieser Sitzung waren so bewegend, daß mir buchstäblich die Tränen kamen. »Vielleicht hat er recht«, sagte ich mir. »Vielleicht tun wir wirklich nicht genug. Vielleicht setze ich mich nicht genug ein. Wenn es dem Boß so viel bedeutet, müssen wir uns wohl mehr Mühe geben.«

Nach der Sitzung fuhren wir alle ins Penthouse hinauf, um im Kasino für die Leitenden Mittag zu essen. Wie üblich saß ich an Henrys Tisch. Wir saßen noch kaum, als er schon begann, gegen die Schwarzen loszulegen. »Diese gottverdammten Nigger«, sagte er. »Sie fahren ständig den Lake Shore Drive vor meinem Haus auf und ab. Ich hasse sie, ich habe Angst vor ihnen und ich glaube, eines Tages übersiedle ich in die Schweiz, wo es einfach keine gibt.«

Es war einer jener Augenblicke, die ich nie vergessen werde. Mir fiel es wie Schuppen von den Augen. Der Kerl hatte mich fast zum Weinen gebracht, und eine Stunde später zog er gegen die Schwarzen vom Leder. Es war alles nur eine Show gewesen. In Wirklichkeit haßte er sie.

In dem Augenblick wurde mir klar, daß ich für einen richtigen Halunken arbeitete.

Rassismus ist schlimm genug, wie ich in Allentown gelernt hatte. Aber die Kinder in meiner Schule hatten sich wenigstens nicht verstellt. Henry war mehr als ein Rassist. Er war auch ein Heuchler.

In der Öffentlichkeit spielte er den fortschrittlichsten Geschäftsmann der Welt, aber hinter geschlossenen Türen bewies er Verachtung für nahezu alle. Bis 1975 waren die Italiener die einzige Minderheit, die Henry in meiner Gegenwart nicht heruntergemacht hatte. Aber er sollte die verlorene Zeit bald aufholen.

# X
# 1975: Das Schicksalsjahr

Im Jahr 1975 startete Henry Ford seine Monat für Monat ausgeheckte Vernichtungskampagne gegen mich.

Bis dahin hatte er mich ziemlich in Ruhe gelassen. Aber in diesem Jahr begann er, unter Brustschmerzen zu leiden, und er sah wirklich nicht gesund aus. Damals begann sich König Henry seiner Sterblichkeit bewußt zu werden.

Er wurde zum Tier. Ich stelle mir vor, daß sein erster Impuls war: »Ich möchte nicht, daß dieser italienische Eindringling hier die Macht übernimmt. Was wird aus dem Familienunternehmen, wenn ich einen Herzinfarkt bekomme und sterbe? Ehe ich es merke, schleicht er sich eines Nachts hier ein, nimmt mein Namensschild vom Gebäude und macht daraus die Iacocca Motor Company. Wo bleibt dann mein Sohn Edsel?«

Wenn Henry meinte, ich würde ihm den Familienschmuck stehlen, dann mußte er mich loswerden. Aber er hatte nicht den Mut, einfach herzugehen und seine eigene Schmutzarbeit zu tun. Außerdem wußte er, daß er damit nicht durchkommen würde. Statt dessen spielte er Machiavelli; er war entschlossen, mich so lange zu demütigen, bis ich aufgab.

Seine erste Bombe legte Henry während meiner Abwesenheit. Anfang 1975 war ich zwei Wochen im Ausland auf einer Blitzreise durch den Nahen Osten als Mitglied einer Delegation von Wirtschaftsbossen, die von *Time Magazine* eingeladen worden waren, die israelische und arabische Welt besser kennenzulernen.

Als ich am 3. Februar in die Vereinigten Staaten zurückkehrte, erwartete mich Chalmers Goyert, mein Assistent, zu meiner Überraschung auf dem John-F.-Kennedy-Flughafen in New York.

»Was ist los?« fragte ich ihn.

»Wir haben große Probleme«, sagte er.

Die hatten wir in der Tat. Goyert berichtete mir von der unglaublichen Sache, die während meiner Abwesenheit passiert war. Wenige Tage zuvor, während sich unsere Gruppe mit König Faisal in Saudi-Arabien traf, berief König Henry plötzlich eine Sondersitzung des Topmanagements ein.

Die Auswirkungen dieser Sitzung sind noch heute spürbar. Henry machte sich über die OPEC Sorgen. Der Mann, der es sich als sein Verdienst anrechnete, die Ford Motor Company nach dem Zweiten Weltkrieg wieder auf die Beine gebracht zu haben, war außer sich vor Angst. Die Araber hatten eine Offensive gestartet, das war einfach zu viel für ihn.

Er befahl, die Mittel für Produktentwicklungen um zwei Milliarden Dollar zu kürzen, da er davon überzeugt war, daß eine große Krise bevorstand. Mit dieser Entscheidung eliminierte er summarisch viele der Produkte, die uns konkurrenzfähig gemacht hätten – unverzichtbare Dinge wie Kleinwagen und Vorderradantriebstechnologie.

Auf dieser Sitzung hatte Henry verkündet: »Ich bin der Sewell Avery der Ford Motor Company.« Es war eine unheilvolle Anspielung.

Sewell Avery war der Chef von Montgomery Ward, ein ultrakonservativer Manager, der nach dem Zweiten Weltkrieg beschlossen hatte, kein Geld für künftige Entwicklungen bereitzustellen. Er war überzeugt, daß die Welt untergehen werde und Amerika verloren sei. Seine Entscheidung wurde für Montgomery Ward zum Verhängnis, weil sich Sears nun auf der ganzen Linie als überlegen erwies.

Henrys Ankündigung hatte ähnliche Konsequenzen für uns.

Was mich anging, so war es nicht schwer, das Menetekel an der Wand zu sehen. Henry hatte gewartet, bis ich Tausende von Meilen entfernt war, um eine Konferenz einzuberufen, auf der er meine Macht und Verantwortung an sich riß – und auch allem zuwiderhandelte, woran ich glaubte.

Henry hat dem Konzern an diesem Tag ungeheuren Schaden zugefügt. Topaz und Tempo, die beiden Kleinwagen mit Vorderradantrieb, die schließlich im Mai 1983 auf den Markt kamen, hätten bereits vier oder fünf Jahre früher fertig sein sollen, als sich die Kunden um Kleinwagen rissen. Aber Fords Antwort auf die Ölkrise von 1973 ging erst 1979 in die Planung.

Ich schäumte. Die OPEC hatte uns bereits klargemacht, daß wir ohne Kleinwagen keine Chance hatten. GM und Chrysler arbeiteten volle Pulle, um ihre eigenen Miniautos auf den Markt zu bringen. Und der Chef der Ford Motor Company steckte den Kopf in den Sand.

Pünktlich jeden Monat nach der Aufsichtsratssitzung bekam ich Besuch von Franklin Murphy, Doyen unseres Aufsichtsrats, ehemaliger Präsident von UCLA, Aufsichtsratsvorsitzender der Los Angeles Times-Mirror Company – und ein alter Vertrauter von Henry Ford.

Murphy gab mir immer aufrichtige Ratschläge, nicht, wie ich den Konzern leiten, sondern, wie ich mit Henry umgehen sollte. »Er steht unter furchtbarem Druck«, sagte er eines Tages zu mir. »Sie müssen Nachsicht mit ihm haben. Er macht eine furchtbare Zeit mit seiner Frau durch.«

Wir alle wußten, daß Henrys Ehe mit Cristina auseinanderging. Er war gerade in Santa Barbara wegen Trunkenheit am Steuer festgenommen worden – zusammen mit seiner Freundin, Kathy DuRoss –, während sich Cristina mit ihrer guten Freundin Imelda Marcos, der First Lady der Philippinen, in Katmandu befand.

Nur wenige Tage später lag ich mit einer Grippe zu Hause und versäumte, wie das Schicksal so wollte, eine Sitzung, die mit einem erstaunlichen Ereignis zu tun hatte.

Am 14. Februar berief Henry in meiner Abwesenheit eine Gipfelkonferenz ein, um die »Lage in Indonesien« zu besprechen. Henry hatte offenbar Paul Lorenz, der stellvertretender Vizepräsident und einer der Spitzenleute der Firma war, autorisiert, einem indonesischen General eine Provision von einer Million Dollar zu zahlen. Als Gegenleistung sollte Ford einen 29-Millionen-Dollar-Auftrag erhalten, fünfzehn Satelliten-Bodenstationen zu bauen.

Als die Sache mit der »Provision« aber ruchbar wurde, sandte Henry zwei unserer Leute von Dearborn nach Djakarta, um dem General klarzumachen, daß diese Art von Geschäften nicht unser Stil sei.

Lorenz war mir unterstellt. Als ich von dem Zwischenfall erfuhr, rief ich ihn in mein Büro. »Paul«, sagte ich, »warum zum Teufel haben Sie diesem General eine Million Dollar geboten?«

Paul war ein sehr korrekter und kompetenter Mann. Er war außerdem loyal, und er wollte niemand in Schwierigkeiten bringen. »Es war ein Versehen«, sagte er zu mir.

»Ein Versehen?« sagte ich. »Niemand gibt aus Versehen eine Million Dollar her!«

Paul schwieg. Als ich nachhakte, sagte er: »Sie glauben doch nicht, daß ich so etwas allein entscheide, oder?«

»Was wollen Sie damit sagen?« fragte ich. »Soll das heißen, daß Ihnen jemand den Auftrag dazu erteilt hat?«

Paul antwortete: »Das nicht gerade, aber der Vorsitzende hat mir quasi zugeblinzelt und gesagt: ›So werden die Dinge da drüben geregelt.‹«

Es stimmt zwar, daß amerikanische Firmen, die in der Dritten Welt Geschäfte machen, manchmal mit Bestechungsgeldern operieren. Aber soviel mir bekannt war, konnte so etwas bei Ford nie geschehen.

Sobald die Presse von dem Bestechungsversuch Wind bekam, lief in der Firma ein massives Vertuschungsmanöver ab. Es war mindestens so eindrucksvoll wie alles, was während des Watergate-Skandals geschah. Es gab eine interne Säuberung der Akten. Es fanden sogar Sondersitzungen statt, um unsere Vorwände für diese Säuberung zu koordinieren.

Es blieb uns keine andere Wahl, als Paul Lorenz zu entlassen, und wie üblich wurde mir diese Aufgabe übertragen. »Ich gehe ohne Aufsehen, wenn mein Ruf nicht angetastet wird«, sagte er zu mir. »Aber ich nehme das bloß auf meine Kappe. Sie wissen, daß ich es ohne Billigung auf höchster Ebene nicht getan hätte.« Ich kannte Paul gut, und ich glaubte, daß er die Wahrheit sagte.

Einige Tage später legte Henry eine Art Geständnis ab. »Möglicherweise habe ich Lorenz in dem Glauben bestärkt, daß die Schmiergeldzahlung in Ordnung sei«, sagte er zu mir. »Vielleicht habe ich den armen Teufel aufs Glatteis geführt.«

Eineinhalb Jahre später sah ich die Gratifikationsliste durch. Zu meinem Entsetzen stellte ich fest, daß Henry beschlossen hatte, Paul Lorenz 100 000 Dollar zu zahlen.

»Ich habe den Mann rausgeworfen«, sagte ich zu Henry. »Wie kannst du ihm hundert Riesen als Abfindung geben?«

»Nun ja«, sagte Henry, »er war im Grunde in Ordnung.« Es war beinahe wie die Wiederholung von Watergate. Lorenz nahm die Schuld auf sich, und der Boß sorgte für ihn.

Auch in diesem Fall ging die Presse sehr schonend mit Henry um. Das galt auch für die Gerichte. Zwei Jahre später wurde ich vom Justizministerium vorgeladen, um in dieser Angelegenheit eine eidesstattliche Erklärung abzugeben. Henry brauchte das nie zu tun. Ich weiß nicht, wie er sich dem entzog.

Im gleichen Winter gaben wir unsere Verluste für das vierte Quartal 1974 bekannt, die sich auf zwölf Millionen Dollar beliefen. Dieser Verlust war relativ gering. Verglichen mit dem, was die Autoindustrie zwischen 1979 und 1982 durchmachte, hätte ein Verlust von zwölf Millionen Dollar ein Grund zum Feiern sein können. Aber es war das erste Mal seit 1946, daß die Ford Motor Company in einem Quartal Verluste gemacht hatte. Henry hatte also neben seiner nachlassenden Gesundheit und seiner zerbrechenden Ehe noch eine weitere Sorge am Hals. Die Folge war, daß er paranoider denn je wurde.

Damals hatte ich eine hervorragende Frau namens Betty Martin als Sekretärin. Wenn es den systemimmanenten Chauvinismus nicht gäbe, wäre Betty Vizepräsidentin geworden – sie war fähiger als die meisten meiner männlichen Mitarbeiter.

Betty wußte immer, wenn etwas faul war. Eines Tages kam sie zu mir und sagte: »Ich habe soeben erfahren, daß von jedem Anruf, den Sie mit der Firmenkreditkarte machen, ein Beleg an Mr. Fords Büro geht.«

Ein paar Wochen später sagte sie zu mir: »Ihr Schreibtisch ist immer ziemlich unaufgeräumt, deshalb versuche ich manchmal, Ordnung zu schaffen, bevor ich nach Hause gehe. Ich weiß genau, wo ich alles hingelegt habe, aber am nächsten Morgen ist nichts mehr an seinem Platz. Das geschieht häufig, und ich dachte mir, Sie sollten darüber Bescheid wissen. Ich glaube nicht, daß die Putzfrauen etwas anrühren.«

Ich ging nach Hause und sagte zu Mary: »Jetzt mache ich mir wirklich Sorgen.« Betty Martin war eine nüchterne Frau. Sie haßte Klatsch. Sie hätte mir diese Geschichten nicht erzählt, wenn sie sie nicht für wichtig gehalten hätte. Etwas Bedrohliches lag in der Luft, und wie üblich, waren die Sekretärinnen die ersten, die Lunte rochen.

Danach häuften sich die ominösen Anzeichen. Am 10. April, bei unserer monatlichen Aufsichtsratssitzung, reagierten wir auf unsere jüngsten Verluste mit einer Kürzung der vierteljährlichen Dividende um zwanzig Cents. Das allein ersparte uns 75 Millionen Dollar im Jahr.

Aber am gleichen Tag erhöhte Henry die Dotierung der Aufsichtsräte von 40 000 auf 47 000 Dollar pro Jahr. Das nenne ich eine Neutralisierung des Aufsichsrates.

Kurz danach gaben wir unseren Verlust von elf Millionen Dollar nach Steuern für das erste Quartal 1975 bekannt; das bedeutete, daß wir nun schon in zwei aufeinanderfolgenden Quartalen Verluste gemacht hatten.

Henry begann nun vollends die Nerven zu verlieren. Am 11. Juli machte er seine Paranoia publik. An diesem Tag berief er eine Konferenz der obersten fünfhundert Führungskräfte ein. Er gab niemandem von uns – nicht einmal mir – Aufschlüsse über den Zweck dieser außergewöhnlichen Veranstaltung.

Als sich alle in dem Auditorium versammelt hatten, hielt Henry eine Rede, in der er verkündete: »Ich bin der Kapitän dieses Schiffes.« Unser Management, sagte er, packe alle Dinge falsch an. Ich war der Topmanager, also gab es keine Frage, wen er damit meinte. So eine Konferenz war noch nie dagewesen. Henry schweifte vom Thema ab und sprach oft zusammenhanglos. Die Leute fragten sich danach: »Was sollte das Ganze eigentlich?«

Nach dieser Konferenz begannen wir uns alle zu fragen, ob Henry den Verstand verliere. Alle wurden nervös. Die ganze Firma war wie gelähmt. Niemand unternahm etwas. Statt dessen beschäftigten sich die Leute mit der Frage, was Henry wohl vorhatte – und auf wessen Seite sie sich schlagen sollten.

Obwohl die Presse von diesen Reibungen wenig mitbekam, hatten unsere Händler den deutlichen Eindruck, daß etwas faul sei im Staate Dänemark. Am 10. Februar 1976 fand in Las Vegas eine Tagung der Ford-Division-Händler statt. Im Protokoll heißt es: »In der Führung der Ford Motor Company scheint es zu viele politische Auseinandersetzungen zu geben, die sich schwächend auf die Führung auswirken . . . Henry Ford II bietet zur Zeit nicht die kompetente Führung, die seine Händler von ihm erwarten.«

Die Händler gaben auch ihrer Sorge über den Mangel an neuen Produkten bei Ford Ausdruck sowie über die Tatsache, daß sie sich nunmehr in einer »Aufholposition« gegenüber GM empfanden.

Während meiner Auseinandersetzungen mit Henry gaben die Händler sehr deutlich zu verstehen, daß sie auf meiner Seite waren. Das machte alles nur noch schwieriger. Jede unterstützende Äußerung, die ich von den Händlern bekam, war weitere Munition für Henry. Die Ford Motor Company war keine Demokratie, deshalb genügte allein meine Beliebtheit bei der Truppe, mich als gefährlich anzusehen.

Aber alle diese Ereignisse waren kleine Fische, verglichen mit dem größten Hammer dieses Jahres.

Im Herbst 1975 rief Henry Paul Bergmoser zu sich und quetschte ihn über seine Geschäfte mit Bill Fugazy aus, der in New York ein Reisebüro mit Autovermietung betrieb und unsere Händler-Umsatzprämienprogramme organisierte.

»Haben Sie denn keine Angst vor Fugazy?« fragte ihn Henry. »Fürchten Sie sich nicht davor, im East River zu enden, mit einem Zementblock an den Füßen?«

Kurz danach rief mich Henry zu sich. »Ich weiß, daß Fugazy ein guter Freund von dir ist«, sagte er. »Aber ich lasse ihn jetzt gründlich durchleuchten.«

»Wo ist das Problem?« fragte ich.

»Ich glaube, er hat was mit der Mafia zu tun«, meinte Henry.

»Das ist doch lächerlich«, sagte ich. »Sein Großvater hat 1870 das Reisebüro gegründet. Außerdem habe ich mit Bill und Kardinal Spellman zu Abend gegessen. Er verkehrt mit den richtigen Leuten.«

»Da bin ich mir nicht so sicher«, sagte Henry. »Er hat eine Leihwagenfirma. Hinter Leihwagen- und Speditionsfirmen steckt häufig die Mafia.«

»Soll das ein Witz sein?« sagte ich. »Wenn er mit der Mafia zu tun hat, warum verliert er dann so viel Geld?« Das schien ihn nicht zu beeindrucken, also versuchte ich es anders. Ich erinnerte Henry daran, daß es Bill Fugazy gewesen sei, der dafür gesorgt hatte, daß Papst Paul bei seinem Aufenthalt in New York einen Lincoln statt eines Cadillac benutzte. Aber Henry blieb unzugänglich. Bald darauf erfuhr ich von Fugazy, daß hinter seinem Rücken Akten aus seinem Büro entfernt worden waren. Er war auch davon überzeugt, daß seine Telefone abgehört wurden, aber nichts Belastendes wurde je gefunden.

Bald wurde es klar, daß die Affäre Fugazy nur vorgeschoben war. In Wirklichkeit ging es Henry gar nicht um Bill Fugazy, sondern um Lee Iacocca.

Die Untersuchung, die den Konzern schließlich fast zwei Millionen Dollar kostete, begann im August 1975. Inspiriert von Watergate, setzte Henry sogar einen eigenen »Ankläger« ein – Theodore Souris, ein früheres Mitglied des Obersten Gerichtshofs von Michigan.

Die Untersuchung konzentrierte sich zunächst auf eine Tagung von Fordhändlern in Las Vegas. Wendell Coleman, unser Gebietsverkaufsleiter von San Diego, war für die Spesenabrechnung der Tagung in Las Vegas verantwortlich. Er wurde zu einem Verhör zitiert, bei dem man ihm die Hölle heiß machte. Er war darüber so empört, daß er einen ausführlichen Bericht verfaßte und mir zuschickte.

Coleman wurde am 3. Dezember 1975 in die Konzernzentrale beordert, wo er von zwei Leuten der Finanzabteilung »befragt« wurde. Zunächst belehrten sie ihn über seine Rechte. Dann erklärten sie ihm, daß diese Rechnungsprüfung nicht von der Ford Division ausgehe, sondern auf Anordnung der Zentrale erfolge, und ersuchten ihn, mit niemandem in der Firma über diese Unterredung zu sprechen.

Gleich am Anfang wollten sie von ihm Einzelheiten über mehrere Abendessen erfahren, die für Fordhändler in Las Vegas veranstaltet worden waren. Coleman wurde gefragt, ob sich leitende Angestellte der Firma in einem bestimmten teuren Restaurant in Begleitung von Frauen befunden hätten. Insbesondere wollte man von ihm wissen, ob ich von Frauen begleitet gewesen sei. Dann fragten sie ihn, warum er dem Ober ein reichliches Trinkgeld gegeben habe, ob Fugazy dabeigewesen sei, ob bestimmte leitende Angestellte gespielt hätten und ob Coleman ihnen dafür Geld gegeben habe.

»Es war eine Hexenjagd«, sagte mir Coleman. »Sie suchten etwas – irgendwas – Glücksspiel, Frauen, was auch immer.« Als sich Coleman diese Fragerei verbat, wurde man deutlich: »Haben Sie Iacocca jemals Geld zum Spielen gegeben?«

»Nein.«

»Haben je leitende Angestellte von Ihnen Geld zum Spielen verlangt?«

»Nein.«

Coleman hatte den Eindruck, daß die Ermittler annahmen, er stünde herum und verteilte Bündel von Bargeld an die Spitzenmanager der Firma. Unter dem Mangel einer Überprüfung der Reise- und Spesenkonten der obersten Führungskräfte veranstaltete Henry nichts weniger als eine vollständige Durchleuchtung meiner beruflichen und privaten Existenz. Die »Rechnungsprüfung« bestand aus etwa 55 Interviews, die nicht nur mit Führungskräften von Ford, sondern auch mit vielen unserer Lieferanten wie U.S. Steel und Budd sowie mit unseren Werbeagenturen durchgeführt wurden.

Trotz des unglaublichen Aufwands erbrachte die Untersuchung kein einziges belastendes Faktum über mich oder meine Leute.

Ein vollständiger Bericht wurde an Franklin Murphy geschickt, der mich aufsuchte und sagte: »Sie haben nichts zu befürchten. Die ganze Sache ist gelaufen.«

Ich war empört. »Warum hat sich keiner von euch Aufsichtsräten in diese Affäre eingeschaltet?«, fragte ich ihn.

»Vergessen Sie es«, sagte Frank. »Sie kennen doch Henry. Niemand kann ihn ändern. Jedenfalls kam er mit einer Kanone angerückt und ist mit einer Spielzeugpistole abgezogen.«

Wenn man zwei Millionen Dollar aufgewendet hat und nichts dabei herausgekommen ist, dann hätte sich ein normaler Mensch vielleicht entschuldigt. Ein normaler Mensch hätte vielleicht ein wenig Reue gezeigt. Ein normaler Mensch hätte vielleicht gesagt: »Also, ich habe meinen Präsidenten und einige meiner Vizepräsidenten überprüfen lassen, und ihre Weste hat sich als fleckenlos rein erwiesen. Und ich bin stolz auf sie, weil diese Untersuchung wirklich gnadenlos war.«

Das war sie tatsächlich. Während dieser Monate verließen wir nicht selten das Gebäude, um zu telefonieren. Henry war in Japan gewesen, und er war hingerissen von den raffinierten elektronischen Geräten, die er dort sah. Wir hatten alle Angst, daß unsere Büros angezapft würden. Bill Bourke, einer unserer Vizepräsidenten, erzählte uns, daß er Zeuge gewesen sei, als Henry ein Gerät für 10 000 Dollar kaufte, mit dem man Gespräche in einem anderen Gebäude abhören konnte. Da wir Henry kannten, zweifelte niemand an dieser Geschichte.

Die Wirkung all dessen auf unser Topmanagement ist kaum zu glauben. Wir begannen, die Vorhänge zuzuziehen und im Flüsterton miteinander zu sprechen. Ben Bidwell, der später Präsident von Hertz wurde, bevor er mir zu Chrysler folgte, sagte immer, er fürchte sich sogar davor, durch die Korridore zu gehen. Erwachsene Männer zitterten davor, daß sie der König zum Tode verurteilen könnte.

Es war unglaublich. Ein Mann, der sein Geld geerbt hatte, entfesselte aus einer Laune heraus drei Jahre Psychoterror in dem Unternehmen. Er spielte mit dem Leben der Menschen. Manche Männer tranken zuviel. Ihre Familien gingen kaputt. Und niemand konnte etwas dagegen tun. Dieser Moloch lief Amok.

Dies war die Atmosphäre, die 1975 im Glashaus herrschte. Damals hätte ich kündigen sollen.

Sicher erwartete Henry, daß ich gehen würde. Ursprünglich hatte er sich wahrscheinlich gedacht: »Ich werde dem Kerl etwas anhängen können. Er macht all diese Reisen, er lebt in Saus und Braus. Wenn ich tief genug grabe, werde ich schon etwas Anrüchiges finden.«

Aber es gelang ihm nie. Als die Untersuchung schließlich abgeschlossen war, sagten meine Freunde: »Gott sei Dank ist das vorbei.«

»Nein«, sagte ich. »Henry ist leer ausgegangen. Er hat sich blamiert. Jetzt wird es erst richtig losgehen.«

# XI
# Der Showdown

Ich habe mich oft gefragt, warum ich Ende 1975 nicht gegangen bin. Warum habe ich das Los akzeptiert, das Henry mir zudachte? Wie konnte ich jemandem gestatten, meine Existenz zu nehmen und darauf herumzutrampeln?

Rückblickend weiß ich nicht mehr, wie ich diese Jahre durchstand. Mein Leben war so verrückt, daß ich anfing, mir Notizen zu machen. Mary sagte immer: »Halte das alles fest. Eines Tages wirst du vielleicht ein Buch schreiben wollen. Niemand würde glauben, was wir durchmachen.«

Warum spazierte ich also nicht einfach aus dieser Situation heraus?

Zum einen hoffte ich wie alle in einer üblen Situation, daß sich die Dinge bessern würden. Vielleicht würde Henry zur Besinnung kommen. Oder der Aufsichtsrat würde sich auf die Hinterbeine stellen.

Ein anderes Szenarium, das ich mir vorstellte, war, daß sein Bruder Bill, der doppelt so viele Aktien wie Henry besaß, eines Tages sagen würde: »Hört mal, mein Bruder ist übergeschnappt. Wir müssen ihn ablösen.« Ich weiß, daß dieser Gedanke Bill sicher durch den Kopf gegangen ist. Aber er hat nie danach gehandelt.

Warum bin ich geblieben? Teilweise, weil ich mir nicht vorstellen konnte, irgendwo anders zu arbeiten. Ich hatte bei Ford gearbeitet, seit ich erwachsen geworden war, und dort wollte ich auch bleiben. Der Mustang, der Marc III und der Fiesta waren auf meinem Mist gewachsen. Ich hatte auch viele Verbündete. Die Lieferanten erhielten laufend große Aufträge. Die Händler sagten: »Wir haben noch nie so gut verdient.« Die leitenden Angestellten bekamen hohe Prämien.

Wenn ich nicht eine Art Swami war, der einen Zauber auf diese Leute ausübte, mußte ich annehmen, daß ich meine Popularität meiner Leitung verdankte. Trotz meiner Schwierigkeiten mit Henry zog ich aus meinem Erfolg große Befriedigung.

Ich rechnete nicht mit einem Showdown, aber wenn es dazu kommen sollte, so war ich bereit. Ich wußte, wie wertvoll ich für das Unternehmen war. In allen Punkten, die wirklich zählten, war ich viel wichtiger als Henry. In meiner Naivität hegte ich die Hoffnung, der bessere Mann würde gewinnen; schließlich waren wir eine Aktiengesellschaft.

Ich war auch habgierig. Ich genoß es, Präsident zu sein. Ich genoß die Privilegien des Präsidenten, den eigenen Parkplatz, das private Badezimmer, die Kellner in Weiß. Ich verweichlichte, verführt von dem schönen Leben.

Und ich fand es fast unmöglich, ein Jahreseinkommen von 970 000 Dollar aufzugeben. Obwohl ich die Nummer Zwei im zweitgrößten Automobilunternehmen des Landes war, verdiente ich erheblich mehr als der Vorstandsvorsitzende von General Motors. Ich war so erpicht auf diese Million Dollar pro Jahr, daß ich der Realität nicht mehr ins Gesicht sehen wollte.

Von den sieben Todsünden, davon bin ich überzeugt, ist Habgier die schlimmste.

In einer tiefen Schicht meines Charakters muß ich eine Schwäche gehabt haben. Die Leute sagen, ich sei entschlußfreudig und beinhart, wenn es darauf ankommt. Aber wo waren diese Qualitäten, als ich sie wirklich benötigte?

Vielleicht hätte ich zurückschlagen sollen. Mary wollte Henry immer verdreschen. »Sobald du mir das Signal gibst«, sagte sie immer, »nehme ich ihn auseinander. Das wird dich zwar deinen Job kosten, aber wenigstens werden wir uns dann alle besser fühlen.«

Unterdessen war Henry immer noch entschlossen, mich loszuwerden. Als seine Untersuchung nichts fruchtete, muß er sich gedacht haben: »Der Kerl gibt nicht auf, also muß ich etwas anderes versuchen. Ich kann ihn nicht rauswerfen, weil er zu beliebt ist. Also muß ich ihn zersäbeln. Ich schneide ihm Stück für Stück die Gliedmaßen ab, ohne daß er es auch nur bemerkt.«

Wie sich herausstellte, waren diese Gliedmaßen lebende Personen. Es ging ein Gerücht um, daß Henry eine Liste von Iacocca-Freunden hatte. Bald erwies es sich, daß es weit mehr als ein Gerücht war. Eines Tages griff Henry ohne ersichtlichen Grund zum Telefon und rief Leo-Arthur Kelmenson an, den Präsidenten von Kenyon & Eckhardt, unserer Werbeagentur für Lincoln-Mercury.

»Kelmenson!« brüllte er. »Entlassen Sie Bill Winn!«

Nun war Bill Winn einer meiner engsten Freunde. Wir waren einst Zimmergenossen in Ann Arbor gewesen. Erst zwei Tage vor Henrys Anruf war Bill von Kenyon & Eckhardt eingestellt worden, um an speziellen Werbeprojekten zu arbeiten. Er hatte vorher eine eigene Produktionsfirma gehabt, er hatte häufig bei unseren spektakulären jährlichen Händlershows mitgearbeitet und immer hervorragende Arbeit geleistet.

Als Kelmenson mich benachrichtigte, daß Bill entlassen worden sei, war ich im Begriff, an der Michigan State University einen Vortrag vor Führungskräften zu halten. Während meines Vortrags an diesem Abend schweiften meine Gedanken ständig zu Bill ab.

Ich konnte nicht verstehen, warum Henry das getan hatte. Bill Winn war ein sehr umgänglicher Mensch. Es gab keine Probleme mit ihm. Henry konnte keinen Streit mit Bill gehabt haben, weil er ihn noch nie gesehen hatte. Noch dazu hatte Bill jede Arbeit, die wir ihm aufgetragen hatten, hervorragend erledigt.

Schließlich dämmerte es mir. Henrys willkürliche Entscheidung, Bill Winn zu entlassen, war nichts anderes als ein plumper und indirekter Angriff auf Lee Iacocca.

Die Affäre Bill Winn war die Eröffnungssalve eines langen Abnutzungskrieges, der 1976 erst richtig eskalierte. Wenn ich daran überhaupt noch zweifelte, sollte mir die darauffolgende Attacke Henrys gegen Harold Sperlich alle Beweise liefern, die ich brauchte.

Hal Sperlich ist eine jener legendären Detroiter Figuren, von denen die Leute sagen: »Er hat Benzin in den Adern.« Als Ingenieur und Produktplaner arbeitete er während der ganzen sechziger und siebziger Jahre mit mir zusammen. Er spielte eine entscheidende Rolle bei der Gestaltung mehrerer neuer Wagen – insbesondere beim Mustang und beim Fiesta.

Hal ist so begabt, daß man ihn gar nicht hoch genug loben kann. Er ist vielleicht der beste Autofachmann in Detroit. Seine Reaktionen sind blitzschnell, er hat eine fabelhafte Fähigkeit, ein Problem an der Wurzel zu erfassen – und das auch noch als erster.

Als Präsident von Ford gehörte zu meinen Aufgaben auch der Vorsitz im Produktplanungsausschuß. Bei den Sitzungen saß Hal Sperlich links von mir und Henry rechts. Ab und zu nickte Henry, oder er gab Brummtöne von sich. Er redete nie viel bei diesen Sitzungen, aber seine Gesten und Laute sprachen Bände. Im Grunde schenkten die Leute Henrys Mienenspiel größere Beachtung als allen Ideen, die gerade vorgetragen wurden.

Es war klar, daß Henry Sperlich oder seine Vorschläge nicht mochte. Hal nahm kein Blatt vor den Mund und erwies dem König nicht viel Ehrerbietung. Er versuchte, diplomatisch zu sein, aber jeder merkte, was vorging. Sperlich, der sehr viel von Autos verstand und einen unglaublichen Riecher für künftige Entwicklungen besaß, versuchte immer, uns kleinere Wagen schmackhaft zu machen – und das war so ungefähr das letzte, wovon Henry etwas hören wollte.

Eines Tages rief mich Henry nach einer Sitzung des Produktplanungsausschusses zu sich. »Ich hasse diesen gottverdammten Sperlich«, sagte er, »und ich will nicht, daß er neben dir sitzt. Er quatscht dir dauernd die Ohren voll. Ich mag nicht, daß ihr euch auf diese Weise gegen mich zusammenrottet.«

Es blieb mir kaum etwas anderes übrig, als Sperlich hereinzurufen und ihn davon zu unterrichten. »Hal«, sagte ich, »ich weiß, es klingt lächerlich, aber du darfst nicht mehr neben mir sitzen.« Das war das äußerste, wozu ich bereit war. Hal war mit Sicherheit das wertvollste Mitglied des Teams, und ich dachte nicht daran, ihn auf die Reservebank zu schicken.

Um Hal zu retten, blieb mir schließlich nichts anderes übrig, als ihn völlig aus Henrys Augen zu entfernen. Ich beauftragte ihn mit einer Reihe von Projekten in Europa, und er wurde bald zu einem regelmäßigen transatlantischen Pendler. Ganz gleich, wo das Problem lag, Hal kniete sich hinein und schaffte es aus der Welt. Der Fiesta war sein größter Coup, aber fast alles, was er anfaßte, wurde zu Gold.

Bald darauf rief mich Henry zu sich und befahl mir, Hal Sperlich zu feuern.

»Henry«, sagte ich, »das soll wohl ein Witz sein. Er ist der Beste, den wir haben.«

»Feuere ihn sofort«, sagte Henry.

Es war mitten am Nachmittag. Ich wollte gerade das Büro verlassen, um nach New York zu fliegen. Ich fragte Henry, ob die Sache warten könne, bis ich zurückkomme.

»Wenn du ihn nicht jetzt gleich rausschmeißt«, antwortete Henry, »dann gehst du mit ihm.«

Ich wußte, es war hoffnungslos. Trotzdem versuchte ich, ihn zur Vernunft zu bringen. »Sperlich hat den Mustang gemacht«, sagte ich zu Henry. »Er hat uns Millionen eingebracht.«

»Verschone mich mit dem Quatsch«, sagte Henry. »Ich mag ihn nicht. Du hast nicht das Recht, mich nach dem Grund zu fragen. Er ist mir einfach unsympathisch.«

Für Hal war es ein furchtbarer Schlag. Obwohl wir beide es hatten voraussehen können, lebte man doch immer in der Hoffnung, daß die Gerechtigkeit siegen würde, solange man gute Arbeit leistete. Hal glaubte wahrhaftig, daß sein Talent genügte, ihm seine Stellung bei Ford zu sichern, auch wenn ihn der Boß nicht mochte. Aber er vergaß, daß wir in einer Diktatur arbeiteten.

»Das ist doch ein Saftladen«, sagte ich zu Sperlich. »Und ich sollte mich wahrscheinlich mit dir von hier absetzen. Ich bin höher oben als du, aber ich muß mich mit demselben Mist herumschlagen. Vielleicht tut dir Henry einen Gefallen damit«, sagte ich. »In einer demokratischen Umgebung wird man deine Fähigkeiten anerkennen und belohnen. Es ist jetzt schwer zu glauben, aber irgendwann wirst du vielleicht auf diesen Tag zurückblicken und dankbar dafür sein, daß dich Henry hinausgeworfen hat.«

Das waren prophetische Worte. Kurz nach seiner Entlassung lud der Präsident von Chrysler Hal zum Mittagessen ein. Im Frühjahr 1977 begann Hal bei Chrysler zu arbeiten. Er übernahm sofort eine führende Rolle bei der Planung ihrer Kleinwagen und konnte dort all das machen, was ihm bei Ford vorgeschwebt hatte.

Weniger als zwei Jahre später arbeiteten Hal und ich wieder zusammen. Heute ist er Präsident von Chrysler. Und das Blatt wendete sich aufs schönste: Seine Wagen mit Vorderradantrieb, insbesondere die neuen T 115 Minivans – die Autos, die ihn Henry bei Ford nie bauen ließ, nagen heute unaufhaltsam am Marktanteil von Ford.

Zu Beginn des Jahres 1977 erklärte Henry den Krieg. Er engagierte die Firmenberater McKinsey & Company, um unsere Verwaltungsspitze zu reorganisieren. Als das Projekt abgeschlossen war, hinterließ ein hoher leitender Angestellter der Firma eine Notiz auf meinem

Schreibtisch, die in etwa besagte: »Halte durch, Lee. Aber es wird nicht leicht sein. Dein Boß ist ein absoluter, totaler Diktator. Ich weiß nicht, wie Ihr das aushaltet.«

Nach monatelangen Studien und ein paar Millionen Dollar Honorar gab McKinsey seine Empfehlung. Der Plan sah eine Troika vor – ein Drei-Mann-Kollegium als Geschäftsführung anstelle der bisherigen Struktur, bestehend aus Vorsitzendem und Präsidenten.

Das neue System wurde im April in aller Form eingeführt. Henry blieb natürlich Vorstandsvorsitzender und oberster Geschäftsführer. Phil Caldwell wurde zum stellvertretenden Vorsitzenden ernannt, während ich Präsident blieb.

Jeder von uns hatte seinen eigenen Verantwortungsbereich, aber die wichtigste Änderung – und der offensichtliche Grund für die Reorganisation – ging aus einem Memorandum hervor, das Henry herausgab und in dem es hieß: »In Abwesenheit des Vorsitzenden ist der stellvertretende Vorsitzende oberster Geschäftsführer.« Mit anderen Worten: Wenn Henry *Primus inter pares* war, dann war Phil Caldwell nun die Nummer Zwei.

Als Caldwell in diese Position aufrückte, brach mein Kampf mit Henry offen aus. Bis dahin war es Guerillataktik gewesen. Aber jetzt wurde Henry kühner. Die ganze Reorganisation des Managements war nichts anderes als eine verkappte und teure Art, um meine Macht auf eine gesellschaftlich akzeptable Weise einzuschränken. Ohne sich einer direkten Konfrontation mit mir aussetzen zu müssen, war es Henry gelungen, Caldwell über mir einzusetzen.

Es war ein Schlag ins Gesicht. Bei jedem Dinner präsidierte Henry an Tisch eins, Caldwell an Tisch zwei, und ich wurde an den dritten abgeschoben. Es war eine öffentliche Demütigung, als stünde man mitten in der Stadt am Pranger.

Er hat mich innerlich fertiggemacht. Er hat meine Frau und meine Kinder fertiggemacht. Sie wußten, daß ich unter großem Druck stand, aber ich erzählte ihnen nicht alle Details. Ich wollte nicht, daß sie überschnappen. Es brachte mich um, aber ich wollte nicht weichen. Vielleicht war es Stolz, vielleicht war es Dummheit, aber ich wollte dort nicht mit eingezogenem Schwanz rauskriechen.

Die oberste Geschäftsleitung war nun ein dreiköpfiges Monster. Es war lächerlich, daß Caldwell, der mein Untergebener gewesen war, plötzlich ohne ersichtlichen Grund außer Bosheit über mir stand. Unter vier Augen sagte ich zu Henry, daß sein neuer Plan ein großer Fehler sei. Aber in seiner typischen Art versuchte er, mich mit Plattheiten abzuspeisen. »Keine Sorge«, sagte er. »Es wird sich alles zum Besten wenden.«

Obwohl ich innerlich kochte, verteidigte ich öffentlich die neue Ordnung. Ich versicherte allen meinen Mitarbeitern, daß das neue Arrangement völlig in Ordnung sei.

Es überrascht kaum, daß diese Postenverteilung in der Geschäftsführung nicht lange anhielt. Im Juni 1978, vierzehn Monate, nachdem sie eingeführt worden war, kündigte Henry einen neuen Wechsel im Topmanagement an. Statt drei Mitgliedern sollte unser kleines Team nun vier haben. Der Neuankömmling war William Clay Ford, Henrys jüngerer Bruder. Bill trat in die Firma ein, um die Familie Ford weiterhin zu repräsentieren, falls Henry krank werden oder sterben sollte.

Nun war ich auf den vierten Platz in der Hackordnung gerutscht. Außerdem war ich nun nicht mehr Henry, sondern Phil Caldwell unterstellt, der zum stellvertretenden Geschäftsführer ernannt wurde. Um die Demütigung auf die Spitze zu treiben, machte sich Henry nicht einmal die Mühe, mich über diese neue Reorganisation zu informieren. Das geschah erst am Tag vor der Bekanntgabe.

Als er es mir endlich mitteilte, sagte ich: »Ich glaube, du machst einen Fehler.«

»Das ist meine Entscheidung und die des Aufsichtsrats«, schnauzte er mich an.

Es war die alte Salamitaktik – eine Scheibe nach der anderen. Ich wurde zerfleischt. Jeden Tag schnitten mir die Messer erneut ins Fleisch. Ich ließ vernehmen, daß ich mir das nicht bieten lassen würde.

Vier Tage später, am 12. Juni, traf sich Henry mit unseren neun externen Aufsichtsratsmitgliedern und eröffnete ihnen, daß er beabsichtige, mich zu entlassen. Diesmal zog der Aufsichtsrat die Grenze. Sie sagten: »Nein, Henry, du machst das falsch, reg dich ab. Wir werden mit Lee sprechen. Wir werden die Dinge regeln. Geh zu ihm rein und entschuldige dich.«

»Heute hat mich mein Aufsichtsrat im Stich gelassen«, sagte er danach zu Franklin Murphy.

Am nächsten Tag kam Henry in mein Büro – erst zum drittenmal in acht Jahren. »Begraben wir das Kriegsbeil«, sagte er.

Der Aufsichtsrat hatte beschlossen, daß ich mich mit einigen seiner Mitglieder zusammensetzen sollte, um zu versuchen, die Probleme auszubügeln. In den folgenden Wochen traf ich mich mit Joseph Cullman, dem Vorsitzenden von Philip Morris, in New York und mit George Bennett, dem Präsidenten der State Street Investment Corporation, in Boston. An diesen Treffen war nichts geheim. Es war ihre Idee. Ich flog zu den Treffen mit dem Firmenflugzeug, und ich legte Abrechnungen vor, damit waren sie aktenkundig.

Der falsche Frieden hielt einen Monat an. Am Abend des 12. Juli 1978 hatte Henry ein Abendessen mit den externen Aufsichtsratsmitgliedern, wie jeden Monat am Vorabend der Aufsichtsratssitzung. Wieder kündigte er an, daß er mich entlassen werde. Jetzt behauptete er, daß ich ein Komplott gegen ihn schmiedete, weil ich hinter seinem Rücken zwei Aufsichtsräte besucht hätte – obwohl sie es waren, die mich um ein Treffen gebeten hatten. Er sagte auch, daß die persönliche Beziehung zwischen uns nie gut gewesen sei. Henry Ford scheint 32 Jahre gebraucht zu haben, um zu erkennen, daß er mit mir nicht auskam.

Auch diesmal opponierten einige der Aufsichtsratsmitglieder. Sie wiesen auf meine Loyalität und meinen Wert für die Firma hin. Sie forderten Henry auf, mich wieder in meine frühere Stellung als zweiter Mann einzusetzen.

Henry erbleichte. An Widerrede seitens des Aufsichtsrats war er nicht gewöhnt. »Entweder er oder ich«, knurrte er. »Ihr habt zwanzig Minuten, um euch zu entscheiden.« Dann stürmte er aus dem Saal. Bis jetzt hatte er es nicht gewagt, den Kerl zu entlassen, der all das Geld für ihn verdiente, der der Vater des Mustang und des Marc und des Fiesta war und der sich in der Firma so großer Beliebtheit erfreute. Ich glaube, er hatte Zweifel, ob er damit durchkommen würde.

Aber zuletzt explodierte er einfach. »Das geht jetzt schon drei ganze Jahre so«, muß er sich gedacht haben, »und dieser Bastard ist immer noch hier!« Wenn er schon nicht erreichte, daß ich aufgab, beschloß er schließlich, einzurücken und das Land zu besetzen. Er konnte es ja nachträglich immer noch rechtfertigen.

Am gleichen Abend erhielt ich einen Anruf von Keith Crain. Crain war Herausgeber der *Automotive News*, des wöchentlich erscheinenden Fachblatts für die Autoindustrie. »Sagen Sie mir, daß es nicht stimmt«, begann er.

Ich hatte keinen Zweifel, was er meinte. Crain war ein enger Freund von Henrys Sohn Edsel, und ich vermute, daß Henry Edsel beauftragt hatte, ihn in die Geschichte einzuweihen. Auf diese Weise würde ich auf indirektem Wege, durch die Presse, von meiner Entlassung erfahren.

Es war typisch Henry. Er wollte, daß mir die Nachricht von meinem Rausschmiß durch einen Dritten übermittelt wurde. Henry verstand es, die Daumenschrauben anzuziehen. Dieser Schachzug sorgte auch dafür, daß der König bei schmutzigen Staatsaffären saubere Hände behielt.

Am nächsten Morgen ging ich wie üblich zur Arbeit. Im Büro gab es kein Anzeichen dafür, daß etwas nicht stimmte. Zu Mittag begann ich mich zu fragen, ob Keith Crain nicht falsch informiert worden sei. Aber kurz vor drei Uhr rief mich Henrys Sekretärin in sein Büro. »Jetzt ist es soweit«, dachte ich.

Als ich in das Allerheiligste eintrat, saßen Henry und sein Bruder Bill an einem Konferenztisch aus Marmor mit einem »Ich rieche Scheiße«-Ausdruck auf ihren Gesichtern. Sie waren verkrampft und nervös. Ich fühlte mich seltsam entspannt. Ich hatte ja schon einen Tip bekommen. Ich wußte, was geschehen würde. Dieses Treffen sollte es nur offiziell machen.

Ich hatte nicht erwartet, daß Bill bei der Entlassung dabei sein würde, aber es paßte ins Bild. Seine Anwesenheit sollte mir zeigen, daß dies nicht nur Henrys Entscheidung war, sondern eine der Familie. Bill war der größte Einzelaktionär des Konzerns, also hatte seine Anwesenheit auch eine politische Bedeutung. Wenn Bill mit der Entscheidung seines Bruders einverstanden war, blieb mir kein Ausweg offen.

Henry wollte außerdem einen Zeugen dabeihaben. Normalerweise delegierte er die Dreckarbeit, indem er andere Leute – am liebsten mich – seine Entlassungen für ihn vornehmen ließ. Aber dieses Mal war er auf sich gestellt. Mit Bill an seiner Seite war es für ihn wahrscheinlich leichter, mich hinauszubefördern.

Die Tatsache, daß Bill da war, verschaffte auch mir ein besseres Gefühl. Er war sowohl ein großer Fan von mir wie auch ein guter Freund. Er hatte mir bereits versprochen, sich für mich einzusetzen, falls es zum Schlimmsten kommen sollte, und wir beide wußten, daß das bevorstand. Ich wußte, daß ich nicht mit seiner uneingeschränkten Unterstützung rechnen konnte, weil Bill noch nie im Leben gegen Henry aufgestanden war. Dennoch hatte ich einige Hoffnung, daß er eingreifen würde.

Als ich meinen Platz am Tisch einnahm, druckste Henry verlegen herum. Er hatte noch nie jemanden gefeuert, und er wußte nicht, wie er beginnen sollte. »Der Zeitpunkt ist gekommen, an dem ich die Dinge auf meine Weise regeln muß«, sagte er schließlich. »Ich habe beschlossen, die Firma zu reorganisieren. So etwas tut man sehr ungern, aber man muß es trotzdem tun. Es war eine schöne Zusammenarbeit« – ich schaute ihn ungläubig an – »aber ich denke, du solltest gehen. Es ist das Beste für die Firma.«

Im Laufe unseres 45minütigen Gesprächs benutzte er kein einziges Mal das Wort »entlassen«.

»Was soll das alles?«, fragte ich.

Aber Henry konnte mir keinen Grund nennen. »Es ist etwas Persönliches«, sagte er, »ich kann dir nicht mehr sagen. So ist das eben.«

Aber ich blieb hartnäckig. Ich wollte ihn dazu zwingen, mir einen Grund zu nennen, weil ich wußte, daß er keinen guten Grund hatte. Schließlich zuckte er bloß die Achseln und sagte: »Nun, manchmal mag man jemanden einfach nicht.«

Ich hatte nur noch eine Karte auszuspielen. »Und was ist mit Bill?« sagte ich. »Ich wüßte gerne, wie er darüber denkt.«

»Ich habe mich bereits entschieden«, sagte Henry.

Ich war enttäuscht, aber nicht wirklich überrascht. Blut ist dicker als Wasser, und Bill war ein Teil der Dynastie.

»Ich habe gewisse Rechte«, sagte ich, »und ich hoffe, es wird keinen Streit darüber geben.« Ich war besorgt wegen meiner Pension und meiner fälligen Abfindung. »Darüber werden wir uns schon einigen«, sagte Henry. Wir vereinbarten, daß ich offiziell mit Wirkung vom 15. Oktober 1978 aus dem Unternehmen ausscheiden würde, an meinem 54. Geburtstag. Wäre ich vor diesem Datum gegangen, hätte ich viele finanzielle Vorteile eingebüßt.

Bis zu diesem Punkt war unser Gespräch erstaunlich ruhig verlaufen. Jetzt legte ich los. Zu Henrys Nutz und Frommen zählte ich auf, was ich alles für die Ford Motor Company erreicht hatte. Ich erinnerte Henry daran, daß wir gerade die zwei besten Jahre unserer Geschichte abgeschlossen hatten. Ich wollte, daß er genau wußte, was er da aufgab.

Als ich zum Ende kam, sagte ich: »Schau mich an.« Bis dahin war er nicht imstande gewesen, mir in die Augen zu schauen. Ich wurde nun lauter, weil ich begriff, daß dies unser letztes Gespräch sein würde.

»Du hast den falschen Zeitpunkt gewählt«, sagte ich. »Wir haben gerade zum zweitenmal hintereinander 1,8 Milliarden Dollar Gewinn gemacht. Das sind dreieinhalb Milliarden in den vergangenen zwei Jahren. Aber merk dir meine Worte, Henry. Vielleicht erlebst du 1,8 Milliarden nie wieder. Und weißt du auch, warum? Weil du keine blasse Ahnung hast, wie wir das überhaupt geschafft haben!«

Das stimmte. Henry war ein echter Profi im Geldausgeben, aber er begriff nie, wo es herkam. Er saß einfach in seinem Elfenbeinturm und sagte: »Mein Gott, wir machen Geld!« Er war jeden Tag da, um herumzukommandieren, aber er hatte keine Idee, was die Maschinerie am Laufen hielt.

Gegen Ende des Treffens unternahm Bill eine ehrliche Anstrengung, seinen Bruder umzustimmen. Aber es war zu wenig, zu spät. Als wir Henrys Büro verließen, liefen Bill Tränen übers Gesicht. »Das hätte nicht geschehen dürfen«, sagte er immer wieder. »Er ist skrupellos.«

Dann faßte er sich. »Du warst so cool da drin«, sagte er. »Du warst 32 Jahre bei uns, und er nannte dir nicht einmal einen Grund. Du hast ihm wirklich eine Lektion erteilt. Sein Leben lang hat niemand so mit ihm geredet wie du eben jetzt. Ich wundere mich, daß er sich das überhaupt angehört hat.«

»Danke, Bill«, sagte ich. »Aber ich bin ein toter Mann, und ihr beide seid noch am Leben!«

Bill ist ein guter Mensch, aber es galt immer: die Fords gegen den Rest der Welt. Dennoch blieben wir beide Freunde. Ich weiß, daß er wirklich wünschte, daß ich Präsident blieb – genauso wie er davon überzeugt war, nichts ändern zu können.

Als ich in mein Büro zurückkehrte, bekam ich Anrufe von Freunden und Kollegen, die sich erkundigen wollten. Anscheinend war meine Entlassung bereits bekanntgeworden. Noch am gleichen Tag ließ Henry ein lakonisches Memo unter den leitenden Angestellten zirkulieren, das lediglich besagte: »Ab sofort sind Sie Philip Caldwell unterstellt.«

Einige Leute erhielten dieses Memo in ihrem Büro. Aber die meisten fanden es auf dem Vordersitz ihres Wagens in der Vorstandsgarage vor. Jemand erzählte mir später, daß Henry selbst hinuntergegangen sei und sie dort hineingelegt hatte. Das gab ihm wohl die endgültige Sicherheit, daß seine Großtat endlich vollbracht sei.

Als ich an diesem Nachmittag das Büro verließ, empfand ich eine große Erleichterung. »Gott sei Dank ist dieser Krampf zu Ende«, sagte ich mir im Auto. Wenn ich schon entlassen werden mußte, dann war der Zeitpunkt wenigstens für mich günstig. Wir hatten soeben die besten sechs Monate in unserer Geschichte erlebt.

Als ich nach Hause kam, erhielt ich einen Anruf von Lia, meiner jüngeren Tochter, die in einem Tennis-Ferienlager war – ihre erste Abwesenheit von zu Hause. Sie hatte im Radio von meiner Entlassung gehört, und sie weinte.

Wenn ich an diese fürchterliche Woche zurückdenke, erinnere ich mich am deutlichsten an Lia, wie sie am Telefon weinte. Ich hasse Henry für das, was er mir antat. Aber ich hasse ihn noch mehr wegen der Art und Weise, wie er es tat. Ich hatte keine Möglichkeit, mit meinen Kindern zu sprechen, bevor es die ganze Welt wußte. Das werde ich ihm nie verzeihen.

Lia war nicht bloß traurig. Sie war auch verärgert, daß ich ihr nichts von meiner bevorstehenden Entlassung gesagt hatte. Sie konnte nicht glauben, daß ich selbst nicht gewußt hatte, was passieren würde.

»Wie konntest du das nicht wissen?«, fragte sie. »Du bist der Präsident dieses großen Unternehmens. Du weißt doch immer, was los ist!«

»Diesmal nicht, Liebling.«

Sie machte eine sehr schlimme Woche durch. Ich glaube, es gab dort Kinder, die eine sadistische Freude daran hatten, daß die Tochter des Präsidenten, die immer von allem das Beste bekam, endlich einen Dämpfer erhielt.

Es wurde bald klar, daß Henry seine Entscheidung, mich zu entlassen, spontan getroffen hatte, selbst wenn sie letzten Endes unvermeidbar war. In der gleichen Woche hatte die Firma eine Mappe mit Vorinformationen über den Mustang 1979 an die Presse gesandt. Sie enthielt ein Photo von mir, auf dem ich vor dem neuen Auto stehe. Aber als der Mustang einige Wochen später im Hyatt Regency in Dearborn vorgestellt wurde, war es Bill Bourke, der den Konzern repräsentierte.

Je höher man steigt, desto tiefer fällt man. Ich bin in dieser Woche sehr tief gefallen. Sofort identifizierte ich mich mit jedem Menschen, den ich je entlassen hatte.

Als ich ein paar Monate später zu Chrysler ging, mußte ich mehrere hundert leitende Angestellte entlassen, um das Unternehmen am Leben zu erhalten. Ich versuchte mit aller Kraft, es mit einem gewissen Einfühlungsvermögen zu tun. Zum erstenmal in meinem Leben erfuhr ich, wie schrecklich es ist, wenn man fallengelassen wird.

Nach meiner Entlassung war es, als hätte ich aufgehört zu existieren. Wendungen wie »Vater des Mustang« konnten nicht mehr benutzt werden. Ehemalige Mitarbeiter, meine Kollegen und Freunde fürchteten sich vor einer Begegnung mit mir. Gestern war ich ein Held gewesen. Heute war ich jemand, der um jeden Preis gemieden werden mußte.

Alle wußten, daß Henry vorhatte, eine große Säuberungsaktion unter den Iacocca-Anhängern zu veranstalten. Jeder, der es versäumte, den diplomatischen und gesellschaftlichen Kontakt mit mir völlig abzubrechen, riskierte, gefeuert zu werden.

Meine früheren Freunde hörten auf, mich anzurufen, weil mein Telefon vielleicht abgehört wurde. Wenn sie mich bei einer Autoausstellung erblickten, wandten sie sich ab. Die wirklich Mutigen kamen her und schüttelten mir schnell die Hand. Dann verschwanden sie, bevor der Photograph der *Detroit Free Press* den Augenblick festhalten konnte. Es hätte ja sein können, daß Henry das Bild in der Zeitung sah. Und dann könnte er vielleicht den Übeltäter exekutieren, weil der sich öffentlich mit dem Paria hatte blicken lassen.

In der Woche, in der ich entlassen wurde, erhielt Walter Murphy, der mein enger Mitarbeiter und zwanzig Jahre Leiter der weltweiten Public-Relations-Abteilungen des Konzerns war, mitten in der Nacht einen Anruf von Henry.

»Magst du Iacocca?« wollte Henry wissen.

»Sicher«, antwortete Walter.

»Dann bist du entlassen«, zischte Henry. Er machte seinen Entschluß zwar am nächsten Tag rückgängig, aber es zeigt, wie paranoid er wurde.

Einige Monate später gaben Fred und Burns Cody, zwei alte Freunde von mir, eine Party für mich. Nur ein paar Ford-Leute kamen und nur einer der leitenden Angestellten – Ben Bidwell. Er riskierte seinen Kragen. Am nächsten Tag, als Bidwell ins Büro kam, wurde er zur Rede gestellt. »Wir wollen wissen, wer auf dieser Party war«, wurde ihm erklärt.

Es hörte nicht auf. Der Masseur der Firma, ein guter Freund von mir, kam noch ein oder zwei Jahre zu mir ins Haus. Dann blieb er an einem Sonntag aus. Er sagte, er sei verhindert, und ich sah ihn nie wieder. Jemand muß verkündet haben, daß er auf dem Weg zu meinem Haus gesehen worden war, wo er mich massierte, und er konnte es sich nicht leisten, seinen Job zu verlieren. Fast vier Jahre nach meiner Entlassung wurde die Chefstewardeß der Firmenluftflotte von ihrem Posten entfernt und degradiert, weil sie immer noch mit meiner Frau und den Kindern freundschaftlich verkehrte.

Ich brauchte sehr lange, um über diesen Schlag hinwegzukommen. Einer meiner besten Freunde in der Firma war meiner Familie seit 25 Jahren verbunden. Wir hatten jeden Freitagabend Poker gespielt. Unsere Familien machten gemeinsam Urlaub. Aber nach meiner Entlassung rief er nicht einmal mehr an. Und als Mary 1983 starb, kam er nicht einmal zu ihrem Begräbnis.

Mein Vater sagte immer, wenn man bei seinem Tod fünf echte Freunde hat, dann kann man mit seinem Leben zufrieden sein. Ich begriff bald, was er meinte.

Es war eine bittere Lektion. Man kann mit jemandem Jahrzehnte befreundet sein. Man kann alle guten und schlechten Zeiten mit ihm teilen. Man kann versuchen, ihn zu schützen, wenn es hart auf hart geht. Und dann hat man selber Pech, und man hört nie wieder von dem Mann.

Es veranlaßt einen tatsächlich, sich einige ernste Fragen zu stellen. Wenn ich es nochmal tun könnte, hätte ich meine Familie besser absichern können? Sie waren einem furchtbaren Druck ausgesetzt. Man sieht seine Frau kränker werden – Mary hatte ihren ersten Herzanfall knapp drei Monate nach meiner Entlassung –, und man stellt sich Fragen. Ein grausamer Mann und ein grausames Schicksal greifen ein und verändern dein Leben.

Ich fühlte mich ziemlich elend nach der Entlassung, und es hätte mir gutgetan, wenn jemand angerufen und gesagt hätte: »Trinken wir einen Kaffee miteinander, ich finde es schrecklich, was da passiert ist.« Aber die meisten meiner Freunde in der Firma ließen mich im Stich. Es war der größte Schock meines Lebens.

Bis zu einem gewissen Grad kann ich ihre Haltung verstehen. Es war nicht ihre Schuld, daß das Unternehmen eine Diktatur war. Ihre Jobs standen wirklich auf dem Spiel, wenn sie weiterhin mit mir verkehrten. Sie mußten an ihre Hypotheken und ihre Kinder denken.

Aber was war mit dem Aufsichtsrat? Diese Männer waren die illustren Wächter der Ford Motor Company. Ihre Aufgabe war es, ein System von Kontrollen und Gegenkontrollen zu bilden, um den flagranten Machtmißbrauch durch das Topmanagement zu verhindern. Aber mir schien ihre Einstellung zu sein: »Solange für uns gesorgt wird, folgen wir dem Führer.«

Als Henry vom Aufsichtsrat verlangte, zwischen ihm und mir zu wählen, warum gestatteten sie ihm da, den Mann zu entlassen, zu dem sie so großes Vertrauen hatten? Sie hätten es vielleicht nicht verhindern können, aber zumindest hätten einige von ihnen aus Protest zurücktreten können. Keiner tat es. Nicht einer sagte: »Das ist eine Schande. Dieser Mann bringt uns zwei Milliarden im Jahr ein, und Sie feuern ihn? Dann gehe ich auch.«

Dieses Geheimnis möchte ich lüften, bevor ich sterbe: Wie können diese Aufsichtsräte nachts schlafen? Warum sind Joe Cullman und George Bennett und Frank Murphy und Carter Burgess nicht Henry Ford entgegengetreten? Bis heute kann ich nicht verstehen, wie die Aufsichtsräte ihre Entscheidung rechtfertigen können, vor sich oder vor irgend jemand anderem.

Nachdem ich das Unternehmen verlassen hatte, waren die einzigen, von denen ich je ein Wort hörte, Joe Cullman, Marian Haskell und George Bennett. An dem Tag, an dem ich bei Chrysler unterschrieb, rief mich Marian an und wünschte mir alles Gute. Sie war eine echte Lady.

Mit George Bennett vom State Street Investment blieb ich auf gutem Fuß. Er sagte: »Wissen Sie, wenn ich den Mumm gehabt hätte, dann hätte ich mit Ihnen kündigen müssen. Aber ich verwalte einen Pensionsfonds für Ford, und den würde ich sofort verlieren, wenn ich Ihnen zu Chrysler folgte.«

Nach Marys Tod bekam ich einen Brief von Bill Ford und ein paar Zeilen von Franklin Murphy. Das war alles. Nach all den Jahren unserer Zusammenarbeit war das das einzige, was ich während meiner Trauerzeit vom Aufsichtsrat gehört habe.

Bei der Jahresversammlung, die meiner Entlassung folgte, stellte

Roy Cohn Henry zur Rede: »Was sollte die Entlassung von Iacocca den Aktionären bringen?«

Aber Henry lächelte nur und antwortete: »Nun, der Aufsichtsrat stand hinter mir, und die Einzelheiten sind vertraulich.«

Die Entlassung fand in der Öffentlichkeit starke Beachtung. Walter Cronkite berichtete in den *CBS Evening News* über die Details und kommentierte, ». . . es hört sich alles an wie etwas aus einem dieser kolossalen Romane über das Automobilgeschäft.« *The New York Times* nannte die Entlassung in einer Titelgeschichte »eine der dramatischsten Umwälzungen in der Geschichte der Ford Motor Company«. Bei unserer turbulenten Geschichte besagte das einiges.

Mich freute besonders ein Leitartikel in *Automotive News.* Darin wurde mein Jahreseinkommen von einer Million Dollar erwähnt und hinzugefügt, »welchen Maßstab man auch anlegt, er hat jeden Penny wirklich verdient«. Ohne Henry direkt zu kritisieren, schrieb der Kommentator: »Der beste Ballspieler der Branche ist jetzt frei.«

Eine Anzahl von Leitartikeln und Kolumnisten fanden die Entlassung fragwürdig – und kaum glaublich. Jack Egan schrieb im Wirtschaftsteil der *Washington Post,* die Art und Weise, in der all das geschah, »wirft die Frage auf, inwieweit ein Unternehmen von der Größe von Ford Motor wie ein privates Herzogtum nach der Laune eines Mannes geführt wird«.

Das Lokalblatt von Warren, Rhode Island, argumentierte ähnlich. Das Blatt zitierte einen Artikel im *Wall Street Journal,* das meine Entlassung mit dem Hinweis erklärt hatte, daß ich »zu nahe an Air Force One heranflog«, und bemerkte: »Dies ist ein wenig beängstigend, wenn man bedenkt, daß Ford in Amerika so groß ist, daß alle von dem betroffen sind, was Ford tut. Und was bei Ford geschieht, das bestimmt offensichtlich ein arroganter alter Mann, der niemandem Rechenschaft schuldig ist. Er macht einfach, was er will.«

Der Kolumnist Nicholas von Hoffman, dessen Artikel im ganzen Land Verbreitung finden, ging noch weiter. Er nannte Henry einen »60jährigen Teenager« und schloß mit der Frage: »Wenn der Arbeitsplatz eines Mannes wie Iacocca nicht sicher ist, wie sicher ist dann Ihrer?«

# XII
# The Day After

Sobald sie die Nachricht hörten, waren die Ford-Händler in vollem Aufruhr. Ed Mullane, ein Händler in Bergenfield, New Jersey, und Präsident des 1200 Mitglieder umfassenden Ford-Händler-Verbandes, war besonders bestürzt.

Mullane hatte bereits geahnt, daß ich in Schwierigkeiten war. Von sich aus schrieb er Henry und allen seinen Aufsichtsräten einen Brief zu meiner Unterstützung. Henry antwortete ihm, er solle sich um seine eigenen Angelegenheiten kümmern. Einmal kam ich an Henrys Büro vorbei und hörte ihn am Telefon brüllen: »Iacocca war bei Mullane, dieser Scheißkerl, und hat ihn dazu aufgestachelt.« Natürlich stimmte das nicht.

Nach der Entlassung entfachte Mullane eine Kampagne mit dem Zweck, mich zurückzuholen und einen Händler in den Aufsichtsrat zu bekommen. Er ging davon aus, daß die Händler zusammen fast zehn Milliarden Dollar in die verschiedenen Konzessionen investiert hätten und daß ich der sicherste Garant dieser Investitionen sei. Im gleichen Sommer versuchte er später tatsächlich einen organisierten Protest der Händler, die gleichzeitig Anteilseigner des Konzerns waren, in die Wege zu leiten, aber der Plan mißglückte.

Obwohl Mullane in seinen Bemühungen, mich wieder einzusetzen, keinen Erfolg hatte, gab es Anzeichen dafür, daß sich das Management nach meinem Abgang Sorgen über die Stimmung unter den Händlern machte. Am Tag nach meiner Entlassung sandte Henry einen Brief an jeden Fordhändler im Land und versicherte ihm, daß sie künftig nicht vernachlässigt würden:

»Das Unternehmen hat ein starkes und erfahrenes Management-Team. Unsere Niederlassungen in Nordamerika werden von fähigen Führungskräften geleitet, die Ihnen wohlbekannt sind und die voll auf Ihre Bedürfnisse und die Erfordernisse des Handels eingestellt sind.« Wenn das wirklich der Fall gewesen wäre, hätte es freilich dieses Briefes nicht bedurft.

Ich erhielt sehr viele Anrufe und Briefe von unseren Händlern, die mir den Rücken stärkten. Ihr Mitgefühl und ihre guten Wünsche bedeuteten mir sehr viel. In der Presse werde ich oft als »hartgesotten« beschrieben, und es wird mir nachgesagt, große Ansprüche an andere zu stellen und wenig Mitgefühl aufzubringen. Aber wenn dem so wäre, glaube ich nicht, daß sich die Händler für mich eingesetzt hätten. Wir hatten natürlich auch Meinungsverschiedenheiten, aber ich behandelte sie immer fair. Während Henry beim Jet-set mitmischte und sich groß aufspielte, zollte ich ihnen als Menschen Aufmerksamkeit. Ich hatte auch nicht wenigen von ihnen geholfen, Millionäre zu werden.

Inzwischen hatte Henry Bill Ford und den Aufsichtsrat Carter Burgess beauftragt, über meine Abfindung zu entscheiden. Ich sagte ihnen, wieviel mir zustand, aber sie benahmen sich bis zum bitteren Ende gemein. Um zu bekommen, was mir zustand, heuerte ich Edward Bennett Williams an, den besten Anwalt, den ich kannte. Zu guter Letzt erhielt ich ungefähr 75 Prozent dessen, worauf ich ein Anrecht hatte.

Wenn ich auf diese Episoden zurückblicke, ärgere ich mich heute noch, wenn ich an Carter Burgess und Henry Nolte, Fords Hauptanwalt, und ihre Platitüden denke: daß sie ja fair sein wollten, aber daß sie »im Interesse der Aktionäre« keinen finanziellen Präzedenzfall schaffen dürften. Bill Ford saß bloß daneben und biß sich die Lippen.

Ich bekam viele Briefe von Arbeitskollegen, die mir den Rücken stärken wollten. Diese Briefe waren natürlich alle handgeschrieben, damit es keine Beweise für ihre Existenz gab. Es kamen auch Briefe und Anrufe von »Kopfgeldjägern«, die darauf erpicht waren, mir bei der Jobsuche zu helfen.

Ich glaube, dieser Morgen der Verbannung in dem Lager hatte einen entscheidenden Einfluß auf meinen Entschluß, zwei Wochen später die Präsidentschaft von Chrysler zu akzeptieren. Wäre diese Demütigung im Lagerhaus nicht gewesen, so hätte ich mir vielleicht etwas Freizeit gegönnt, ein bißchen Golf gespielt, oder ich hätte mit meiner Familie Urlaub gemacht.

Aber ich war so wütend über das Vorgefallene, daß es gut für mich war, gleich einen neuen Job zu finden. Wenn ich weiterhin bloß in meiner eigenen Wut geschmort hätte, wäre ich vielleicht daran krepiert.

Ein kurioser Nebeneffekt der Entlassung war, daß ich jetzt Pete und Conny Estes in unser Haus zum Abendessen einladen konnte. Pete, der ein paar Häuser weiter wohnte, war Präsident von General Motors. In all den Jahren, die wir uns kannten, hatten wir nie gesellschaftlich miteinander verkehrt.

Seit ich für Ford arbeitete, mußten wir beide das ungeschriebene Gesetz beachten, daß, falls Leute von Ford und GM zusammen beim Tennis oder Golf gesehen wurden, es als sicheres Zeichen angesehen wurde, daß sie Preisabsprachen trafen oder auf andere Weise den Umsturz unseres freien Unternehmertums planten. Die GM-Führungskräfte waren besonders vorsichtig, weil ihr Konzern immer befürchten mußte, wegen seiner Monopolstellung aufgeteilt zu werden. Deshalb sagten diejenigen von uns, die in den großen Drei Machtstellungen innehatten, kaum je ihren Kollegen von den Konkurrenzfirmen »guten Tag«.

Diese neue Lage war ein besonderer Gewinn für Mary, weil sie Connie Estes mochte und sie sich nicht mehr heimlich treffen mußten. Es klingt komisch, aber so waren nun einmal die Verhaltensregeln in Grosse Pointe und Bloomfield Hills in den Siebzigern.

Meine neue Freundschaft mit Pete Estes war allzu kurz. In dem Augenblick, in dem ich bei Chrysler eintrat, mußten wir wieder Fremde werden.

Nicht lange nach meiner Verabschiedung brachte eine Detroiter Zeitung eine Geschichte, in der eine Äußerung eines »Familiensprechers« von Ford zitiert wurde, derzufolge ich gefeuert worden war, weil es mir »an Takt mangelte«, weil ich »unverschämt« sei und weil »der in Allentown, Pennsylvania, geborene Sohn eines italienischen Einwanderers weit entfernt von Grosse Pointe« sei.

Das war eine üble Verunglimpfung, aber nicht wirklich überraschend. Für die Fords würde ich immer ein Außenseiter sein. Ja, sogar Henrys Frau, Cristina, war immer eine Außenseiterin geblieben. Alle Familienmitglieder bezeichneten sie als »die Pizza-Königin«.

Wenn man bedenkt, wie Henry über die Italiener dachte, paßte dieser Kommentar völlig ins Bild. In den letzten paar Jahren war er davon überzeugt gewesen, daß ich in der Mafia sei. »Der Pate« hatte offenbar genügt, um bei ihm die fixe Idee zu erwecken, daß alle Italiener mit dem organisierten Verbrechen zu tun hatten.

Er hätte wirklich gezittert, wenn er von dem unerwarteten Anruf erfahren hätte, den ich erhielt, nachdem diese anonyme Äußerung in der Zeitung zitiert worden war. Ein Mann mit italienischem Akzent rief mich zu Hause an und sagte: »Wenn das stimmt, was wir in der Zeitung lesen, wollen wir etwas gegen dieses dreckige Schwein unternehmen. Er hat die Ehre Ihrer Familie besudelt. Ich gebe Ihnen eine Telefonnummer. Sie brauchen nur ein Wort zu sagen, und wir brechen ihm seine Arme und Beine. Das wird uns guttun, und Sie werden sich dann sicher auch besser fühlen.«

»Nein, danke«, sagte ich, »das ist wirklich nicht mein Stil. Wenn ihr das machen würdet, wäre das keine Genugtuung für mich. Wenn ich schon gewalttätig werde, möchte ich ihm selber die Beine brechen.«

Während der Untersuchung von 1975 hatte Henry laufend angedeutet, daß ich Verbindungen zur Mafia hätte. Meines Wissens habe ich in meinem Leben nie einen Mafioso getroffen. Aber nun hatte Henry eine sich selbst erfüllende Prophezeiung in die Welt gesetzt. Plötzlich hatte ich Kontakt mit den wohl einzigen Menschen auf der Welt, die ihm wirklich eine Heidenangst einjagen konnten.

Ich bin nicht dafür, die andere Wange hinzuhalten. Henry Ford hat das Leben vieler Menschen zerstört. Aber ich rächte mich, ohne Gewalt anzuwenden. Dank meines Pensionsanspruchs zahlt er mir immer noch viel Geld dafür, daß ich jeden Morgen zur Arbeit gehe und mein Bestes tue, um ihn fertigzumachen. Diese Vorstellung schmeckt ihm sicher nicht.

Nachdem der anfängliche Schock der Entlassung abgeflaut war, begann ich darüber nachzudenken, was zwischen Henry und mir vorgefallen war. In gewisser Hinsicht ist es egal, ob man der Präsident eines Unternehmens ist oder der Hausmeister. Entlassen zu werden ist so oder so ein furchtbarer Schlag, und man fragt sich sofort: Was habe ich falsch gemacht?

Gewiß hatte ich nie irgendwelche Illusionen, die Nummer Eins zu werden. Damit hatte ich mich sehr früh abgefunden. Wenn mich nach der Spitzenfunktion eines Unternehmens gelüstet hätte, dann hätte ich nur eine der vielen sich bietenden Gelegenheiten zu ergreifen brauchen. Aber solange ich bei Ford blieb, wußte ich, daß an der Spitze des Konzerns immer ein Mitglied der Familie stehen würde, und ich akzeptierte das. Wenn es mein Ehrgeiz gewesen wäre, die Spitzenposition zu erringen, dann wäre ich schon viel früher weggegangen. Aber bis 1975 war ich an meinem Platz sehr glücklich.

Ich wurde gefeuert, weil ich für den Chef eine Bedrohung darstellte. Henry war berüchtigt dafür, seine jeweilige Nummer Zwei unter unerfreulichen Umständen fallenzulassen. Er witterte überall den Aufstand der Bauern gegen ihren Herrn und Meister. Dennoch hatte ich mich immer an die Idee geklammert, daß ich anders sei, daß ich irgendwie schlauer sei oder mehr Glück hätte als die übrigen. Ich glaubte nicht, daß mir so etwas je passieren würde.

Ich hätte etwas mehr über die Firmengeschichte nachdenken sollen. Ich wußte, daß Ernie Breech auf ein Abstellgleis geschoben worden war, wohin ich ihm eines Tages folgen würde. Ich wußte, daß Tex Thornton und McNamara es nicht erwarten konnten, den Konzern wieder zu verlassen, obwohl sie einen so brillanten Start gehabt hatten. Ich wußte, daß Beacham täglich sagte: dieser Mann spinnt, ich rate dir, dich auf Schlechtwetter gefaßt zu machen. Arjay Miller, Bunkie Knudsen und selbst Henrys guter Freund John Bugas endeten alle auf dieselbe Weise. Ich mußte mir nur die Geschichte ansehen und konnte meine Autobiographie daran ablesen.

Dann war da Henrys Krankheit. Er war überzeugt, daß ich, falls ihm etwas zustieß, die Familie irgendwie manipulieren und das Unternehmen an mich reißen würde. »Als ich im Januar 1976 Angina bekam«, sagte er einem Reporter von der Zeitschrift *Fortune*, »begriff ich plötzlich, daß ich nicht ewig leben werde. Ich fragte mich: ›Wo wird die Ford Motor Company ohne mich bleiben?‹ Ich kam zu dem Schluß, daß Iacocca nicht mein Nachfolger als Vorsitzender werden kann.« Dieser schlechte Mensch hat mir diesen Satz nie erklärt, auch nicht seinem Aufsichtsrat und wahrscheinlich nicht einmal sich selbst.

Die Fords sind eine der letzten großen Familiendynastien Amerikas. In jeder Dynastie gilt der erste Instinkt der Selbsterhaltung. Alles, aber wirklich alles, was die Dynastie betreffen könnte, wird zu einem potentiellen Problem im Bewußtsein des Mannes, der sie führt.

Henry hat nie seine Absicht verhehlt, seinen Sohn Edsel zu seinem Nachfolger zu machen, und er glaubte, daß ich diese Pläne durchkreuzen könnte. Ein Freund von mir sagt gerne: »Lee, du bist zwar dem ersten Edsel-Fiasko entgangen, aber dafür hat dich das zweite wirklich voll erwischt!«

Nach meiner Entlassung sah ich Henry nur noch einmal. Viereinhalb Jahre später wurden Mary und ich von Katharine Graham zu einer der Partys anläßlich des fünfzigsten Jubiläums von *Newsweek* eingeladen, die in verschiedenen Städten des ganzen Landes stattfanden. In Detroit, welche Ironie für mich, fand die Feier im Ballsaal des Renaissance Center statt.

Das war wenige Monate vor Marys Tod. Sie fühlte sich nicht sehr wohl, also war ich den ganzen Abend an ihrer Seite. Wir saßen an einem Tisch mit Bill Bonds, dem prominentesten Fernsehjournalisten in Detroit und einem großartigen Kerl. Während Mary und Bill miteinander redeten, schaute ich mich einmal um und sah Henry und seine Frau das Begrüßungsspalier passieren.

»Aha«, sagte ich. Mary wandte sich um. »Aha«, sagte sie. Dies war ein Augenblick, den ich mir oft ausgemalt hatte. Ich bin ein ziemlich ausgeglichener Mensch, aber ich habe mich immer gefragt, was geschehen würde, wenn ich Henry je nach ein paar Drinks treffen würde. Ich fragte mich, ob ich ausflippen würde. Ich habe mir so oft vorgestellt, ihn dorthin zu treten, wo es weh tut, daß ich wirklich nicht sicher war, ob ich mich in der Gewalt hatte.

Unsere Blicke trafen sich. Ich nickte ihm zu, und ich wußte, daß er nun drei Möglichkeiten hatte. Die erste war zu nicken und Hallo zu sagen und dann in der Menge unterzutauchen. Damit würde er sich wie ein Mann benehmen.

Seine zweite Alternative war, herzukommen und ein paar Worte zu sagen. Wir könnten uns die Hand schütteln, und er könnte sogar seinen Arm um mich legen. Das würde bedeuten, daß wir die Vergangenheit auf sich beruhen ließen. Es wäre das Anständigste gewesen, und das hieße, zuviel verlangen.

Seine dritte Möglichkeit war, davonzulaufen, so schnell er konnte. Und das tat er auch. Er packte seine Frau Kathy und rannte weg.

Das war das letzte, was ich je von Henry Ford gesehen habe.

Seit dem 13. Juli 1978 ist viel geschehen. Die Narben, die Henry Ford zurückließ, besonders in meiner Familie, werden dauerhaft sein, weil die Wunden tief waren. Aber die Ereignisse der letzten Jahre übten eine heilende Wirkung aus. Das Leben geht weiter.

# DIE CHRYSLER STORY

# XIII
# Von Chrysler hofiert

Wenn ich die leiseste Idee gehabt hätte, was mir bevorstand, als ich zu Chrysler ging, wäre ich für kein Geld der Welt dort eingestiegen. Es ist ein Glück, daß einen Gott nicht ein oder zwei Jahre in die Zukunft blicken läßt, sonst wäre man vielleicht versucht, sich zu erschießen. Aber Er ist ein milder Herr: Er läßt uns nur einen Tag auf einmal sehen. Wenn harte Zeiten kommen, bleibt uns keine andere Wahl, als tief durchzuatmen, weiterzumachen und unser Bestes zu tun.

Sobald die Entlassung bekanntgeworden war, wurde ich von einer Reihe von Firmen aus anderen Branchen angesprochen, darunter von International Paper und Lockheed. Charles Tandy, der Inhaber von Radio Shack, bot mir eine Stelle an. Drei oder vier Universitäten einschließlich der New York University wollten mich als Leiter ihrer Business Schools. Einige dieser Angebote waren sehr verlockend, aber es fiel mir dennoch schwer, sie ernst zu nehmen. Ich hatte immer in der Autobranche gearbeitet, und da wollte ich auch bleiben. Mir erschien es wenig sinnvoll, an diesem Punkt meines Lebens die Karriere zu wechseln.

Mit 54 war ich zu jung für den Ruhestand, aber zu alt, um auf einem völlig neuen Gebiet anzufangen. Außerdem lagen mir die Autos im Blut.

Ich habe mich nie mit der Idee anfreunden können, daß alle beruflichen Qualifikationen austauschbar sind und daß der Präsident von Ford genausogut jedes andere große Unternehmen führen könnte. Mir kommt das vor wie jemand, der in einer Band Saxophon spielt und zu dem der Bandleader eines Tages sagt: »Du bist ein guter Musiker. Warum wechselst du nicht zum Klavier über?« Er antwortet: »Hör mal, ich habe zwanzig Jahre lang Sax gespielt! Ich verstehe nicht die Bohne vom Klavier.«

Ich hatte ein Angebot von einer Autofirma. Die Renault-Werke waren daran interessiert, mich weltweit als Berater einzustellen. Aber ich bin nicht der Beratertyp. Ich blühe dort auf, wo die *action* ist. Ich mag handgreifliche Verantwortung. Wenn es klappt, schreibt es mir gut. Wenn nicht, nehme ich es auf meine Kappe.

Davon abgesehen, wurde der Unternehmer in mir unruhig. In dieser Interimsperiode im Sommer 1978 ergriff eine Idee von mir Besitz, die ich Global Motors nannte. Dies war wirklich ein Großprojekt, nichts, was man über Nacht auf die Beine stellen kann. Ich träumte davon, ein Konsortium von Autofirmen in Europa, Japan und den Vereinigten Staaten zu errichten. Gemeinsam würden wir eine große Kraft bilden, die der Vorherrschaft von General Motors entgegentreten könnte. Ich sah mich als den neuen Alfred Sloan, den Mann, der GM zwischen den Kriegen reorganisiert hatte – nach meiner Überzeugung das größte Genie, das es je in der Autoindustrie gegeben hat.

Die Partner, die ich für Global Motors im Auge hatte, waren Volkswagen, Mitsubishi und Chrysler, obwohl der Plan auch mit anderen Partnern zu verwirklichen wäre, wie zum Beispiel Fiat, Renault, Nissan oder Honda. Aber Chrysler bot sich in Amerika logischerweise an. GM war zu groß, um sich mit anderen zu verbinden, jedenfalls dachte ich damals so. Ford kam – aus naheliegenden Gründen – nicht in Frage.

Chrysler jedoch könnte eine solide technische Basis für Global Motors abgeben. Das technische Know-how mag die einzige Stärke von Chrysler gewesen sein, aber die war besonders wichtig.

Ich ersuchte einen meiner Freunde – Billy Salomon von Salomon Brothers, den New Yorker Investment-Bankiers –, Nachforschungen darüber anzustellen, worauf es bei einer solchen Fusion wohl ankam. In der Folge lernte ich sehr viel über verschiedene Autofirmen einschließlich Chrysler. Genauer gesagt, lernte ich eine ganze Menge über ihre Bilanzen. Aber wie ich bald herausfinden sollte, besteht ein Riesenunterschied zwischen einer Firma auf dem Papier und der Art und Weise, wie sie wirklich funktioniert.

Den Salomon Brothers zufolge war das größte Hindernis für Global Motors das amerikanische Kartellrecht. Welchen Unterschied doch fünf Jahre machen können! Gegenwärtig favorisiert das Weiße Haus den Plan einer Zusammenarbeit zwischen General Motors und Toyota, den zwei größten Autoherstellern der Welt. Im Jahr 1978 wäre sogar eine Fusion zwischen Chrysler und American Motors noch unmöglich gewesen. Das zeigt einem, wie sich die Zeiten ändern.

Seit meiner Entlassung von Ford liefen in der Stadt Gerüchte um, daß ich vielleicht zu Chrysler gehen würde. Ich stand zur Verfügung, Chrysler war in Schwierigkeiten, also lag dieser Schluß nahe. Die erste Kontaktaufnahme kam von Claude Kirk, dem Exgouverneur von Florida und einem persönlichen Freund von mir, der mich fragte, ob ich in New York mit Dick Dilworth und Louis Warren, zwei Vorstandsmitgliedern von Chrysler, zu Mittag essen würde. Dilworth leitete das Finanz-Imperium der Familie Rockefeller, und Warren war ein Wall-Street-Anwalt, der seit 35 Jahren mit Chrysler in Verbindung stand. Ich willigte ein. Aus irgendeinem Grund erinner ich mich immer noch, was wir gegessen haben: rohe Muscheln aus der halben Schale. Sie schmeckten so vorzüglich, daß ich zwei Dutzend davon aß.

Dies war eher ein Treffen zum Kennenlernen als etwas Offizielles, und unsere Unterhaltung blieb ziemlich allgemein. Dilworth und Warren machten deutlich, daß sie als Privatmänner, nicht als offizielle Vertreter des Konzerns mit mir sprachen. Sie äußerten sich überaus besorgt über die Autobranche – und besonders über Chrysler. Aber die Unterhaltung diente größtenteils nur einem ersten Abtasten und verlief eher allgemein-unverbindlich als geschäftlich.

Inzwischen war ich mit George Bennett in Kontakt geblieben. Es wurde mir bald klar, daß er mein einziger echter Freund im Aufsichtsrat von Ford gewesen war. Neben seiner dortigen Verpflichtung war George im Aufsichtsrat von Hewlett-Packard. Und Bill Hewlett, der Mitbegründer dieses Unternehmens und ein liebenswürdiges Genie, gehörte seinerseits dem Aufsichtsrat von Chrysler an. Hewlett wußte, daß Bennett und ich befreundet waren, und als sie miteinander redeten, war George ehrlich genug, ihm zu sagen, wie wertvoll ich bei Ford gewesen war.

Etwas später bekam ich einen Anruf von John Riccardo, dem Vorstandsvorsitzenden von Chrysler. Er und Dick Dilworth wollten mich im Hotel Pontchartrain, wenige Blocks von Henrys Renaissance

Center, treffen. Der Zweck dieses Gesprächs war die Sondierung der Möglichkeit meines Eintritts bei Chrysler.

Wir hielten das Treffen so geheim wie möglich. Ich kam in meinem Auto und betrat das Hotel durch eine Seitentür. Nicht einmal Gene Cafiero, der Präsident von Chrysler, wurde eingeweiht. Riccardo und Cafiero waren miteinander so zerstritten, daß die ganze Stadt darüber Bescheid wußte.

Bei dem Treffen waren Dilworth und Riccardo immer noch ziemlich zurückhaltend. »Wir denken an einen Wechsel im Management«, sagte Riccardo. »Es läuft alles nicht so, wie es sollte.«

Näher wollten sie sich nicht auslassen. Beide versuchten, mir einen Job anzubieten, ohne tatsächlich die Karten auf den Tisch zu legen. Damit konnte ich nichts anfangen, deshalb fragte ich sie direkt: »Was wollen wir hier eigentlich besprechen?«

»Ihren Einstieg bei uns«, sagte Riccardo. »Wären Sie daran interessiert, wieder in das Autogeschäft zurückzukehren?«

Ich antwortete, bevor wir auf Einzelheiten eingehen könnten, hätte ich eine Reihe von Fragen über die gegenwärtige Lage von Chrysler. Ich wollte genau wissen, worauf ich mich da einließ.

»Ich will nicht die Katze im Sack kaufen«, sagte ich. »Ich muß wissen, wie schlimm die Dinge stehen. Ich muß wissen, in welchem Zustand sich die Firma befindet. Wieviel Bargeld da ist. Wie Ihr Operationsplan für das nächste Jahr aussieht. Wie Ihre künftigen Produkte aussehen. Und insbesondere, ob Sie wirklich glauben, es schaffen zu können.«

Unsere nächsten beiden Zusammenkünfte fanden im Northfield Hilton am Stadtrand von Detroit statt. Riccardo malte ein düsteres Bild, aber eines, von dem ich meinte, daß es innerhalb eines Jahres zu ändern sei. Ich glaube wirklich nicht, daß John oder irgendein anderer bei Chrysler versuchte, mir Sand in die Augen zu streuen. Wie sich bald herausstellte, war eines der größten Probleme Chryslers, daß nicht einmal deren Topmanagement eine klare Idee davon hatte, was los war. Sie wußten, daß Chrysler krank war. Was sie sich nicht klar machten – und was ich bald herausfinden sollte – war, daß es im Sterben lag.

In diesem Herbst klang das Ganze wie eine gute, harte Herausforderung. Ich kam nach diesen Zusammenkünften nach Hause und besprach alles mit Mary. Sie meinte: »Du wirst nicht glücklich sein, wenn du keine Autos machst. Und du bist zu jung, um zu Hause herumzusitzen. Verpassen wir diesem Haluken Henry eine Ladung, die er niemals vergißt.« Sie konnte sehr kämpferisch sein. Ich sprach auch mit meinen Töchtern darüber. Ihre Einstellung war: »Wenn es dich glücklich macht, dann tu es!«

Die einzige noch offene Frage war, ob sich Chrysler mich leisten konnte – und ich meine nicht bloß finanziell. Ich wollte jetzt mein eigener Herr sein. In diesem Stadium meines Lebens war ich nicht mehr daran interessiert, mich wieder jemand anderem unterzuordnen. Ich war zu lange die Nummer Zwei gewesen. Wenn ich diesen Job annahm, dann mußte ich binnen Jahresfrist *numero uno* sein – oder es ging gar nichts!

Das war mein Einstiegspreis, um auch nur darüber zu reden, zu Chrysler zu kommen. Es waren nicht bloß meine Erfahrungen mit Henry, obwohl das eine Rolle spielte. Ich brauchte auch vollkommen freie Hand, um das Unternehmen wieder auf Erfolgskurs bringen zu können. Ich wußte bereits, daß ich eine ganz andere Art hatte, die Dinge anzupacken, als die anderen. Wenn ich nicht die unbegrenzte Befugnis hatte, meinen Management-Stil und meine Verfahrensweisen einzuführen, dann handelte ich mir mit Sicherheit nur eine Menge Frustration ein, wenn ich zu Chrysler ging.

Ich hatte den Eindruck, daß Riccardo mich als Präsident und Generaldirektor haben wollte, während er selbst Vorsitzender und Hauptgeschäftsführer bleiben wollte. Aber als ich ihm meine Wünsche klarmachte, stellte sich heraus, daß ich mich geirrt hatte. »Hören Sie«, sagte er. »Ich werde nicht mehr lange auf diesem Posten bleiben. Hier ist nur Platz für einen Chef. Wenn Sie zu uns kommen, dann werden das Sie sein. Sonst hätten wir uns nicht all diese Mühe gemacht, um diese Besprechungen zu organisieren.«

Es war in gewisser Weise traurig, weil er nicht einmal vom Aufsichtsrat Chryslers gedrängt worden war, sich an mich zu wenden. Er hatte es von sich aus getan. Er war sich offensichtlich im klaren darüber, daß der Konzern in tiefen Schwierigkeiten steckte und daß es ihm nicht gelingen würde, ihn wieder auf die Beine zu bringen. Er war bereit, Cafiero abzuhalftern, um mich zum Eintritt zu bewegen, wobei er genau wußte, daß seine eigenen Tage als Vorsitzender gezählt waren, wenn ich kam. Wir einigten uns, daß ich als Präsident eintreten, aber am 1. Januar 1980 Vorstandsvorsitzender und Hauptgeschäftsführer werden würde. Riccardo kündigte schließlich einige

Monate früher, und ich wurde schon im September 1979 Chef des Konzerns.

John Riccardo und seine Frau Thelma sind zwei der großartigsten Menschen, die ich je getroffen habe. Leider war die Krise bei Chrysler so ernst, daß ich sie nie näher kennenlernte. Aber eines war völlig klar: John opferte sich selbst, um das Unternehmen zu retten. Er war überfordert, und er wußte es. Obwohl es das Ende seiner eigenen Karriere bedeutete, tat er alles, um zu gewährleisten, daß sich der Übergang so glatt wie möglich vollziehen würde. Er gab das Steuer aus der Hand, um Chrysler ins Leben zurückzurufen. Und das ist wirklich heroisch.

Der nächste Schritt in dem Einstellungsprozeß war ein Treffen mit dem Gehaltsausschuß von Chrysler in der Chrysler-Suite im Waldorf Towers in New York. Diesmal nahm ich in aller Diskretion den Aufzug bis zum 34. Stockwerk, wo Ford seine Suite hatte, und stieg dann die zwei Treppen zur Chrysler-Suite hinauf. Riccardo folgte in einem anderen Aufzug.

Wir mußten vorsichtig sein. Wenn Iacocca, mit dem sich die Presse noch befaßte, weil er eben von Ford gefeuert war, im Gespräch mit Riccardo und dem Aufsichtsrat von Chrysler gesehen wurde, dann würde es die Presse publik machen, und ich wäre eingestellt, bevor wir die Einzelheiten ausgehandelt hatten. Aber die Story kam nie heraus. Eine Woche vor der Bekanntgabe hatte sich das *New York Magazine* in Spekulationen ergangen, aber im großen und ganzen war die Geheimhaltung lückenlos.

Die Ankündigung, daß ich im November zu Chrysler gehen würde, muß für Henry Ford ein echter Schock gewesen sein. In solchen Situationen ist es üblich, daß der Geschaßte seine Pension kassiert und sich lautlos nach Florida zurückzieht, ohne daß man je wieder von ihm hört. Aber ich blieb innerhalb der Stadtmauern, und das machte ihm wirklich zu schaffen. Nachdem bekanntgeworden war, daß ich zu Chrysler gehe, hörte ich aus verläßlicher Quelle, daß sich Henry jeden Abend betrank. Er hatte immer viel getrunken, aber man erzählte mir, daß es um diese Zeit wirklich ausartete. Gerüchten zufolge verputzte er jeden Abend zwei Flaschen Château Lafite-Rothschild. Angesichts des Preises von 120 Dollar pro Flasche ein teurer Schlaftrunk! Aber nach meinen Erfahrungen nehme ich an, daß auch dies auf Kosten der Ford-Aktionäre geschah.

Als Henry mich feuerte, hatten wir unter anderem eine Abfindung in Höhe von 1,5 Millionen Dollar vereinbart. Aber da war ein entscheidender Haken – Fords restriktiver Vertrag enthielt eine Konkurrenzklausel, die besagte, daß die Abfindung wegfiele, falls ich für eine andere Autofirma arbeiten sollte.

»Machen Sie sich darüber keine Sorgen«, sagte Riccardo zu mir. »Wir werden Sie entschädigen.« Als mein Eintritt bei Chrysler publik wurde, machte die Presse großes Aufhebens von der Tatsache, daß ich allein für meine Vertragsunterzeichnung bei Chrysler eine Prämie von 1,5 Millionen Dollar erhielt. In Wirklichkeit bekam ich nicht einen Pfennig für meine Unterschrift. Ich hatte dieses Geld im Laufe vieler Jahre bei Ford verdient, sowohl durch verzögerte Absetzung wie in Form von Betriebsrenten- und Pensionsansprüchen. Chrysler glich dies einfach aus. Im Grunde lösten sie meinen Vertrag ab.

Bei Ford hatte mein offizielles Gehalt 360 000 Dollar betragen, obwohl meine Zulagen in guten Jahren bis zu einer Million Dollar anstiegen. Ich wußte, daß es sich Chrysler nicht leisten konnte, mir mehr als das zu zahlen, deshalb sagte ich dem Ausschuß, daß ich bereit sei, dasselbe Gehalt zu akzeptieren, das ich bei meiner Entlassung verdient hatte.

Leider betrug Riccardos eigenes Gehalt damals nur 340 000 Dollar. Das schuf eine etwas peinliche Situation, weil ich als Präsident eintrat und er noch Vorstandsvorsitzender war. Es erschien nicht gerecht, wenn ich mehr verdiente als er. Der Aufsichtsrat löste das Problem, indem er Riccardo eine sofortige Gehaltserhöhung von 20 000 Dollar bewilligte, wodurch wir gleichgestellt waren.

Ich hatte nie irgendwelche Skrupel gehabt, ein hohes Gehalt zu beziehen. Ich lebe nicht auf großem Fuß, aber ich schätze die Anerkennung, die ein hohes Gehalt repräsentiert. Warum will ein Mann Präsident werden? Macht es ihm Spaß? Vielleicht, aber es kann ihn auch alt und müde machen. Weshalb arbeitet er also so hart? Damit er sagen kann: »He, ich habe es bis zur Spitze geschafft. Ich habe etwas erreicht.«

Mein Vater hat immer gesagt: »Sei auf der Hut vor dem Geld. Wenn du 5000 hast, wirst du 10 000 wollen. Und wenn du 10 000 hast, wirst du 20 000 wollen.« Er hatte recht. Soviel man auch hat, es ist nie genug.

Trotzdem bin ich im Grunde meines Herzens ein Unternehmer. Bei Ford habe ich mit einem gewissen Neid zugesehen, wie die Autohändler das wirklich große Geld machten. Es ist nicht so, daß ich nicht gut verdient hätte. In den siebziger Jahren wurden Henry Ford und ich ein paar Jahre lang als die zwei höchstbezahlten Wirtschaftsführer in Amerika geführt. Meine Eltern fanden das einfach toll, eine richtige Auszeichnung.

Trotzdem kenne ich Immobilienhändler in New York, die an einem einzigen Tag soviel Geld verdienen können. Aber im Unterschied zu den großen Geschäftemachern ist mein Gehalt öffentlich bekannt. Ich bekomme mehr Briefe und mehr Bitten um Geld, als ich bewältigen kann. Das bringt mich zu einem anderen Lieblingsausspruch meines Vaters: »Du glaubst, Geld zu *verdienen* ist schwer? Warte, bis du versuchst, es zu verschenken!« Es ist wahr. Alle schreiben mir und bitten mich, meinen Reichtum mit ihnen zu teilen. Jedes College, jedes Krankenhaus, jede gute Sache, die es auf der Erde gibt. Man ist rund um die Uhr beschäftigt, wenn man es richtig machen will.

Als ich noch bei Ford arbeitete, wußte ich kaum, daß Chrysler existierte. Wir orientierten uns an GM und niemand anderem. An Chrysler verschwendeten wir nicht viele Gedanken. Deren Produkte schienen nicht einmal auf den monatlichen Umsatzstatistiken auf, aus denen hervorging, wie gut unsere Autos im Vergleich zur Konkurrenz abschnitten.

Ich kann mich nur an zwei Anlässe bei Ford erinnern, die uns zwangen, uns mit Chrysler zu befassen. Beim ersten ging es um das Markenzeichen. In den frühen sechziger Jahren machte Lynn Townsend, der damalige Vorstandsvorsitzende von Chrysler, eine ausgedehnte Reise zu den Chrysler-Händlern im ganzen Land. Als er zurückkehrte, erzählte er einem seiner Mitarbeiter, daß er über die Zahl der Howard-Johnson-Restaurants in den Vereinigten Staaten gestaunt habe. Er staunte noch mehr, als sein Mitarbeiter antwortete, daß es de facto mehr Chrysler-Vertretungen in Amerika gebe als Howard Johnsons.

Townsend begann über die leuchtend orangen Dächer nachzudenken, an denen man die Restaurants der Howard-Johnson-Kette erkennt. Er fand, daß die Chrysler-Vertretungen ebenfalls ein Symbol haben sollten, um stärker ins Auge zu stechen. Der Konzern beauftragte eine New Yorker Firma, ein Signet für Chrysler zu entwerfen. Es dauerte nicht lange, und der fünfzackige weiße Stern auf blauem Grund tauchte überall auf.

Das Markenzeichen von Chrysler war so erfolgreich, daß wir bei Ford innerhalb eines Jahres gezwungen waren, darauf zu reagieren. Wir hatten bereits unser berühmtes blaues Oval. Jetzt begannen wir, es auf die Geschäftsschilder der Händler zu montieren. Aber wir machten einen Fehler. Chrysler benutzte den fünfzackigen Stern mit dem Namen des Händlers darunter. GM führte den Namen des Händlers direkt im Zeichen. Die Ford-Händler hatten das Oval mit dem Ford-Schriftzug und dann noch einmal »FORD« daneben in Blockschrift, aber da war kein Platz für den Namen des Händlers auf diesem Schild. Viele Händler beklagten sich daraufhin, wenn Henry Ford seinen Namen zweimal anführen könne, dann müsse der Händler das Recht haben, seinen Namen wenigstens einmal anzubringen.

Das zweite Mal, daß wir uns an Chrysler orientierten, war, als sie 1962 ihre Garantie erweiterten. Bis dahin hatte Ford die beste Garantie in der Branche geboten – zwölf Monate oder 20 000 Kilometer. Damals schenkten wir Chryslers Entscheidung keine große Beachtung, die Garantie auf fünf Jahre oder 80 000 Kilometer aufzustocken. Aber im Laufe von drei Jahren erhöhte sich Chryslers Marktanteil so stark, daß wir bei Ford mit einem ähnlichen Programm nachziehen mußten.

Die sogenannten Garantiekriege unter den großen drei Autoherstellern dauerten etwa fünf Jahre. Schließlich stoppten wir alle drei die Garantien, weil sie uns zu teuer kamen. Unsere Autos waren damals wirklich nicht gut genug, als daß wir ein halbes Jahrzehnt für sie geradestehen konnten.

In technischer Hinsicht genoß Chrysler einen hervorragenden Ruf. Die Entwicklungsingenieure bei Chrysler waren immer um eine Klasse besser gewesen als ihre Konkurrenten bei Ford und GM. Ich nahm an, daß sie das dem Maschinenbauinstitut von Chrysler verdankten, und ich lag Henry in den Ohren, ebenfalls eines zu gründen, was er nie tat. Im Laufe der Jahre warben wir einige ihrer besten Leute ab. Im Jahr 1962 ging ich auf Beutezug zu Chrysler und brachte ein Dutzend ihrer besten Ingenieure mit. Einige von ihnen erklommen bei Ford die höchsten Positionen.

Aber seit Ford zu Beginn der fünfziger Jahre Chrysler überholte, hatte sich unsere gesamte Aufmerksamkeit auf General Motors konzentriert. Ich verlor GM nie aus den Augen, und das ist auch heute noch so. Sie sind ein eigener Mikrokosmos, und ich beneide sie um ihre gewaltige, geradezu übermenschliche Macht.

Aber ich kannte die Geschichte der Autoindustrie, und ich wußte ein wenig über die Entstehung des Chrysler-Konzerns und den Mann, der ihn gegründet hatte. In der Anfangsphase der Autoindustrie hatte es nur eine Schlüsselfigur gegeben: Henry Ford. Trotz all seiner Macken und Idiosynkrasien – und all seiner Intoleranz – war der Gründervater Henry Ford ein erfinderisches Genie gewesen. Er begann mit dem Herumtüfteln an Autos, und schließlich lernte er, sie massenweise herzustellen.

Die Erfindung des Fließbands wird oft Henry Ford zugeschrieben, aber in Wirklichkeit wurde es von anderen entwickelt. Als wirklicher Neuerer erwies sich der alte Mann, als er 1914 einen Tageslohn von fünf Dollar einführte. Fünf Dollar war mehr als das Doppelte des bis dahin gezahlten Lohnes, und die Publicity, die diese Ankündigung auslöste, war überwältigend.

Die Öffentlichkeit erkannte jedoch nicht immer klar, daß Ford den Arbeitern sein Angebot nicht aus besonderer Großzügigkeit oder aus Mitgefühl machte. Es war ihm nicht um ihren Lebensstandard zu tun. Henry Ford machte nie einen Hehl aus dem wahren Grund, warum er einen Tageslohn von fünf Dollar einführte: Er wollte, daß seine Arbeiter genug verdienten, um sich schließlich selbst ein Auto kaufen zu können. Mit anderen Worten: Henry Ford schuf einen Mittelstand. Er erkannte, daß die Autoindustrie – und damit auch die Ford Motor Company – nur dann wirklich erfolgreich sein konnte, wenn ihre Produkte sowohl für den Arbeiter als auch für den Reichen in Frage kamen.

Die nächste große Persönlichkeit in der Autoindustrie war Walter P. Chrysler. Er entwickelte Motoren, Getriebe und mechanische Bestandteile, und sein Unternehmen ist in diesen Bereichen seither immer führend gewesen. Walter P. hatte 1920 General Motors verlassen, als deren Vorsitzender William Durant ihm nicht die Freiheit lassen wollte, die Buick Division so zu führen, wie er es für richtig hielt. Ein Mann ganz nach meinem Geschmack!

Ich habe ein spezielles Interesse am nächsten Kapitel dieser Geschichte. Drei Jahre später kehrt Walter Chrysler aus dem Ruhestand zurück, um die Autowerke Maxwell & Chalmers zu reorganisieren, die vor dem Zusammenbruch stehen. Und wie macht er das? Er bringt neue Modelle heraus und wirbt mit alten Mitteln für sie. *In einigen Anzeigen erscheint er sogar persönlich!* 1925 ist es soweit: Aus einer nicht ernst zu nehmenden Firma hat er die Chrysler Corporation geschaffen.

Aber damit gab er sich noch nicht zufrieden. 1928 kaufte er Dodge und Plymouth auf. Sein eigenes Unternehmen zählte jetzt zu den Großen der Branche, und daran hat sich seither nichts geändert. Als Walter Chrysler 1940 starb, hatte der Konzern Ford überrundet und lag mit einem Marktanteil von 25 Prozent nur noch hinter General Motors zurück. Wie gern würde ich diese Glanzleistung wiederholen! Ich würde eine ganze Menge dafür geben, 25 Prozent des Marktes zu erobern und Ford auf den dritten Platz zu verweisen.

Obwohl Chrysler Ende der siebziger Jahre in den allergrößten Schwierigkeiten steckte, hatte der Konzern diese lange Tradition auf dem Gebiet der Konstruktion und der technischen Innovation, auf der man aufbauen konnte. Frederick Zeder, Chryslers Chefingenieur in den dreißiger Jahren, schaffte es als erster, die Autos vibrationsfrei zu machen. Seine Lösung? Er montierte die Motoren auf ein Gummifundament. Zeder erfand auch den Verdichtungsmotor, den Ölfilter und den Luftfilter.

Ich erfuhr, daß Chrysler-Ingenieure in Michigan den modernsten Panzer der Welt entwickelt hatten. In Alabama entwarfen seine Ingenieure die erste elektronische Zündung der Welt für Autos. Chrysler-Leute entwickelten den ersten verschließbaren Drehmomentwandler, der eine sparsamere Treibstoffnutzung ermöglichte, den ersten modernen elektronischen Spannungsregulator, die erste hydraulische Bremse und den ersten Bordcomputer, der je unter einer Kühlerhaube Platz fand. Ich wußte bereits, daß Chrysler die besten Motoren und Getriebe in der Branche hatte.

Es stand also außer Frage, daß Chrysler eine ruhmreiche Vergangenheit hatte. Ich war auch überzeugt davon, daß es eine Zukunft hatte. Das Unternehmen besaß bereits eine solide Händlerorganisation sowie unübertroffene Ingenieure. Die einzige Schwierigkeit war, daß ihm das nötige Kapital fehlte, um gute Produkte herauszubringen.

Dasselbe Vertrauen hatte ich zu meinen eigenen Fähigkeiten. Ich kannte das Autogeschäft und wußte, daß ich es gut beherrschte. Ich glaubte ehrlich und von Herzen daran, daß das Unternehmen in etwa zwei Jahren wieder florieren werde.

Aber das Gegenteil geschah. Alles brach zusammen. Wir hatten die

Irankrise, und darauf folgte die Energiekrise. 1978 konnte sich noch niemand vorstellen, daß im nächsten Frühling im Iran das Chaos herrschen und der Benzinpreis sich plötzlich verdoppeln würde. Als Höhepunkt der Entwicklung folgte dann die größte Rezession seit fünfzig Jahren.

All dies fand nur wenige Monate nach meiner Vertragsunterzeichnung bei Chrysler statt. Ich fragte mich, ob mich mein Schicksal nun eingeholt habe. Als Gott – der wahre, nicht Henry – meine Entlassung bei Ford bewirkte, hatte er vielleicht versucht, mir etwas mitzuteilen. Vielleicht wurde ich genau zur richtigen Zeit gefeuert, kurz bevor alles zusammenbrach, und ich war bloß zu dumm, um meinem Schicksal dankbar zu sein.

Aus vielen Gründen übertrafen die Schwierigkeiten bei Chrysler alle meine Erwartungen. Aber sobald ich eingetreten war, sobald ich mich entschieden hatte, was ich tun wollte, dachte ich niemals ernsthaft daran, wieder wegzugehen.

Natürlich ist das nicht immer die beste Einstellung. Manchmal gehen Menschen mit dieser Haltung zugrunde. Sie geraten in den Strudel der Ereignisse und klammern sich noch immer fest, während sie unter Wasser gezogen werden. Als ich meinen Vertrag unterschrieb, konnte ich mir nicht vorstellen, daß es in der Autobranche eines Tages so katastrophal zugehen könnte. Rückblickend muß ich zugeben, daß ich bei Chrysler mehrere Male nahe dran war, unterzugehen.

# XIV
# Auf dem sinkenden Schiff

Am 2. November 1978 trug die *Detroit Free Press* zwei Schlagzeilen: CHRYSLER-VERLUSTE SCHLIMMER DENN JE und LEE IACOCCA ÜBERNIMMT CHRYSLER. Großartiges Timing! Am Tag, an dem ich an Bord kam, gab der Konzern einen Verlust von fast 160 Millionen Dollar für das dritte Quartal bekannt, das größte Defizit in seiner Geschichte. »Ach was«, dachte ich mir, »von jetzt an kann es nur noch aufwärts gehen.« Trotz der riesigen Verluste schlossen die Chrysler-Aktien an der Börse an diesem Tag mit einem Gewinn von drei Achteln, was ich als einen Vertrauensbeweis für meine neue Administration ansah. Ha, ha!

Am Tag meines Arbeitsbeginns hatte ich ein wenig Schwierigkeiten, zu meinem Büro zu finden. Um ehrlich zu sein, ich wußte nicht genau, wo es lag. Ich wußte, daß sich die Chrysler-Hauptverwaltung in Highland Park befand, gleich beim Davison Express Way. Aber danach mußte ich mich durchfragen. Ich wußte nicht einmal, welche Ausfahrt ich nehmen sollte.

Ich war nur einmal bei Chrysler gewesen, als ich noch Präsident von Ford war. Aber damals hatte ich noch einen Chauffeur gehabt, und ich achtete nicht sonderlich auf den Weg. Alle drei Jahre kamen die Leiter der Großen Drei zu einem Gipfeltreffen zusammen, wie wir es nannten, um über eine gemeinsame Strategie für die Tarifverhandlungen zu beraten. Henry Ford und ich hatten an einem dieser Gespräche in Highland Park teilgenommen. Wir trafen dort mit Lynn Townsend und John Riccardo von Chrysler sowie mit den GM-Vertretern und all den Anwälten zusammen.

Die Gewerkschaft reagierte übrigens immer sauer auf diese Zusammenkünfte. Sie war überzeugt, daß wir ein Komplott gegen sie schmiedeten. Sie wußte nicht, daß diese Gespräche immer in totalem Frust endeten. Als kleinerer Hersteller konnte sich Chrysler niemals die Möglichkeit eines Streiks leisten, deshalb war unser ganzes großspuriges Gerede, wie wir mit der Gewerkschaft umspringen würden, nur heiße Luft.

Als ich an diesem Morgen ankam, führte mich Riccardo durch das Gebäude und stellte mir einige der leitenden Angestellten vor. Es fand eine Zusammenkunft mit ein paar führenden Leuten statt, und ich zündete mir wie üblich eine Zigarre an. Riccardo wandte sich seiner Gruppe zu und sagte: »Ihr wißt ja, daß ich immer eine Abneigung gegen das Rauchen bei Konferenzen hatte. Diese Regel ist ab sofort abgeschafft.« Ich hielt es für ein gutes Omen. Nach allem, was ich über Chrysler gehört hatte, erschien mir die Abschaffung mancher Hausregeln als eine ausgezeichnete Idee.

Bevor der Tag vorbei war, fielen mir einige scheinbar nebensächliche Details auf, die mich stutzen ließen. Das erste war, daß das Büro des Präsidenten, wo Cafiero arbeitete, als ein Durchgang von einem Büro zum anderen benutzt wurde. Mit Erstaunen sah ich, daß leitende Angestellte mit Kaffeetassen in den Händen ständig die Tür öffneten und einfach durch das Büro des Präsidenten hindurchwanderten. Damit war mir klar, daß sich der ganze Laden in einem Zustand der Anarchie befand. Was Chrysler brauchte, war eine Dosis Ordnung und Disziplin – und zwar auf der Stelle.

Dann war da die Tatsache, daß Riccardos Sekretärin viel Zeit mit persönlichen Gesprächen an ihrem eigenen Privattelefon zuzubringen schien! Wenn die Sekretärinnen herumgammeln, weiß man, daß der Betrieb verlottert ist. Während der ersten Wochen in einem neuen Job tut man gut daran, auf verräterische Anzeichen zu achten. Man will wissen, was für einem Verein man beigetreten ist. Dies sind die Anzeichen, an die ich mich erinnere, und was sie mir über Chrysler verrieten, machte mir eine Gänsehaut.

Es stellte sich heraus, daß meine Sorgen begründet waren. Ich stolperte bald auf meine erste große Offenbarung: Chrysler funktionierte gar nicht wie ein richtiges Unternehmen. Chrysler glich 1978 dem Italien von 1860 – das Unternehmen bestand aus einer Ansammlung von kleinen Herzogtümern, jedes regiert von einer Primadonna. Es war ein Konglomerat von Mini-Imperien, in denen sich keiner die Bohne darum kümmerte, was alle übrigen machten.

Was ich bei Chrysler vorfand, waren 35 Vizepräsidenten, von denen jeder seinen eigenen Laden hatte. Es gab keine echte Untergliederung in Ausschüsse, keinen Kitt im organisatorischen Aufbau, kein System regelmäßiger Besprechungen, bei denen sich die Leute untereinander austauschten. Ich konnte zum Beispiel kaum glauben, daß der Leiter der technischen Entwicklungsabteilung nicht in ständigem Kontakt mit dem Leiter der Herstellung stand. Aber genauso war es. Jeder arbeitete im Alleingang. Ich warf einen Blick auf dieses System und mußte mich fast übergeben. Das war der Moment, in dem mir klar wurde, daß ich wirklich in der Bredouille steckte.

Anscheinend glaubten diese Leute nicht an Newtons drittes Gesetz der Bewegung – daß es für jede Aktion eine gleiche und eine entgegengesetzte Reaktion gibt. Vielmehr arbeiteten sie alle in einem Vakuum. Es war so schlimm, daß sogar diese Beschreibung dem Zustand nicht im mindesten gerecht wird.

Ich rufe beispielsweise einen Mann aus der technischen Entwicklung zu mir, und er steht da wie vor den Kopf geschlagen, als ich ihm erkläre, daß wir ein Konstruktionsproblem oder irgendeinen anderen Haken im Verhältnis Entwicklung/Fertigung haben. Er hat vielleicht die Fähigkeit, großartige technische Details zu entwickeln, die uns eine Menge Geld sparen würden. Er bringt vielleicht eine großartige neue Konstruktion zustande. Da war nur ein Problem: Er wußte nicht, daß die Leute von der Fertigung sie nicht bauen konnten. Warum? Weil er nie mit ihnen darüber geredet hatte.

Niemand bei Chrysler schien zu begreifen, daß das Zusammenspiel der verschiedenen Funktionen in einem Unternehmen absolut unerläßlich ist. Die Leute in der Entwicklung und in der Herstellung müssen beinahe miteinander schlafen. Diese Typen flirteten nicht einmal!

Ein anderes Beispiel: Der Vertrieb und die Herstellung unterstanden demselben Vizepräsidenten. Für mich war das unvorstellbar, weil das riesige und weitgehend getrennte Apparate sind. Was die Sache noch schlimmer machte, war, daß es praktisch keinen Kontakt zwischen den beiden Bereichen gab. Die Leute von der Fertigung bauten Autos, ohne je Rücksprache mit den Leuten vom Vertrieb zu halten. Sie bauten sie einfach, stellten sie dann auf eine Halde und hofften, daß jemand sie dort abholen würde. Das Ergebnis war ein riesiger Lagerbestand und ein finanzieller Alptraum.

Der Gegensatz zwischen dem Unternehmensaufbau von Chrysler und von Ford war geradezu unglaublich. Bei Chrysler schien niemand einzusehen, daß man eine große Aktiengesellschaft nicht führen kann, ohne Planungssitzungen abzuhalten, auf denen man verschiedene Szenarien durchspielt. Jedes Mitglied des Teams muß genau wissen, was seine Aufgabe ist und in welchem Verhältnis sie zu allen anderen Funktionen steht.

Aber statt die losen Enden miteinander zu verknüpfen und die größeren Zusammenhänge zu sehen, mußten Riccardo und Bill McGagh, der Leiter der Finanzabteilung, ihre Zeit damit zubringen, alle Banken aufzusuchen, die Chrysler Geld geliehen hatten. Sie rotierten ständig von einer Bank zur anderen, um den Kreditfluß aufrechtzuerhalten. Das bedeutete, daß sie sich von einer Krise zur nächsten hangelten und ihre Blicke ständig auf den nächsten Monat statt auf das nächste Jahr gerichtet hatten.

Zwei Monate nach meinem Eintritt traf mich mit voller Wucht die Erkenntnis: Uns ging das Bargeld aus! Bevor ich zu Chrysler ging, war ich mir vage einiger Probleme dort bewußt gewesen, von den unzulänglichen Managementtechniken bis zu der knausrigen Dotierung von Forschung und Entwicklung. Aber der eine Bereich, zu dem ich einiges Zutrauen hatte, war die finanzielle Leitung. Schließlich wußte jeder in Detroit, daß Chrysler von Finanzfachleuten geführt wurde. Wir nahmen deshalb alle an, daß die Kontrolle der Finanzen oberste Priorität haben würde.

Aber ich entdeckte bald zu meinem Entsetzen, daß Lynn Townsend (der ein paar Jahre zuvor in Pension gegangen war) und John Riccardo im Grunde nichts weiter als zwei Bücherrevisoren aus dem Detroiter Wirtschaftsprüfungsunternehmen Touche Ross waren. Außerdem hatten sie es verabsäumt, ernst zu nehmende Wirtschaftsanalytiker zu Rate zu ziehen. Ihre Einstellung schien zu sein: »Das kriegen wir selbst hin.« Aber das war bei einem Konzern von der Größe Chryslers völlig unmöglich.

Allmählich stellte sich heraus, daß Chrysler gar kein übergreifendes System finanzieller Kontrollen hatte. Was noch schlimmer war, niemand in dem ganzen Laden schien in Fragen der Finanzplanung und -projektierung den vollen Überblick zu haben. Selbst auf die grundlegendsten Fragen wußte niemand eine Antwort. Aber es fehlten beileibe nicht nur die Antworten: Diese Leute kannten nicht einmal die Fragen!

Bei Ford hatte ich, sobald ich Präsident geworden war, eine Liste sämtlicher Werke und Niederlassungen mit genauen Rentabilitätsangaben angefordert. Als ich das bei Chrysler verlangte, hätte ich genauso gut chinesisch reden können! Ich konnte überhaupt nichts herauskriegen. Das war wahrscheinlich der härteste Schlag, der mich in meiner beruflichen Laufbahn je getroffen hat. Wenn ich daran dachte, hatte ich das Gefühl, den Boden unter den Füßen zu verlieren. (Ein Euphemismus für: Ich war im Eimer. Total Asche. Komplett verwarzt.) Ich wußte bereits über die miesen Autos Bescheid. Ich war mir über die schlechte Arbeitsmoral und die heruntergekommenen Fabriken im klaren. Aber ich hatte einfach keine Idee gehabt, daß ich nicht einmal imstande sein würde, mir die richtigen Zahlen zu beschaffen, damit wir anfangen konnten, einige der Grundprobleme von Chrysler anzupacken.

Lynn Townsend hatte immer einen guten Ruf als Finanzmanager genossen, aber ich glaube, seine Entscheidungen waren, wie die vieler Geschäftsleute, mehr auf die Profite des nächsten Vierteljahres gerichtet als auf das längerfristige Wohl des Unternehmens. Chrysler war jahrelang von Männern geführt worden, denen das Autogeschäft nicht wirklich am Herzen lag. Und das begann sich jetzt zu rächen.

Die Folge war, daß das Unternehmen angefangen hatte, den anderen hinterdreinzulaufen. Als der Kleinste der Großen Drei hätte Chrysler bei der Entwicklung neuer Autos an der Spitze der Branche marschieren können und sollen. Aber die technische Entwicklung, die immer Chryslers Stärke gewesen war, wurde unter Lynn Townsend kleingeschrieben. Als die Umsätze zu sinken begannen, ging dies auf Kosten der Konstruktion und der Produktentwicklung.

Statt sich auf gute Autos zu konzentrieren, hatten Lynn Townsend und seine Leute angefangen, im Ausland zu expandieren. Darauf erpicht, ein internationaler Multi zu werden, kauften sie europäische Firmen auf, die bereits lebende Leichname waren – Firmen, die nie viel getaugt hatten, wie Simca in Frankreich und Rootes in England. Im internationalen Geschäft tappten sie völlig im dunkeln. Ich begann zu argwöhnen, daß es Chrysler-Leute gab, die nicht einmal wußten, daß die Engländer auf der linken Straßenseite fahren!

Lynn Townsend war bei den Aktionären immer populär gewesen, und als einer von ihnen wurde er selbst reich. Aber ich glaube nicht, daß er je begriffen hat, worauf es in dem Geschäft wirklich ankommt. In einer Phase seiner Administration wurde Chrysler völlig an den Rand gedrängt und verlor Niederlassungen auf jedem Kontinent außer der Antarktis.

Townsend hat aber auch ein paar gute Neuerungen bei Chrysler eingeführt, wie zum Beispiel die Gründung von Chrysler Financial, einer Tochtergesellschaft, deren Aufgabe Kreditbeschaffung sowohl für die Händler als auch für deren Kundschaft ist. Heute dient Chrysler Financial anderen als Vorbild. Townsend trifft daher sicher nicht die gesamte Schuld an Chryslers geschwächter Position. Ich habe mich oft gefragt: Wo war der Aufsichtsrat, als all dies passierte?

Als ich an meiner ersten Aufsichtsratssitzung teilnahm, begann ich das Problem zu begreifen. Die Aufsichtsräte von Chrysler besaßen sogar noch weniger Informationen als ihre Gegenspieler bei Ford – und das will etwas heißen. Es gab keine Diaprojektoren und keine finanziellen Überblicke. Riccardo hielt eine kleine Rede, wobei ihm ein paar Notizzettel als Unterlagen dienten. Dies war wohl kaum die Art und Weise, das zehntgrößte Unternehmen des Landes zu führen.

Als ich Vorsitzender wurde, hielt ich mich gegenüber den Aufsichtsratsmitgliedern zunächst bedeckt. Ich war nicht so verrückt, mit dem Finger auf die Leute zu zeigen, die mich soeben eingestellt hatten, und ihnen zu erklären: »Das ist eure Schuld.« Aber ein- oder zweimal fragte ich den Aufsichtsrat so höflich wie möglich: »Wie konnte es dem Management gelingen, für seine Pläne die Zustimmung so angesehener Geschäftsleute zu erhalten? Sind Sie denn nicht entsprechend informiert worden?«

Die Personalprobleme Chryslers beschränkten sich nicht auf das Topmanagement. Im gesamten Konzern waren die Leute verängstigt und mutlos. Niemand machte irgend etwas richtig. Ich hatte so etwas noch nie gesehen. Die Vizepräsidenten waren sämtlich fehl am Platz. Townsend und seine Leute hatten Männer genommen, die auf irgendeinem Gebiet gute Leistungen erbrachten, und hatten sie willkürlich herumversetzt. Ihre Auffassung war, daß ein talentierter Mensch jede Schwierigkeit bewältigt. Nach einigen Jahren einer solchen Personalpolitik machte jeder bei Chrysler etwas, wofür er nicht ausgebildet war. Und glauben Sie mir, das merkte man.

Der Mann, der in Südamerika für die Ersatzteile und den Kundendienst zuständig gewesen war, wurde als Controller hereingeholt, was ihm zutiefst zuwider war. Als ich ihm kündigen mußte, war er geradezu erleichtert. Der Leiter der europäischen Niederlassungen war nach Amerika geholt und zum Vizepräsidenten für den Einkauf ernannt worden, obwohl er nie im Leben im Einkauf tätig gewesen war. Es war ein Trauerspiel.

Ich empfand das als besonders schrecklich, weil diese Männer am richtigen Platz vielleicht Großartiges geleistet hätten. Sie versuchten ihr Dilemma etwa so zu erklären: »Mensch, ich habe mich doch nie um diese Stelle beworben. Sie stellen mir Fragen, die man an einen Controller richtet, und ich weiß die Antworten nicht. Wovon ich etwas verstehe, sind Ersatzteile und Kundendienst. Ich bin eigentlich ein Torwart, aber die Bosse setzen mich als Mittelstürmer ein. Ich eigne mich nun mal nicht zum Mittelstürmer. Ich könnte es lernen, aber dazu brauche ich mehr Zeit.«

Alle wußten, daß ich gekommen war, um in dem Laden aufzuräumen, und jeder hatte Angst, daß es ihm an den Kragen gehen würde. Sie hatten keinerlei Sicherheit in ihrem Leben. Sie lebten in Angst – und mit gutem Grund. Über einen Zeitraum von drei Jahren mußte ich 33 der 35 Vizepräsidenten entlassen. Das ist einer pro Monat!

In einigen Fällen versuchte ich, Führungskräften eine neue Chance zu geben. Aber es klappte nicht – sie konnten es einfach nicht packen. Charlie Beacham sagte immer, sobald ein Mann über 21 ist, sei es nicht mehr möglich, seinen Arbeitsstil oder seine Gewohnheiten wirklich zu verändern. Man mag es ihm zutrauen, aber sein Selbstimage steht auf dem Spiel. Niemand ist je im tiefsten Innern bereit, umzulernen, sobald er erwachsen ist.

Leider hatte Beacham recht – wie üblich. Ich erinnere mich, daß ich zu Paul Bergmoser, als er zu Chrysler kam, sagte: »Versuche, einige dieser Leute zu retten.« Er arbeitete sechs Monate lang mit ihnen. »Es ist unmöglich«, meinte er dann zu mir. »Diese Leute haben bei Chrysler gelernt, ihre eigene Schau abzuziehen. Die werden sich nie anpassen. Dazu ist es zu spät.«

Probleme führen immer zu weiteren Problemen. Ein Mann, der sich in seinem Job unsicher fühlte, hat absolut kein Interesse an einem Mitarbeiter, der seine Arbeit versteht. Er sagt sich: »Wenn der Mann unter mir zu gut ist, dann wird er meine Schwächen aufdecken – und schließlich meinen Platz einnehmen.« Die Folge ist, daß ein inkompetenter Manager einen zweiten nach sich zieht, und alle miteinander verstecken sich hinter der allgemeinen Schwäche des Systems.

Man verstehe mich nicht falsch. Ich meine nicht, daß jemand, der Buchführung gelernt hat, für den Rest seines Berufslebens als Buchhalter abgestempelt sein muß, gleichgültig, welche anderen Fähigkeiten er sonst noch haben mag. Ich glaube bloß, daß für jeden Mann in einem frühen Stadium seiner Karriere ein Management-Entwicklungsplan aufgestellt werden sollte. Man muß ihm an einem Arbeitsplatz genügend Zeit geben, um zu beweisen, daß er dieses spezielle Gebiet tatsächlich beherrschen gelernt hat.

Man sollte die Spezialisierung nicht übertreiben, denn wenn man zu weit damit geht, wird man nie Generaldirektoren bekommen. Dennoch sollte nicht jeder für allgemeine Verwaltungsaufgaben ausgebildet werden.

Alle Probleme von Chrysler liefen letzten Endes auf dasselbe hinaus: Niemand wußte, wer eigentlich das Sagen hatte. Es gab kein Team, nur eine Ansammlung von unabhängigen Spielern, von denen viele ihre Aufgaben noch nicht beherrschten.

Nun ist es eine Sache, all dies auszusprechen und in der Theorie zu verstehen, was es bedeutet. Glauben Sie mir, es ist etwas ganz anderes, das alles in natura vor sich ablaufen zu sehen. Es ist ziemlich schaurig, mit ansehen zu müssen, wie einer der größten Konzerne der Welt mit Einsätzen von Milliarden von Dollar den Bach hinuntergeht, ohne daß irgend jemand imstande ist, das zu verhindern. Das war ein furchtbarer Schock für mich, und jeder Tag brachte weitere Hiobsbotschaften.

Die einzige vergleichbare Situation, die mir einfiel, war die Lage, in der sich Henry Ford II 33 Jahre zuvor befunden hatte. Als der junge Henry aus der Marine zurückkehrte, um in das Unternehmen seines Großvaters einzutreten, war dieses ruiniert. In einer Abteilung, so erzählt man sich, seien die Kosten durch Abwiegen der Rechnungen geschätzt worden.

Die Ford Motor Company war in einem so katastrophalen Zustand, weil der alte Mann sie so schlecht geführt hatte. Er verstand nichts von einer soliden Geschäftsgebarung. Zur damaligen Zeit wurden viele Industriebetriebe von überheblichen Bossen und nicht von Planern und Managern geleitet.

Aber Chrysler war noch schlimmer dran. Chrysler konnte seinen Zustand nicht seinem Gründer in die Schuhe schieben, der einer anderen Ära entstammte. Das Chrysler-Fiasko hatte sich in der Nachkriegszeit nach 30 Jahren wissenschaftlicher Betriebsführung entwikkelt. Daß ein riesiger Konzern 1978 immer noch wie ein Tante-Emma-Laden geführt wurde, war unbegreiflich.

Diese Probleme waren nicht über Nacht entstanden. In den Kreisen der Automobilhersteller von Detroit war Chryslers Renommee seit Jahren gesunken. Der ganze Laden galt inzwischen als letzte Zuflucht: Wenn es jemand woanders nicht packte, konnte er immer noch zu Chrysler gehen. Die Führungskräfte von Chrysler genossen einen besseren Ruf als Golfspieler denn als Experten in der Automobilbranche.

Wie zu erwarten, war die Arbeitsmoral in Highland Park sehr gering. Und wenn die Moral schlecht ist, dann wird der Laden durchlässig wie ein Sieb. Geheimnisse aller Art sickern durch. Wenn die Leute Angst haben und sich Sorgen machen, daß die Firma bankrott geht und sie ihre Jobs verlieren, dann verdreifacht sich die Gefahr, daß Betriebsgeheimnisse nach draußen dringen.

Industriespionage in der Autobranche ist etwas, worüber sich die Presse gerne ausläßt – und was sie gelegentlich ausschlachtet. Spionage war bei Ford manchmal ein Problem gewesen. Zu Beginn der siebziger Jahre hatte mir ein Freund, der bei Chrysler beschäftigt war, ein Paket mit vertraulichem Material von Ford gezeigt, das ein Chrysler-Mitarbeiter von einem der Unseren gekauft hatte. Ich zeigte Henry die Papiere, der sich sehr darüber aufregte. Er versuchte, ein System einzuführen, um herauszufinden, wie weit diese Schnüffelei und Industriespionage wirklich ging und was wir, falls überhaupt, dagegen tun könnten.

Aber es ist fast unmöglich, solche Vorgänge zu verhindern. Wir installierten Reißwölfe und verteilten numerierte Kopien von bestimmten Berichten: 1 war Henry, 2 war Iacocca, und so weiter. Trotzdem gab es immer noch undichte Stellen. Man konnte die zwölf Mann zu sich rufen, die Zugang zu dem Bericht gehabt hatten, und sagen: »Einer von euch lügt.« Doch es führte zu nichts. Ich versuchte es einige Male, aber ich habe diese Lecks nie stopfen können.

Mir sind ein paar Fälle bekannt, in denen ein Unternehmen keine Mühe scheute, um sich möglichst früh Photos künftiger Modelle der

Konkurrenz zu beschaffen, so unscharf diese auch waren. Aber im allgemeinen nützen solche Bilder dem Konkurrenten nicht viel. Ich habe beispielsweise immer angenommen, daß General Motors zwei Jahre, bevor der Mustang auf dem Markt kam, Bilder von ihm hatte. Aber was wußten sie wirklich? Sie würden das Modell ja doch nicht kopieren wollen, bis es auf dem Markt war, und dann konnten sie ja selbst sehen, wie gut es sich verkaufte.

Andererseits gibt es Zeiten, da man Entwicklungsarbeiten laufen hat, die ziemlich exklusiv sind. Oder vielleicht hat man einen Durchbruch zu besserer Treibstoffnutzung erzielt. Bevor man sich umschaut, verfügt die Konkurrenz über die eigenen Erkenntnisse. Das sind die Dinge, die wirklich weh tun. Bei Chrysler schlugen sich die schlechte Moral und die Sicherheitslecks in den Bilanzen nieder. Sie waren der Grund, warum das Unternehmen so schlecht dastand, während die übrigen Autohersteller das beste Jahr in ihrer Geschichte verbuchten. GM und Ford erzielten 1978 Rekordumsätze und -gewinne. GM allein verkaufte nahezu 5,4 Millionen Autos, während Ford 2,6 Millionen absetzte. Chrysler hinkte wie üblich mit weniger als 1,2 Millionen an dritter Stelle hinterher. Was noch schwerer wiegt, unser Anteil am amerikanischen Automarkt war innerhalb eines einzigen Jahres von 12,2 auf 11,1 Prozent gesunken – ein ungeheurer Rückgang. Unser Anteil am Lastwagen-Markt war genauso erschrekkend von 12,9 auf 11,8 Prozent geschrumpft.

Noch schlimmer war, daß Chrysler in den vergangenen zwei Jahren sieben Prozent seiner Stammkunden verloren hatte. Als ich die Szene betrat, war der Prozentsatz an Stammkunden auf 36 Prozent zurückgegangen. Ford stand dagegen bei 53 Prozent, und das war bereits ein gewaltiger Rückgang für den Konzern. Der Stammkundenanteil von GM hielt sich dagegen immer ziemlich konstant bei 70 Prozent.

Wir hatten bereits Schwierigkeiten, die Leute dazu zu bringen, unsere Produkte auch nur in Erwägung zu ziehen. Nun sagten uns Untersuchungen, daß fast zwei Drittel der Kunden, die ein Produkt von uns gekauft hatten, mit uns unzufrieden waren. Sie hatten nicht vor, zu uns zurückzukehren und ein weiteres Chrysler-Erzeugnis zu kaufen.

Ein weiterer Punkt machte mir beim Studium unserer Verkaufszahlen Sorge: Chrysler galt seit langem als ein Auto für ältere Leute.

Als ich das Steuer übernahm, lag das durchschnittliche Alter der Dodge- und Plymouth-Käufer höher als das der Käufer von Buick, Oldsmobile, Pontiac oder selbst Mercury. Unsere Umfragen ergaben außerdem ständig, daß Chrysler-Besitzer eher Arbeiter, älter, weniger gebildet und stärker in den Industriestaaten des Nordostens und des Mittelwestens der USA konzentriert waren, als die Käufer von Modellen unserer Konkurrenz.

Die Demographen machten deutlich, was ich bereits wußte: Chrysler-Produkte galten als spießig und etwas langweilig. Wir brauchten ganz schnell neue Modelle. Wenn man in dieser Branche stillsteht, wird man schnell überrollt.

Zum Glück mußte ich nicht am Nullpunkt anfangen. Chrysler hatte eine lange Tradition der Innovation, eine Tradition, die ich unbedingt fortsetzen wollte. Nicht allzu viele Jahre zuvor hatten sich zahllose junge Leute einen Chrysler gewünscht, weil er als heißer Ofen galt. Chrysler hatte Chargers und Dusters, die schneller über die Straßen fegten als die Autos der Konkurrenz. Rennwagen wie die Dodge Daytonas mit ihren hochgezogenen Spoilern, die 300-Serie, die Satellites und die Barracudas scharten sich von Maine bis Kalifornien um die Autokinos und die Hamburger-Buden.

Chrysler hatte auch den tollsten aller Straßenflitzer herausgebracht, den Road Runner mit seinem 426-Kubik-Inch-»Hemi«-Motor. Das war ein Klassiker der späten sechziger Jahre – laut, schnell und fast so stark wie eine Lokomotive. Jeden Abend fetzten diese superschnellen Autos die Woodward Avenue in Detroit entlang, ein Sport, an dem sich gelegentlich auch Ingenieure und Manager der Autofirmen auf dem Heimweg in die Vororte beteiligten.

Doch jetzt war Chrysler in den Sonnenstaaten mit ihren jüngeren und wohlhabenderen Autofahrern schwach vertreten. Besonders schwach waren wir in Kalifornien – und das ist das Land, auf das es wirklich ankommt. Obwohl die Autoindustrie in Michigan zur Welt kam, wuchs sie in Kalifornien heran. Kalifornien schenkte uns das erste ausgedehnte Fernstraßennetz. Es war das Einzugsgebiet für den jungen Markt mit schnellen Flitzern und »Four on the Floor«, exotischen Radkappen und Wohnmobilen, verrückten Autos und vielen Abwandlungen der Grundmodelle, die in Michigan vom Montageband rollten.

Kalifornien hat auch einige Dinge beigesteuert, über die wir uns in

Michigan nicht allzu sehr freuen. Das eine ist der Import-Boom. Die Kalifornier kaufen mehr Import-Wagen als die Einwohner jedes anderen Bundesstaates. Zweitens haben sie uns einige übertriebene Abgaswerte beschert, die Kalifornien beinahe selbst in ein fremdes Land verwandelt haben.

Es ist schon oft gesagt worden, aber es lohnt sich, es noch einmal zu sagen: Kalifornien ist tatsächlich der Spiegel, der in die Zukunft weist. Manchmal gefällt uns nicht alles, was wir in diesem Spiegel sehen, aber wir wären verrückt, wenn wir nicht einen langen, forschenden Blick darauf werfen würden.

Wir mußten in Kalifornien einfach Erfolg haben; aber bevor wir das erreichen konnten, mußten wir unser Produkt ändern.

Nicht nur das Styling der Chrysler-Produkte hatte einen schlechten Ruf. Das Unternehmen war auch hinsichtlich der Qualität in große Schwierigkeiten geraten. Zu den schlimmsten Beispielen zählten der Aspen und der Volaré, die Nachfolger des hochgepriesenen Dart und Valiant. Der Dart und der Valiant liefen ewig, und sie hätten nie aus der Produktion genommen werden dürfen. Statt dessen wurden sie durch Wagen ersetzt, die bereits nach ein oder zwei Jahren auseinanderzufallen begannen. Der Aspen und der Volaré wurden 1975 eingeführt, aber sie hätten volle sechs Monate später herauskommen sollen. Der Konzern benötigte dringend Bargeld, und diesmal hielt sich Chrysler nicht an den normalen Zyklus des Entwerfens, Testens und der Herstellung eines Automobils. Die Kunden, die 1975 Aspens und Volarés kauften, spielten de facto für Chrysler Entwicklungsingenieure. Als diese Autos auf den Markt kamen, befanden sie sich noch in der Entwicklungsphase.

Wenn ich die letzten zwanzig Jahre überblicke, fällt mir kein anderes Auto ein, das bei den Käufern größere Enttäuschung auslöste als der Aspen und der Volaré‹. Der Edsel war ein anderer Fall: die Leute wollten ihn einfach nicht. Aber diese Modelle kauften die Kunden in großer Zahl, und sie wurden hereingelegt. Den Käufern imponierte das Styling, insbesondere des Kombis, den Ford und GM 1976 noch nicht hatten.

Aber der Aspen und der Volaré waren einfach nicht solide gemacht. Der Motor blockierte, wenn man auf das Gaspedal trat. Die Bremsen versagten. Die Motorhauben klappten während der Fahrt auf. Die Kunden beschwerten sich, und mehr als dreieinhalb Millionen Fahrzeuge wurden den Händlern zur kostenlosen Reparatur zurückgebracht – kostenlos für den Kunden natürlich. Chrysler mußte die Rechnung bezahlen.

Aber dann begannen selbst Fahrzeuge, die mechanisch in Ordnung waren, zu rosten. Das Rostschutzprogramm für die verrosteten Kotflügel des Volarés kostete uns 109 Millionen Dollar – 1980, als wir es uns kaum leisten konnten. Die Teile rosteten, weil sich irgend jemand nicht genügend um das Rostschutzverfahren gekümmert hatte. Wir wurden nicht aufgefordert, sie in die Fabriken zurückzurufen, aber wir waren unseren Kunden gegenüber verpflichtet, sie zu reparieren. Obwohl wir also dafür geradestanden, fiel der Wiederverkaufswert dieser Wagen in den Keller, was dem Image Chryslers sehr schadete.

Ford hatte ein ähnliches Problem durchgemacht. 1957 hatten wir ein schönes Auto herausgebracht, den Fairlane 500, ein Juwel an Styling, der sich wie warme Semmeln verkaufte. Aber ebenso wie der Volaré war er schlampig hergestellt. Francis Emerson, mein Pkw-Verkaufsleiter in Philadelphia, besaß einen der ersten viertürigen Wagen, um ihn den Managern der wichtigsten Personenwagen-Vertretungen vorzuzeigen. Der Wagen war so schlecht konstruiert, daß sich die Hintertüren öffneten, wenn er über einen harten Buckel auf der Straße fuhr. Er löste das Problem, indem er die Türen innen mit einer Wäscheleine zusammenband »Ich habe ungeheure Schwierigkeiten bei der Vorführung dieses Wagens«, sagte er zu mir. »Das Styling gefällt den Leuten, aber ich kann sie nicht auf die hinteren Sitze lassen!« Damals tauschte der typische Ford-Kunde seinen Wagen alle drei Jahre gegen einen neuen ein. Unglücklicherweise kamen wir 1960 mit einer weiteren Niete heraus, und ich dachte mir: »Jetzt sind wir wirklich in der Klemme. Eine Zitrone werden die Leute tolerieren, aber was ist mit dem 57er Kunden, der einen neuen Wagen kaufte, weil ihm das Styling gefiel, und der dann feststellen mußte, daß der Wagen nichts taugte? Wenn er uns treu blieb und einen 60er Ford kaufte, wurde er zweimal hintereinander enttäuscht. Dieser Kunde wird nie mehr zu uns zurückkehren. Er wechselt wahrscheinlich zu GM oder den Importwagen über.«

Der Volaré 1975 war vom selben Schlag. Natürlich hatte auch GM seine Fiaskos wie zum Beispiel den Corvair. Hier befand ich mich in seltenem Einverständnis mit Ralph Nader: Der Corvair war wirklich nicht straßensicher. Der Vega mit seinem flachen Aluminiummotor war ein weiteres Desaster. Der Vega und der Corvair waren beide miserable Autos, aber GM ist so groß und mächtig, daß es einen oder zwei Fehlschläge verkraften kann, ohne allzu großen Schaden zu nehmen. Der kleine Chrysler konnte sich dagegen keinen einzigen leisten.

Ich kann nicht über schlechte Autos sprechen, ohne ein paar Worte über den Ford Pinto zu verlieren. Wir brachten den Pinto 1971 heraus. Wir brauchten ein Mini-Auto, und dieses war das beste, das man unter 2000 Dollar kaufen konnte. Viele Verbraucher müssen derselben Meinung gewesen sein – wir verkauften allein im ersten Jahr über 400 000 Pintos. Das machte den Wagen zum Kassenschlager und ließ ihn in die Kategorie des Falcon und des Mustang aufrücken.

Unglücklicherweise war der Pinto in eine Reihe von Unfällen verwickelt, wobei einer der Wagen nach einem Heckaufprall in Flammen aufging. Die Zahl der Prozesse ging in die Hunderte. 1978 wurde die Ford Motor Company der fahrlässigen Tötung angeklagt. Ford wurde freigesprochen, aber dem Unternehmen war unmeßbarer Schaden zugefügt worden.

Beim Pinto gab es zwei Probleme. Erstens war der Benzintank hinter der Achse angebracht, so daß im Fall eines harten Aufpralls auf das Heck Brandgefahr bestand.

Der Pinto war nicht der einzige Wagen mit diesem Problem. Damals hatten alle Kleinwagen den Benzintank hinter der Achse. Und alle Kleinwagenmodelle gerieten gelegentlich in Brand.

Aber der Pinto hatte darüber hinaus einen Einfüllstutzen auf dem Benzintank, der bei Zusammenstößen manchmal durch den Aufprall herausgerissen wurde. Wenn das geschah, floß das Benzin aus und fing häufig Feuer.

Wir sträubten uns dagegen, Änderungen vorzunehmen, und das schadete uns sehr. Sogar Joan Claybrook, die strenge Leiterin der Nationalen Sicherheitsbehörde für den Straßenverkehr und ein Protegé von Nader, sagte eines Tages zu mir: »Es ist eine Schande, daß Sie am Pinto nichts ändern können. Er ist wirklich nicht schlechter als die anderen Kleinwagen. Sie haben weniger ein technisches Problem als vielmehr ein juristisches und ein Public-Relations-Problem.«

Wessen Schuld war das? Eine naheliegende Antwort ist, daß es die Schuld des Ford-Managements war – mich eingeschlossen. Es gibt genügend Leute, die sagen würden, es sei angesichts der juristischen und der PR-Pressionen in einer solchen Situation entschuldbar, wenn das

Das erste Fahrzeug, 1929 (oben).
Mit meinem Vater, 1934.

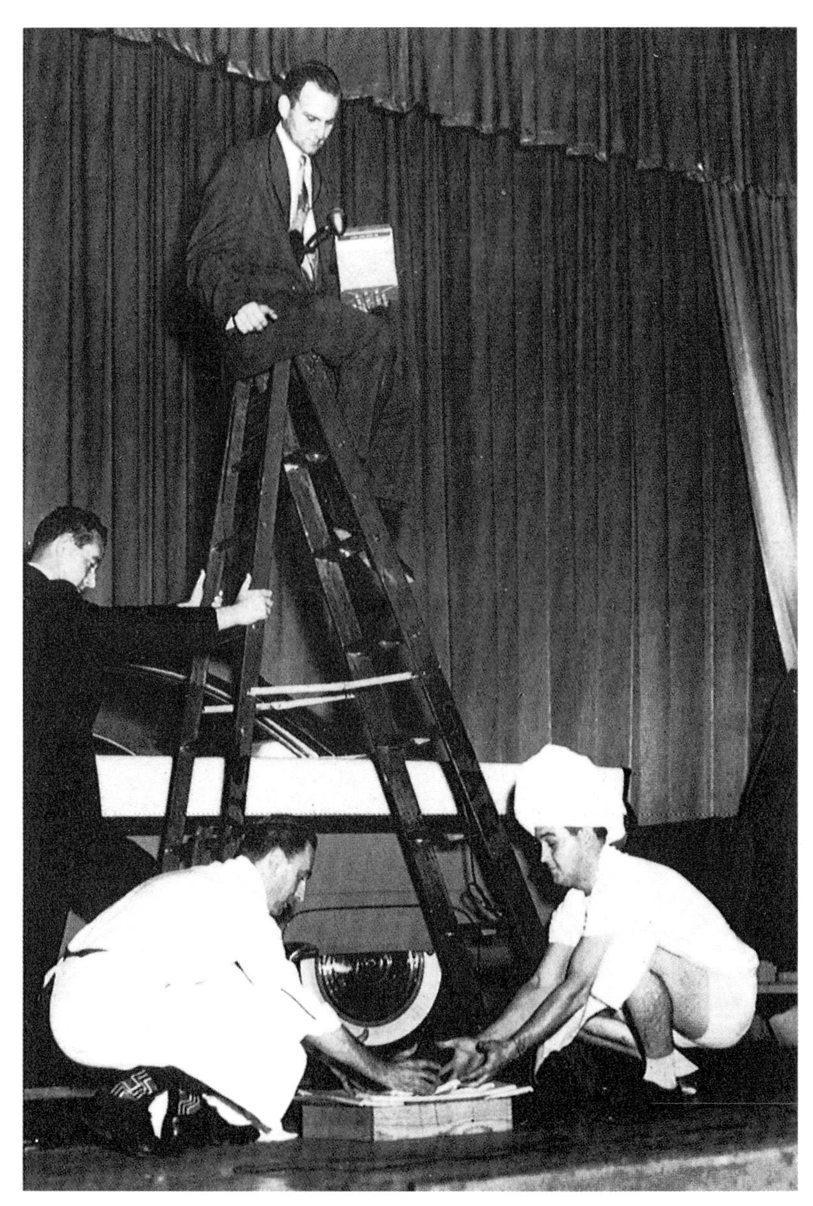

Rührei bei der Sicherheitsvorführung, 1956.

Der neue Ford-Präsident Robert McNamara (links) mit Henry Ford II. im Jahr 1960.
Mit meinem Mentor Charlie Beacham in Phoenix im Jahr 1961.

Der Vater des Mustang.

Als Präsident von Ford, 1974 (oben).
1975: Der Anfang vom Ende. Rechts Henry Ford II.

Ein Objekt für den Sammler: Das Auto hat es geschafft, ich nicht, 1979.

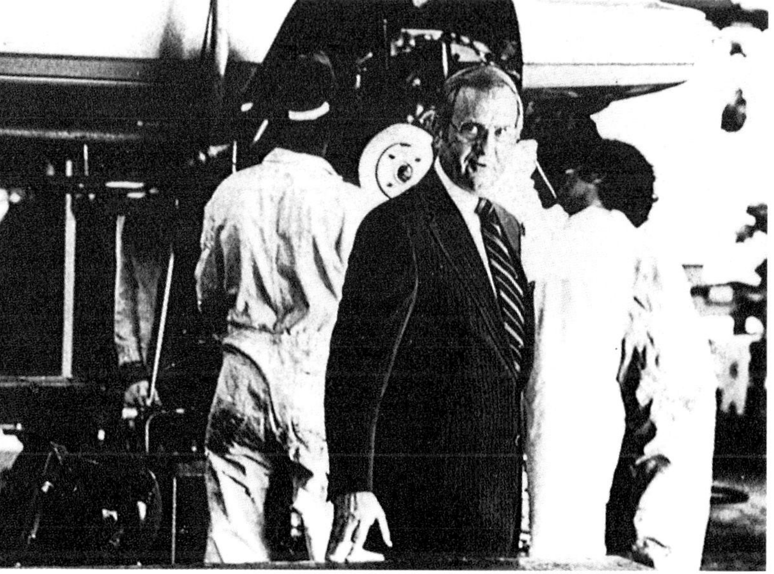

Der Retter: Das erste K-Auto von Chrysler, 1980 (oben).
Würden Sie von diesem Mann einen Gebrauchtwagen kaufen?

Darauf einen Schluck. Die Rückzahlung am 15. August 1983 (oben).
Das Erfolgsauto der achtziger Jahre.

Management in der Hoffnung mauere, daß sich das Problem von selbst in Luft auflösen werde. Es scheint mir jedoch nur fair, das Management an hohen Maßstäben zu messen und zu verlangen, daß es tut, was Pflicht und Vernunft erfordern, unter welchem Druck es auch stehen mag.

Aber der Vorwurf ist absolut unwahr, daß wir ein paar Dollar zu sparen versuchten und wissentlich ein gefährliches Auto bauten. Die Autoindustrie ist oft arrogant gewesen, aber sie ist nicht derart zynisch. Die Konstrukteure des Pinto hatten Kinder auf der Universität, die dieses Auto fuhren. Glauben Sie mir, niemand setzt sich hin und sagt sich: »Ich werde diesen Wagen absichtlich unsicher bauen.«

Am Ende riefen wir freiwillig fast eineinhalb Millionen Pintos in die Werke zurück. Das war im Juni 1978, in dem Monat vor meiner Entlassung.

Inzwischen gab es während meiner Einführung bei Chrysler ein weiteres großes Problem. In meiner ersten Arbeitswoche nahm ich an einer informellen Besprechung teil, bei der zehntausende Autos aus dem Produktionsplan gestrichen wurden. Eine Woche später fand eine offiziellere Konferenz statt. Diesmal wurden 50 000 Fahrzeuge aus der Planung des ersten Quartals 1979 zurückgezogen.

Ich war ratlos und bedrückt. Was für eine Profitmentalität war das – Autos so mir nichts dir nichts aus der Produktion zu nehmen? Ich war entsetzt, als ich feststellte, daß wir keine Händlerbestellungen für den Bau dieser Autos hatten und die bereits übervollen Halden keine weiteren Wagen mehr faßten. Diese Halden wurden als Chryslers Okkasionsbank bezeichnet und lieferten lediglich einen Vorwand, die Fabriken weiter produzieren zu lassen, wenn wir keine Händlerbestellungen für die Autos hatten.

Die Fertigung teilte dem Vertrieb in regelmäßigen Abständen mit, wie viele Fahrzeuge und welche Typen sie herstellen würden. Es war dann Aufgabe des Vertriebs, zu versuchen, diese an den Mann zu bringen. Nach meiner Ansicht hieß das, das Pferd am Schwanz aufzuzäumen. Der Konzern hatte intelligente junge College-Absolventen eingestellt, die Tag für Tag in Hotelzimmern am Telefon hingen und versuchten, den Händlern Blech aus der Okkasionsbank aufzuschwatzen. Nach diesem System hatte die Firma seit Jahren operiert.

Die meisten der überschüssigen Autos standen auf riesigen Freiflächen in der Umgebung von Detroit. Ich werde nie einen Besuch auf dem Messegelände von Michigan vergessen, das mit Tausenden von unverkauften Chryslers, Dodges und Plymouths vollgestopft war, ein schlagender Beweis für die strukturelle Schwäche des Unternehmens. Die Lagerbestände schwankten, aber die Zahl der Autos lag gewöhnlich weit über dem, was wir hoffen konnten zu verkaufen.

Im Sommer 1979, als Chrysler die Regierung zum ersten Mal um Hilfe ersuchte, drängten sich in der Okkasionsbank 80 000 unverkaufte Fahrzeuge. Einmal wuchsen die Lagerbestände auf 100 000 Stück an, das entsprach einem Kapital von etwa 600 Millionen Dollar. Zu einer Zeit, in der unsere Barmittel rapide dahinschmolzen und die Zinsen sehr hoch waren, kostete uns dieses Inventar astronomische Summen. Aber noch schlimmer war, daß die Autos einfach da im Freien herumstanden und langsam vergammelten.

Der Bau von Autos war zu einem gigantischen Ratespiel geworden. Es lief nicht so ab, daß ein Kunde bestellte, was er an dem Auto haben wollte, oder daß ein Händler orderte, was die Kunden vermutlich wünschen würden. Vielmehr entschied irgendein Bursche in der Bezirksvertretung: »In den mache ich eine Servolenkung und in den eine Automatik. Ich mache tausend blaue und tausend grüne.« Wenn ein Kunde einen roten wollte, dann hatte er eben Pech!

Etwas mußte mit all diesen Autos geschehen; deshalb gingen die Bezirksvertretungen am Ende jeden Monats daran, das »Blech rauszuschaufeln«, indem sie einen Okkasionsverkauf durchführten. Die Bezirksvertreter verbrachten mindestens eine Woche im Monat am Telefon und versuchten, die Autos aus den Halden loszuwerden. Und die Händler gewöhnten sich daran. Sie hatten bald heraus, daß sie nur bis zur letzten Woche des Monats zu warten brauchten und daß sie dann jemand aus der Bezirksvertretung anrufen und ihnen zehn Autos zu einem Sonderpreis anbieten würde. Auf diese oder jene Weise konnten die Händler immer einen Rabatt auf den regulären Großhandelspreis herausschlagen. Bei Ford haben wir gelegentlich Sonderangebotsverkäufe durchgeführt, wenn die Lagerbestände zu groß wurden. Aber hier war es der Alltag. Wie die Pawlowschen Hunde wurden die Händler von diesen Sonderangeboten abhängig. Sie wußten, daß der Tag kommen würde, und sie warteten. Sobald das Telefon klingelte, schlug ihr Herz ein bißchen schneller, weil sie jetzt ihre Autos ein bißchen billiger bekamen.

Ich wußte, daß Chrysler nie wieder Gewinne machen würde, wenn wir dieses System nicht abschafften – und zwar für alle Zeiten. Ich wußte auch, daß es nicht leicht sein würde. Viele Leute in der Organisation hatten sich an die Okkasionsbank gewöhnt. Sie rechneten damit. Einige waren richtiggehend abhängig davon. Als ich mich entschloß, sie abzuschaffen, dachten sie, ich träumte wohl. Bei Chrysler war die Okkasionsbank so groß und ein so fester Bestandteil des Betriebes, daß es den Leuten schwerfiel, sich das Leben ohne sie vorzustellen.

Ich redete mit den Händlern Tacheles. Ich erklärte ihnen, daß die Okkasionsbank das Unternehmen ruiniere. Ich machte ihnen klar, daß es in unserem Unternehmen keinen Platz für eine Okkasionsbank gab und daß diese Bezeichnung aus dem Vokabular des Konzerns zu streichen sei. Ich eröffnete ihnen, daß von jetzt an sie – nicht wir – für die Lagerhaltung aufkommen müßten. Ich machte ihnen auch klar, daß wir kein einziges Auto bauen würden, für das wir keine feste Bestellung hätten, und daß es sowohl dem Konzern als auch den Händlern zugute kommen werde, wenn das Unternehmen ordentlich geführt werde.

Aber es genügte nicht, für die Zukunft bessere Verfahrensweisen einzuführen. Wir hatten ja immer noch die ganzen Halden voller Autos. Ich erklärte den Händlern: »Wir können diese Autos und Lkws nicht an Sears oder J. C. Penney verkaufen. Sie sind unsere einzigen Kunden, und Sie werden diese Produkte irgendwie von uns kaufen müssen – und zwar sofort. Ich kann sie nicht demontieren und die Teile zurücknehmen. Und Sie können mich nicht mit Lagerbeständen im Wert von einer halben Milliarde Dollar sitzenlassen – wie auch immer es dazu gekommen ist –, während Sie wählerisch die Autos bestellen, die Sie glauben, leicht verkaufen zu können, und den Rest links liegen lassen.«

Es geschah nicht über Nacht, aber die Händler überwanden schließlich die Flaute, und es gelang uns, die Halden abzubauen. Es war unglaublich schwierig. Die Händler hatten ohnehin bereits große Lagerbestände, und die Zinsen lagen hoch. Aber die Händler taten das Nötige, und nach zwei Jahren betrieben wir unsere Produktion endlich auf der Grundlage fester Händlerbestellungen. Nach unserem neuen System setzen sich die Verkäufer mit jedem unserer Händler zusammen. Gemeinsam planen sie die Bestellung des Händlers für den nächsten Monat, und sie schätzen seinen Bedarf für die folgenden zwei Monate. Wir bekommen eine bindende Abnahmeverpflichtung vom Händler, und die bildet die Grundlage für unsere Produktion.

Der Händler muß an seinem Ende mitziehen, und wir halten unsere Zusagen ein. Das bedeutet, daß wir die Bestellung richtig ausführen, den Händler auf dem laufenden halten und pünktlich ein qualitativ einwandfreies Produkt liefern.

Heute hat das System Hand und Fuß. Es kommt vor, daß wir uns an einen Händler wenden und ihm mitteilen, daß er, um an einem bestimmten Rabattprogramm teilnehmen zu können, hundert Autos abnehmen muß. Das kann er dann tun oder auch bleiben lassen. Aber an dieser Zahl ist nicht zu rütteln, und es gibt keine Ausverkäufe am Monatsende mehr. Die Folge ist, daß wir nicht mehr in täglicher Panik operieren. Heute wird das Produkt auf Bestellung angefertigt und kann vom Kunden innerhalb weniger Wochen abgeholt werden, es sei denn, er entschließt sich, ein Auto aus den Lagerbeständen des Händlers zu kaufen.

Die Okkasionsbank war schlimm genug, aber ich mußte auch erfahren, daß Chrysler die größte Leihwagenfirma der Welt betrieb. Statt an Hertz und Avis Autos zu verkaufen, hatten wir sie ihnen geleast. Und alle sechs Monate kauften wir sie zurück. Ohne zu protestieren, wurden wir zu Gebrauchtwagenhändlern. Unsere Händler wollten diese Autos nicht, deshalb mußten wir sie bei Auktionen verschleudern. In meinem ersten Jahr bei Chrysler schrieb ich 88 Millionen Dollar in Gebrauchtwagenverlusten ab!

Wir wählten die Alternative: die Autos an die Leihwagenfirmen zu verkaufen, auch wenn die Gewinnspanne nur minimal war. Sollen die sich doch den Kopf zerbrechen, wie sie die Autos später los werden. Sechzigtausend Gebrauchtwagen waren so ziemlich das letzte, was uns fehlte!

Die Leihwagenfirmen drücken sehr auf die Preise, aber besonders für Chrysler ist es ganz wichtig, in ihrem Wagenpark vertreten zu sein. Das durchschnittliche Hertz-Auto wird pro Woche von zwei oder drei Leuten gefahren, was bedeutet, daß ich zwei oder drei Produktdemonstrationen meiner Autos pro Woche bekomme – und zwar bei Menschen, die vielleicht noch nie zuvor ein Chrysler-Produkt kennengelernt haben. Sie steigen ein und sie fragen: »Wer baut dieses Auto?« Wir bekommen ungeheuer viel Post von Leihwagenkunden, die etwa fragen: »Warum machen Sie für diesen Wagen keine Reklame? Wo war der versteckt? Ich habe für die Fahrt von Seattle nach San Francisco einen Reliant gemietet, und ich war verblüfft.«

Durch die Leihwagen werden wir bekannt. Sie locken die junge Kundschaft an, die besser Verdienenden, die Akademiker und Aufsteiger, die unsere Autos bisher nicht einmal in Betracht gezogen haben. Wir benötigen im Südwesten und in Kalifornien eine weit größere Verbreitung, und dort ist das Mietwagengeschäft besonders wichtig.

Mit der Okkasionsbank und den Leihwagen und verschiedenen anderen Problemen mußten wir 500 Millionen Dollar durch Fehler des Managements abschreiben, bevor wir überhaupt anfangen konnten, uns mit der trostlosen Marktlage zu befassen, die in diesen Tagen allgemein vorherrschte.

Es gab so viel, was getan werden mußte und so wenig Zeit dafür! Ich mußte die 35 kleinen Herzogtümer abschaffen. Ich mußte Einigkeit und Geschlossenheit in das Unternehmen bringen. Ich mußte die vielen Leute loswerden, die von ihrer Arbeit nichts verstanden. Ich mußte an ihrer Stelle Leute mit Erfahrung ausfindig machen, die imstande waren, schnell zu handeln. Und ich mußte so rasch wie möglich ein System finanzieller Kontrollen einführen.

Diese Probleme waren dringlich, und ihre Lösungen wiesen alle in dieselbe Richtung. Ich brauchte ein gutes Team erfahrener Leute, die mit mir zusammenarbeiten und das Unternehmen wieder auf den richtigen Kurs bringen konnten, bevor es völlig vor die Hunde ging. Mein dringendstes Anliegen war, dieses Team zusammenzukriegen, bevor es zu spät war.

# XV
# Aufbau des Teams

Letzten Endes kann man alle wirtschaftlichen Vorgänge auf drei Worte reduzieren: Menschen, Produkte und Profite. Die Menschen stehen an erster Stelle. Wenn man kein gutes Team hat, kann man mit den beiden anderen nicht viel anfangen.

Als ich zu Chrysler ging, brachte ich meine Notizbücher von Ford mit, in denen ich den Werdegang von mehreren hundert Ford-Führungskräften festgehalten hatte. Nach meiner Entlassung hatte ich eine detaillierte Liste aller Dinge angefertigt, die ich aus meinem Büro mitnehmen wollte. Diese schwarzen Notizbücher gehörten zwar eindeutig mir, aber es wäre ja denkbar gewesen, daß die Firma darauf Anspruch erhob. Ich wollte keine Risiken eingehen. Henry und ich redeten nicht mehr miteinander, deshalb legte ich die Liste Bill Ford vor, der mir die Erlaubnis gab, diese Bücher mit nach Hause zu nehmen.

Auf diese Notizbücher griff ich zurück, sobald mir klar wurde, daß Chrysler dringend einige erstklassige Finanzfachleute benötigte. Einige Monate zuvor hatte ich noch als Präsident von Ford unseren obersten Finanzmann, J. Edward Lundy, um einen Bericht über die besten Finanztalente im Konzern gebeten. Lundy hatte zu den ursprünglichen *Whiz Kids* gehört, und Ford verdankte nicht zuletzt ihm sein ausgezeichnetes Finanzsystem.

Oberflächlich betrachtet war meine Bitte damals reine Routine. Aber rückblickend frage ich mich, ob ich nicht in einer unbewußten Schicht ahnte, daß sich für mich bald diese Informationen als wertvoll erweisen könnten. Wie sich herausstellte, war Lundys Liste ein wahrer Segen.

Ich schlug die Notizbücher auf und begann die Namen herunterzulesen. Lundy hatte jeden einzelnen mit A, B oder C eingestuft. Es befanden sich etwa zwanzig Namen auf der A-Liste, aber seine Kriterien unterschieden sich etwas von den meinen. Die A-Liste bestand aus erstklassigen Erbsenzählern. Ich suchte schon etwas mehr als das.

Auf der B-Liste entdeckte ich den Namen von Gerald Greenwald. Er war erst 44, aber er hatte bereits eine Menge geleistet. Ich hatte mit Greenwald mehrfach zu tun gehabt, und ich mochte ihn. Ich erinnerte mich, daß er immer versucht hatte, aus dem Finanzwesen herauszukommen. Ich hatte ihm einmal Gelegenheit gegeben, sein Erfahrungsspektrum auszuweiten, indem ich ihn als Leiter von Richier, einer Land- und Baumaschinenfirma, die wir gekauft hatten, nach Paris schickte. Das Unternehmen ging ein, aber das war nicht die Schuld Greenwalds. Der Betrieb taugte einfach nichts, und wir mußten ihn schließlich verkaufen.

Als nächstes hatten wir Greenwald zu Ford in Venezuela geschickt. Er war ein aggressiver Manager, der es schaffte, daß der Marktanteil Fords in Venezuela sowohl für Autos als auch für Lastwagen schließlich höher lag als der jeder anderen Tochtergesellschaft. Das Benzin kostete damals vier Cents pro Liter, und ich habe Jerry immer damit aufgezogen, daß er unter diesen Umständen ja gar nicht fehlgehen konnte. In Frankreich hatte er eine Niete gezogen. In Venezuela zog er den Haupttreffer. Aber tatsächlich hat er in beiden Jobs guten Geschäftssinn bewiesen – er war offenkundig mehr als ein bloßer Erbsenzähler.

Jerrys Werdegang ist höchst ungewöhnlich für die Autobranche. Er ist Jude, der Sohn eines Hühnerfarmers aus St. Louis. Er erwarb sich in Princetown eine gute Ausbildung in Wirtschaftswissenschaft und kam dann mit der Absicht zu Ford, da im Personalwesen zu arbeiten.

»Wir haben eine bessere Idee«, sagte man zu ihm. Er erhielt eine Stellung in einer neuen Abteilung – Edsel. Wenige Monate vor diesem Fiasko dachte er noch: »Ich komme frisch von der Uni. Wie konnte ich bloß so viel Glück haben?«

Jerry hat das Talent und das Know-how des Unternehmers, der ein Problem analysieren kann und dann darangeht, es zu lösen. Er zerredet die Dinge nicht endlos – er handelt. Er wollte immer über das Finanzwesen hinauswachsen, und seine Tätigkeit in Venezuela bewies, daß sich seine Talente auch auf andere Gebiete erstreckten. Ich wollte Jerry Greenwald haben, weil er ein guter Geschäftsmann war, punktum.

Im Dezember 1978 rief ich Greenwald in Venezuela an. Jerry und seine Frau waren auf einer Party, also hinterließ ich ihm eine Nachricht. Als sie zurückkehrten, erriet Glenda Greenwald sofort, weshalb ich angerufen hatte. »Ruf ihn nicht zurück!« riet sie ihrem Mann. Die Greenwalds hatten in Caracas, wo Jerry ein großer Fisch in einem kleinen Teich war, ein schönes Leben. Die Aussicht, nach Detroit zu übersiedeln, um dort für einen kränkelnden Konzern zu arbeiten, konnte nicht sehr verlockend sein.

Aber Jerry rief mich zurück, und wir beschlossen, uns in Miami zu treffen. Er erschien mit einem Bart. Er war sich überhaupt nicht sicher, ob er zu Chrysler kommen wollte, und er tat alles, um unsere Gespräche geheim zu halten.

Unsere zweite Zusammenkunft fand in Las Vegas statt, wo ich an einem Kongreß der Chrysler-Händler teilnahm. Als Jerry in dem Hotel eintraf, bemerkte er zu seinem Entsetzen, daß zur gleichen Zeit eine Konferenz von Ford-Leuten stattfand. Er verbrachte die gesamte Zeit in seinem Hotelzimmer, um keinem der Ford-Leute zu begegnen. Wir redeten den ganzen Abend lang miteinander. Jerry wollte am nächsten Morgen mit einem frühen Flugzeug abreisen, und um fünf Uhr dreißig früh rief er mich in meinem Zimmer an und fragte mich: »Sind Sie schon auf?«

»Sind Sie übergeschnappt?« antwortete ich. Er sagte mir, daß er die ganze Nacht nicht geschlafen habe, und daß er mich noch einige Dinge fragen müsse, bevor er seine Entscheidung treffen könne. Ich bat ihn, gleich in mein Zimmer zu kommen. Als ich ihm in meinem Schlafrock gegenübersaß, erzählte er mir von seinen Zweifeln. »Mein ganzes Leben lang habe ich mich abgestrampelt, um aus diesem Erbsenzählersyndrom bei Ford herauszukommen«, sagte er. »Und bei Chrysler wäre ich wieder mitten drin.«

Ich erklärte ihm, daß ich ihn brauchte, um ein System finanzieller Kontrollen einzuführen, aber daß er, sobald das geschafft wäre, in andere Bereiche übergehen könnte. Als er mein Zimmer verließ und schon den Gang entlangging, rief ich ihm nach: »Warten Sie mal, Jerry. Sie werden vielleicht früher Präsident sein, als Sie glauben.« Er warf mir einen skeptischen Blick zu, der zu besagen schien, ich hätte wohl etwas zu dick aufgetragen. Aber es war mir ernst. Zwei Jahre später wurde Jerry die Nummer Zwei bei Chrysler.

Nachdem er sich zu dem Wechsel bereitgefunden hatte, flog Jerry zur Ford-Hauptverwaltung in Dearborn, um denen Bescheid zu sagen. Zu seiner Überraschung bat ihn Henry um eine Unterredung. Sowohl Henry als auch Bill Ford wußten, daß Jerry ein As war, und sie versuchten, ihm seinen Plan mit Chrysler auszureden. Jerry erklärte Henry, daß er sich die Faszination der Aufgabe, die ihn bei Chrysler erwartete, einfach nicht entgehen lassen konnte – die Chance, ein großes, angeschlagenes Unternehmen wieder flottzukriegen. Henry müßte seine Motivation am ehesten zu würdigen wissen, sagte er, weil er sich einer ähnlichen Herausforderung gestellt habe, als er 1946 in das Unternehmen seines Großvaters eintrat. Henry verstummte darauf, also hatte er mit diesem Vergleich offensichtlich den Nagel auf den Kopf getroffen.

Eine der ersten Aufgaben Greenwalds war es, die gesamten Verbindlichkeiten zu zentralisieren. Von Ford kommend, erlitt er vermutlich einen Schock, als er entdeckte, daß unsere Rechnungen von ungefähr dreißig verschiedenen Orten aus bezahlt wurden.

In seinen ersten paar Tagen in dem Job redete er ausführlich mit den Leuten, die das Büro des Controllers leiteten. Wie vorherzusehen, stellte er fest, daß sie keine Ahnung hatten, wie man die Handlungen des Managements aus einer finanziellen Perspektive beurteilt, und daß sie auch die Konsequenzen unserer unternehmerischen Entscheidungen nicht abschätzen konnten. Er hatte die größten Schwierigkeiten, jemanden zu finden, der für irgendeinen bestimmten Bereich die Verantwortung trug. Die Leute sagten ihm: »Nun, jeder ist für die Kontrolle der Kosten verantwortlich.« Jerry wußte sehr gut, was das bedeutete – zu guter Letzt war es keiner.

Eines von mehreren Katastrophengebieten, die Greenwald aufdeckte, war die Behandlung der Garantiekosten, die sich bei Chrysler auf 350 Millionen Dollar pro Jahr beliefen. Greenwald ließ sich sofort eine Liste der zehn größten Garantieprobleme mit dem Namen jeweils eines Zuständigen daneben geben und forderte einen konkreten Plan zur Behebung der Mängel und zur Reduzierung der Kosten an. Zu seinem Entsetzen erfuhr er rasch, was ich bereits wußte: Um die finanziellen Daten zu erhalten, die man zur Behebung eines Problems benötigte, mußte man bei Chrysler erst ein Datenbeschaffungssystem einführen!

Jerry ließ mich nie vergessen, daß er mehr als ein Controller sein wollte. Nach ein paar Monaten, als ich sah, wie effektiv er war, machte ich ihm ein Angebot. »Wenn Sie jemanden finden können, der genauso gut ist, dann stelle ich Sie für andere Dinge frei.«

Greenwald holte prompt Steve Miller herein, der sein Hauptfinanzmann in Venezuela gewesen war. Als Leiter unserer Finanzabteilung stellte Miller einen großen Gewinn für unser Team dar. Während unserer scheinbar endlosen Verhandlungen mit Hunderten von Banken in den Jahren 1980 und 1981 war Millers Arbeit unentbehrlich. Erstaunlicherweise gelang es sowohl ihm als auch Greenwald, in diesen chaotischen Zeiten ruhig und gelassen zu bleiben. Chrysler hätte ohne sie nicht überleben können.

Hal Sperlich war bereits bei Chrysler, als ich eintrat, und zwar bereits seit 1977, nachdem Henry ihn entlassen hatte. Hal bei Chrysler zu haben, das war wie mitten in der Wüste ein schönes kaltes Bier zu finden. Henry sei Dank!

Sooft ich einen Neuen in das Team einführte, fühlte ich mich ein bißchen schuldig. Um diese Leute anzuwerben, mußte ich mir selbst in die Tasche lügen. Wäre ich wirklich ehrlich gewesen, dann hätte ich ihnen die Wahrheit gesagt: »Haltet euch von diesem Laden fern – ihr könnt euch nicht vorstellen, wie schlimm es ist!« Aber das konnte ich nicht machen. Ich mußte ihnen sagen, was ich mir verzweifelt erhoffte: daß wir das Unternehmen retten konnten, wenn es uns gelang, das richtige Team zusammenzubringen.

Bei Sperlich hatte ich jedoch dieses Problem nicht. Er war schon zwei Jahre vor mir zu Chrysler gekommen, und er wußte ganz genau, wie schlecht die Dinge standen. Mehr als einmal sagte ich zu ihm: »Du Halunke, warum hast du mich diesen Job annehmen lassen? Warum hast du mich nicht gewarnt?« Auch er hatte sich was vorgemacht, um mich zu Chrysler zu locken.

Aber ich verzieh Hal, weil ihm seine Erfahrung bei Chrysler einen großen Vorsprung gegenüber meinen Neueinstellungen verschaffte: Er kannte den Laden bereits. Hal fungierte als mein Kundschafter. Riccardo konnte mir etwas über die Bilanzen erzählen, aber Sperlich war derjenige, der den Betrieb aus erster Hand kannte.

Die Folge war, daß er eine Menge Leute entdeckte, die von der früheren Geschäftsführung übergangen worden waren. Viele davon befanden sich einige Etagen tiefer, deshalb mußte Hal systematisch nachforschen. Er entdeckte eine Reihe intelligenter junger Männer, die ihr Licht unter den Scheffel stellten. Sie hatten das Talent und das Engagement – sie mußten bloß entdeckt werden.

Zum Glück hatte sich der Krebs bei Chrysler noch nicht bis ganz nach unten durchgefressen. Obwohl ich fast alle Führungskräfte auswechseln mußte, gab es darunter genügend dynamische junge Talente. Sobald wir die weniger kompetenten Leute ausgemerzt hatten, war es viel leichter, die guten zu finden. Bis zum heutigen Tag kann ich es nicht glauben, daß das frühere Management sie nicht bemerkt hat. Ich spreche von Leuten mit Feuer in den Augen: Man braucht sie praktisch bloß anzuschauen, um zu wissen, daß sie gut sind.

Ich beförderte Sperlich rasch zum Vizepräsidenten für Produktplanung. Bald darauf machte ich ihn zum Chef unserer gesamten nordamerikanischen Organisation. In meinen Augen hatte Hal bei allem seine Hand im Spiel gehabt, was bei Ford in den sechziger und siebziger Jahren gutgegangen war. In neuerer Zeit galt dasselbe für Chrysler.

Hal ist ein Visionär, aber dabei sehr pragmatisch. Er weiß, wie man Kassen zum Klingeln bringt, und er hält sich nicht mit Nebensächlichkeiten auf. Er toleriert ein vernünftiges Maß an Recherchen und Untersuchungen, aber nur bis zu einem gewissen Punkt. Dann sagt er: »Okay, was wollen wir hier erreichen?« Und dann handelt er. Er weiß, wie man die Räder zum Rollen bringt.

Hal besitzt auch diese unheimliche Fähigkeit, in die Zukunft zu schauen und zu wissen, was sich die Leute in drei oder vier Jahren wünschen werden. Wir haben seit dem Mustang immer zusammengearbeitet, und wir vergleichen unsere Prognosen miteinander. Wir werden beide für unseren Weitblick gerühmt. Ich würde sagen, daß wir zusammen mindestens so gut sind wie jeder andere Spitzenmann in der Branche!

Auch wir haben unsere Meinungsverschiedenheiten, aber das ist ein Teil unserer Zusammenarbeit. Hal zieht mich gerne auf. Er behauptet, daß ich inzwischen zu alt sei, um über den jungen Markt Bescheid zu wissen. Vielleicht hat er recht. Vielleicht ist das der Grund, warum ich ihm immer noch zuhöre. Aber keinesfalls immer! Er ist bloß fünf Jahre jünger als ich. Er beginnt älter auszusehen, aber das ist wohl kein Wunder, da ich ihn nun seit vierundzwanzig Jahren schikaniere.

Greenwald und Sperlich waren von Anfang an großartig, aber zwei Leute sind noch kein Führungsteam. Ich brauchte immer noch dringend Hilfe. Und ich wußte, wo ich sie herbekommen konnte. Es gab eine Menge Leute mit einem reichen Erfahrungsschatz und nachgewiesenen Fähigkeiten, die völlig brachlagen: pensionierte Führungskräfte von Ford. Ich mußte mir ihr Wissen und ihren gesunden Menschenverstand zunutze machen, um den Laden zu organisieren.

Gar Laux hatte bei Ford sowohl im Marketing als auch auf der Händlerseite gearbeitet. Als der Mustang eingeführt wurde, war er Hauptverkaufsleiter der Ford Division. Später war er mein Generaldirektor in der Lincoln Mercury Division.

Während der Knudsen-Ära hatte Gar die Gesellschaft verlassen und war Chef der Handelskammer von Dallas geworden. Innerhalb weniger Jahre hatte er einen neuen Job – als Partner von Arnold Palmer in einer Cadillac-Vertretung in North Carolina. Aber nicht nur Gars Erfahrung imponierte mir. Seine Persönlichkeit war mir genauso wichtig. Er ist einer jener Menschen, mit dem jeder gern ausgeht und einen trinkt und dem man sich anvertraut. Ich wußte, daß es ihm gelingen würde, bessere Beziehungen zu unseren Händlern aufzubauen. Das hatten wir, weiß Gott, nötig.

Das Maß an Verstimmungen zwischen Highland Park und den Händlern war geradezu erschreckend. Ich war erstaunt und entsetzt, wie die beiden Parteien miteinander redeten und über die wütenden und beleidigenden Briefe, die zwischen den Händlern und der Chrysler-Verwaltung ausgetauscht wurden. Bei Ford hatte ich immer auf sehr gutem Fuße mit den Händlern gestanden, aber ich hatte zwanzig Jahre gebraucht, um mir ihr Vertrauen zu erwerben. Eine riesige neue Schar von Händlern kennenzulernen, war etwas anderes – und ich hatte nicht zwanzig Jahre Zeit dazu. Ich konnte nicht alle Brücken selber bauen. Gar Laux war der Mann für den Job.

Ich holte ihn herein, um beide Seiten zu veranlassen, zivilisierter miteinander umzugehen und anzufangen, dem anderen zuzuhören. Was gut für Chrysler ist, ist schließlich auch gut für die Händler, und umgekehrt. Wir mußten ein Klima schaffen, in dem sich Vertreter des Topmanagements mit den Händlern zusammensetzten und deren Beschwerden und Probleme Punkt für Punkt durchgingen, statt beiden Parteien zu gestatten, ihrem Groll gegeneinander nachzuhängen oder sich gegenseitig eins auszuwischen.

Und die Händler hatten eine Menge vorzubringen. Sie hatten gute Gründe, über die Geschäftsführung verärgert zu sein, weil sie wirklich nicht gut behandelt worden waren. Seit Jahren hatte die Firma sie mit Ramsch beliefert und von ihnen erwartet, diesen zu verkaufen. Chryslers Qualität war so unzureichend gewesen, daß die Händler sich schon darauf einstellten, die Autos umbauen zu müssen, sobald sie sie erhielten. Wie konnten wir unter diesen Umständen von ihnen erwarten, freundlich und engagiert zu sein? Wie konnten wir sie bitten, uns zu vertrauen?

Wir wurden mit Briefen von unzufriedenen Kunden überschwemmt, die die Ausstellungsräume von Chrysler besucht hatten, Briefe, in denen es hieß: »Die Verkäufer kümmern sich einfach nicht um einen«, oder: »Ich habe eine Werbung gesehen, in der es hieß, man solle zu Ihnen kommen und Vergleiche ziehen. Ich bin hingegangen, um Vergleiche zu ziehen, aber da war kein Ansprechpartner da. Die Verkäufer schienen alle Kaffee zu trinken oder *The Daily Racing Form* zu lesen. Was soll ich also tun?«

Sooft ich einen dieser Briefe las, wurde ich wütend. Ich war empört, daß uns Abschlüsse mit Leuten entgingen, die wirklich mit uns ins Geschäft kommen wollten – und sei es nur, um uns zu unterstützen.

Ich sandte also Gar aus, um Seminare mit den Händlern abzuhalten und ihnen ein paar Grundbegriffe in Erinnerung zu rufen: Wenn ein Kunde das Geschäft betritt, umwerben Sie ihn. Reden Sie mit ihm. Geben Sie ihm die Informationen, die er braucht, um ein Produkt zum Preis von 10 000 Dollar zu kaufen. Er ist sich nicht immer so sicher, was er will. Er weiß vielleicht nicht, was ein Transaxial-Getriebe ist oder welche Vorteile ein Vorderradantrieb hat. Anstelle von Männern kommen jetzt oft Frauen ins Geschäft. Über 50 Prozent der Autos werden heute von Frauen gekauft. Die wissen nicht immer über die technischen Details Bescheid. Sie brauchen höfliche Unterstützung. Der Umgang mit Kunden erfordert Wissen, Zeit und Geduld – wenn den Verkäufern das fehlt, dann sollten sie sich nach einem anderen Beruf umsehen (ich vergesse nie die Ermahnungen meines Vaters gegenüber den Kellnerinnen).

Gar machte den Händlern klar, daß die neue Geschäftsführung in allen Bereichen unserer Organisation ein neues Disziplinverständnis erwartete. Er sagte, wir seien uns des Qualitätsproblems bewußt und entschlossen, es zu beheben. Er erklärte, daß wir beabsichtigten, unseren Verpflichtungen nachzukommen, innerhalb unseres Etats zu bleiben und alle Termine einzuhalten. Er versicherte den Händlern, daß das ganze Unternehmen auf einen neuen Kurs gebracht würde und daß sie sich von jetzt an auf uns verlassen könnten.

Gar hatte ursprünglich nur zugesagt, für einige Monate als Berater von North Carolina heraufzukommen, wollte aber seine dortige Vertretung behalten. Es gelang uns aber bald, ihn zu überreden, ein paar Jahre zu bleiben und den Vertrieb und das Marketing zu leiten.

Das Qualitätsimage war für Chrysler ein wirklich ernstes Problem. Bei etwas so Wichtigem kann man nicht bloß einen Zauberstab schwingen und presto! Selbst wenn sich das Produkt schlagartig bessert, braucht die Kundschaft eine Weile, um das mitzukriegen. Es ist wie mit dem losen Mädchen im Städtchen, das seine Lebensweise ändert und solide wird. Die ersten paar Jahre nimmt ihr das keiner ab.

Mit Design und Wert lassen sich Autos verkaufen, aber die Qualität läßt die Kunden bei der Marke bleiben. Wenn es um das Erkennen von Qualität geht, kann einem nicht die Werbung die Arbeit abnehmen; ebensowenig Pressekonferenzen oder andere öffentliche Auftritte. Die einzige Möglichkeit ist, gute Produkte herzustellen, sie mit konkurrenzfähigen Preisen zu versehen und dazu einen ordentlichen Kundendienst anzubieten. Wenn man das fertigbringt, dann rennen einem die Käufer die Tür ein.

Als Hilfe im Qualitätsbereich holte ich Hans Matthias aus dem Ruhestand und stellte ihn als Berater ein. Hans war zu meiner Zeit Leiter der technischen Entwicklung bei der Ford Division gewesen und war später Produktionsleiter der gesamten Ford Motor Company. Seine Spezialität waren Qualitätskontrollen. Bis zu seiner Pensionierung 1972 hatte er mehr als jeder andere zur Qualitätsverbesserung von Ford beigetragen. Bei Chrysler gelang ihm innerhalb von zwei Jahren dasselbe.

Matthias arbeitete mit Sperlich zusammen, um das Fertigungssystem disziplinierter zu gestalten. Sperlich arbeitete ständig an künftigen Modellen, die erst in drei Jahren auf den Markt kommen würden. »Knausere nicht«, sagte ich zu ihm, »ganz egal, wie schlecht es jetzt um uns steht. Wir können nur überleben, wenn wir in den Innovationsphasen im Geschäft bleiben.« Heute sind wir qualitativ ebenso gut wie oder besser als alle übrigen amerikanischen Autos. Und wir sind dabei, die Japaner einzuholen.

Die Öffentlichkeit ist ziemlich zynisch gegenüber der Großindustrie geworden, und das aus gutem Grund. Manchmal waren unsere Autos so schlecht, daß die Leute das Gefühl hatten, wir hätten sie absichtlich so gebaut. Die meisten Menschen sind sich nicht klar darüber, daß es im Interesse des Unternehmens liegt, die Autos von Anfang an richtig zu bauen. Wenn wir einen Fehler in der Fabrik erkennen, kostet es uns vielleicht 20 Dollar pro Stunde, ihn auszubügeln. Aber wenn wir den Fehler hinausgehen lassen und der Händler ihn reparieren muß, kostet es uns im Rahmen unserer Garantie 30 Dollar pro Stunde. So sehr ich es auch hasse, zwanzig Dollar pro Stunde zu zahlen, so ist es doch mit Sicherheit besser, als dreißig Dollar zu blechen.

Gutes Design erfordert immer ein sorgfältiges Abwägen: Was will der Kunde, und wie können wir es ihm bieten, ohne bei seinen anderen Wünschen Abstriche zu machen?

Autos sind sehr komplexe Produkte, und das gilt jedes Jahr mehr. Nehmen Sie beispielsweise Klimaanlagen. Wenn jemand 700 Dollar draufzahlt, um es im Sommer im Auto kühl zu haben, dann möchte er, daß sich das rentiert. Wer die Klimaanlage entwirft, muß sich vor Augen halten: Es nützt nichts, wenn es 30 Minuten dauert, bis das Auto kühl ist, denn dann sind die meisten Fahrten schon zu Ende. Deshalb muß man ein superschnelles Gebläse einbauen. Aber dieses darf nicht zu laut sein, denn der Kunde möchte seiner 300-Dollar-Stereo-Anlage lauschen, während die Klimaanlage läuft. Der Konstrukteur der Klimaanlage kann nicht sagen: »Das ist nicht mein Problem. Ich will bloß die Luft kühlen.« Er muß seinen Bestandteil in das Gesamtsystem des Autos integrieren.

Der Konstrukteur muß mehrere Dinge beachten. Erstens muß das Teil leicht sein, denn wenn das Auto zu schwer wird, erhöht sich der Benzinverbrauch. Zweitens sollte es – aus naheliegenden Gründen – preiswert sein. Schließlich sollte es einfach herzustellen sein. Zwei Teile zu montieren, ist immer leichter und zuverlässiger als drei.

Einfach herzustellen – das ist der Schlüssel zur Qualität. »Mein Entwurf ist toll.« Diesen Satz habe ich jahrelang immer wieder gehört. Und ich habe mir jedesmal gedacht: »Ja, er ist so toll, daß ich das Ding nicht bauen kann.«

Qualität hört natürlich nicht beim Ingenieur auf. Sie muß auch im Bewußtsein der Arbeiter in den Fabriken verankert sein. Durch die

Einführung von »Qualitätsarbeitskreisen« wurden unsere Arbeiter weit stärker in die Entscheidungen miteinbezogen, als sie es bis dahin waren. Wir setzten uns in einem Raum mit ihnen zusammen und fragten: »Wie steht es mit diesem Arbeitsvorgang? Kriegen Sie das hin? Der Ingenieur meint, das geht, und der Fertigungstechniker glaubt es auch. Aber Sie sind diejenigen, die das Ding bauen müssen. Was meinen Sie?«

Sie probieren das also ein paar Tage lang aus. Wenn es nicht funktioniert, kommen sie zurück und erklären uns: »Das ist eine schlechte Idee. So könnte man es besser machen.« Es spricht sich ziemlich rasch herum, daß das Management zuhört, daß uns Qualität wirklich wichtig ist, daß wir für neue Ideen aufgeschlossen sind, daß wir nicht lauter Strohköpfe sind. Das ist vielleicht die wichtigste Überlegung, wenn es um Qualität geht – der Arbeiter muß wissen, daß man auf seine Vorschläge hören wird.

Wir führten auch ein von der Gewerkschaft und dem Chrysler-Management gemeinsam erarbeitetes Qualitätsprogramm ein, das im Klartext besagt: »Über alles andere können wir streiten, aber wenn es um Qualität geht, werden wir am gleichen Strang ziehen. Qualität darf nicht Gegenstand unserer Auseinandersetzungen sein und unter der häufig gespannten Beziehung zwischen Belegschaft und Geschäftsführung leiden.«

Bei Ford hat Hans Matthias erreicht, daß Qualität wirklich etwas bedeutet. Als ich ihn bat, uns zu helfen, konnte er es kaum erwarten, sich an die Arbeit zu machen. Innerhalb von eineinhalb Jahren brachte er Disziplin in das Fertigungssystem von Chrysler. All dies erreichte er dazu noch als Berater, obwohl jedermann weiß, daß Berater in der Regel überhaupt nichts tun!

Matthias und ich verstanden einander. Nach zehn Minuten bei Chrysler sagte er zu mir: »Wissen Sie, was Sie hier haben? Sie haben hier einen Verhau, den wir vielleicht nie mehr auf die Reihe kriegen.« Aber er schaffte es. Er ging jeden Morgen in die Fabriken und holte sich willkürlich ausgewählte Fahrzeuge vom Band. Dann ließ er einen neuen Toyota vorfahren und forderte die Leute auf, sich den Unterschied anzuschauen. Es dauerte nicht lange, und der Vorarbeiter sagte: »Hm, unsere Autos sind wirklich schlecht.«

Dann gibt es noch George Butts, der schon da war, als ich kam. George hat sehr viel dazu beigetragen, die Qualität der Chrysler-Produkte zu verbessern. Ich habe jedem Mitglied der Belegschaft sehr deutlich gesagt, daß Qualität unser oberstes Ziel sei, und ich glaube, die Botschaft ist bis nach unten durchgesickert. Ich habe für George eine eigene Abteilung eingerichtet, die der Qualitätsprüfung dient. Er ist mein Wächter – und mein Topmanager in allen Qualitätsfragen.

Auf dem Höhepunkt der Bürgschaftsdebatte des Jahres 1979, als wir an allen Ecken und Enden Einsparungen machten, kamen Matthias und Butts mit dem Vorschlag zu mir, in den Fabriken 250 neue Leute zur Verbesserung der Qualitätskontrolle einzustellen. Wir konnten es uns nicht leisten. Aber ich genehmigte den Plan dennoch; denn wenn Chrysler überhaupt eine Zukunft haben sollte, dann brauchten wir qualitativ hochwertige Produkte.

Ich kann nicht über Qualität sprechen, ohne auch Steve Sharf zu erwähnen, der jetzt die gesamte Fertigung leitet. Auch er war schon bei Chrysler, als ich da hinkam. Er ist ein ungeschliffener Diamant, einer jener Männer, deren Licht jahrelang unter den Scheffel gestellt wurde. Sobald er neue Aufgaben erhielt, leistete er Großartiges.

Dann war da noch Dick Dauch, der bei GM und Volkswagen gearbeitet hatte, bevor er zu Chrysler ging. Dauch holte uns fünfzehn Spitzenleute von seinen zwei Alma Maters. Dieser Punkt wird von Leuten, die unser Comeback verstehen wollen, oft übersehen. Ich nahm all die Leute von Ford, die ich im Marketing, im Finanzwesen und im Einkauf kannte, aber für die qualitativ hochwertige Produktion suchte ich mir die besten Leute von GM und Volkswagen aus. Ich hatte also Alte und Neue, Stabsleute, Linienleute und Pensionäre – und alle kamen gut miteinander aus. Dieser einzigartige Schmelztiegel hob unsere Qualität so rasch an.

Gemeinsam haben Matthias, Butts, Sharf und Dauch Zuverlässigkeit in unser Fertigungssystem gebracht. Diese Selbstverpflichtung zur Qualität in der Fertigung – sowie eine Gruppe hervorragender Konstrukteure und Ingenieure unter Führung von Don DeLaRossa und Jack Withrow – gestattet uns, als einziger Autohersteller der Welt eine Garantie von fünf Jahren beziehungsweise 80 000 Kilometern anzubieten.

Diese Garantie ist kein Verkaufstrick. Das wäre gar nicht möglich. Im vierten und fünften Jahr, wenn die Autos zu altern beginnen, wäre es zu teuer, all diese Motoren und Getriebe zu reparieren, wenn die nicht halten würden. Unsere Haftung würde uns umbringen.

Zum Glück sind Qualität und Produktivität zwei Seiten derselben Medaille. Alles, was man zur Hebung der Qualität tut, kommt auch der Produktivität zugute. Wenn man die Qualität verbessert, sinken die Garantiekosten, und das gleiche gilt für die Inspektions- und Reparaturkosten. Wenn man von Anfang an gute Arbeit leistet, verringern sich auch die Mechaniker- und Bearbeitungskosten, und die Zahl der Stammkunden nimmt zu.

Außer Gar Laux und Hans Matthias holte ich einen weiteren früheren Ford-Mann aus dem Ruhestand zu Chrysler. Paul Bergmoser war 30 Jahre als Vizepräsident für den Einkauf bei Ford tätig gewesen. Er ist durchsetzungsfähig und innovativ, und ich wußte ganz sicher, daß er ein Dutzend Wege finden würde, um Ziele zu erreichen, die alle anderen für unerreichbar hielten.

»Hör zu, Bergie«, sagte ich am Telefon zu ihm, »ich stehe hier auf verlorenem Posten.« Ich versuchte, ihm zu erklären, daß Chrysler über keines der Systeme und Organisationen verfügte, an die wir bei Ford so gewöhnt waren. Auch er erklärte sich bereit, an Bord zu kommen – zunächst als Berater und später für etwa ein Jahr als Präsident des Konzerns.

Als Paul in Highland Park eintraf, konnte er nur den Kopf schütteln über das, was er vorfand. Er kam in mein Büro und sagte: »Weißt du, ich führe die Grabungen für dich durch. Aber was ich unter den Steinen finde, das wirst du einfach nicht glauben.« Manchmal mußten wir lachen, es war so grotesk. Nach einem Jahr bei Chrysler klagte er mir: »Lee, mir liegt ein hervorragender Bericht des Buchprüfers vor, demzufolge wir in diesem Jahr eine Milliarde Dollar Verlust gemacht haben. Was mir fehlt, ist eine Analyse, aus der hervorgeht, wie wir sie verloren haben!« Ich konnte bloß antworten: »Paul, willkommen bei Chrysler.«

Wie alle Leute, die bei Ford gearbeitet hatten, war auch Bergie an eine überaus systematische Arbeitsweise gewöhnt. Bei Chrysler fand er in der Einkaufsabteilung, die selbst nach den laxen Maßstäben von Chrysler für ihre Ineffizienz bekannt war, fast kein richtig funktionierendes System vor. Leider war Chrysler stärker von fremden Lieferanten abhängig als GM und Ford, die viele Einzelteile selbst herstellen.

Als der kleinste der Großen Drei war Chrysler nicht immer in der Lage, die günstigsten Preise zu erzielen. Die Sache war noch schlimmer, weil das Unternehmen versäumt hatte, seine Zulieferer gut zu behandeln, und die hatten sich im Laufe der Jahre revanchiert. Die Folge war, daß wir uns nicht immer auf einen stetigen Zufluß der Teile verlassen konnten. Auf Bergie warteten also gewaltige Aufgaben.

Wie ich bereits erwähnt habe, kamen Laux, Matthias und Bergmoser alle aus dem Ruhestand, um mir zu helfen. Ohne diese Mitarbeiter wäre ich verloren gewesen. Jeder von ihnen verfügte über jahrelange Erfahrungen und hatte den Wunsch, diese Erfahrungen umzusetzen.

Warum haben sie es getan? Verdankte ich das, wie manche Leute spekulierten, meinem großen Verkaufstalent? Natürlich nicht. Das waren meine Freunde. Ich wußte, daß sie die Art von Leuten waren, die sich der Herausforderung stellen würden, die bereit sein würden, mitzuhelfen. Sie meinten, es könnte Spaß machen. Wenn es keinen Spaß machte, hielten sie trotzdem durch. Sie besaßen diese wesentliche Qualität – innere Kraft.

Dies gilt übrigens für jeden einzelnen, der unserem Team beitrat. Nur Menschen eines bestimmten Schlages konnten es packen. Es war mehr als eine Herausforderung – es war ein Abenteuer. Und trotz all der Mühe und Plage wurde keiner je schwach in den Knien. Es gab keine Selbstzweifel und kein Händeringen. Niemand fragte: »Warum habe ich eine vielversprechende Karriere bei einer guten Firma aufgegeben, um mir das anzutun?« Dies waren beherzte Männer, Männer mit Mut und Charakter. Ich bin jedem von ihnen dankbar, und ich werde sie nie vergessen. Dennoch bin ich den Männern zu besonderem Dank verpflichtet, die aus dem Ruhestand ins Arbeitsleben zurückkehrten. Seien wir ehrlich: Zwangsweise Pensionierung ist ein absoluter Unsinn. Ich habe es immer lächerlich gefunden, daß wir einen Mann automatisch in den Ruhestand schicken, sobald er 65 wird, ganz gleich, in welchem Zustand er sich befindet. Wir sollten uns auf unsere älteren Führungskräfte stützen. Sie haben die Erfahrung. Sie sind weise.

In Japan sind es die älteren Leute, die immer noch den Ton angeben. Auf meiner letzten Reise dorthin war der jüngste Mann, mit dem ich redete, 75. Ich glaube nicht, daß dieses Prinzip Japan in den letzten Jahren geschadet hat.

Wenn man mit 75 noch seinen Beruf ausüben und Gutes dabei leisten kann, warum sollte man dann ausscheiden müssen? Der pensionierte Manager ist schon überall gewesen und kennt alles. Er hat im

Laufe der Jahre viel gelernt. Was ist gegen Alter einzuwenden, wenn ein Mensch gesund ist? Die Leute vergessen, daß sich die Volksgesundheit sprunghaft verbessert hat. Wenn ein Mann (oder eine Frau) körperlich fit ist und die Ausdauer besitzt, seine Arbeit zu machen, warum sollte ich dann seine oder ihre Sachkenntnis nicht nutzen?

Ich habe zu oft erlebt, daß Führungskräfte ankündigen, sie würden mit 55 in den Ruhestand treten. Wenn sie dann 55 werden, fühlen sie sich verpflichtet, ihr Wort zu halten. Sie haben es so oft gesagt, daß sie sich daran gebunden fühlen, selbst wenn ihnen der Gedanke gar nicht gefällt. Ich finde das tragisch.

Viele dieser Menschen klappen zusammen, wenn sie in Pension gehen. Sie sind an die Plackerei gewöhnt, mit vielen Aufregungen und hohen Risiken – mit großen Erfolgen und harten Niederlagen. Plötzlich finden sie sich auf dem Golfplatz wieder und gehen zum Mittagessen nach Hause. Ich habe viele Männer wenige Monate nach ihrer Pensionierung sterben sehen. Sicher, Arbeit kann einen umbringen. Aber die Untätigkeit kann es ebenso.

Nun, man könnte sagen, daß ich schließlich meine Mannschaft und meinen Innendienst in Ordnung hatte. Aber ich brauchte noch einen Außendienst. Um das neue Team abzurunden, mußte ich mir talentierte Marketingleute hereinholen. Marketing ist mein Spezialgebiet, und was ich bei Chrysler vorfand, beeindruckte mich nicht. Ich löste das Problem auf etwas ungewöhnliche Weise. Am 1. März 1979 berief ich in New York eine Pressekonferenz ein, um eine sehr wichtige Neuerwerbung bekanntzugeben: Wir ersetzten die beiden Werbeagenturen Chryslers, Young & Rubicam und BBDO, durch Kenyon & Eckhardt, die New Yorker Agentur, die für die Lincoln Mercury Division bei Ford so gute Arbeit geleistet hatte.

Selbst nach den Maßstäben der Madison Avenue war die Entlassung unserer Agenturen ein skrupelloser Akt. Er bedeutete auch den größten Etatwechsel in der Geschichte der Werbung. Dies war eine 150-Millionen-Dollar-Entscheidung, und sie signalisierte der Geschäftswelt, daß wir nicht zögerten, die kühnen Schritte zu unternehmen, die notwendig waren, um unsere Gesellschaft wieder auf Erfolgskurs zu bringen.

K&E hatten damals noch den 75-Millionen-Dollar-Etat von Lincoln-Mercury bei Ford. Um für uns tätig zu werden, mußten sie diesen sofort aufgeben. Ich bin sicher, daß Henry über diese Nachricht schockiert war. Unsere Ankündigung war sehr sorgfältig geplant worden; die Ford-Leute wurden erst zwei Stunden vorher darüber informiert. Die Geheimhaltungsmaßnahmen um diesen Deal waren luftdicht gewesen. Praktisch niemand in Detroit wußte über den Wechsel Bescheid, bevor er bekanntgegeben wurde. Nach der Trennung von uns übernahm Young & Rubicam den Lincoln-Mercury-Etat von Ford. Einige Jahre später, als wir zu groß für eine Agentur geworden waren, erhielt BBDO den Dodge-Etat zurück. Die ganze Sache endete also als ein Bäumchen-wechsle-dich-Spiel mit hohen Einsätzen.

Die beiden Agenturen, die ich ersetzt hatte, waren vollkommen in Ordnung. Aber ich hatte bereits so viel am Hals, daß ich die Dinge vereinfachen mußte. Mir fehlte das Jahr, das wir benötigt hätten, um mit zwei völlig neuen Teams klarzukommen. Ich hatte keine Zeit, ihnen meine Philosophie – oder meine Arbeitsweise – zu erläutern. Statt dessen holte ich mir Profis, die mich so gut kannten, daß eine halbe Anweisung von mir genügte und sie wußten, was ich wollte.

Meiner Ansicht nach sind K&E die Spitzenleute im Geschäft. Bei Ford hatten sie den Slogan »Ford hat eine bessere Idee« geprägt, obwohl manche Ford-Manager etwas gegen dieses Motto einzuwenden hatten. Sie fanden, es hätte lauten sollen: »Ford hat die *beste* Idee.«

»Ford hat eine bessere Idee« war das Geistesprodukt von John Morrissey, der bis vor kurzem Vorsitzender des US-Vorstands von Kenyon & Eckhardt war. John hatte bei J. Walter Thompson begonnen und dann für Ford gearbeitet, bevor er K&E beitrat. Er ist ein sehr kreativer Mann, und wir haben schon sehr lange miteinander zu tun.

K&E war die Agentur gewesen, die »das Signet mit der Katze«, den Puma, entworfen hatte, das ein entscheidendes Element beim Aufbau der Lincoln Mercury Division war. Daß K&E dazu beigetragen hatte, den Marktanteil von Lincoln-Mercury in den siebziger Jahren zu verdoppeln, spricht für sich selbst. Lincoln-Mercury war eine schwierige Aufgabe. Und damals erkannte ich, daß Kenyon & Eckhardt in Krisensituationen und unter Druck arbeiten konnten.

Da K&E 34 Jahre lang für Ford tätig gewesen waren, boten wir ihnen einen Fünfjahresvertrag an, was in der kurzlebigen Welt der Werbung noch nicht dagewesen war. Wir boten ihnen auch die Chance einer noch viel weitgehenderen Mitsprache bei uns, als je eine Agentur in der Vergangenheit gehabt hatte.

Bei jedem neuen Modell ist der Kampf halb gewonnen, wenn es von der Öffentlichkeit wahrgenommen wird. Je stärker die Agentur beteiligt wird, desto besser ist es für beide Seiten. Die Leute von K&E waren unsere aktiven Partner. Sie wurden Mitglieder unserer wichtigsten Firmenausschüsse einschließlich Produktplanung und Marketing. Sie wurden zu einem Bestandteil von Chrysler und waren beinahe so etwas wie eine Hausagentur. De facto wurden sie unsere Marketing- und PR-Repräsentanten.

Eine so enge Verbindung zwischen der Agentur und dem Klienten war in der Automobilbranche nie zuvor ausprobiert worden. Aber ich war immer der Ansicht, daß man bei einem Werbetat von hundert Millionen Dollar für ein neues Modell von den Werbeleuten nicht erwarten kann, daß sie über Nacht kreativ werden. Sie müssen in den gesamten Prozeß der Modellentwicklung einbezogen werden. Sie müssen bei den Besprechungen anwesend sein, auf denen das Auto Gestalt anzunehmen beginnt. Sie müssen einem so früh wie möglich gute Ratschläge geben, wie »das verkauft sich schlecht, weil . . .« oder »der Name ist nicht gut, weil . . .«

Ein großer Vorteil dieses Arrangements ist die Schnelligkeit, mit der wir jetzt zuschlagen können. Eines Donnerstags beschlossen wir um vier Uhr nachmittags, unseren Autokäufern neue Finanzierungskonditionen mit 10,9 Prozent Zinsen zu bieten. K&E begann sofort, einen Werbespot zu drehen. Um fünf Uhr früh am nächsten Morgen war er fertig. Am Samstag wurde er gesendet. Wenn etwas getan werden muß, dann handle ich gern rasch. Ich brauche eine Agentur, die mit diesem Tempo Schritt halten kann.

Eine der ersten Entscheidungen von K&E war es, das Symbol des Widders wieder einzuführen, das vor Jahren bei den Dodge-Lkws verwendet und dann aufgegeben worden war. Die Marktforschung von K&E zeigte, daß Lastwagen-Käufer ein strapazierfähiges, dauerhaftes, verläßliches und unproblematisches Produkt wollen. Deshalb holten wir den Widder unter dem Motto *»Dodge trucks are ramtough«* (Dodge Trucks vertragen ein Stoß) wieder aus der Versenkung und versahen die Laster und die Anzeigen erneut mit dem Wort und dem Symbol. Es dauerte nicht lange, und unsere Lkws nahmen im Bewußtsein der Öffentlichkeit wieder denselben Rang ein wie Chevrolet und Ford. Bald zogen uns Kunden in Erwägung, die bisher nicht einmal daran gedacht hatten, ein Dodge-Produkt zu kaufen.

Als die Umsätze einmal sehr niedrig waren, startete die Agentur eine Kampagne, bei der wir dem Publikum mitteilten: »Wir möchten, daß Sie ein Chrysler-Produkt in Erwägung ziehen. Kommen Sie zu uns, und machen Sie eine Probefahrt mit einem unserer Modelle. Wenn Sie das tun und schließlich doch ein Auto von der Konkurrenz kaufen, zahlen wir ihnen 50 Dollar nur dafür, daß Sie zu uns gekommen sind.«

Diese Idee war zugegebenermaßen etwas ausgefallen. Viele unserer Händler rebellierten. Sie meinten, das Angebot würde mißbraucht werden. Aber sie irrten sich: Wir lockten viele Kunden in unsere Ausstellungsräume, und wir verkauften eine Menge Autos.

Dennoch betrachteten die Händler dies weiterhin als fragwürdigen Verkaufstrick, obwohl die Firma und nicht die Händler die fünfzig Dollar zahlte. Nach einigen Monaten stoppten wir die Kampagne, weil uns die Händler nicht genügend unterstützten. Ich finde immer noch, daß es eine grandiose Idee war.

Eine andere Marketing-Neuheit, die wir zusammen mit K&E herausbrachten, war die Geldrückgabegarantie. »Kaufen Sie eines unserer Autos«, sagten wir. »Nehmen Sie es mit nach Hause, und wenn es Ihnen innerhalb von 30 Tagen *aus welchem Grund auch immer* nicht gefällt, bringen Sie es zurück, und Sie bekommen Ihr Geld wieder.« Der einzige Haken war eine Wertminderungsgebühr von 100 Dollar, da wir das Auto nicht mehr als neu verkaufen konnten.

Wir probierten dies 1981 aus, und ganz Detroit dachte, wir seien übergeschnappt: »Was ist, wenn jemand das Auto einfach nicht mag? Was ist, wenn er es sich anders überlegt? Was ist, wenn seiner Frau die Farbe nicht gefällt?

Wenn einer dieser Fälle mehr als gelegentlich eingetroffen wäre, dann wären wir von Kunden überrannt worden, die ihr Geld zurückverlangten. Der Papierkrieg allein hätte uns umgebracht.

Aber zur Überraschung der Skeptiker funktionierte das Programm sehr gut. Die meisten Leute spielen fair; sehr wenige beuteten das Angebot aus. Wir waren davon ausgegangen, daß ein Prozent unserer Kunden ihre Autos zurückbringen könnten. Erstaunlicherweise belief sich die Gesamtzahl der Rückgaben auf weniger als 0,2 Prozent.

Auch dies war eine revolutionäre Idee, und ich bin froh, daß wir sie ausprobiert haben. Das Entscheidende ist dabei, daß wir alles Denkbare tun, um potentiellen Käufern vor Augen zu führen, daß wir zu unserem Wort stehen.

Mit Kenyon & Eckhardt in unserem Team konnte das Spiel jetzt losgehen. Leider war die Saison schon halb zu Ende, und wir waren hoffnungslos abgeschlagen. Dennoch glaubte ich, daß es nur eine Frage der Zeit war, bis wir wieder im Rennen liegen würden. Ich sah nicht vorher, daß wir eine lange Durststrecke überwinden mußten, in der wir eher den Chicago Cubs ähnelten, bevor wir je wieder den alten New York Yankees gleichen würden.

# XVI
# Der Tag, an dem der Schah abreiste

Sobald ich mein Team beisammen hatte, war ich zuversichtlich, daß Chryslers Comeback nur noch eine Frage der Zeit sei. Aber da hatte ich nicht damit gerechnet, daß die gesamte Wirtschaft zusammenbrechen würde. Und ich hatte ganz gewiß nicht mit der Irankrise gerechnet. Wie sich herausstellte, Jimmy Carter auch nicht.

Gleich nach meinem Amtsantritt tendierte unser Marktanteil in südliche Richtung. Wir sackten auf ganze acht Prozent ab, was selbst nach den bescheidenen Maßstäben Chryslers einfach trostlos war. Ich begann mir einzugestehen, daß es Jahre dauern könnte, bevor dieses Unternehmen wieder auf die Beine kommt.

Während meiner Karriere bei Ford war ich sehr stolz auf mein gutes Familienleben gewesen. Was im Büro auch los sein mochte, es gelang mir stets, die geschäftlichen Probleme im Büro zurückzulassen. Aber das war, bevor ich zu Chrysler kam. Jetzt begann ich mitten in der Nacht aufzuwachen. Mein Gehirn kam nie zur Ruhe. Ich arbeitete ununterbrochen. Es gab Zeiten, wo ich mir Sorgen um meinen Verstand machte und befürchtete, demnächst durchzudrehen. Sprinten kann man nur eine gewisse Zeitlang, dann geht einem die Luft aus.

Zum Glück hatte ich eine Frau, die mich verstand. Doch nach 25 Jahren mit mir in der Autobranche begann auch sie sich Sorgen zu machen.

Ich pfiff auf dem letzten Loch, und das war eine neue Erfahrung für mich. Ralph Nader behauptete immer, Iacocca sei ein solches Marketing-Genie, daß er die Leute dazu bringen könne, Autos zu kaufen, die sie gar nicht wollten. Nader klagte, daß die garstigen Großen Drei mit all ihrer Macht und ihrem Einfluß der Öffentlichkeit mittels Gehirnwäsche alles zum Kauf aufschwatzen könnten, was sie nur wollten.

Aber wenn das stimmte, wo war diese sagenhafte Macht jetzt, da ich sie wirklich brauchte? Was war aus meinem großen Marketing-Genie geworden, wenn niemand unsere Autos kaufte? Ich hätte etwas von dieser Magie 1979 gebrauchen können, als ich die größte Mühe hatte, überhaupt etwas zu verkaufen.

Die Probleme Chryslers waren inzwischen so ernst, daß unsere prekäre Situation allgemein bekannt war. Also mußten wir zu allem Überfluß noch mit den hämischen Gerüchten über unser bevorstehendes Ableben fertig werden. Wenn jemand für ein neues Auto 8000 oder 10 000 Dollar hinlegt, ist das eine große Investition. Er oder sie muß sich darüber Gedanken machen, ob die Firma in einigen Jahren noch imstande sein wird, Ersatzteile und Kundendienst anzubieten. Wenn die potentiellen Käufer ständig über den möglichen Bankrott Chryslers lesen, werden sie nicht herbeieilen und einen unserer Wagen kaufen.

Es ging so weit, daß der Name Chrysler zum Gespött der Leute wurde. Die amerikanischen Karikaturisten schlachteten das Thema nach Herzenslust aus. Ebenso Johnny Carson:

CARSON: »Mensch, ist der gemein.«

ZUHÖRER: »Wie gemein ist er?«

CARSON: »Der ist so gemein, daß er heute morgen Chrysler angerufen und gefragt hat: ›Wie gehen die Geschäfte?‹«

Oder: »Ich weiß nicht, was bei Chrysler los ist, aber es ist das erste Mal, daß jemand eine Konferenzschaltung zur Telefonseelsorge verlangt hat!«

Ich war noch keine drei Monate bei Chrysler, als die Hölle losbrach. Am 16. Januar 1979 verließ der Schah Teheran. Innerhalb weniger Wochen verdoppelte sich der Benzinpreis. Die Energiekrise traf als erstes Kalifornien; im Mai brachte *Newsweek* eine Titelgeschichte darüber. Einen Monat später erfaßte die Krise auch den Osten der USA. Während des letzten Wochenendes im Juni hatte man Glück, wenn man eine offene Tankstelle fand.

All dies hatte eine niederschmetternde Wirkung auf den Absatz unserer größten Autos sowie der Wohnmobile. Chrysler war führend in Wohnmobilen, und diese Riesen-Benzinfresser waren die ersten

Leidtragenden, als die Panik begann. Im Juni 1979 war der Absatz der Karosserien und Motoren, die wir der Wohnmobil-Industrie lieferten, praktisch zum Erliegen gekommen, und der Verkauf unserer Lieferwagen, eines weiteren wichtigen Zweiges unseres Unternehmens, war um die Hälfte zurückgegangen.

Eine der am häufigsten ausgesprochenen Kritiken der Öffentlichkeit an der Autoindustrie ist, daß wir die Benzinknappheit hätten vorhersehen müssen, die auf die Irankrise folgte. Aber wenn unsere eigene Regierung keine Ahnung hatte, was da drüben los war, woher hätte ich es wissen sollen?

Nein, wir waren auf den Sturz des Schahs nicht vorbereitet. Aber wir reagierten natürlich darauf. 1979 planten wir unsere 1983er Modelle aufgrund der sehr rationalen Annahme, daß das Benzin zum Zeitpunkt ihres Erscheinens 2,50 Dollar pro Gallone kosten würde. Dann rief jemand: »April, April! Benzin ist wieder billig, also gebt uns große Autos!«

Wenn mir jemand gesagt hätte, daß sich der Benzinpreis 1979 verdoppeln und vier Jahre später trotz der Inflation noch auf demselben Stand sein würde, dann hätte ich ihn für verrückt erklärt. Wir hatten nicht die geringste Chance, die Irankrise oder ihre Folgen vorauszusehen.

Es ist ein verbreiteter Irrglaube, daß die amerikanischen Autohersteller alle die falschen Modelle hatten, während die ausländischen Autofirmen genau das anboten, was die Leute während der Ölkrise verlangten. Das stimmt nicht. Bis zu dem Tag, an dem der Schah gestürzt wurde, gab es lange Wartelisten von Kunden, die große Wagen mit starken V8-Motoren haben wollten. Ja, es wurden einfach nicht genügend Benzinfresser hergestellt!

Was die Japaner betrifft, haben sie wirklich die amerikanische Nachfrage nach Kleinwagen vorausgesehen? Sie haben doch seit dreißig Jahren nichts anderes gebaut. Wann immer der Umschwung stattgefunden hätte, sie wären darauf vorbereitet gewesen.

Wir alle hatten Kleinwagen, aber 1978 konnten wir sie nicht loswerden. Noch im Januar 1979, nur wenige Wochen vor der Explosion im Iran, bot Datsun Rabatte an. Toyota und Honda verkauften nichts. Wir selbst hatten Tausende unverkaufter Omnis und Horizons. Und unser kleiner, von Mitsubishi gebauter Colt war nicht einmal mit einem Preisnachlaß von 1000 Dollar anzubringen.

All das änderte sich über Nacht. Nur zwei Monate zuvor hatte das Benzin 65 Cents pro Gallone gekostet. Die Fabriken, in denen unsere großen Modelle hergestellt wurden, machten Überstunden. Die Japaner hatten 700 000 Kleinwagen in den Docks von San Diego und Baltimore auf Halde. Aber im April waren diese 700 000 japanischen Kleinwagen verschwunden, aufgekauft von Amerikanern, die sofortige Sparsamkeit im Betrieb forderten. Und viele davon waren zu Schwarzmarktpreisen, 1000 Dollar über dem Listenpreis, weggegangen. Es war nicht so, daß Ford, GM und Chrysler den amerikanischen Markt nicht voraussehen konnten. Niemand konnte das.

GM hatte Glück. Das Unternehmen hatte vorgehabt, seine neuen X-Karosserie-Autos im April vorzustellen. Der Citation von Chevrolet war ein kompakter, sparsamer Fronttriebler. An den ersten beiden Verkaufstagen schlug GM jeden vorhandenen Citation los und verbuchte Bestellungen für weitere 22 000 Stück.

Chrysler hatte eine weniger gute Hand. Nachdem die erste Ölkrise 1974 abgeflaut war, waren die Amerikaner mit fliegenden Fahnen zu den großen Schlitten zurückgekehrt. Wie üblich war Chrysler dem Markt gefolgt. Das bedeutete, daß wir nicht annähernd genügend Mini-Autos anzubieten hatten, als die Meinung der Öffentlichkeit sich plötzlich wieder änderte.

Ich erinnere mich lebhaft an die Bilder, die wir jeden Abend in den Nachrichten sahen – Bilder von Warteschlangen an Tankstellen in Kalifornien und in Washington und von Ausschreitungen an manchen Zapfsäulen in New York. Die Leute bekamen es mit der Angst zu tun. Sie fingen an, ihre Tanks zu füllen, wann immer sie konnten. Manche Fahrer hatten sogar einen 20-Liter-Reservetank im Kofferraum dabei oder stellten einen 200-Liter-Benzintank in ihre Garage – zum Teufel mit der Sicherheit.

Der Kongreß begann über Benzinrationierung zu reden. Zeitschriften brachten Titelgeschichten über die Blamage, daß Detroit völlig unvorbereitet in diese Krise hineingeschlittert sei. Und sei es aus Panik über die Benzinknappheit oder den abrupten Preisanstieg – der Markt für Familienautos, V8-Motoren, Lieferwagen, Lkws und Wohnmobile knickte sofort ein.

Innerhalb von fünf Monaten erhöhte sich 1979 der Kleinwagenanteil am Markt von 43 auf fast 58 Prozent – ein Umschwung von 15 Prozent. In unserer Branche bedeutet eine Veränderung von zwei

Prozent in einem einzigen Jahr eine bedeutende Verschiebung. Ein Schwenk um 15 Prozent ist katastrophal. In einem einzigen Monat – im Mai 1979 – sackte der Lieferwagenumsatz um 42 Prozent ab. Nie zuvor in der Geschichte der Autoindustrie war eine so massive Umschichtung des Marktes erfolgt wie in diesem Frühjahr.

So schädlich diese Revolution war, so wußten wir bei Chrysler doch, daß wir uns an diese neue Realität anpassen konnten. Wir wußten auch, daß wir das schneller schaffen würden als alle anderen in Detroit. Dazu bedurfte es keiner großen Hexerei. Wir mußten lediglich unsere Investitionen in neue Anlagen und Produkte über die nächsten fünf Jahre verdoppeln und hoffen, daß wir dann noch am Leben wären!

Aber gerade, als wir begonnen hatten, diese ersten teuren Schritte zu unternehmen, stürzte das Land kopfüber in eine Rezession. Wir taumelten immer noch vom ersten Schlag. Als uns der zweite traf, gingen wir fast k.o. Die jährlichen Autoumsätze in diesem Land fielen fast auf die Hälfte des bisherigen Niveaus. Keine Industrie der Welt kann in einer Wirtschaft überleben, die doppelte Investitionen bei halbierten Einnahmen erfordert. Wir hatten alle unsere Einsätze verloren. Es gab keine Regeln mehr, weil wir uns in einer beispiellosen Situation befanden. Dies waren unbefahrene Gewässer.

Bis dahin konnte man immer sagen: Schau im Handbuch nach. GM führte es ein, Ford machte es nach, und Chrysler besaß Teile davon. Ich meine das nicht wörtlich. Es ist nur so, daß es zwischen 1976, als ich in das Geschäft einstieg, und März 1979 nie große Zweifel gab, wie man ein erfolgreiches Unternehmen zu führen hat.

Aber plötzlich standen wir ohne Regeln da und mußten jede Woche unsere Pläne ändern. Das war, milde ausgedrückt, eine völlig neue und ungewöhnliche Art, Geschäfte zu machen. Alle redeten über »Strategie«, aber bei uns ging es immer ums nackte Überleben. Das hatte einfache Regeln. Man schließt die Fabriken, die einem am meisten schaden. Man entläßt die Leute, die nicht absolut nötig sind beziehungsweise die nicht wissen, wo es langgeht.

Ich fühlte mich wie ein Armeechirurg. Die härteste Aufgabe der Welt hat der Arzt, der während einer Schlacht an der Front Dienst tut. Im Zweiten Weltkrieg war mein Vetter als Arzt in einem Krankenhaus des M-A-S-H-Typs auf den Philippinen. Er kam mit ziemlich scheußlichen Geschichten über Probleme der Selektion zurück. Es ist eine Frage der Prioritäten, pflegte er zu sagen. Da sind vierzig Schwerverwundete, und die Ärzte und Sanitäter mußten sich schnell entscheiden. »Wir haben drei Stunden Zeit. Wie viele Leute können wir retten?« Sie wählten diejenigen mit der besten Überlebenschance – die übrigen mußten sie ihrem Schicksal überlassen.

Bei Chrysler war es genauso. Wir mußten Radikaloperationen durchführen und retten, was wir konnten. Wenn die Zeiten gut sind und man eine problematische Fabrik hat, kann man sie zwei Jahre lang studieren und dabei jedes Pro und Kontra abwägen. Ford ist in dieser Hinsicht große Klasse. Die analysieren das Ding zu Tode.

Aber in einer Krise hat man keine Zeit, um Untersuchungen durchzuführen. Man muß sich die zehn Dinge, die absolut unerläßlich sind, auf einem Blatt Papier notieren. Auf die konzentriert man sich dann. Alles übrige kann man vergessen. Das Auftauchen des Sensenmannes steigert augenblicklich die eigene Konzentrationsfähigkeit.

Gleichzeitig muß man dafür sorgen, daß man noch etwas übrig hat, sobald die unmittelbare Krise überwunden ist. Das klingt ganz einfach, ist aber viel leichter gesagt als getan. Man muß die Zähne zusammenbeißen. Man braucht Selbstdisziplin. Man hofft und betet, daß man es hinkriegt, weil man sein Bestes tut. Man konzentriert sich auf die Zukunft, das heißt, man hofft, den morgigen Tag zu überstehen.

Wir begannen mit der Schließung einiger Fabriken, darunter die Polsterwerkstätten in Lyons, Michigan, und unser ältestes Werk, Dodge Main in Hamtramck, dem polnischen Viertel von Detroit. Es gab heftige Proteste in der Öffentlichkeit, als wir diese Fabrik in der Innenstadt schlossen, aber wir hatten keine andere Wahl.

Gleichzeitig mußten wir unsere Lieferanten dazu bewegen, uns weiterhin zu beliefern, selbst wenn wir nicht genug Geld hatten, um sie zu bezahlen. Zunächst mußten wir sie davon überzeugen, daß wir nicht auf den Bankrott zusteuerten. Lieferanten kann man kein X für ein U vormachen. Sie kennen das Geschäft sehr gut. Wir luden sie zu uns ein. Wir zeigten ihnen unsere künftigen Produkte. Wir machten ihnen klar, daß wir nicht vorhatten, abzudanken. Wir baten sie, uns beizustehen.

Um Geld zu sparen, führten wir ein System ein, wonach uns Teile zum spätestmöglichen Zeitpunkt zugeschickt wurden. Man nennt das kurzfristige Lagerhaltung, und es ist eine gute Art, Kosten zu sparen. Die Japaner machen das seit Jahren, und sie haben es wahrscheinlich von uns gelernt. Schon in den zwanziger Jahren wurde das Erz, das in Schiffen in Fords River-Rouge-Fabrik eintraf, innerhalb von 24 Stunden zu Stahl und dann zu Motorblöcken verarbeitet. Aber in den Jahren der Hochkonjunktur zwischen 1945 und 1978 schlichen sich in der amerikanischen Autoindustrie manche schlechten Gewohnheiten ein.

Eine der vielen Änderungen, die wir einführten, war, die Lieferung der Einzelteile für die Montagewerke zu beschleunigen. Beispielsweise hatten wir die Getriebe bis dahin per Bahn von Kokomo, Indiana, nach Belvidere, Illinois, geliefert. Indem wir auf Lastwagen umstiegen, gelangten sie noch am gleichen Tag an ihr Ziel, was den ganzen Betriebsablauf straffte. Nach wenigen Monaten hatten wir unser System der kurzfristigen Lagerhaltung so perfektioniert, daß unserem Montagewerk in Windsor schon nach vier Stunden die Motoren ausgingen, als in unserer Detroiter Motorenfabrik ein wilder Streik stattfand.

Wir sparten Geld, wo immer wir nur konnten. Bei der Entwicklung der K-Modelle achteten wir darauf, sie nicht länger als 4,50 Meter zu machen, damit wir mehr davon in Güterwagen unterbringen konnten. In normalen Zeiten kümmert sich niemand um solche Dinge. Aber in einer Krise sucht man nach jeder Möglichkeit, um die Kosten zu senken.

Als es Zeit wurde, unseren Jahresbericht für 1979 zu verfassen, beschlossen wir, auf den üblichen farbigen Hochglanzprospekt zu verzichten, den die meisten Unternehmen an ihre Aktionäre verschicken. Unsere 20 000 Anteilseigner erhielten statt dessen eine knappe, schlichte Dokumentation, die mit schwarzen Lettern auf billigem Umweltschutzpapier gedruckt war. Damit sparten wir eine Menge Geld – und es vermittelte unseren Aktionären eine Botschaft: Ein so schmuckloses Blättchen mußte bedeuten, daß wir uns der Armutsgrenze näherten. Und das stimmte!

Aber Geld zu sparen war nicht genug. Wir mußten auch eine Menge Bargeld beschaffen, bloß um unsere Rechnungen zu bezahlen. Einmal verloren wir soviel Geld, daß wir den gesamten Immobilienbesitz unserer Vertretungen an eine Gesellschaft in Kansas namens ABKO verkauften. Darunter befanden sich etwa 200 Liegenschaften in städtischen Kerngebieten, die gewährleisteten, daß wir Chrysler-Vertretungen an strategischen Orten im ganzen Land hatten. Aber wir japsten nach Barem und brauchten einfach diese Summe, die sich auf 90 Millionen Dollar belief. Um unsere Händler dort zu halten, wo wir sie brauchten, mußten wir später etwa die Hälfte dieser Immobilien wieder zurückkaufen – für den doppelten Preis.

Rückblickend erscheint der Verkauf der Immobilien als ein gewaltiger Fehler. Andererseits benötigten wir das Bargeld. Die 90 Millionen Dollar kamen mir damals vor wie eine Milliarde!

Bevor er in den Ruhestand trat, tat John Riccardo sein Bestes, einige der schlimmeren Fehlentscheidungen des Konzerns rückgängig zu machen. Er trat unsere Unternehmungen in Australien an Mitsubishi ab. Er verkaufte unsere Niederlassungen in Venezuela an GM und unsere Betriebe in Brasilien und Argentinien an Volkswagen. Mit Peugeot handelte er ein Abkommen über unsere Organisation in Europa zum Preis von 230 Millionen Dollar und einem 15-Prozent-Anteil an Peugeot aus, ein Arrangement, durch das Peugeot der größte Automobilhersteller in Europa wurde. Als alles gelaufen war, hatte Chrysler Unternehmungen in den Vereinigten Staaten, Kanada und Mexiko. Und sonst nirgends.

Etwas später kam ich zu dem Schluß, daß wir keine andere Wahl hatten, als unsere Panzerfabrik für 348 Millionen Dollar an General Dynamics zu verkaufen. Dieser Entschluß fiel mir sehr schwer, da die Rüstungs-Division der einzige Teil des Konzerns war, dessen Gewinn von 50 Millionen Dollar im Jahr praktisch durch die amerikanische Regierung garantiert war. Aber wir brauchten das Bargeld zur Besänftigung der Zulieferer, damit sie uns eine Fristverlängerung für unsere Verbindlichkeiten ihnen gegenüber einräumten.

Ich traf diese Entscheidung nur widerstrebend, zum Teil, weil ich damit den einzigen Geschäftszweig aus der Hand gab, in dem die Japaner von Gesetzes wegen von der Konkurrenz ausgeschlossen waren. Ehrlich gestanden war die Versuchung für mich groß, das Autogeschäft zu verkaufen und die Panzer zu behalten! In finanzieller Hinsicht wäre das weitaus vernünftiger gewesen. Aber der Bau von Panzern war nicht unser Hauptgeschäft. Wenn Chrysler eine Zukunft haben sollte, dann nur als Autohersteller.

Dennoch war es eine schmerzliche Entscheidung. Unsere Panzer-Division war eine tragende Säule mit vielen großartigen Leuten. Wir blickten auf eine vierzigjährige Geschichte im Panzerbau zurück. Im Zweiten Weltkrieg hatten wir einen Teil des »Arsenals der Demokratie« gebildet. Unsere Leute hatten den besten Kampfpanzer in der ganzen Welt entwickelt und gebaut, und erst wenige Monate zuvor hatte ich persönlich den ersten Panzer mit Turbo-Antrieb vom Montageband gefahren. Wir hatten einige sehr aufregende und gewinnträchtige neue Produkte in der Entwicklung. Und einige der begabtesten Leute des ganzen Konzerns leiteten die Firma.

Niemand wollte all das aufgeben. Aber am Ende mußten wir unsere Bindung an diesen Zweig gegen die dringende Notwendigkeit abwägen, uns ein substantielles Kapitalpolster zu verschaffen, das es uns gestatten würde, die Rezession zu überstehen. Es blieb uns keine andere Wahl, als unsere Anstrengungen auf Autos und Lastwagen zu konzentrieren.

Die Zinssätze waren damals so hoch, daß wir jährlich einen Gewinn von 50 Millionen Dollar gemacht hätten, wenn wir die Kaufsumme von General Dynamics in Wertpapieren angelegt hätten. Das wäre freilich nur möglich gewesen, wenn wir das Bargeld nicht gebraucht hätten, um uns über Wasser zu halten. Und 50 Millionen Dollar war fast soviel, wie uns die Panzer-Division als solche einbrachte. Damals kam mir zum ersten Mal die Idee, eine Bank zu kaufen. Mit Geld kann man mehr Geld verdienen als mit Autos, Lastwagen – oder Panzern!

Diese Geschichte hat einen interessanten Nebenaspekt. Unser Tarifabkommen mit der Gewerkschaft UAW erstreckte sich sowohl auf Panzer als auch auf Autos. Um zu überleben, hatten wir mit der Gewerkschaft ein Abkommen ausgehandelt, demzufolge wir den Arbeitern einen Stundenlohn von etwas mehr als siebzehn Dollar statt der zwanzig Dollar zahlten, die sie bisher bekommen hatten. Die Arbeiter der Panzer-Division erkannten diesen Vertrag nicht an, aber sie mußten damit leben. Diese Situation kam dem Verteidigungsministerium zugute. Ich erklärte der Armee: »Hier ist eine Rückzahlung von 62 Millionen Dollar – das schenke ich euch als patriotischer Amerikaner.« Bei einem Stückpreis von einer Million Dollar pro Panzer war das, als hätte ich ihnen 62 Panzer gratis gegeben!

Alle Maßnahmen, die wir ergriffen, um Chrysler am Leben zu erhalten, waren schmerzhaft. Am schmerzhaftesten waren jedoch die Massenentlassungen. In den Jahren 1979 und 1980 mußten wir Tausende von Arbeitern und Angestellten entlassen. Im April 1980 reduzierten wir die Zahl unserer Büroangestellten um 7000, eine Maßnahme, durch die wir über 200 Millionen Dollar im Jahr sparten. Einige Monate zuvor hatten wir von den Fabrikarbeitern 8500 Gehaltsempfänger abgebaut. Allein diese beiden Maßnahmen verringerten unsere jährlichen Kosten um 500 Millionen Dollar! Diese Kürzungen betrafen alle Ränge, leitende Angestellte ebenso wie Sachbearbeiter.

Diese Entlassungen waren einfach tragisch, das läßt sich nicht verhehlen. Die Entlassungen der älteren Leute sprach ich in den meisten Fällen persönlich aus. So etwas sollte man nicht delegieren, man muß die Wahrheit sagen. Nachdem ich selbst gefeuert worden war, wußte ich recht genau, was man nicht tun sollte. Ganz sicher sagte ich zu keinem, daß ich ihn einfach nicht mochte! In jedem einzelnen Fall legte ich die Gründe dar und bot den Betroffenen die bestmögliche Pension an, auf die sie Anspruch hatten. In manchen Fällen versuchte ich sogar die Regeln ein wenig zu dehnen.

Entlassungen sind niemals angenehm, also muß man sie mit soviel Feingefühl vornehmen, wie man aufbringen kann. Man muß sich in die Situation des anderen versetzen und sich klarmachen, daß dies, so schonend man es ihm auch beibringen mag, im Leben jedes Menschen ein ziemlich schlimmer Tag ist. Besonders hart ist es, wenn sich der Gekündigte nicht wirklich schuldig fühlt, wenn er sich als Opfer einer schlechten Betriebsführung sieht oder meint, daß sich die Leute an der Spitze nie wirklich um ihn gekümmert hätten.

Ich bin sicher, daß wir eine Menge Fehler gemacht haben. Besonders im ersten Jahr gab es wahrscheinlich Mitarbeiter, die aus den falschen Gründen auf die Straße gesetzt wurden. Vielleicht, weil der Chef sie nicht mochte. Vielleicht, weil sie zu freimütig oder kritisch waren. Wir mußten schnell handeln, und dabei war es unvermeidlich, daß manche guten Leute zu Unrecht beschuldigt wurden. Ich bin sicher, daß wir Blut an den Händen haben. Aber wir befanden uns in einer Notlage, und wir versuchten, unser Bestes zu tun.

Die meisten Leute, die wir feuerten, fanden mit der Zeit andere Jobs. Einige blieben in der Autobranche. Andere fanden Stellen bei Zulieferern oder als Lehrer und Berater. Es tat mir weh, ihnen zu kündigen. Insgesamt gesehen waren sie freundlicher und netter als die Leute, die ich bei Ford gekannt hatte. Aber im Endeffekt genügte das nicht.

Zusehen zu müssen, wie Menschen herumgestoßen werden, empfand ich als belastend. Es ließ mich viel mehr über soziale Verantwortung nachdenken, eine Lektion, die ich bei Ford nie gelernt hatte. Dort stand ich wie das übrige Topmanagement hoch über allem. Außerdem hatten wir nie eine Krise dieses Ausmaßes erlebt. In der Vergangenheit hatte ich nicht viele Leute entlassen müssen. Es ist nicht so, daß ich plötzlich fromm geworden wäre. Ich hatte bloß einen Punkt erreicht, an dem ich mich fragen mußte, ob ich gegenüber all diesen Menschen recht handelte, die von mir abhängig waren.

Ein Luxus, den wir abschaffen mußten, war eine aufgeblähte Verwaltung. Seit Alfred P. Sloan die Präsidentschaft von General Motors übernahm, sind alle Führungsfunktionen in unserer Branche in Stabs- und Linienpositionen eingeteilt – genau wie in der Armee. Die Linienleute sind in der Produktion tätig. Sie legen persönlich Hand an und haben spezifische Aufgaben, ob in der technischen Entwicklung, der Fertigung oder dem Einkauf.

Die Stabsleute sind für die gesamte Planung zuständig. Sie integrieren die Arbeit der Linienleute zu einem funktionierenden System. Ein Stabsmann kann praktisch nur dann effektiv sein, wenn er sich durch die Linien hochgearbeitet hat. Trotzdem besteht besonders in Unternehmen wie Ford die Tendenz, einen Absolventen der Harvard Business School, der von Tuten und Blasen keine Ahnung hat, als Stabsmann einzusetzen. Er hat keine Erfahrung in Betriebsführung, aber jetzt erzählt er einem Mann der Praxis, der seinen Job schon 30 Jahre lang ausübt, daß er alles falsch macht. Ich habe in meinem Berufsleben zuviel Zeit damit zugebracht, den Schiedsrichter bei Stabs- und Linienauseinandersetzungen zu spielen, die überhaupt nicht hätten aufkommen dürfen.

Natürlich braucht man einen Stab – solange man es nicht übertreibt. Als Henry mich bei Ford abhalftern wollte, zog er die Unternehmensberater McKinsey & Co. hinzu. Die reorganisierten nicht nur das Büro des Vorsitzenden, sondern installierten auch einen Superstab von etwa achtzig Leuten. Dessen Aufgabe war es, alle übrigen Stabs- und Linienleute zu überprüfen, um zu gewährleisten, daß alle ihre Aufgaben erfüllen. Im Laufe der Jahre ist diese Gruppe zu einer souveränen Macht bei Ford geworden – eine Firma für sich.

Als es Chrysler erwischte, mußte ich den größten Teil des Stabes entlassen. Ich bin mein ganzes Leben lang ein Linienmann gewesen, das hätte es mir leichter machen sollten. Aber ich dachte einfach: Ich brauche jemand, der die Autos baut und der sie verkauft. Ich konnte mir keine Leute leisten, die erklärten, wenn wir das oder jenes getan hätten, dann wäre ein etwas besseres Auto dabei herausgekommen. Selbst wenn die Leute recht hatten, konnten wir uns den Luxus solcher Überlegungen nicht leisten. Wenn die Kugeln erst mal zu pfeifen beginnen, trifft es den Stab immer als ersten.

Durch all diese Entlassungen hatten wir am Ende mehrere Managementebenen weniger. Wir verringerten die Anzahl der Leute, die an wichtigen Entscheidungen beteiligt werden mußten. Ursprünglich taten wir das bloß, um unser Überleben zu sichern. Aber mit der Zeit stellte sich heraus, daß es den Ablauf tatsächlich vereinfacht, wenn man ein großes Unternehmen mit weniger Personen leitet. Rückblikkend ist klar, daß Chrysler weitaus kopflastiger gewesen war, als uns guttat. Dies ist eine Lektion, die unsere Konkurrenten noch lernen müssen – und ich hoffe, das geschieht nie!

# XVII
# Drastische Maßnahmen: Der Gang zur Regierung

Schon im Sommer 1979 war klar, daß nur drastische Maßnahmen Chrysler retten konnten. Wir taten, was wir konnten – und noch mehr –, um unsere Kosten zu reduzieren, aber mit der Wirtschaft ging es bergab, und unsere Verluste nahmen ständig zu. Inzwischen drifteten wir in gefährliche Gewässer ab. Wenn wir überleben wollten, brauchten wir Hilfe. Wir hatten nicht mehr die Mittel, um uns selbst vor dem Ertrinken zu bewahren.

Ich sah nur einen Ausweg aus dieser Misere.

Glauben Sie mir, mich an die Regierung zu wenden, war das letzte, was ich tun wollte. Aber sobald ich mich dazu entschlossen hatte, setzte ich mich mit ganzer Kraft dafür ein.

Vom ideologischen Standpunkt aus war ich immer ein Verfechter der freien Marktwirtschaft gewesen, ein Anhänger des Prinzips des *survival of the fittest,* des Überlebens der Tauglichsten. Als ich Präsident von Ford war, verbrachte ich fast soviel Zeit in Washington wie in Dearborn. Damals ging ich nur aus einem einzigen Grund in die Hauptstadt, nämlich, um uns die Regierung vom Halse zu schaffen. Als ich dann als Vorsitzender von Chrysler nach Washington zurückkehrte, um die Regierung um Hilfe zu bitten, sagten natürlich alle: »Wie können Sie es wagen?«

»Was bleibt mir anderes übrig?« antwortete ich. »Es ist der einzige Ausweg.«

Alles andere hatten wir bereits versucht. In den Jahren 79 und 80 hatten mehr als hundert Zusammenkünfte mit potentiellen Geldgebern stattgefunden. Die meisten dieser Leute entpuppten sich als faule

Kunden, Schwindler oder wohlmeinende, aber naive Samariter. Dennoch traf ich mich mit jedem, der uns vielleicht hätte helfen können, so gering die Aussicht auch schien.

Dann waren da die Mittelsmänner, die vorgaben, reiche Araber zu vertreten. Ich wußte, daß es viele reiche Araber gibt, aber das war schon eine Farce. Wir verfolgten allein 156 arabische Spuren. Ich sagte immer zu unseren Finanzleuten: »Sind uns die reichen Araber noch nicht ausgegangen?« Ich glaube, ich bin mit einem Dutzend vielversprechend aussehender Typen mit arabischen Beziehungen zusammengetroffen, von denen sich die meisten als Scharlatane entpuppten. Jeder erzählte uns, daß er Verbindungen zu einem arabischen Prinzen habe, der mit den großen Scheinen überkommen werde. Aber alles stellte sich als Augenwischerei heraus.

Eine erwähnenswerte Ausnahme war Adnan Khashoggi. Er ist ein Multimilliardär aus Saudi-Arabien, der aus den Öleinnahmen seines Landes einen hübschen Teil für sich abgezweigt hat. Khashoggi ist ein Bursche mit Grips, der eine amerikanische Schulbildung genossen hat. Er betätigt sich als Makler und ist in alle möglichen Geschäfte mit Rüstungs- und Investitionsgütern verwickelt, wofür er nette Provisionen kassiert.

Ich hielt ihm vor Augen, daß die arabische Welt wegen der OPEC in Verruf geraten sei. Ich machte ihm klar, daß eine Investition bei Chrysler dem arabischen Image nur zugute kommen konnte, ob er nun Yasir Arafat oder König Faisal repräsentierte. Aber nichts kam je bei den Gesprächen mit Khashoggi und allen übrigen Repräsentanten der arabischen Welt heraus.

Meine Unterredungen mit Toni Schmücker, dem Leiter von Volkswagen, waren weitaus seriöser. Toni und ich sind seit mehr als zwanzig Jahren, seit er bei Ford in Deutschland als Einkaufsleiter tätig war, gute Freunde. Wir hatten ein paar geheime Unterhaltungen über eine Partnerschaft zwischen Volkswagen und Chrysler, die wir als die »große Lösung« bezeichneten. Der Plan sah vor, daß wir beide dasselbe Auto herstellen sollten. Chrysler würde es in Amerika verkaufen und Volkswagen in Europa. Früher hatten wir uns bereits geeinigt, jährlich 300 000 Vierzylindermotoren von Volkswagen für unsere Omnis und Horizons zu kaufen, die große Ähnlichkeit mit dem Rabbit hatten. In gewisser Weise hatten wir also den ersten Schritt bereits unternommen.

Der Plan hatte einige offensichtliche Vorzüge. Unser Händlernetz würde sich sprunghaft erhöhen. Unsere Kaufkraft wäre weitaus größer. Wir könnten unsere fixen Kosten auf eine weitaus größere Zahl von Autos verteilen. Es war wirklich eine Ehe, die im Himmel geschlossen worden wäre. Und es war ein so simpler Plan, daß ein kleines Kind draufgekommen wäre.

Als ich Chrysler beitrat, hatte ich nicht aufgehört, über die Idee von Global Motors nachzudenken. Hal Sperlich und ich redeten immer noch gelegentlich darüber. Eine Fusion zwischen Chrysler und Volkswagen hätte einen echten Anfang dargestellt, und sowohl Hal als auch ich waren fasziniert von dieser Möglichkeit. Wenn es uns gelang, uns mit Volkswagen zusammenzutun, dann würden wir auch ohne große Schwierigkeiten einen japanischen Partner finden.

Unsere Gespräche mit Volkswagen gingen ziemlich ins Detail. Es war eine sehr interessante Episode zu einem Zeitpunkt, da wir am Eingehen waren. Aber das war das Problem – wir waren *wirklich* am Eingehen. Nachdem die Volkswagen-Leute unsere Bilanzen studiert hatten, machten sie einen Rückzieher. Wir waren schwer verschuldet, und wir verbuchten keine Gewinne. Zu diesem Zeitpunkt war der Plan viel zu riskant. Statt uns aufzuhelfen, hätten wir sie vielleicht in die Tiefe gerissen.

Als unsere Gespräche zu Ende gingen, sickerte die Nachricht von den Verhandlungen nach draußen. Das Gerücht einer bevorstehenden Fusion zwischen Volkswagen und Chrysler wurde von *Automotive News*, dem wöchentlich erscheinenden Fachjournal der Autoindustrie, gestreut. Das war Beweis genug für Wall Street, wo unsere Aktien von elf auf 14 Dollar stiegen. Den Gerüchten zufolge hatte Volkswagen beschlossen, Chrysler um 15 Dollar pro Anteil aufzukaufen.

Als die »Nachricht« bekannt wurde, war Riccardo gerade in Washington, wo er mit Stuart Eizenstat, einem Mitarbeiter Carters, und Michael Blumenthal, dem Finanzminister, zusammentraf. Sowohl Eizenstat als auch Blumenthal drängten ihn, das Angebot anzunehmen. Leider gab es kein Angebot, das er hätte annehmen können.

Schmücker hatte sichtliches Interesse bekundet, aber Werner Schmidt, VW-Vizepräsident für Marketing, war entschieden dagegen gewesen. Der hochgewachsene Deutsche Schmidt, der einst als Trainee in meinem Büro bei Ford gewesen war, erläuterte mir in dezidierten Worten, warum Volkswagen niemals mit Chrysler fusionieren könne: unser Image sei angeschlagen, unsere Autos seien schlecht und unsere Händlerorganisation sei nicht stark genug. Ich muß ihm wohl ein guter Lehrmeister gewesen sein, denn Schmidt fertigte die Idee eines Zusammenschlusses in wenigen schroffen Worten ab.

Vier Jahre später, 1983, führten wir weitere Gespräche mit Volkswagen. Ironischerweise waren unsere Positionen jetzt umgekehrt. Jetzt steckte ihre Händlerorganisation in Schwierigkeiten: Niemand kaufte mehr Rabbits.

Da unsere Regierung immer noch keine Energiepolitik hat, ist jedes Unternehmen, das nur Kleinwagen herstellt, von den schwankenden Benzinpreisen abhängig. Und da Volkswagen ausschließlich kleine Autos produziert, wurden sie von den Japanern überrannt. Zum einen kann die deutsche Mark ebensowenig wie der Dollar mit dem kontrollierten Yen konkurrieren. Zum anderen sind die Lohnkosten sehr hoch, ob die Rabbits nun in der Bundesrepublik oder in Pennsylvania hergestellt werden. Darüber hinaus mußte Volkswagen die Transportkosten seiner Autos von der Bundesrepublik in die USA verkraften, ein Kostenfaktor, der ebenfalls stark ins Gewicht fällt. Das ist der Grund, warum VW schließlich anfing, einen Teil davon in den USA zu produzieren.

Volkswagen war unser ernsthaftester Bewerber, aber es gab noch andere, beispielsweise John Z. DeLorean. DeLorean, der nach seinem Ausscheiden von General Motors seine eigene Automobilfirma gegründet hatte, besuchte mich, um die Möglichkeit einer Fusion seiner Firma mit Chrysler zu erörtern.

Zur Zeit von Johns Besuch steckten unsere beiden Firmen in tiefen Schwierigkeiten. »Mein Vater hat mir geraten, nie zwei Verlierer zusammenzuspannen«, sagte ich zu ihm. »Also entweder schaffen Sie es oder ich, und dann setzen wir uns wieder zusammen und reden darüber.«

DeLorean ist ein erstklassiger Autofachmann. Ich kannte ihn schon, als er bei Pontiac den Ruf eines Supertechnikers genoß, und später, als er Chef der Chevrolet Division war. Wir waren harte Konkurrenten, befanden uns ständig in einem Kopf-an-Kopf-Rennen. Als ich 1964 wegen des Mustang auf dem Titelblatt von *Time* erschien, zog er mich auf: »Warum sind Sie auf dem Titel von *Time* und nicht ich mit dem GTO?« 1982, als er wegen seiner angeblichen

Beteiligung an der Drogenaffäre auf dem Titelblatt von *Time* erschien, dachte ich: »Nun, John, jetzt hast du es endlich geschafft.« Es tat mir leid für ihn, denn er hatte mehr als genügend Talent, um es auf dem richtigen Weg zu erreichen.

Nachdem aus der Fusion nichts geworden war, kam mich John erneut besuchen. Dieses Mal wollte er mir einen R&D-Abschreibungsplan vorschlagen, der schließlich als »DeLorean-Masche« bekannt wurde. Dieser Plan, den er mit einigen seiner Mitarbeiter ausgeheckt hatte, fand später in *Fortune* starke Beachtung. Es ging dabei um den Verkauf von Kommanditgesellschaften, die dann von der Steuerschuld abgesetzt werden.

Er meinte, Chrysler sollte diesen Weg einschlagen, und hatte ein umfangreiches Gutachten für mich anfertigen lassen, das ihn fünfzig- oder sechzigtausend Dollar gekostet hatte. Ich lehnte dankend ab: »Selbst wenn das funktionierte« – und es hätte vielleicht in bescheidenem Umfang funktionieren können – »würde das Finanzamt ausflippen, wenn ich es um zwei Milliarden Dollar betrüge.« Diese Fluchtburg würde man nicht dulden – allein schon wegen ihrer Größe.

Nach vielen weiteren Verhandlungen mit möglichen Rettern gingen uns schließlich die Möglichkeiten aus. Und das war der Zeitpunkt, an dem wir uns zuletzt doch an die Regierung wandten. Aber bei unserer Fühlungnahme mit Washington war zunächst nicht von einem Ersuchen um Darlehensgarantien die Rede.

Ebenso wie ich wurde auch John Riccardo täglich verzweifelter. Auf dem Papier war er immer noch Vorsitzender, obwohl er im Begriff war auszuscheiden und ich bereits das Unternehmen leitete. Riccardo wußte, daß der Konzern den Bach runterging, wenn nicht bald etwas geschah. Das war der Punkt, an dem er anfing, Reisen nach Washington zu unternehmen.

Zunächst bemühte er sich, den Kongreß für einen zweijährigen Aufschub der neuen Regierungsverordnungen zu gewinnen. Dadurch hätten wir unser Geld zur Entwicklung neuer benzinsparender Autos verwenden können, statt darum ringen zu müssen, die Abgase vom letzten Gramm Kohlenwasserstoff zu säubern. Aber in Washington hörte niemand auf ihn.

Dabei hatte Riccardo völlig recht. Obwohl viele der Chrysler-Probleme die unmittelbare Folge von Managementfehlern waren, traf die Regierung zumindest ein Teil der Schuld an unserer Situation. Nachdem sie einige strenge und wenig überlegte Bestimmungen zur Erhöhung der Sicherheit und zur Schadstoffreduzierung erlassen hatte, erklärte sie den amerikanischen Autoherstellern: »Es ist euch nicht gestattet, diese Probleme durch gemeinsame Forschung und Entwicklung zu lösen. Jeder Hersteller muß das allein machen.« Dabei muß man bedenken, daß Japan die entgegengesetzte Strategie verfolgte. Da sich Japan nicht an die amerikanischen Kartellgesetze halten mußte, konnten die japanischen Firmen diese Probleme mit vereinten Kräften lösen.

Wir sind ja in Washington zu beträchtlichen Dummheiten fähig, wenn wir uns anstrengen. Wenn es um die Einhaltung technischer Vorschriften geht, sollte keine Konkurrenz walten. Wenn ein Hersteller ein wirksameres, effizienteres, billigeres System der Abgaskontrolle entwickelt, dann sollte er es auch den anderen zur Verfügung stellen. Ich meine nicht umsonst. Er soll das Patent verkaufen.

Aber bis vor kurzem war es nicht möglich, sich in einem Raum über diese Dinge zu unterhalten, ohne eine Gefängnisstrafe zu riskieren. Wir durften nicht einmal zuhören, wenn General Motors sein System beschrieb. Wir mußten buchstäblich aufstehen und gehen, oder wir machten uns nach dem Anerkenntnisurteil schuldig, an das wir alle gebunden waren.

Während ich diese Worte niederschreibe, beginnt Washington endlich umzudenken. Die Erkenntnis hat sich durchgesetzt, daß unsere Antitrustgesetze zu streng waren und daß wir mit den Japanern nicht konkurrieren können, wenn diese Gesetze nicht revidiert werden. Leider scheint sich die neue Haltung der Regierung als erstes in einer Verbindung zwischen Toyota und General Motors, den beiden Giganten der Autoindustrie, niederzuschlagen. Eine solche Elefantenhochzeit kann nicht der Sinn der Sache sein.

Wegen der Kartellgesetze mußte jedes der vier Unternehmen General Motors, Ford, American Motors und Chrysler Entwicklungsabteilungen ins Leben rufen und mit Personal und Geld ausstatten, um an ein und denselben Problemen zu arbeiten – Probleme, deren Lösungen keinem von uns wirtschaftlichen Nutzen bringen würden.

Seit dem Motor Vehicle Safety Act von 1966 haben sämtliche Sicherheitsvorkehrungen und -geräte, die Autofahrer davor schützen sollen, sich selbst und andere zu verletzen, Kosten in Höhe von 19 Milliarden Dollar verursacht. General Motors kann diese Kosten auf fünf Millionen Autos pro Jahr aufteilen. Ford verteilt sie auf zweieinhalb Millionen Fahrzeuge und Chrysler auf etwa eine Million.

Man braucht keinen Computer, um zu begreifen, daß die Kosten für ein bestimmtes Gerät, die bei GM sagen wir eine Million Dollar betrugen, für jeden Käufer eine Mehrbelastung von zehn Dollar ausmachen würden, wenn 100 000 Fahrzeuge abgesetzt werden. Wenn Chrysler dieselben Kosten hat, aber nur 20 000 Käufer, dann müßte jeder einzelne Kunde um 50 Dollar mehr bezahlen.

Aber das betrifft nur die Forschung und Entwicklung. Dann muß das Gerät ja noch hergestellt werden. In dieser Hinsicht sind die Lasten genauso ungleich verteilt, nur daß es sich dabei um größere Summen handelt. GM mit seinen Riesenumsätzen kann jedes einzelne Teil billiger herstellen und billiger verkaufen als wir. Und so verbreitert sich die Kluft.

Ein weiterer Faktor, der uns aufhielt, war der reine Aufwand an Zeit und Personal für den Papierkrieg, mit dem man den Bestimmungen der Umweltschutzbehörde EPA genügen mußte. 1978 allein hatten wir mit der EPA einen Schriftwechsel, der allein auf unserer Seite einen Umfang von 228 000 Seiten erreichte!

Es liegen eine Reihe von Untersuchungen renommierter Wirtschaftsinstitute vor, die überzeugend nachweisen, daß die Anwendung der Sicherheits-, Abgas- und Umweltschutzbestimmungen der Regierung auf Autos und Lastwagen diskriminierend und entwicklungshemmend ist. Deshalb kamen sowohl Riccardo als auch ich zu demselben Schluß: Die Regierung hat dazu beigetragen, daß wir in der Patsche sitzen, deshalb sollte die Regierung auch bereit sein, uns wieder aus der Patsche herauszuhelfen.

Aber Riccardos Plädoyer für einen Aufschub der Bestimmungen stieß auf taube Ohren. Von da an versuchte er einen rückzahlbaren Steuerkredit durchzusetzen. Seinem Plan zufolge sollte uns das Geld, das wir ausgaben, um den Sicherheits- und Umweltbestimmungen der Regierung zu genügen, Dollar für Dollar rückerstattet werden. Die Gesamtsumme betrug eine Milliarde Dollar – 500 Millionen im Jahr 1979 und weitere 500 Millionen im Jahr 1980. Wir würden diese Schuld in Form höherer Steuern auf künftige Einnahmen zurückzahlen.

Wir wären nicht die ersten gewesen, die eine solche Bitte aussprachen. 1967 hatte American Motors einen speziellen Steuerkredit in

Höhe von 22 Millionen Dollar erhalten. Volkswagen wurde vom Staat Pennsylvania ein Steuernachlaß von 40 Millionen Dollar gewährt, um dort ein Werk errichten zu können. Oklahoma hatte vor kurzem General Motors eine Steuervergünstigung eingeräumt. Renault, das zu 100 Prozent im Besitz der französischen Regierung ist, hatte soeben ein Darlehen von 135 Millionen Dollar für die Montage neuer Autos in einem American Motors-Werk in Wisconsin erhalten. Von Michigan und Illinois ist bekannt, daß sie sich gegenseitig mit Angeboten für ansiedlungswillige Industrien überbieten. Die Stadt Detroit selbst hat Chrysler Steuernachlässe gewährt. Und in einer Reihe europäischer Länder erhalten amerikanische Automobilfirmen von der Gastregierung laufend verlorene Zuschüsse und Subventionen.

Riccardo trat dafür ein, Unternehmen Steuervergünstigungen zu gewähren, solange diese in den roten Zahlen sind. Wenn man Geld verliert, kann man nichts abschreiben. Alles kostet einen mehr, von Luftsäcken bis zu Robotern. Angesichts all der Regierungsauflagen sowie der Energiekrise waren Firmen, die Verluste machten, wirklich benachteiligt.

Riccardo fuhr nach Washington, um zu versuchen, den Kongreß für uns zu mobilisieren, aber er wurde wieder hinausgeworfen. Er war ein guter Kerl, aber nicht sonderlich kontaktfähig. Er war ungeduldig und jähzornig, und mit diesen Eigenschaften kommt man in den Hallen des Kongresses nicht sehr weit.

John wußte, daß es keine praktikable Alternative zur Regierungshilfe gab. Wir verloren Geld, und wir reduzierten unsere fixen Kosten nicht rasch genug. Infolge der internationalen Ölkrise ging der Umsatz zum Teufel. Und weil sich der Benzinpreis eben verdoppelt hatte, mußten wir so schnell wie möglich auf Vorderradantrieb und benzinsparende Modelle umstellen. Chrysler mußte 100 Millionen Dollar pro Monat – 1,2 Milliarden pro Jahr – aufbringen, um für die Zukunft gerüstet zu sein.

Darüber hinaus mußten wir jeden Freitag 250 Millionen Dollar aufbringen, um die Löhne und Gehälter und die Teile bezahlen zu können, die wir in der vorangegangenen Woche gekauft hatten. Es bedurfte keiner großen Voraussicht, um zu erkennen, was uns bevorstand.

Am 6. August 1979 verließ G. William Miller sein Amt als Vorsitzender des Federal Reserve Board, um die Leitung des Finanzministeriums zu übernehmen. Das war ein wichtiger Schritt. Als Leiter der Bundesreservebank hatte Miller Riccardo zu verstehen gegeben, daß Chrysler lieber bankrott machen sollte, als die Regierung um Hilfe anzugehen. Aber in seinem neuen Amt besann sich Miller offenbar eines Besseren. Seine erste Amtshandlung war die Ankündigung, daß er eine staatliche Unterstützung im öffentlichen Interesse für geboten halte. Das Konzept von Steuerkrediten lehnte Miller ab. Aber er sagte, die Regierung Carter sei bereit, Darlehensbürgschaften ins Auge zu fassen, wenn wir einen umfassenden Sanierungsplan vorlegten.

Erst damals beschlossen wir, uns um eine Darlehensbürgschaft zu bewerben. Aber auch das ging in Highland Park nicht ohne starke Selbstzweifel ab. Insbesondere Sperlich war absolut dagegen. Er war überzeugt, daß eine staatliche Intervention den Konzern ruinieren werde, und ich war nicht sicher, ob er sich irrte. Aber ich sah keinen anderen Ausweg. »Na schön«, sagte ich. »Du willst keine Hilfe von der Regierung? Ich auch nicht. Zeige mir eine bessere Lösung.«

Aber es gab keine. Ein anderer wies auf den Fall der britischen Autofirma British Leyland hin. Als die sich an die Regierung wandte, zerstörte sie das Vertrauen der Kunden zu der Firma. Ihr Marktanteil wurde halbiert, und sie erholten sich nie wieder. Das war kein ermutigender Präzedenzfall, aber wir hatten keine andere Wahl außer dem Bankrott. Und der war keine Alternative.

Äußerst widerstrebend entschlossen wir uns, eine staatliche Darlehensbürgschaft zu beantragen.

Ich wußte, daß dieses Ersuchen sehr umstritten sein würde, also mußte ich gute Vorarbeit leisten. Ich stellte fest, daß es eine Anzahl von Präzedenzfällen für unser Gesuch gab. Lockheed Aircraft hatte 1971 eine staatliche Darlehensbürgschaft in Höhe von 250 Millionen Dollar erhalten, nachdem der Kongreß beschlossen hatte, dessen Belegschaft und Lieferanten zu retten. Der Kongreß hatte einen Bürgschaftsausschuß eingesetzt, der die Abwicklung beaufsichtigte, und Lockheed zahlte seine Darlehen zurück, einschließlich einer zusätzlichen Vergütung in Höhe von 31 Millionen Dollar, die in die Bundeskasse floß. Auch die Stadt New York hatte eine staatliche Darlehensbürgschaft erhalten, und auch sie war noch nicht pleite. Aber dies waren lediglich die bekanntesten Beispiele.

Darlehensbürgschaften waren so amerikanisch wie *apple pie*, wie ich bald begriff. Zu den Empfängern zählten Elektrofirmen, Landwirte, Eisenbahnen, Chemiekonzerne, Werften, Kleinbetriebe aller Art, Studenten und Fluggesellschaften.

Tatsächlich standen staatliche Darlehen und Darlehensgarantien in Höhe von 409 Milliarden Dollar aus, als wir unseren Antrag auf eine Milliarde Dollar einreichten. Aber niemand wußte das. Alle behaupteten, eine Bürgschaft für Chrysler stelle einen gefährlichen Präzedenzfall dar.

Immer wieder wies ich Redakteure und Reporter auf die bestehenden Bürgschaften in Höhe von 409 Milliarden Dollar hin – inzwischen sind es über 500 Milliarden. Ein Präzedenzfall? Im Gegenteil. Wir folgten nur der Herde.

Wer hatte all diese verbürgten Darlehen erhalten? Fünf Stahlfirmen im Rahmen des Import Relief Act von 1974, wovon an Jones & Laughlin allein 111 Millionen Dollar gingen. In jüngerer Zeit hatte die Wheeling-Pittsburgh Steel Corporation Darlehensbürgschaften in Höhe von 150 Millionen Dollar für eine Modernisierung ihrer Fabrikanlagen und für Umweltschutzmaßnahmen erhalten.

Und dann die Bauindustrie. Und Subventionen für Tabakpflanzer. Und Kredite zur Aufrechterhaltung der Leistungsfähigkeit unserer Handelsmarine – der Schiffbau hält sich buchstäblich mit Hilfe von Regierungssubventionen über Wasser. Darlehen für Fluggesellschaften wie People Express. Darlehen von der Farmers Home Administration, der Export-Import-Bank und der Commodity Credit Corporation. Kreditbürgschaften seitens der Farmers Home Adminstration, der Small Business Administration und des Department of Health and Human Services.

Sogar für die Washingtoner U-Bahn waren staatliche Bürgschaften gewährt worden. Die Metro hatte eine Milliarde Dollar erhalten, damit die Senatoren, Kongreßmitglieder und ihre Mitarbeiter rascher von einem Ende der Stadt zum anderen gelangten.

Auf dem Capitol Hill hörte man es gar nicht gern, wenn ich das zur Sprache brachte. Aber ich glaube nicht, daß die je ihr Geld wiedersehen.

»Seien wir doch mal ehrlich«, sagte ich. »Die U-Bahn ist doch bloß ein Aushängeschild für die Hauptstadt.«

»Aushängeschild?« antwortete man mir. »Die dient dem Verkehr!«

»Na schön«, antwortete ich. »Dient Chrysler etwa nicht dem Verkehr?«

Aber niemand schien sich an diese anderen Bürgschaften zu erinnern. Die Medien hätten zumindest auch diese Seite der Geschichte erwähnen sollen. Auch heute noch sind die meisten Menschen überrascht, wenn sie hören, daß unser Fall nicht gerade der erste war.

Ehrlich gesagt hätte ich als Präsident von Ford wahrscheinlich auch nicht auf diese Argumente gehört. Ich hätte wahrscheinlich zu Chrysler gesagt: »Laßt die Regierung aus dem Spiel. Ich glaube an das Überleben des Tüchtigsten. Wer es nicht schafft, der hat eben Pech gehabt.«

Damals hatte ich noch eine ganz andere Weltsicht. Aber wenn mir die Bürgschaften bekannt gewesen wären, von denen nie ein großes Aufhebens gemacht wurde, und wenn ich die Argumentation in der großen nationalen Debatte verfolgt hätte, die unser Gesuch an den Kongreß begleitete, dann hätte ich die Dinge vielleicht anders gesehen. Jedenfalls möchte ich das gern glauben.

Gegenüber allen Zuhörern hob ich ständig hervor, daß Chrysler kein Einzelfall sei. Vielmehr stellten wir einen Mikrokosmos dessen dar, was in Amerika schieflief, und waren eine Art Testlabor für alle anderen. Keine Branche in der Welt hatte härtere Schläge zu verkraften als die Autoindustrie. Regierungsauflagen, die Energiekrise und die Rezession reichten fast aus, um uns den Garaus zu machen.

Als schwächstes Glied in der Kette war Chrysler als erster betroffen. Aber was wir durchmachten, repräsentierte nur die Spitze des Eisbergs, wie ich immer wieder erklärte, wenn von den Problemen die Rede war, die der amerikanischen Industrie bevorstanden. Ich sagte klipp und klar voraus, daß uns GM und Ford bald in die roten Zahlen folgen würden. (Ich wußte nicht, daß ihre Verluste eine Höhe von fünf Milliarden Dollar erreichen würden. Aber genau das geschah. Innerhalb von sechs Monaten landeten sie im Graben, um uns da Gesellschaft zu leisten.)

Was ich verkündete, wollten die Leute nicht hören. Es war soviel leichter, einen Sündenbock zu finden. Und wer hätte sich dafür besser geeignet, als der zehntgrößte Industriekonzern in Amerika – ein Unternehmen, das die Dreistigkeit besaß, seine eigene Regierung um Hilfe zu bitten?

# XVIII
# Soll Chrysler gerettet werden?

Von Anfang an wurde das Ansinnen einer staatlichen Bürgschaft für Chrysler von fast allen Seiten abgelehnt. Wie zu erwarten, kam der schärfste Protest aus der Wirtschaft. Die meisten Wirtschaftsführer sprachen sich entschieden gegen das Vorhaben aus, und viele machten ihre Absichten publik, darunter Tom Murphy von General Motors und Walter Wriston von Citicorp.

Für die meisten stellte die staatliche Hilfe für Chrysler ein Sakrileg dar, eine Häresie, ein Abschwören der Religion unserer amerikanischen Großindustrie. Die klugen Sprüche begannen nur so zu sprudeln, und alle alten Klischees wurden aus der Mottenkiste hervorgeholt: Unser System ist auf dem Prinzip von Gewinn und Verlust aufgebaut. Pleiten und Firmenschließungen stellen die gesunde Selbstreinigung einer funktionierenden Marktwirtschaft dar. Eine Darlehensbürgschaft verstößt gegen den Geist der freien Marktwirtschaft. Sie belohnt den Gescheiterten. Sie schwächt die Disziplin des Marktes. Der Markt reguliert sich selbst. Nur die Tauglichsten überleben. Man kann nicht mitten im Spiel die Spielregeln umstoßen. Eine Gesellschaft ohne Risiko ist eine Gesellschaft ohne Belohnung. Im Kapitalismus hat der Bankrott dieselbe Funktion wie die Hölle im Christentum. Laissez-faire für immer und ewig. Und anderer Quatsch mit Sauce!

Die National Association of Manufacturers sprach sich entschieden gegen staatliche Bürgschaften aus. Und der politische Ausschuß des Business Roundtable beschloß auf seiner Konferenz vom 13. November 1979 folgende Stellungnahme zur Chrysler-Situation:

Eine fundamentale Prämisse des marktwirtschaftlichen Systems ist, daß es sowohl Erfolg wie Mißerfolg und sowohl Gewinn als auch Verlust zuläßt. Welche Härten der Mißerfolg auch für bestimmte Unternehmen und für einzelne mit sich bringen mag, den sozialen und wirtschaftlichen Interessen der Nation wird am besten gedient, indem man dafür sorgt, daß dieses System so frei und ungehindert wie möglich funktioniert.

Die Folgen des Scheiterns und einer Reorganisation unter veränderten Umständen [mit anderen Worten: des Bankrotts] sind zwar ernst, aber nicht unausdenkbar. Der Verlust an Arbeitsplätzen und Produktionskapazität würde keinesfalls alles erfassen.

Nach einer Reorganisation ist zu erwarten, daß viele lebensfähige Zweige des Konzerns effizienter weiterbetrieben werden könnten, während man andere Elemente an andere Hersteller verkaufen könnte. In diesem Stadium könnte überzeugender für eine gezielte staatliche Hilfe zur Linderung resultierender sozialer Probleme argumentiert werden.

In einer Zeit, da sich Regierung, Wirtschaft und Öffentlichkeit immer deutlicher der Kosten und Nachteile einer staatlichen Einmischung in die Wirtschaft bewußt werden, wäre es völlig verfehlt, für einen noch stärkeren Interventionskurs einzutreten. Nunmehr ist es an der Zeit, das Prinzip »keine staatlichen Rettungsaktionen« zu bekräftigen.

Diese Erklärung brachte mich auf die Palme. Ich versuchte festzustellen, welche Ausschußmitglieder dafür gestimmt hatten, aber jeder, den ich fragte, schien zu dem Zeitpunkt die Stadt verlassen zu haben. Niemand wollte die Verantwortung dafür übernehmen, uns in die Pfanne gehauen zu haben.

Ich konterte mit folgendem Brief:

Sehr geehrte Herren,
mit großem Befremden habe ich erfahren, daß der Business Roundtable, dem Chrysler als Mitglied angehört, am gleichen Tag, an dem ich in Washington das Ersuchen der Chrysler Corporation für eine Darlehensgarantie erläuterte, eine Presseerklärung »gegen staatliche Rettungsaktionen« beschlossen hat.

Dazu möchte ich einige Feststellungen machen.

Erstens: Die Hauptaufgabe des Roundtable ist, einer Inflation entgegenzusteuern. Ihre Zielsetzungen wurden inzwischen auf eine Erörterung anderer wirtschaftlicher Fragen von nationaler Bedeutung ausgeweitet. Diese Erörterungen haben traditionell in einer offenen und freien Atmosphäre stattgefunden, in der alle Standpunkte in Betracht gezogen wurden. Die Tatsache, daß wir nicht Gelegenheit hatten, den Mitgliedern des politischen Ausschusses die Fakten des Falles Chrysler darzulegen, läuft dieser Tradition unmittelbar zuwider.

Zweitens: Es befremdet, daß der Roundtable keine ähnliche Position hinsichtlich staatlicher Darlehensbürgschaften für Stahlunternehmen, Werften, Fluggesellschaften, Landwirte und die Bauwirtschaft eingenommen hat. Er hat auch nicht gegen die Einführung von »Preisgrenzen« für ausländischen Stahl oder die Gewährung staatlicher Hilfen für American Motors protestiert.

Drittens: Die Erklärung des Roundtable beruft sich auf die Prinzipien der freien Marktwirtschaft, die »sowohl Erfolg als auch Mißerfolg zulassen«. Dabei wird die Tatsache völlig außer acht gelassen, daß der regulierende Eingriff der Regierung in das System entscheidend zu Chryslers Problem beigetragen hat. Tatsächlich steht es durchaus in Einklang mit der Funktionsweise eines marktwirtschaftlichen Systems, wenn die Regierung die schädlichen Auswirkungen staatlicher Eingriffe zu kompensieren sucht. Die Darlehensbürgschaften der Bundesregierung für Stahlfirmen erfolgten genau aus diesem Grund.

Viertens: Die Erklärung des Roundtable geht fehl in der Annahme, daß nach der neuen Konkursordnung eine Reorganisation durchführbar sei. Unser Problem ist nicht die Verringerung von Schulden, sondern die Beschaffung riesiger neuer Kapitalmengen. Es wäre uns unmöglich, das benötigte Kapital bei laufendem Bankrottverfahren aufzubringen. Wir haben uns mit einem der führenden Experten des Landes in Bankrottfragen beraten, Mr. J. Ronald Trost von Shutan & Trost, der nach einer Analyse des neuen Gesetzes die Erklärung abgab, daß ein Bankrottverfahren für Chrysler nicht durchführbar sei und zu einer raschen Liquidierung führen würde.

Nach Aussagen Ihrer eigenen Mitarbeiter hat der Roundtable seine Erklärung ohne Konsultation von Bankrottexperten verfaßt. Wären solche Experten zu Rate gezogen worden, dann wäre die Erklärung nach meiner Überzeugung weitaus weniger zuversichtlich in bezug auf die Vorzüge des Bankrotts ausgefallen.

Fünftens: Es ist überaus bedauernswert, daß sich der Roundtable in dieser Kampagne zur Verbreitung von Schlagworten herbeigelassen hat. In einer Presseerklärung »keine staatlichen Rettungsaktionen« zu fordern, heißt, die Diskussion auf das niedrigste Niveau herunterzuschrauben. Die Hunderttausende von Arbeitern im ganzen Land, deren Arbeitsplätze von Chrysler abhängen, haben in der Debatte über ihre Zukunft wahrhaft Besseres verdient.

Ein letzter Punkt: Ich glaube, daß es die anderen Mitglieder als peinlich empfinden könnten, wenn ich Ihre Einladung zur Mitgliedschaft im Roundtable annehmen würde. Ich hatte mich darauf gefreut, einem Wirtschaftsforum beizutreten, das der offenen Erörterung wirtschaftlicher und sozialer Fragen in einer Atmosphäre gegenseitigen Vertrauens und Respekts dient. Die Presseerklärung des Roundtable deutet jedoch darauf hin, daß im politischen Ausschuß dazu keine Gelegenheit besteht. Nehmen Sie deshalb den Ausdruck meines aufrichtigen Bedauerns und das Ausscheiden der Chrysler Corporation aus dem Business Roundtable zur Kenntnis.

So lautete mein Schreiben an den Business Roundtable. Lieber hätte ich ihnen folgendes geschrieben: »Ihr repräsentiert angeblich die wirtschaftliche Elite dieses Landes. Aber ihr seid eine Bande von Heuchlern. Euer Verein wurde von ein paar Stahl-Heinis ins Leben gerufen, die ihr ganzes Leben nichts anderes getan haben als die Regierung abzukochen. Erinnert ihr euch noch, was für eine Wut Präsident Kennedy auf die großen Stahlfirmen hatte, und daß er sie als eine Saubande bezeichnete? Ihr seid gegen staatliche Hilfe für Chrysler? Wo wart ihr, als es um Bürgschaften für Stahlfirmen, Werften und Fluglinien ging? Warum habt ihr euch nicht gegen Preisgrenzen für ausländischen Stahl ausgesprochen? Ich nehme an, es hängt immer davon ab, wessen Sau gerade geschlachtet wird!«

In all den vorangegangenen Fällen hatte der Business Roundtable geschwiegen. Aber als ich mich unterstand, um eine staatliche Bürgschaft zu bitten, veröffentlichten sie plötzlich ein Manifest! Solange es ihnen zugute kommt, haben sie gar nichts gegen eine kleine Regierungsintervention. Aber wenn es darum geht, Chrysler zu retten, dann pochen sie plötzlich auf ihre Prinzipien.

Selbst einige unserer Hauptlieferanten stimmten in das allgemeine Lamento ein. Wir waren isoliert, Opfer einer überholten Ideologie.

Ich möchte keinen Zweifel an meinem Standpunkt lassen. Das kapitalistische System der freien Marktwirtschaft ist das beste Wirtschaftssystem, das die Welt je gekannt hat. Ich bin hundert Prozent dafür. Bei gleichen Voraussetzungen für alle ist es der einzig richtige Weg.

Aber was geschieht, wenn alle Voraussetzungen nicht gleich sind? Was geschieht, wenn die konkreten Ursachen der Probleme eines Unternehmens nicht durch die freie Marktwirtschaft, sondern durch ihr Gegenteil entstanden sind? Was geschieht, wenn ein Unternehmen – wegen seiner Branchenzugehörigkeit und wegen seiner Größe – durch die ungleichen Auswirkungen von Regierungsauflagen zu Boden gezwungen wird?

Genau das geschah mit Chrysler: Sicher haben frühere Managementfehler nicht wenig zu den Schwierigkeiten beigetragen. Chrysler hätte niemals alle seine Produkte auf der Grundlage von Spekulationen bauen dürfen. Das Unternehmen hätte nicht versuchen sollen, außerhalb von Amerika zu expandieren. Es hätte nicht in das Gebrauchtwagengeschäft einsteigen sollen. Es hätte größeren Wert auf Qualität legen müssen.

Aber was die Firma letztlich in die Knie zwang, waren die gnadenlosen Peitschenhiebe ständig neuer Regierungsauflagen.

Ich verbrachte eine höllische Woche im Kongreß, in der ich das immer wieder zu erklären suchte.

Man antwortete mir: »Warum kommen Sie ständig hierher und beklagen sich über Auflagen?«

Ich sagte: »Weil ihr die Auflagen gemacht habt, aber mit dem Finger auf uns zeigt.«

Die hielten mir dann entgegen: »Das war stupides Management.«

Schließlich hatte ich genug. »Okay«, sagte ich zu ihnen, »hören wir auf mit diesem Quatsch. Es ist zu 50 Prozent eure Schuld – die Auflagen – und zu 50 Prozent die unsere, denn ich kenne alle Managementsünden. Was soll ich eurer Meinung nach tun? Die Typen ans Kreuz nageln, die nicht da sind? Sie haben Fehler gemacht, gut. Aber das ändert nichts daran: Ihr habt uns mit in diesen Schlamassel hineingerissen!«

Warum ist das System der freien Marktwirtschaft so stark? Nicht weil es stillsteht, erstarrt in überholten Formen, sondern weil es sich immer an eine sich wandelnde Welt angepaßt hat. Ich bin ein großer Verfechter der freien Marktwirtschaft, aber das bedeutet nicht, daß ich im 19. Jahrhundert lebe. Die Tatsache ist doch, daß die freie Marktwirtschaft heute nicht mehr genau dasselbe bedeutet wie früher.

Zunächst hat sich das marktwirtschaftliche System der industriellen Revolution angepaßt. 1890 wurde es durch Samuel Gompers und die Arbeiterbewegung modifiziert. Die Wirtschaftsführer bekämpften alle die neue Bewegung, aber im Grunde waren sie für ihr Entstehen verantwortlich. Sie hatten die Ausbeutungsbetriebe gegründet, in denen kleine Kinder den ganzen Tag an Nähtischen arbeiten mußten, und sie hatten hundert andere Ungerechtigkeiten geschaffen, die beseitigt werden mußten.

Wenn man sich in die Geschichtsbücher vertieft, wird man feststellen, daß die Geschäftsleute dieser Ära überzeugt waren, die neuen Gewerkschaften bedeuteten das Ende des freien Unternehmertums. Sie dachten, der Kapitalismus stehe vor dem Zusammenbruch und das Gespenst des Sozialismus lauere in Amerika um die nächste Straßenecke.

Aber sie irrten sich vollkommen. Sie verstanden nicht, daß die freie Marktwirtschaft flexibel wie ein lebender Organismus ist. Die freie Marktwirtschaft paßte sich an die Arbeiterbewegung an. Und die Arbeiterbewegung paßte sich der freien Marktwirtschaft an – tatsächlich so gut, daß in manchen Industriezweigen die Arbeitnehmerschaft fast so erfolgreich und mächtig wurde wie das Management.

Die freie Marktwirtschaft überlebte auch die große Wirtschaftskrise. Auch in diesem Fall dachten unsere Industriekapitäne, daß dies das Ende des Kapitalismus bedeute. Sie waren wütend, als Franklin Roosevelt beschloß, Arbeitsplätze für Leute zu schaffen, die ihre Jobs verloren hatten. Aber während die Wirtschaftsführer nur theoretisierten, machte F.D.R. Nägel mit Köpfen. Er tat, was getan werden mußte. Aber als er damit fertig war, erwies sich das System als stärker und erfolgreicher denn je.

Sooft ich F.D.R. lobe, höre ich die Industriebosse murmeln: »Iacocca ist ein Überläufer. Er hat den Verstand verloren. Er findet F.D.R. toll.« Aber sie vergessen, wo sie heute ohne seine erstaunliche Voraussicht stünden. F.D.R. war seiner Zeit um fünfzig Jahre voraus. Staatliche Lenkungsinstrumente wie die Securities and Exchange

Commission und die Federal Deposit Insurance Corporation sind nur zwei der Instanzen, die er ins Leben rief, um Katastrophen zu verhindern, wenn die Konjunkturzyklen außer Kontrolle geraten.

Heutzutage ist das marktwirtschaftliche System zu weiteren Anpassungsleistungen gezwungen. Diesmal muß es sich an eine neue Welt angleichen – an eine Welt, in der uns inzwischen ein mächtiger Rivale, Japan, erwachsen ist, und eine Welt, in der niemand mehr nach den Regeln des puren Laissez-faire spielt.

Während dieser ideologische Meinungsstreit tobte, ging das zehntgrößte Unternehmen der Nation in die Brüche. Das ist sicherlich nicht der Augenblick, um über Ideologien zu feilschen. Wenn der Wolf vor der Tür lauert, wird man sehr schnell pragmatisch.

Dann kann man sich nicht den Luxus erlauben zu sagen: »Moment mal. Ich möchte wissen, was die im Union League Club in Philadelphia dazu meinen? Na, was wohl: Freie Marktwirtschaft auf ewig!«

Was aber ist der Kern der freien Marktwirtschaft? Der Wettbewerb. Und gerade der Wettbewerb würde ja durch die Darlehensbürgschaften gestärkt werden. Warum? Weil diese garantierten, daß Chrysler erhalten blieb, um mit GM und Ford zu konkurrieren.

Wettbewerb ist etwas, das die Autoindustrie sowohl braucht wie versteht. Während der großen Debatte über die Zukunft von Chrysler schrieb ein Ford-Händler an die *New York Times:* »In den letzten 25 Jahren war ich ein Konkurrent von Chrysler. Dennoch erhebe ich prinzipiellen Einspruch gegen die Leitartikel, die Sie gegen das Ersuchen Chryslers um staatliche Unterstützung veröffentlicht haben . . . Die eigentliche Aufgabe der Regierung in einem demokratischen System der freien Marktwirtschaft ist nicht, das *survival of the fattest* (das Überleben der Fettesten; bei Darwin hieß es *survival of the fittest* – das Überleben der Tauglichsten – Anm. d. Übers.) zu sichern, sondern die Konkurrenz zu erhalten. Wenn Chrysler scheitert, während sich die Industrie abmüht, das Automobil schneller als denkbar neu zu erfinden, wird es dann lange dauern, bis es auch Ford erwischt?«

In Oregon schaltete ein anderer Händler – diesmal für Chevrolet – in der Lokalzeitung eine ganzseitige Anzeige mit der Überschrift: »Wenn wir Ihnen keinen Chevrolet oder keinen Honda verkaufen können, dann kaufen Sie einen Chrysler!« In der Anzeige heißt es weiter: »Wettbewerb ist gut für uns, gut für die Industrie, gut für das Land und gut für Sie, den Kunden.«

Außer dem Wettbewerb würden bei der Rettung von Chrysler auch Arbeitsplätze erhalten – sehr viele sogar. Alles zusammengerechnet, einschließlich unserer Arbeiter, Händler und Lieferanten, standen 600 000 Arbeitsplätze auf dem Spiel.

Manche Leute glaubten, daß unsere Arbeiter im Falle unseres Untergangs Stellen bei Ford und General Motors gefunden hätten. Aber das stimmte nicht. Ford wie auch GM verkauften gerade eben alle Kleinwagen, die sie herstellen konnten. Es war nicht so, daß sie leere Fabriken hatten und nach weiteren Arbeitern suchten, um sie zu füllen. Wenn Chrysler einging, dann hätten fast alle unsere Arbeiter auf der Straße gestanden.

Nur durch Importe hätte die plötzliche und unersättliche Nachfrage der Amerikaner nach Kleinwagen gestillt werden können. Falls Chrysler also unterging, dann bedeutete das nicht nur, daß Amerika mehr Kleinwagen importieren würde. Wir würden auch Arbeitsplätze exportieren.

Wir fragten: »Wäre dieses Land wirklich besser dran, wenn Chrysler eingeht und die Arbeitslosenrate über Nacht um ein weiteres halbes Prozent ansteigt? Wäre der freien Marktwirtschaft wirklich gedient, wenn Chrysler scheitert und Zehntausende von amerikanischen Arbeitsplätzen an die Japaner verlorengehen? Wäre unser marktwirtschaftliches System wirklich wettbewerbsfähiger ohne die über eine Million Autos und Lastwagen, die Chrysler jedes Jahr baut und verkauft?«

Wir gingen zur Regierung, und wir argumentierten: »Wenn es sinnvoll ist, ein soziales Netz für die einzelnen Bürger zu haben, dann ist es auch sinnvoll, ein soziales Netz für deren Arbeitgeber zu haben. Arbeit ist schließlich das, was den einzelnen am Leben erhält.«

Wir führten also den Wettbewerb und die Arbeitsplätze ins Feld. Aber am schwersten wogen unsere volkswirtschaftlichen Argumente. Darauf konnten sie einfach nichts erwidern. Das Finanzministerium hatte geschätzt, daß der Zusammenbruch von Chrysler mit all den Entlassungen das Land allein im ersten Jahr 2,7 Milliarden Dollar an Arbeitslosengeldern und Sozialhilfe kosten würde.

Ich sagte dem Kongreß: »Ihr habt die Wahl. Wollt ihr die 2,7 Milliarden Dollar jetzt zahlen, oder wollt ihr eine Bürgschaft für die Hälfte dieses Betrages leisten mit einer guten Chance, alles zurückzubekommen? Ihr könnte jetzt zahlen oder ihr könnt später zahlen.«

Eine solche Argumentation bewirkt, daß die Leute aufhorchen und einem zuhören. Und sie enthält eine wichtige Lektion für junge Leute, die vielleicht dieses Buch lesen: Denken Sie immer an die Interessen Ihres Gegenübers. Diese Erkenntnis verdanke ich wahrscheinlich meiner Schulung bei Dale Carnegie, und sie hat mir gute Dienste geleistet.

In diesem Fall mußte ich mich in die Position des Abgeordneten versetzen, der im Kongreß sitzt. Aus ideologischen Gründen war er vielleicht dagegen, uns zu helfen. Aber er besann sich rasch eines Besseren, nachdem wir unsere Hausaufgaben gemacht hatten und ihm eine nach Wahlkreisen gegliederte Aufstellung aller von Chrysler abhängigen Arbeitsplätze und Gewerbebetriebe in seinem Bundesstaat vorgelegt hatten. Sobald ihm klar wurde, wie viele seiner Wähler Chrysler ihre Existenz verdankten, nahm er seinen Abschied von der Ideologie.

Während der Kampf innerhalb und außerhalb des Kongresses ausgefochten wurde, tat ich alles, um Geld zu beschaffen, einschließlich des Verkaufs von Schuldverschreibungen an andere Firmen. Ich fühlte mich wie ein Teppichhändler, der auf die schnelle Bargeld auftreiben muß. Und meine Stimmung war gedrückt, weil – wohin ich mich auch wandte – niemand da war, der zu mir sagte: »Halte durch, du wirst es schaffen.«

Während der Debatte war die Konkurs-Lösung für Chrysler sehr populär. Nach Artikel 11 des Bundeskonkursgesetzes wären wir vor unseren Gläubigern geschützt, bis wir unser Haus in Ordnung gebracht hatten. Ein paar Jahre später würden wir angeblich als kleinere, aber gesündere Firma wieder auferstehen.

Aber als wir die verschiedensten Experten zu Rate zogen, sagten sie uns, was wir bereits wußten: daß der Konkurs in unserem Fall katastrophal wäre. Unsere Situation war einzigartig. Es war nicht wie bei Penn Central. Es war nicht wie bei Lockheed. Es war nicht, als verhandle man mit der Regierung über Rüstungsaufträge, die sie einem bereits erteilt hat. Und es war auch nicht wie in der Cornflakes-Branche. Wenn bekannt würde, daß Kellogg den Laden dichtmacht, würde deshalb niemand sagen: »Ich werde deren Cornflakes heute lieber nicht kaufen. Was ist, wenn ich eine Schachtel übrig habe, und es ist niemand da, der sie wartet?«

Aber bei Autos ist das anders. Allein die Gerüchte über einen Konkurs würden den Bargeldfluß an die Firma stoppen. Wir würden einen Dominoeffekt erleben. Kunden würden ihre Bestellungen stornieren. Sie würden sich über künftige Garantieleistungen und die Verfügbarkeit von Ersatzteilen und Kundendienst Sorgen machen – ganz zu schweigen vom Wiederverkaufswert eines Wagens.

Hierzu gab es einen aufschlußreichen Präzedenzfall. Als die Lkw-Firma White den Konkurs erklärte, glaubte sie, sie könnte ihren Geldgebern ein Schnippchen schlagen, indem sie sich hinter den Bestimmungen von Artikel 11 versteckte. Theoretisch hätte das funktionieren können. Da war bloß ein Problem. Alle ihre Kunden sagten: »Ach nein, die haben Pleite gemacht! Ich kaufe jetzt lieber woanders einen Lastwagen.«

Manche Banken rieten uns, diesen Weg einzuschlagen. »Warum rauft ihr euch mit der Regierung herum? Meldet den Konkurs an und betreibt die Firma aus der Konkurslage heraus.« Sie nannten uns Beispiele anderer Firmen, die das getan hatten. Aber wir erwiderten darauf: »Überlegt doch mal, wir sind ein wichtiger Konsumgüterhersteller in einer Konsumgüterindustrie. Wir könnten nicht zwei Wochen überleben, wenn wir das versuchten.«

Bei einem Konkurs könnten unsere Händler nicht länger ihre Bestellungen bei der Fabrik vorfinanzieren. Fast ihre gesamte Fahrzeugfinanzierung würde von den Banken und Finanzierungsgesellschaften innerhalb von ein oder zwei Tagen gestoppt. Nach unserer Schätzung wäre auch etwa die Hälfte unserer Händler selbst zum Konkurs gezwungen worden. Viele andere würden von GM und Ford abgeworben, so daß wir auf wichtigen Märkten nicht mehr vertreten wären.

Lieferanten würden Bezahlung im voraus oder bei Lieferung verlangen. Die meisten unserer Lieferanten sind kleine Unternehmen mit weniger als 500 Beschäftigten. Die Belastung eines Chrysler-Bankrotts wäre für Tausende von kleineren Firmen untragbar, deren ganze Existenz von uns abhing. Auch viele von ihnen müßten den Konkurs erklären, wodurch wir ohne wesentliche Ersatzteile dastünden.

Von Chrysler selbst gar nicht zu reden. Was hätte der größte Konkurs in der amerikanischen Geschichte für die Nation bedeutet? Eine Untersuchung von Data Resources ergab, daß die Schließung von Chrysler die Steuerzahler letzten Endes 16 Milliarden Dollar an Arbeitslosenunterstützung, Sozialhilfe und anderen Ausgaben kosten würde.

Soviel über die Konkurs-Option.

Während der nationalen Debatte über die Zukunft von Chrysler dienten wir jedermann als Zielscheibe. Der Kolumnist Tom Wicker schrieb in der *New York Times*, Chrysler solle seine Energien auf den Bau von Massenverkehrsmitteln statt Autos konzentrieren. Für die politischen Karikaturisten war die Story, daß Chrysler die Regierung um Hilfe bittet, ein gefundenes Fressen.

*The Wall Street Journal* war besonders unbarmherzig. Die Zeitung ereiferte sich über das Thema der Darlehensbürgschaften, die sie in einer denkwürdigen Schlagzeile als »Laetril für Chrysler« (ein fragwürdiges Krebsheilmittel – Anm. d. Übers.) bezeichnete.

Ihre Einwände gegen die staatliche Hilfe für Chrysler gingen weit über die Kommentarseiten hinaus. Sie wollten uns einfach nicht in Frieden lassen. Sie versäumten es nicht, jede kleinste schlechte Nachricht zu bringen, verloren aber kein Wort über die hoffnungsvolleren Zeichen. Selbst nachdem wir die Darlehensbürgschaften erhalten hatten, wiesen sie darauf hin, daß wir immer noch vom Blitz getroffen werden könnten, obwohl wir jetzt genug Geld hatten, obwohl wir das Unternehmen umorganisiert hatten, obwohl wir eine neue Geschäftsführung hatten sowie das richtige Produkt und hohe Qualität: Mit der Wirtschaft könne es bergab gehen. Der Autoabsatz könne noch schlechter werden.

Das *Journal* schien fast täglich einen negativen Artikel über die Lage bei Chrysler zu bringen. Und sooft das geschah, mußten wir einen Teil unserer begrenzten Energie darauf verwenden, den Schaden in der Öffentlichkeit zu begrenzen.

Beispielsweise verlor Ford 1981 im ersten Quartal 439 Millionen Dollar. Chrysler machte Fortschritte, aber wir verloren dennoch nahezu 300 Millionen Dollar. Wie lautete die Schlagzeile des *Journal*? »Ford-Verlust geringer als erwartet, Chrysler übler dran als vorausgesagt.« Das war die einzig denkbare Möglichkeit, eine Schlagzeile zu formulieren, die uns in einem schlechteren Licht erscheinen ließ als Ford. Die Zahlen stimmten damit nicht überein.

Zwei Monate später wies unser monatlicher Umsatz eine Zunahme von 51 Prozent gegenüber dem vorangegangenen Jahr auf. Aber das *Journal* fühlte sich genötigt zu bemerken, daß »der Vergleich jedoch verzerrt [ist], weil Chryslers Umsatz in der Vergleichsperiode des Vorjahres einen Tiefststand erreicht hatte«. Na schön. Aber hatte das

*Journal* im Vorjahr unseren niedrigen Umsatz vielleicht mit dem Hinweis entschuldigt, daß das Geschäft im Jahr zuvor außergewöhnlich gut gewesen sei?

Das erinnert mich an einen alten jüdischen Witz. Goldberg erhält einen Anruf von der Bank, weil sein Konto um 400 Dollar überzogen ist.

»Schauen Sie mal, wieviel ich im vorigen Monat hatte«, sagt er.

»Sie hatten einen Kontostand von 900 Dollar«, antwortet der Bankbeamte.

»Und im Monat davor?«, fragt Goldberg.

»Zwölfhundert Dollar«.

»Und im Monat davor?«

»Fünfzehnhundert.«

»Sagen Sie mir eines«, antwortet Goldberg, »in all diesen Monaten, als ich genügend Geld auf meinem Konto hatte – habe ich da *Sie* angerufen?«

Ähnliche Gefühle hatte ich gegenüber dem *Wall Street Journal.*

Im College hatte ich als Redakteur unserer Schülerzeitung gelernt, wieviel Macht der Schlagzeilenverfasser hat. Da die meisten Leute nicht die ganze Geschichte lesen, wenn sie an einem Thema nicht besonders interessiert sind, ist die Schlagzeile für die Mehrzahl der Leser identisch mit der Geschichte.

Mitten in der Bürgschaftskrise, nachdem wir erst einen Teil dessen geliehen hatten, was uns gesetzlich zustand, brachte das *Journal* einen Leitartikel, der dafür eintrat, Chrysler »von seinem Leiden zu erlösen«. Das war sein inzwischen berühmter Kommentar mit dem Tenor, »Laßt sie in Würde sterben«, der als klassisch in die Geschichte eingehen sollte – und sei es nur als Beispiel, wie die Pressefreiheit in diesem Land mißbraucht werden kann. Ich weiß, ich weiß, der Erste Verfassungszusatz garantiert ihnen dieses Recht.

Ich war wütend. Ich feuerte einen Leserbrief los, in dem ich schrieb: »Sie haben praktisch verkündet, daß man dem Patienten den Rest geben sollte, nachdem er nach Einnahme der Hälfte der verschriebenen Medizin noch nicht gesund ist. Ich danke dem Himmel, daß Sie nicht mein Hausarzt sind.«

Ich glaube, das *Wall Street Journal* lebt im vorigen Jahrhundert. Leider ist es konkurrenzlos. Das *Journal* hat ein Monopol und ist so arrogant geworden wie General Motors.

Übrigens hörte der Beschuß durch das *Journal* nicht auf, als sich Chrysler wieder fing. Am 13. Juli 1983 gab ich im National Press Club bekannt, daß wir bis zum Jahresende alle unsere von der Regierung garantierten Darlehen zurückzahlen würden. Zwei Tage später brachte die *New York Times*, die die Bürgschaft abgelehnt hatte, einen Artikel mit der Überschrift: »Chryslers dramatische Wende«. Dem Artikel zufolge »ist es schwer, die Größenordnung dieser Trendwende zu übertreiben . . . wie war es möglich, ein so durch und durch krankes Unternehmen so schnell zu sanieren?«

Am gleichen Tag brachte auch das *Wall Street Journal* einen ausführlichen Artikel über Chrysler. Seine Überschrift: »Chrysler nach radikaler Schlankheitskur immer noch geschwächt.« Konnte es noch Zweifel geben, daß das *Journal* voreingenommen war? Sie haben ein Recht auf ihre Meinung, aber Meinungen gehören in die Kommentare. Sie hätten wenigstens etwas in der Art schreiben können: »Es ist wirklich schade, daß sie es auf diese Weise tun mußten, aber Chrysler hat dennoch eine großartige Leistung vollbracht!«

Angesichts einer solchen Berichterstattung in der Wirtschaftspresse des Landes verwundert es nicht, daß es einem so großen Teil der Öffentlichkeit schwerfiel zu begreifen, was wirklich vor sich ging.

Ein großer Teil des Problems war die Sprache, deren man sich zur Beschreibung unserer Situation bediente. So wurde Chrysler als »Seenotfall« (*bailout* bedeutet Bürgschaft, Kaution, Rettungsaktion und ein Boot ausschöpfen – Anm. d. Übers.) bezeichnet. Das beschwört das Bild eines lecken Bootes herauf, das bei rauhem Seegang zu sinken droht. Das schließt ein, daß die Mannschaft überfordert war. *»Bailout«* klingt aber immer noch besser als *»handout«* (Almosen), wovon auch gelegentlich die Rede war. Wir baten nicht um Geschenke, und wir erhielten auch ganz bestimmt keine.

Einer verbreiteten Auffassung zufolge waren wir ein großer, monolithischer Konzern, der keine Hilfe verdiente. Um dieser Legende entgegenzutreten, erklärten wir, daß wir in Wirklichkeit ein Zusammenschluß kleiner Firmen seien. Wir sind ein Montagebetrieb. Wir haben 11 000 Lieferanten und 4000 Händler. Fast alle diese Leute sind Kleinunternehmer, keine großen Bosse. Wir brauchten eine helfende Hand – kein Almosen.

Viele Leute wußten nicht einmal das. Sie glaubten, wir wollten etwas geschenkt. Sie schienen zu meinen, daß mir Jimmy Carter seine

Genesungswünsche zusammen mit einer Milliarde Dollar in frisch gewaschenen Zehnern und Zwanzigern schickte. Viele wohlmeinende Amerikaner hatten offensichtlich den Eindruck, Chrysler habe eine Milliarde Dollar Bargeld in einer braunen Einkaufstüte erhalten, die wir niemals zurückzahlen mußten.

Wenn das bloß wahr wäre!

# XIX
# Chrysler wendet sich an den Kongreß

Vor Kongreß- und Senatsausschüssen auszusagen ist, vorsichtig ausgedrückt, nie meine Vorstellung von Zeitvertreib gewesen. Man kann mir glauben, daß es so ungefähr das letzte in der Welt war, was ich mir je gewünscht hätte. Aber wenn wir auch nur die geringste Chance hatten, den Kongreß zu einer Darlehensbürgschaft zu bewegen, dann wußte ich, daß ich persönlich erscheinen und unsere Situation darlegen mußte. Diesmal gab es nichts zu delegieren!

Die Räume, in denen die Anhörungen des Senats und des Repräsentantenhauses stattfinden, erfüllen den Zweck, den Zeugen einzuschüchtern. Die Ausschußmitglieder sitzen an einem halbkreisförmigen Tisch auf einem erhöhten Podium und schauen auf einen herunter. Der Zeuge befindet sich in einem echten psychologischen Nachteil, weil er ständig zum Befrager aufblicken muß. Und was die Sache noch schlimmer macht: man ist ständig von den Fernsehlampen geblendet.

Ich wurde als Zeuge angesprochen, aber diese Bezeichnung ist falsch. In Wirklichkeit war ich der Angeklagte. Stunde um Stunde mußte ich im Zeugenstand sitzen und mir vor dem Kongreß und der Presse für alle sogenannten Managementsünden Chryslers – reale wie eingebildete – den Prozeß machen lassen.

Manchmal war es der reinste Schauprozeß. Die Ideologen reihten sich auf und erklärten: »Es ist uns egal, was Sie sagen. Wir wollen Sie fertigmachen.« Ich war bei diesen Hearings ganz auf mich gestellt. Ich mußte alles improvisieren. Die Fragen prasselten nur so auf mich nieder, und es waren lauter Fangfragen. Die Senatoren und Kongreßmitglieder erhielten von ihren Zuarbeitern ständig Zettel zugesteckt, und ich mußte alles aus dem Stand beantworten. Es war höllisch.

Wir wurden gescholten, nicht die Voraussicht der cleveren Japaner besessen zu haben, deren Wagen weniger als acht Liter pro 100 Kilometer brauchen, obwohl der amerikanische Konsument ständig größere Mengen verlangt hatte. Wir wurden getadelt, weil wir nicht auf den Sturz des Schahs von Iran vorbereitet waren. Ich mußte darauf hinweisen, daß weder Carter noch Kissinger noch David Rockefeller noch das Außenministerium dieses Ereignis vorausgesehen hatten, obwohl sie alle in diesen Fragen weitaus besser informiert waren als ich.

Wir wurden gerügt, daß wir uns nicht auf das verrückte Benzinverteilungssystem vorbereitet hatten, das vom Energieministerium eingeführt wurde, sowie auf die folgenden Tumulte an den Tankstellen. Es zählte nicht, daß das Benzin einen Monat zuvor 17 Cents pro Liter gekostet hatte. Es zählte auch nicht, daß dieser Preis durch die staatlichen Preiskontrollen, die dem amerikanischen Verbraucher genau die falsche Botschaft signalisierten, künstlich gedrückt worden war. Und es zählte schon gar nicht, daß wir den größten Teil unseres Kapitals dafür aufwenden mußten, die Auflagen der Regierung zu erfüllen. In den Augen des Kongresses und der Medien hatten wir gesündigt. Wir hatten am Markt vorbeiproduziert, und wir verdienten Strafe.

Bestraft wurden wir nicht zu knapp. Im Verlauf der Anhörung vor dem Kongreß wurden wir der gesamten Welt als lebende Beispiele all dessen vorgeführt, was mit der amerikanischen Industrie nicht stimmte. In den Pressekommentaren wurden wir dafür gedemütigt, daß wir nicht den Anstand besaßen, aufzugeben und würdevoll zu sterben. Wir waren Gegenstand der Verachtung seitens der Karikaturisten des Landes, die es nicht erwarten konnten, uns ins Grab zu zeichnen. Unsere Frauen und Kinder waren die Zielscheibe von Witzen in Kaufhallen und Schulen. Es wurde uns ein viel höherer Preis abverlangt, als bloß die Tore zu schließen und heimzugehen. Die Angriffe waren persönlich. Sie waren gezielt. Und sie taten weh.

Am 18. Oktober erschien ich zum ersten Mal vor dem Unterausschuß für wirtschaftliche Stabilisierung des Ausschusses für Bank- und Finanzwesen und kommunale Angelegenheiten. Alle Ausschußmitglieder waren anwesend, was an sich schon ungewöhnlich war.

Normalerweise finden die Hearings in Abwesenheit der meisten Ausschußmitglieder statt, die zur gleichen Zeit stets ein Dutzend anderer Verpflichtungen haben. Die eigentliche Arbeit wird gewöhnlich von Mitarbeitern der Abgeordneten erledigt.

Ich begann meine Aussage mit einer sehr schlichten Feststellung: »Ich bin sicher, Sie wissen, daß ich heute hier nicht allein spreche. Ich spreche im Namen der Hunderttausende von Menschen, deren Existenz davon abhängt, daß Chrysler erhalten bleibt. So einfach ist das. Ich spreche im Namen unserer 140 000 Beschäftigten und ihrer Angehörigen, unserer 4700 Händler und deren 150 000 Beschäftigten, die unsere Produkte verkaufen und warten, unserer 19 000 Lieferanten und ihrer 250 000 Mitarbeiter und natürlich im Namen aller ihrer Familien und Angehörigen.«

Weil es soviel Verwirrung darüber gab, um welche Art der Hilfeleistung wir eigentlich baten, stellte ich klar, daß wir nicht einen Zuschuß beantragten. Wir erbaten uns keine Geschenke. Ich erinnerte den Ausschuß daran, daß wir einen Antrag auf Bürgschaft für ein Darlehen stellten, das bis zum letzten Dollar – mit Zinsen – zurückgezahlt werden würde.

In meiner einleitenden Erklärung legte ich dem Ausschuß sieben wesentliche Punkte dar. Erstens seien unsere Probleme auf ein Zusammenwirken von schlechtem Management, einem Höchstmaß an staatlichen Auflagen, der Energiekrise und der Rezession zurückzuführen. Wir hätten unser Management völlig ausgetauscht, aber die anderen drei Faktoren entzögen sich unserer Kontrolle.

Zweitens hätten wir bereits prompte und entscheidende Schritte unternommen, um unsere Probleme zu lösen. Wir hätten unproduktivere Betriebsanlagen verkauft. Wir hätten beträchtliche neue Kapitalmittel aufgebracht. Wir hätten unsere fixen Kosten um 600 Millionen Dollar pro Jahr reduziert. Wir hätten die Gehälter unserer 1700 Spitzenleute gekürzt. Wir hätten alle Zahlungen von Leistungsprämien eingestellt. Wir hätten das Aktienvorkaufsrecht für unsere Angestellten beschnitten. Wir hätten die Dividende auf unsere Stammaktien gestrichen. Wir hätten uns neue und wichtige Aufträge und Unterstützungszusagen seitens unserer Lieferanten, unserer Banken, unserer Händler und unserer Arbeiter sowie der Landesregierungen und der Kommunen gesichert.

Drittens müßten wir, um mit Gewinn weiterarbeiten zu können, auch weiterhin eine geschlossene Modellpalette von Personen- und leichten Lastwagen anbieten. Als Unternehmen, das nur ein Produkt herstellt, könnten wir nicht überleben. Wir könnten nicht im Geschäft bleiben und nur Kleinwagen herstellen. Die Profitspannen betragen bei Miniautos nur etwa 700 Dollar pro Fahrzeug, und das reiche nicht aus, um im Geschäft zu bleiben – solange die Japaner den Vorteil niedriger Lohnkosten und steuerlicher Begünstigungen genießen.

Viertens wären wir nicht imstande, einen Konkurs zu überleben.

Fünftens hätten wir keine Angebote einer Fusion mit anderen Firmen, weder amerikanischen noch ausländischen. Und wenn wir keine Darlehensbürgschaft erhielten, sei es auch unwahrscheinlich, daß uns jemand zum Tanz auffordern würde.

Sechstens hätte Chrysler trotz seines Rufs, Benzinfresser herzustellen, bereits die durchschnittlich beste Treibstoffökonomie der Großen Drei aufzuweisen. Wir böten mehr Modelle mit mindestens 25 Meilen pro Gallone an als GM, Ford, Toyota, Datsun oder Honda.

Abschließend versicherte ich, daß unser Operationsplan für die nächsten fünf Jahre in Ordnung sei und auf konservativen Annahmen beruhe. Wir wüßten, daß wir unseren Marktanteil verbessern und bald wieder mit Gewinn arbeiten könnten.

Im weiteren Verlauf des Hearings äußerte ich mich zu jedem der genannten Punkt noch detaillierter.

Die Fragen und die Beschuldigungen nahmen kein Ende. Manche der Ausschußmitglieder wollten es einfach nicht zur Kenntnis nehmen, daß Chrysler nun unter neuem Management stand. Es verwundert auch nicht, daß die meisten nicht bereit waren, die tatsächlichen Kosten der staatlichen Auflagen zu berücksichtigen. Statt dessen wiesen sie ständig auf die von der vorangegangenen Konzernführung begangenen Managementfehler hin und erwarteten von mir eine Rechtfertigung.

ABGEORDNETER SHUMWAY AUS KALIFORNIEN: »Mir geht es darum, welche Gewähr Sie diesem Ausschuß und der Regierung geben können, daß Sie die Fehler der Vergangenheit nicht wiederholen werden? Sie behaupten, daß einige der Irrtümer, die das Management des Unternehmens begangen hat, nun beseitigt seien, und daß Sie sich auf dem Weg in die Gewinnzone befänden. Ich sehe offen gestanden nicht die Art von Lösungen, die mich wirklich überzeugen würden, daß dies der Fall ist.«

MR. IACOCCA: »Herr Abgeordneter, ich kann es Ihnen nicht beweisen. Ich kann Ihnen nur mein Wort dafür geben. Ich habe bei Chrysler ein neues Team zusammengestellt. Es sind nach meiner Ansicht die besten Automobilfachleute in den Vereinigten Staaten. Wir haben unsere Qualifikation bewiesen. Das ist alles bereits dargelegt worden. Wir wissen, wie man Kleinwagen baut. Wir sind seit dreißig Jahren im Geschäft, und wir behaupten, daß wir es schaffen werden. Das ist das einzige, was wir Ihnen sagen können. Verlassen Sie sich auf Leistungsnachweise, verlassen Sie sich auf Erfahrung. Wir bieten Ihnen unsere zur Überprüfung an. Das ist alles, was ich sagen kann.«

MR. SHUMWAY: »Sie werden sich nicht auf die Leistungsbilanz von Chrysler verlassen, wenn Sie uns heute zu überzeugen suchen.«

MR. IACOCCA: »Unternehmen werden von Menschen gemacht. Ich glaube, wir tun genug, um uns selbst zu helfen. Schauen Sie uns auf die Finger. Sie werden erleben, daß es bei Chrysler künftig mächtig aufwärts geht. Sie werden bessere Autos und besseren Service und bessere Qualität erleben, und das ist das einzige, was letzten Endes zählen wird.«

Alle suchten nach einem Sündenbock, aber ich weigerte mich, der vorangegangenen Administration von Chrysler die Schuld an allen unseren Problemen zu geben. Schließlich hatte die Ford Motor Company im dritten Quartal 1979 einen Verlust von 678 Millionen Dollar gemacht. Sogar GM verlor im gleichen Quartal 300 Millionen Dollar. Was besagten diese Zahlen? Wir konnten doch nicht alle zur selben Zeit schwachsinnig gewesen sein? Es lag auf der Hand, daß es andere, zwingendere Gründe für diese noch nie dagewesenen Verluste geben mußte. Und deshalb redete ich soviel über die Regierungsauflagen.

Und ich sprach über den verbreiteten Irrtum, daß Chrysler Benzinfresser statt sparsamer Kleinwagen baue. Ich wies darauf hin, daß Chrysler der erste amerikanische Hersteller kleiner Fronttriebler gewesen war, noch vor GM und Ford. Zur Zeit meiner Aussage befanden sich über eine halbe Million Omnis und Horizons auf den Straßen – mehr Kleinwagen mit Vorderradantrieb, als jeder andere amerikanische Hersteller anzubieten hatte. Außerdem sollte das neue K-Modell innerhalb von Jahresfrist herauskommen.

Nein, erklärte ich, das Problem sei nicht, daß wir zu viele Benzinfresser hätten. In Wirklichkeit hätten wir nicht genug. Große Autos bringen den Gewinn, aus demselben Grund, wie es beim Fleischer einen höheren Aufschlag auf ein Steak als auf einen Hamburger gibt.

Ich bemerkte, daß General Motors 70 Prozent aller großen Autos baue, einschließlich des Cadillac Seville, der einen Profit von 5500 Dollar pro Fahrzeug bringt. Wir hatten nichts Vergleichbares. Um ebensoviel Geld zu verdienen wie GM bei einem Seville, mußten wir acht Omnis oder Horizons verkaufen. Außerdem ist GM der Marktführer. Die werden ihre Preise für Kleinwagen nicht um tausend Dollar erhöhen, nur damit Chrysler aus den roten Zahlen kommt.

Ich redete über all dies und anderes. Aber wenn ich mich an die Hearings zurückerinnere, dann habe ich andere Stimmen im Ohr. Ich erinnere mich lebhaft an den Abgeordneten Richard Kelly aus Florida, unseren schärfsten Gegner. Seine Philippika begann folgendermaßen: »Ich glaube, daß Sie uns für dumm verkaufen wollen. Ich glaube, daß Sie auf dem freien Markt Ihr Glück versucht haben und daß die Verantwortlichen dort, die unter keinerlei Druck stehen – nicht Leute des Kalibers, die Sie hier sitzen sehen, sondern die Industriekapitäne, die die Wirtschaft in Fahrt halten – daß die Sie zum Teufel gejagt haben. Und die haben Sie zum Teufel gejagt, weil Sie es nicht geschafft haben, sich unter den gleichen Bedingungen zu halten, unter denen sich die anderen behauptet haben. Und jetzt kommen Sie also hierher und erwarten von diesen Strohköpfen in diesem Unterausschuß, daß wir auf Ihre Masche von der menschlichen Not hereinfallen.«

Kelly war raffiniert. Er manipulierte die Medien, indem er die richtigen Worte benutzte, von denen er wußte, daß sie bei den Zuhörern und Zuschauern der Abendnachrichten ankommen. Er prügelte immer wieder auf uns ein. »Die Rettungsaktion für Chrysler wird der Beginn einer neuen Ära staatlicher Unverantwortlichkeit sein. Die Bürgschaft für Chrysler ist ein Betrug am amerikanischen Arbeiter, an der amerikanischen Industrie, am Steuerzahler und am Verbraucher. Die Wohltätigkeit für Chrysler ist das krasseste Gaunerstück unserer Zeit.«

Kelly hielt uns Vorträge darüber, daß sich Chrysler nicht der Konkurrenz gestellt habe. Er forderte uns wiederholt auf, den Bankrott zu erklären, und lehnte staatliche Darlehensbürgschaften in jeder denkbaren Form ab.

Zwei Jahre später wurde der Abgeordnete Kelly, der große Verfechter des *American way of life*, übrigens in der Affäre Abscam zweimal für schuldig befunden und zu einer Gefängnisstrafe verurteilt. Er verlor seine Wiederwahl und hatte einen wenig ehrenvollen Abgang. Gerechtigkeit wie im Roman!

Kelly war nicht unser einziger Gegner. Mitten in der Debatte schrieb der Abgeordnete David Stockman von unserer eigenen Delegation aus Michigan einen großen Artikel für das *Washington Post Magazine* mit der Schlagzeile »Lassen wir Chrysler pleite gehen«. Einige Wochen zuvor hatte er einen Beitrag für das *Wall Street Journal* mit dem Titel »Chrysler-Bürgschaft: Versagen belohnen?« verfaßt. Stockman, der später Vorsitzender des Finanzausschusses wurde, war das einzige Mitglied der Delegation aus Michigan, das gegen uns stimmte. Er war ein ehemaliger Theologiestudent, aber er muß an dem Tag geschwänzt haben, an dem sie etwas über Mitgefühl lernten.

Zum Glück waren uns nicht alle feindlich gesinnt. Stewart McKinney, das führende Ausschußmitglied der Opposition, unterstützte uns nachdrücklich. In diesem Fall hatte ich Glück, denn McKinney war ein Freund von mir, den ich noch aus meinen Zeiten bei Ford her kannte. Als Republikaner aus einem wohlhabenden Wahlkreis in Connecticut geriet er unter starken Beschuß von seinen doktrinäreren Kollegen.

McKinney war von Anfang an auf unserer Seite, vor allem, weil es um die Alternativen zur staatlichen Hilfe so schlecht bestellt war. Sein Standpunkt war: »Ich verstehe was von Autos, und ich weiß, was dieser Mann bei Ford geleistet hat. Er wird es schaffen.« Im Verlauf der Hearings sagte er einmal: »Wenn Sie für Chrysler das tun, was Sie für Ford getan haben, dann werden wir Ihnen ein Denkmal setzen müssen.«

Wobei ich mir dachte: »Man weiß ja, was mit Denkmälern geschieht – sie werden von den Tauben vollgekleckert!«

McKinney hatte seine Hausaufgaben gemacht, was man von manchen seiner Kollegen nicht behaupten kann. Henry Reuss, der Vorsitzende des Bankenausschusses, verstieg sich zu dem Vorschlag, daß Chrysler Eisenbahnwaggons bauen sollte! Wir konnten es uns nicht leisten, die Anlagen zu erhalten, die wir hatten, aber dieser Mann meinte, wir sollten uns auf einen völlig neuen Transportsektor umstellen. Dieses bescheidene Vorhaben hätte Investitionen in Höhe von mehreren Milliarden Dollar erfordert – zu einem Zeitpunkt, da wir bereits zahlungsunfähig waren.

Unser zweiter großer Helfer in dem Unterausschuß war der Abgeordnete Jim Blanchard aus Michigan, der Verfasser des Darlehensbürgschaftsgesetzes, der später Gouverneur von Michigan wurde. Blanchard war der zweitmächtigste Demokrat im Ausschuß, und er und McKinney bildeten ein fabelhaftes Team.

Tip O'Neill war unsere eigentliche Geheimwaffe im Kongreß. Ich hatte mich schon zu Beginn mit ihm zusammengesetzt, um ihm unsere Position zu erklären. Er hörte mir genau zu, und er begriff, was er hörte. Sobald er grünes Licht gab, uns zu helfen, begann sich das Blatt für uns zu wenden.

Tip setzte eine aus etwa dreißig Leuten bestehende Arbeitsgruppe ein, die auf ihre Kollegen einwirkte. Es gab auch eine kleine Ad-hoc-Gruppe, die uns auf seiten der Republikaner unterstützte – ihre Aufgabe war viel schwieriger.

Im Senat fanden ähnliche Hearings statt. Meine gefährlichste Nemesis dort war William Proxmire, der Vorsitzende des Bankenausschusses. Proxmire war hart, aber immer offen und fair. Er sagte uns von Anfang an, daß er Darlehensbürgschaften strikt ablehne. Aber er gab uns die Chance, unseren Standpunkt vorzutragen. Er versprach uns, nur gegen uns zu stimmen – ohne andere gegen uns zu mobilisieren.

Zwischen mir und Proxmire gab es einen guten Schlagaustausch, denn trotz all seines Geredes über Handelsfreiheit hatte er zuvor einer gezielten Hilfsaktion für American Motors zugestimmt.

American Motors hatte 1967 eine staatliche Steuervergünstigung erhalten, die dem Unternehmen eine Ersparnis von 22 Millionen Dollar brachte.

1970 erhielt American Motors eine Sondererlaubnis, von GM Verfahrenstechniken zur Abgasreduzierung zu erwerben – dies stellte eine Ausnahmeregelung gegenüber dem Urteil des Bundesgerichtshofs dar.

1974 wurde American Motors von der Bundesregierung als Kleinunternehmen eingestuft, um bei seinen Bewerbungen um Regierungskontrakte bevorzugt behandelt werden zu können.

1977 erhielt American Motors das Recht, einen Antrag auf zweijährige Fristverlängerung bei den endgültigen Abgaswerten für Stickoxide zu stellen.

1979 wurde der Antrag von American Motors auf eine Fristverlängerung von der amerikanischen Umweltschutzbehörde genehmigt. Eine ähnliche Fristverlängerung für Chrysler hätte uns übrigens mehr als 300 Millionen Dollar erspart.

Proxmire hat sich einen beträchtlichen Ruf verschafft, indem er staatliche Ausgaben, denen er nicht zustimmte, mit Spott übergoß. Aber bei American Motors machte er eine auffallende Ausnahme. Warum? Weil Proxmire ein Senator aus Wisconsin ist, wo American Motors ein großes Montagewerk besitzt.

Ich trat ihm frontal entgegen. Ich sagte: »Ich erinnere mich, daß Sie der Hauptverfechter einer Darlehensgarantie für American Motors waren, und dieses Unternehmen ist in französischem Besitz. Sie sind also für eine Hilfeleistung an die französische Regierung eingetreten.« Wir kämpften um unsere Existenz, und zu diesem Zeitpunkt legte ich nicht mehr großen Wert auf Höflichkeit.

Proxmire schlug zurück. Er machte mir die Hölle heiß, daß ich meiner eigenen Ideologie widerspräche. »Entschiedener als jeder andere Topmanager in Detroit«, sagte er, »haben Sie die Kampagne gegen Washington angeführt, und was Sie sagten, war sehr vernünftig. Ich würde das unterstützen, und andere Mitglieder unterstützen es vielleicht noch nachdrücklicher.« Er fügte hinzu, wenn die Bürgschaft gewährt würde, dann bedeute dies ein weitreichendes Engagement der Regierung für Chrysler. »Schlägt das nicht allem ins Gesicht, was Sie so lange und so wortreich gepredigt haben?«

»Das ist ohne Zweifel richtig«, antwortete ich. »Ich bin mein Leben lang für die freie Marktwirtschaft eingetreten. Ich bin auch nur nach langem Zögern hierher gekommen. Mir bleibt nur die Wahl zwischen zwei Übeln. Ich kann die Firma nicht retten, ohne irgendeine Form der Bürgschaft von der Regierung.«

»Ich möchte Ihnen keine Predigten halten«, fuhr ich fort. »Die Herren wissen besser als ich, daß wir keinen Präzedenzfall darstellen. Es wurden bereits Bürgschaften in Höhe von 409 Milliarden Dollar geleistet, machen Sie also jetzt keinen Rückzieher. Erhöhen Sie auf 410 Milliarden Dollar für Chrysler, weil es der zehntgrößte Konzern in den USA ist und weil 600 000 Arbeitsplätze auf dem Spiel stehen.«

Wenn ich die Präzedenzfälle erwähnte, dann taten sich auch unsere Gegner verteufelt schwer. Das einzige, was ihnen einfiel, war: »Bloß weil wir in der Vergangenheit Dummheiten begangen haben, sollten wir es jetzt nicht wieder tun.«

Nach meiner langen Stellungnahme und der folgenden Befragung machte mir Senator Proxmire ein großes Kompliment. »Wie Sie wissen«, sagte er, »bin ich gegen Ihren Antrag. Aber ich habe selten einen eloquenteren, intelligenteren und besser informierten Zeugen gehört, als Sie es heute gewesen sind. Sie haben sich großartig geschlagen, und wir danken Ihnen. Wir stehen in Ihrer Schuld.« Ich dachte: »Nein, nein, Sie haben das verkehrt verstanden. Wir versuchen, in Ihrer Schuld zu stehen!«

Nach Proxmires großem Kompliment machte ich mir schon Hoffnungen. Aber er ließ dann keinen Zweifel daran, daß er mich bis zur letzten Patrone bekämpfen würde, und er hat Wort gehalten.

Ein anderer Gegner im Senatsausschuß war der republikanische Senator aus Pennsylvania, John Heinz, der sich besonders feindselig gab. Er hatte es auf unsere Aktionäre abgesehen, denen er um jeden Preis schaden wollte. Wir mußten darauf hinweisen, daß sich die Aktien von Chrysler nicht in den Händen von Institutionen befanden. Dreißig Prozent unserer Anteilseigner waren Firmenangehörige. Der Rest waren Privatleute. Sie hatten bereits erleben müssen, daß der Wert ihrer Aktien zunehmend sank.

Aber Heinz wollte, daß wir sofort weitere fünfzig Millionen Anteile auf den Markt warfen, wodurch der Wert einer Aktie von 7,50 auf 3,50 Dollar gesunken wäre – ein Preis, den sie später mühelos von selbst erreichte. Er war unfähig zu kapieren, daß bei dem Zustand, in dem wir uns befanden, kein Mensch ein Interesse daran hatte, Chrysler-Aktien *zu welchem Preis auch immer* zu kaufen.

Die Hearings im Kongreß und im Senat bildeten nur einen Teil unserer Bemühungen. Ich wendete den größten Teil meiner Zeit für Einzelgespräche auf. Unter anderem bekniete ich die Senatorin aus Kansas, Nancy Kassebaum, die einzige Frau im Senat. Ich bot alle meine Argumente auf und glaubte, sie überzeugt zu haben. Aber zuletzt stimmte sie doch gegen uns.

Mit der italienischen Lobby im Repräsentantenhaus hatte ich mehr Glück. Der Abgeordnete Pete Rodino aus New Jersey führte mich ein: »Ich möchte, daß Sie mit meinen Freunden darüber sprechen.« Es waren 31 Männer (genauer gesagt, 30 Männer und Geraldine Ferraro, die Abgeordnete aus Queens) anwesend, und mit einer Ausnahme stimmten alle für uns. Manche waren Republikaner, manche waren Demokraten, aber in diesem Fall stimmten sie konsequent italienisch ab. Wir waren verzweifelt und mußten jeden möglichen Gesichtspunkt ins Spiel bringen. Es war Demokratie in Aktion.

Mir blieb keine Zeit mehr für ein Treffen mit der schwarzen Lobby, aber ich führte ein Gespräch mit deren Chef, dem Abgeordneten Parren Mitchell aus Maryland. Im Jahr 1979 kamen ein Prozent der Lohnzahlungen für Schwarze in den gesamten USA von der Chrysler Corporation. Die Schwarzen bildeten einen wichtigen Bestandteil der Koalition, die die Darlehensbürgschaft ermöglichte.

Coleman Young, der schwarze Bürgermeister von Detroit, kam mehrmals nach Washington, um zu unseren Gunsten auszusagen. Er nahm kein Blatt vor den Mund, wenn er beschrieb, was ein Bankrott von Chrysler für Detroit bedeuten würde. Young hatte von Anfang an Jimmy Carter unterstützt, und er appellierte nachdrücklich an den Präsidenten, Chrysler nicht in Stich zu lassen.

In den letzten drei Monaten des Jahres 1979 lastete ein ungeheurer Druck auf mir. Ich fuhr mehrmals in der Woche nach Washington und mußte gleichzeitig versuchen, Chrysler zu leiten. Zur selben Zeit litt Mary unter regelmäßigen Anfällen von Diabetes. Zwei oder dreimal mußte ich alles stehen und liegen lassen und nach Detroit zurückkehren, um ihr beizustehen.

Sooft ich nach Washington fuhr, hatte ich einen verrückten Terminkalender von acht oder zehn Konferenzen pro Tag. Und jedesmal mußte ich dieselbe Rede halten, auf dieselben Punkte hinweisen, dieselben Argumente vortragen. Immer wieder dasselbe von vorne.

Auf dem Weg durch die Marmorkorridore des Kongresses überkam mich einmal ein Unwohlsein. Ich hatte das Gefühl, auf Eiern zu gehen. Mir war schwindlig, und ich war einer Ohnmacht nahe. Gleichzeitig sah ich alles doppelt.

Ich wurde in das Büro des Arztes und dann in die Krankenstation des Kongresses gebracht, wo man mich untersuchte. Es war ein Schwindelanfall, etwas, was ich erst einmal, zwanzig Jahre zuvor, erlebt hatte. Damals war ich bei Ford mit McNamara einen Korridor entlanggegangen und mehrmals gegen die Wand gestoßen. McNamara sagte: »Was ist los, Lee? Sind Sie betrunken oder was?«

»Warum?« fragte ich ihn, da ich gar nichts gemerkt hatte.

»Weil Sie ständig gegen die Wand laufen.«

Ein solcher Schwindelanfall ist durch eine Störung des Gleichgewichtsorgans im Innenohr bedingt, und nun erlitt ich einen Rückfall.

Ich wurde aus der Krankenstation entlassen, aber der Anfall wiederholte sich. Die Spannung und der Druck gaben mir das Gefühl, Steine im Kopf zu haben. Aber irgendwie habe ich mich durchgewurstelt.

Unser oberstes Ziel während dieser Zeit war, uns das Vertrauen der Kunden zu erhalten. Solange die Hearings andauerten, fielen unsere Umsätze in den Keller. Niemand wollte ein Auto von einer Firma kaufen, über der schon die Pleitegeier kreisten. Der Prozentsatz an Verbrauchern, die bereit waren, ein Produkt von Chrysler auch nur in Erwägung zu ziehen, fiel über Nacht von dreißig auf dreizehn Prozent.

Es gab zwei Meinungslager, wie wir auf diese Krise reagieren sollten. Unsere PR-Leute vertraten im großen und ganzen die Ansicht, daß es am besten sei, sich bedeckt zu halten. »Haltet die Ohren steif«, rieten sie. »Das kommt alles wieder ins Lot. Das schlimmste ist, auf unsere miserable Situation aufmerksam zu machen.«

Aber Kenyon & Eckhardt, unsere Werbeagentur, widersprach entschieden. »Die Situation ist kritisch«, sagten sie, »und Sie haben eine Wahl: Sie können leise verrecken oder Sie können unter Gebrüll verrecken. Wir empfehlen Ihnen, unter Gebrüll zu verrecken. Auf diese Weise besteht wenigstens die Chance, daß Sie jemand hört.«

Wir folgten ihrem Rat. Wir ersuchten K&E, eine Anzeigenkampagne aufzuziehen, die die Öffentlichkeit hinsichtlich unserer Zukunft beruhigen sollte. Wir mußten dem Publikum zwei Dinge vermitteln – erstens, daß wir nicht die geringste Absicht hatten, den Laden dichtzumachen, und zweitens, daß wir die Art von Autos bauten, die Amerika wirklich brauchte.

Statt unserer üblichen Werbung, die unsere neuen Modelle in Wort und Bild vorstellte, brachten wir eine Serie von Stellungnahmen in eigener Sache, in denen wir unseren Standpunkt zu den Bürgschaften darlegten und die langfristigen Pläne Chryslers erläuterten. Statt für unsere Produkte zu werben, warben wir für den Konzern und seine Zukunft. Es war nicht möglich, unsere Botschaft durch die üblichen Kanäle zu vermitteln – es war nötig, von unserer Existenz zu sprechen und nicht von unseren Autos.

Ron DeLuca vom New Yorker Büro von K&E entwarf eine Serie ganzseitiger Zeitungsanzeigen, in denen er unseren Standpunkt darlegte. Bevor er jede einzelne schrieb, kam er für etwa eine Stunde in mein Büro, um den Inhalt mit mir zu besprechen. Ich redigierte dann seinen Text, und wir feilten daran, bis wir beide damit zufrieden waren.

In diesen Anzeigen, die K&E als »bezahlte PR« bezeichnete, verschafften wir den Tatsachen Anerkennung und räumten mit einigen der verbreiteten Märchen über Chrysler auf: Wir bauten keine Benzinfresser. Wir baten Washington nicht um Geschenke. Darlehensbürgschaften für Chrysler stellten keinen gefährlichen Präzedenzfall dar.

Die Anzeigen waren außergewöhnlich freimütig und offen. Ron ging in die Offensive, was mir sehr gefiel. Wir alle wußten nur zu gut, was der Mann auf der Straße über Chrysler dachte, deshalb versuchten wir, uns in ihn hineinzuversetzen und seine Fragen und Zweifel vorwegzunehmen. Es wäre sinnlos gewesen, die schlechte Presse zu ignorieren. Statt dessen mußten wir ihr aktiv entgegentreten und Gerüchte durch Tatsachen ersetzen.

Eine dieser Anzeigen hatte eine kühne Schlagzeile, in der das ausgesprochen wurde, was sich viele Verbraucher zu fragen begannen: »Wäre Amerika ohne Chrysler besser dran?« In anderen Anzeigen brachten wir einige ziemlich heikle Fragen zur Sprache – und beantworteten sie:

Ist es nicht allgemein bekannt, daß Chrysler-Autos einen hohen Benzinverbrauch haben?

Sind die großen Modelle von Chrysler nicht zu groß?

Ist Chrysler zu spät auf Kleinwagen umgestiegen?

Baut Chrysler nicht die falschen Autos?

Hat Chrysler nicht mehr Probleme, als irgend jemand lösen kann?

Ist das Management von Chrysler stark genug, um Chrysler aus den Schwierigkeiten herauszuführen?

Hat Chrysler alles getan, was möglich war, um sich selbst zu helfen?

Hat Chrysler eine Zukunft?

Diese Anzeigen waren auch in anderer Hinsicht ungewöhnlich. Wir entschieden, daß sie alle meine Unterschrift tragen sollten. Wir wollten der Öffentlichkeit zeigen, daß eine neue Ära begonnen hatte. Schließlich muß der Geschäftsführer eines Unternehmens, das sich auf dem Weg in die Pleite befindet, die Öffentlichkeit beruhigen. Er muß sagen: »Ich bin da, ich setze mich ein, und ich trage die Verantwortung für dieses Unternehmen. Und um zu zeigen, daß es mir ernst ist, bürge ich mit meinem Namen.«

Endlich würde es uns gelingen, der Öffentlichkeit zu vermitteln, daß bei Chrysler wirklich verantwortlich gehandelt wurde. Indem ich diese Anzeigen unterzeichnete, luden wir die Öffentlichkeit ein, sich mit ihren Beschwerden und Fragen an mich zu wenden. Wir gaben damit bekannt, daß dieser große, komplexe Konzern jetzt von einem Menschen geleitet wurde, der bereit war, seinen Namen und sein Renommee in die Waagschale zu werfen.

Die Anzeigenkampagne war ein großer Erfolg. Ich bin ziemlich sicher, daß sie in den massiven Anstrengungen, den Kongreß von der Notwendigkeit der Darlehensbürgschaft zu überzeugen, eine Rolle spielte. Der große Frust bei der Werbung ist natürlich, daß man nie mit letzter Sicherheit weiß, welche Faktoren im Kampf um das Bewußtsein der Menschen letztlich entscheidend sind. Aber es wurde uns berichtet, daß Angehörige der Carter-Administration und des Kongresses mit diesen Anzeigen in der Hand von Büro zu Büro gelaufen seien – je nach ihrer Einstellung entweder wütend oder begeistert.

Es steht außer Frage, daß die Anzeigen in der Öffentlichkeit sehr gut ankamen. Auf der Titelseite der Zeitungen lasen die Leute, daß wir vor dem Bankrott standen. Wenn sie dann weiterblätterten, stießen sie auf unsere Gegendarstellung.

Unser Washingtoner Büro hatte inzwischen an einer anderen Front eine massive Händler-Lobby organisiert. Täglich kamen Gruppen von Chrysler- und Dodge-Händlern nach Washington. Wendell Larsen, unser Vizepräsident für Öffentlichkeitsarbeit, informierte sie darüber, mit welchen Abgeordneten sie reden sollten und was sie ihnen sagen sollten.

Autohändler sind in der Regel wohlhabend (zumindest war das früher so), und sie sind auch häufig in ihren Gemeinden aktiv; deshalb geraten sie oft mit ihren Abgeordneten aneinander. Da die meisten von ihnen konservativ und Republikaner sind, hatte ihre Anwesenheit eine beträchtliche Wirkung auf die Kongreßabgeordneten, die aus ideologischen Gründen gegen uns waren. Und viele der Händler hatten auch die Wahlkämpfe finanziell unterstützt, und das ist etwas, was ein Abgeordneter nicht immer ignorieren kann.

Es ist erstaunlich, was eine Schar von Autohändlern in Washington ausrichten kann. Sogar Händler von anderen Herstellern setzten sich mit dem Argument für uns ein, daß Konkurrenz für die gesamte Branche gut sei und daß Chrysler eine Chance verdiene.

Um unseren Standpunkt darzulegen, mußten wir die Abgeordneten zwingen, die Frage der Darlehensbürgschaft unter menschlichen und nicht unter ideologischen Gesichtspunkten zu sehen. Wir statteten jeden Abgeordneten mit einem Computer-Ausdruck aller Lieferanten und Händler in seinem Wahlkreis aus, die mit uns in Geschäftsverbindung standen. Wir beschrieben genau, welche Konsequenzen es für den Wahlkreis haben würde, wenn Chrysler Bankrott machte. So weit ich mich erinnere, gab es unter den gesamten 535 Wahlkreisen nur zwei, in denen sich keine Chrysler-Lieferanten oder -Händler befanden. Diese Listen, die unsere Probleme drastisch vor Augen führten, hatten eine ungeheure Wirkung.

Dann war da Doug Fraser, der quasi eine Ein-Mann-Lobby darstellte. Doug wollte von dem Quatsch über Konkurs nichts hören. Er wußte, was mit seinen Leuten geschehen würde, wenn Chrysler zumachen mußte. Und er wußte auch, daß wir nicht ohne Grund um Hilfe riefen.

Fraser schlug sich vor dem Ausschuß fabelhaft. Er sprach eindringlich davon, welcher Preis an menschlicher Not bezahlt werden mußte, wenn die Bürgschaften abgelehnt würden. »Ich bin nicht hierher gekommen, um für den Chrysler-Konzern einzutreten«, erklärte er dem Ausschuß. »Was mir Sorgen macht, sind die schrecklichen Folgen, die ein Konkurs für die Arbeiter und ihre Gemeinden haben würde.«

Fraser war ein unermüdlicher und wirksamer Lobbyist, der sich eine Reihe von Kongreßabgeordneten und Senatoren einzeln vornahm. Er war auch ein guter Freund von Vizepräsident Mondale und stattete dem Weißen Haus eine Reihe wichtiger Besuche ab.

Einmal begab ich mich selbst ins Weiße Haus, um mit dem Präsidenten zu sprechen.

Carter hatte nicht sehr viel mit der Chrysler-Debatte zu tun, aber er unterstützte unser Anliegen. Während meines Besuchs erzählte er mir, wie sehr ihm und Rosalynn meine Fernsehspots gefielen. Er scherzte, daß ich nun so bekannt wie er würde.

Charter gab das Chrysler-Problem an das Finanzministerium weiter, machte jedoch klar, daß er hinter uns stand. Ohne die Unterstützung der Exekutive wäre die Gesetzesvorlage niemals durchgekommen.

Nach seiner Amtszeit hat Carter mich zweimal besucht. Er ist stolz darauf, daß Chrysler floriert. Ich glaube, er ist der Ansicht, das Kind gut geschaukelt zu haben. »Von allem, was wir in meiner Regierungszeit erreicht haben«, sagte er mir, »betrachte ich diese Sache als etwas, das wir wirklich gut hingekriegt haben.« Jimmy Carter hatte seine Schwächen, seine Leistungen sind jedoch unterschätzt worden.

Als es zur Abstimmung kam, bekamen wir im Kongreß viel Unterstützung. Dennoch war die von Tip O'Neill entscheidend. Unmittelbar vor der Abstimmung meldete er sich zu Wort und sprach als Vertreter von Massachusetts. In einer leidenschaftlichen Rede, in der er sich für die Bürgschaft aussprach, erinnerte er an die Auswirkung der großen Depression in Boston, als Arbeitslose darum betteln mußten, Schnee zu schaufeln. »Ich habe immer hart gekämpft, um hundert Arbeitsplätze zu erhalten«, sagte er seinen Kollegen. »Ist es nicht ein bißchen verrückt, hier zu sitzen und darüber zu diskutieren, wenn mehr als eine halbe Million Familien dort draußen heute abend auf unsere Entscheidung warten?«

Tip setzte reinste Emotion ein, um das Anliegen bei seinen Leuten im Haus durchzuboxen. Er war einer unserer Wortführer in dieser ganzen Angelegenheit. Hatte man einmal den Sprecher des Hauses hinter sich, verfügte man über sehr viel Schlagkraft. Als die Abstimmung ausgezählt war, hatte das Haus mit einer Zwei-Drittel-Mehrheit (271 gegen 136) zugestimmt, Chrysler wieder auf die Beine zu helfen.

Die Abstimmung im Senat war um einiges knapper, 53 gegen 44, doch ist das in solchen Situationen üblich. Die Vorlage kam kurz vor Weihnachten durch, und viele amerikanische Familien hatten einen Grund zu feiern. Ich war erschöpft und erleichtert, jedoch nicht allzu optimistisch. Seit ich bei Chrysler war, hatte ich allzuoft ein Licht am Ende des Tunnels erblickt. Und zu oft hatte es sich als ein weiterer entgegenkommender Zug entpuppt. Ich wußte, daß noch viele Teile dieses Puzzles fehlten, bevor wir jemals einen Penny dieser Darlehensgarantien sehen würden.

Das Gesetz verlangte eine Umstrukturierung von Chrysler, die nach den Worten des Finanzministers G. William Miller die komplizierteste finanzielle Transaktion in der Geschichte der amerikanischen Wirtschaft sein würde. Der Gedanke allein ermüdete mich.

Es wurde ein Bürgschaftsausschuß gebildet mit der Befugnis, innerhalb der nächsten zwei Jahre bis zu 1,5 Milliarden Dollar in Darlehensgarantien zu gewähren, die bis Ende 1990 zurückgezahlt sein mußten. Damit war jedoch eine Reihe von Bedingungen verbunden:

- Unsere jetzigen Geldgeber wurden aufgefordert, einen neuen Kredit in Höhe von 400 Millionen Dollar und 100 Millionen Dollar für die Umschuldung bereits bestehender Darlehen zu gewähren.
- Ausländische Kreditgeber wurden verpflichtet, weitere 150 Millionen Dollar beizusteuern.
- Wir mußten zusätzlich 300 Millionen Dollar durch den Verkauf von Aktiva aufbringen.
- Zulieferer mußten die Firma mit mindestens 180 Millionen Dollar versorgen, wovon 100 Millionen mit Aktienanteilen abgegolten wurden.
- Staatsregierung und Kommunen mit Chrysler-Niederlassungen hatten 250 Millionen zu bewilligen.
- Wir mußten neue Aktienanteile im Wert von 50 Millionen Dollar ausgeben.
- Gewerkschaftsmitglieder sollten durch Tarifzugeständnisse 462,2 Millionen Dollar beitragen.
- Nicht gewerkschaftlich organisierte Arbeitnehmer hatten 125 Millionen Dollar in Form von Lohnkürzungen und Nullrunden beizusteuern.

Zusätzlich – und sehr wenig Leute sind sich dessen bewußt – nahm die Regierung alle Aktiva von Chrysler als Sicherheit. Unser gesamter Besitz – Autos, Immobilien, Produktionsstätten, Maschinen und was sonst noch dazugehört – schlug mit sechs Milliarden Dollar zu Buch. Die Sachverständigen der Regierung schätzten den Liquiditätswert unserer Aktivposten auf 2,5 Milliarden Dollar. Im schlimmsten Fall hatte die Regierung das erstrangige Pfandrecht. Wenn wir untergingen, würde sie die gesamten 1,2 Milliarden Dollar des Darlehens sicherstellen, bevor irgendwelche anderen Kreditgeber Ansprüche erheben konnten.

Selbst wenn die 2,5-Milliarden-Schätzung großzügig war und der reale Wert nur bei etwa der Hälfte lag, war die Regierung immer noch abgesichert. Hätten wir unsere Schulden nicht zurückzahlen können, so hätte der Bürgschaftsausschuß unsere Vermögenswerte veräußert und wäre dabei gut weggekommen. Mit anderen Worten, die Regierung übernahm keinerlei finanzielles Risiko!

Einige Wochen nachdem die Darlehensvorlage verabschiedet worden war, kamen die Republikaner ans Ruder. Ihre Einstellung war: »Das ist ein Programm von Carter. Wir achten die Buchstaben des Gesetzes, aber auch nicht einen Strich mehr. Es verstößt gegen unsere Grundsätze. Wenn es Chrysler schafft, sind wir angeschmiert. Wir wollen nicht, daß andere Firmen auf dumme Gedanken kommen.«

Wir hatten das Glück, an eine demokratische Regierung zu geraten, die den Menschen über jegliche Ideologie stellte. Dies entspricht den Demokraten. Ihnen geht es um berufstätige Menschen und deren Arbeitsplätze. Republikaner kümmern sich eher um ausgeklügelte Investmenttheorien.

Ich bin mir bewußt, daß dies Klischees sind. Ich bin der erste, der zugibt, daß ich immer die Republikaner favorisiert habe, wenn die Geschäfte gut gelaufen sind und ich viel verdient habe. Aber seit ich zu Chrysler gekommen bin, tendiere ich mehr zu den Demokraten. Im allgemeinen stehe ich auf der Seite der Partei, die den gesunden Menschenverstand vertritt, und wenn es darauf ankommt, sind das gewöhnlich die Demokraten.

Für mich ist das gar keine Frage: Wenn 1979 eine republikanische Regierung dran gewesen wäre, würde Chrysler heute nicht mehr existieren. Die Republikaner hätten uns nicht mal guten Tag gesagt. Chrysler hätte bankrott gemacht, und heute würden Bücher darüber geschrieben, wie die freie Marktwirtschaft gerettet wurde. Das gilt nicht nur für Reagan; die meisten Republikaner hätten gesagt: »Staatlich abgesichertes Darlehen? Ihr seid wohl verrückt!« Republikaner sind eine solche Denkweise nicht gewohnt.

Wenn unsere Krise drei Jahre später stattgefunden hätte, als auch Ford und GM in großen Schwierigkeiten waren und International Harvester pleite machte, hätten nicht einmal die Demokraten reagiert. Sie hätten fünfzig weitere Unternehmen schlangestehend hinter uns gesehen, ohne jegliches System der Krisenbewältigung.

Also war es vielleicht ein Glück, daß Chrysler etwas früher in Schwierigkeiten geraten ist, als das mit einem stärkeren Management der Fall gewesen wäre. Wenn unsere Krise zur selben Zeit wie die von Braniff und PanAm eingetreten wäre, hätte Washington gesagt: »Tut uns leid, Jungs. Die Warteliste ist bereits zu lang.«

Ich bin überzeugt, daß diese anderen Unternehmen in Betracht zogen, um Regierungshilfe anzufragen. Schließlich sind sie nicht auf den

Kopf gefallen. Aber sie haben schnell begriffen. Was wäre passiert, wenn sie auf die Idee gekommen wären, um ein Abkommen nach dem Schnittmuster von Chrysler zu bitten? Antwort: »Vergeßt es.«

Jetzt, da ich diese Zeilen schreibe, ist es vier Jahre her, seit die staatliche Bürgschaft bewilligt wurde. In dieser Zeit haben wir Hunderttausende vor Arbeitslosigkeit bewahrt. Wir haben mehrere hundert Millionen Dollar Steuern gezahlt. Wir haben die Konkurrenz in der Autoindustrie aufrechterhalten. Wir haben die Darlehen sieben Jahre vor Fälligkeit zurückbezahlt. Wir haben große Summen an den Bürgschaftsausschuß gezahlt. Und die Regierung hat durch den Verkauf unserer Einlagen immens profitiert.

Wenn man dies alles in Betracht zieht, muß man sich eine philosophische Frage stellen. Haben wir den Geist der freien Marktwirtschaft verletzt, als wir uns an den Kongreß wandten? Oder hat unser anschließender Erfolg dem freien Unternehmertum in diesem Land Auftrieb verschafft? Ich glaube kaum, daß in dieser Frage irgendein Zweifel besteht. Selbst einige unserer Widersacher von 1979 geben uns jetzt recht, daß die staatliche Bürgschaft für Chrysler eine gute Sache gewesen ist.

Natürlich gibt es immer noch Unbelehrbare wie das *Wall Street Journal* und Gary Hart – aber was soll's! Man kann sie nicht alle bekehren.

# XX
# Die gleiche Opferbereitschaft aller

Mit dem Durchkommen des Bürgschaftsgesetzes hatten wir die Chance, den Kampf ums Überleben zu gewinnen. Die Betonung liegt auf »Kampf«!

Unsere Aufgabe entsprach in wirtschaftlicher Hinsicht einem Kriegszustand. Obwohl niemand für Chrysler sterben mußte, hing doch das wirtschaftliche Überleben hunderttausender Beschäftigter davon ab, daß wir die vielen Bedingungen des Darlehensvertrags erfüllen konnten.

Ich war der General im Krieg um die Rettung von Chrysler. Aber ich stand keineswegs allein. Auf den erreichten Zusammenschluß bin ich am meisten stolz. Er zeigt, wie man durch Kooperation harte Zeiten durchstehen kann.

Ich begann damit, mein eigenes Gehalt auf einen Dollar pro Jahr zu kürzen. Eine Führungsposition verlangt, mit gutem Beispiel voranzugehen. Wenn man sich in einer leitenden Stelle befindet, verfolgen die Leute jeden Schritt. Ich meine damit nicht unbedingt, daß sie auch in das Privatleben eindringen, obwohl selbst das manchmal der Fall ist. Aber wenn der Chef spricht, hören die Leute zu. Und wenn der Chef handelt, beobachten sie ihn. Man muß sich also seine Worte und Taten gut überlegen.

Ich nahm diesen einen Dollar keineswegs, um den Märtyrer zu spielen, sondern weil ich als erster den Gürtel enger schnallen mußte. Ich nahm ihn, damit ich Doug Frazer, dem Gewerkschaftsboß, in die Augen sehen und sagen konnte: »Hier ist, was ich von euch als Beitrag sehen möchte«, ohne daß er mir entgegnen konnte: »Sie Halunke, welches Opfer haben *Sie* denn gebracht?« Darum habe ich es getan – aus guten, kühl pragmatischen Erwägungen heraus.

Ich wollte, daß sich unsere Angestellten und Lieferanten sagen: »Ich kann jemandem folgen, der ein solches Beispiel gibt.«

Leider waren Sparmaßnahmen etwas Neues bei Chrysler. Als ich eintrat, hörte ich alle möglichen Horrorgeschichten über die Verschwendungssucht der vorangegangenen Führung. Das beeindruckte mich jedoch nicht. Schließlich hatte ich Jahre mit Henry Ford verbracht, der meinte, das Unternehmen zu besitzen, und der mächtig genug war, sich auch so zu verhalten. Henry gab genug Geld aus, um Lynn Townsend als einen Bettler erscheinen zu lassen. Der Boß von General Motors wirkte gegen ihn wie ein Sozialhilfeempfänger.

Obwohl mein reduziertes Gehalt nicht bedeutete, daß ich auf Essen verzichten mußte, machte es doch einen großen Eindruck in Detroit. Es zeigte, daß wir alle in einem Boot saßen und daß wir nur überleben konnten, wenn jeder einzelne seinen Gürtel enger schnallte. Es war eine dramatische Geste, und sie sprach sich schnell herum.

Während meiner drei Jahre bei Chrysler habe ich mehr über Menschen gelernt als in den zweiunddreißig Jahren bei Ford. Mir ist bewußt geworden, daß die Leute bereit sind, große Opfer auf sich zu nehmen, solange alle gemeinsam in der Klemme stecken. Wenn alle gleichermaßen betroffen sind, kann man Berge versetzen. Sobald jedoch jemand aus der Reihe tanzt oder nicht entsprechend mitzieht, kann alles in die Brüche gehen.

Ich nenne das die gleiche Opferbereitschaft aller Beteiligten. Als ich mein Opfer brachte, sah ich auch andere alles Notwendige tun. Auf diese Weise hat es Chrysler schließlich geschafft. Es waren nicht die Anleihen, die uns retteten, obwohl wir sie dringend benötigten. Es waren die hunderte Millionen Dollar, auf die alle Beteiligten verzichteten. Es war wie eine große Familie, die zusammenkam und sich sagte: »Wir haben von unserem reichen Onkel etwas geliehen bekommen, und nun wollen wir ihm beweisen, daß wir ihm alles zurückzahlen können!«

Das waren Zusammenarbeit und Demokratie in bester Form. Ich spreche hier nicht von einer Bibellektion. Ich rede vom wirklichen Leben. Wir haben das alles durchgemacht. Es funktioniert. Es ist die reinste Zauberei und erfüllt einen mit Ehrfurcht.

Aber unser Überlebenskampf hatte auch seine dunkle Seite. Wir mußten viele Leute feuern, um die Ausgaben einzudämmen. Es ist wie im Krieg: Wir haben gesiegt, doch mein Sohn ist nicht zurückgekehrt. Es gab Not und Elend. Existenzen wurden zerstört, Eltern mußten ihre Kinder vom College nehmen, begannen zu trinken, ließen sich scheiden. Den Konzern als Ganzes haben wir gerettet, aber nur um einen enormen persönlichen Preis, der vielen Menschen abverlangt wurde.

Unsere Aufgabe wurde durch das Wissen erleichtert, daß die meisten Amerikaner hinter uns standen. Wir wurden nicht länger als die fetten Hamster angesehen, die um Sozialhilfe bitten. Mit den Anhörungen im Kongreß war dieser Teil der Geschichte erledigt. Jetzt endlich brachte unsere Werbekampagne die ersten Resultate. Wir waren die Underdogs in einem heroischen Kampf, und die Öffentlichkeit reagierte dementsprechend.

Viele unbekannte Leute schrieben uns und sagten uns auf hundert verschiedene Arten, daß sie uns Erfolg wünschten, daß jeder Verlust Henry Fords ein Gewinn für Chrysler sei. Die kleinen Leute sagten ihre Meinung, und sie drückten sich unmißverständlich aus. Man verstand unser Vorgehen.

Auch einige der Großen halfen uns. Bob Hope besuchte mich. Er hatte während einer Massage einen meiner Spots im Fernsehen gesehen. Jetzt wollte er uns unterstützen.

Bei einem Dinner in Las Vegas traf ich Bill Crosby. In derselben Nacht rief er mich um ein Uhr morgens in meinem Hotel an.

Ich sagte: »He, Sie haben mich aufgeweckt.«

»Mensch, wir fangen gerade erst an«, meinte er. »Wir sind die ganze Nacht auf. Ich bewundere, was Sie machen und wie sehr Sie den Schwarzen helfen. Ich möchte Ihnen behilflich sein. Ich verdiene einen Haufen Geld, und andere Leute hungern.« Er kam nach Detroit, um eine Show für unsere Arbeiter zu geben – es kamen 20 000. Danach bestieg er ein Flugzeug und verschwand. Er verlangte keinen Penny. Er wünschte sich auch kein Auto. Er wollte uns lediglich helfen und seine Unterstützung beweisen.

Eines Abends sprach mich Pearl Bailey auf einem Diabeteskongreß in Detroit an. Sie sagte, sie müsse einfach mit mir reden. Sie dankte mir für meine Bemühungen, Arbeitsplätze zu erhalten und der Belegschaft Mut zu machen. Statt eines Konzertes wollte sie eine Rede vor den Arbeitern des Werkes an der Jefferson Avenue halten.

Sie hielt eine mitreißende Ansprache über Patriotismus und die Notwendigkeit der Opferbereitschaft. Doch während sie sprach, kamen einige Zwischenrufe: »Das sagst du so einfach, Pearl, du bist reich!«

Ehe wir uns versahen, gab es beinahe einen Tumult. Ich mußte aufspringen und die Veranstaltung beenden. Es war jedoch eine großartige Geste, für die ich sehr dankbar war.

Frank Sinatra wollte ebenfalls helfen. »Lee, wenn Sie für einen Dollar arbeiten, werde ich das auch tun«, sagte er. Er machte mehrere Werbespots für uns, und im zweiten Jahr gaben wir ihm einige Anteile. Ich hoffe, Frank hat sie behalten, denn dann hat er einen hübschen Gewinn erzielt.

Es gab eine ganze Reihe solcher Fälle. Während dieser Zeit habe ich die gute Seite des Menschen kennengelernt. Ich habe nie wirklich gewußt, wie die Leute in Krisenzeiten reagieren würden. Ich habe erfahren, daß die Mehrzahl hilfsbereit ist. Sie verhalten sich nicht habgierig, obwohl die Medien zu glauben scheinen, daß Gier die einzige Motivation im Geschäftsleben sei. Die meisten Leute sind hilfsbereit, wenn sie darum gebeten werden – solange sie nicht die einzigen sind, denen Opfer abverlangt werden.

Ich habe auch erfahren, daß Menschen in einer Krise sehr gelassen handeln können. Sie fügen sich ihrem Schicksal. Sie wissen, daß ihnen eine harte Schinderei bevorsteht, aber sie beißen die Zähne zusammen und halten durch. Dies zu beobachten war der erfreuliche Aspekt – vielleicht der einzige – an dieser ganzen Geschichte.

Nach der Kürzung meines eigenen Gehalts waren die leitenden Angestellten an der Reihe. Wir schafften die Leistungsprämien in den Aktien ab, die zur Hälfte von uns und zur Hälfte von ihnen bezahlt wurden. Wir kürzten ihre Gehälter um bis zu zehn Prozent, was in der Autoindustrie noch nie vorgekommen war. Wir beschnitten die Gehälter auf allen Ebenen, außer der niedrigsten – die Sekretärinnen kamen ungeschoren davon. Sie verdienten wahrlich jeden Cent ihres Gehalts.

Die leitenden Angestellten nahmen das ziemlich gelassen auf. Sie lasen ja Zeitung. Sie wußten nur zu gut, daß das Spiel jeden Moment aus sein konnte. In solchen Zeiten spielen periphere Dinge keine Rolle mehr. Man sieht nur noch eines: den rettenden Weg. Nichts hält einen auf, und Adrenalin allein ist der Treibstoff.

Bei mir fing es an, aber es erfaßte schließlich alle Ränge der Hierarchie. Im Dienste der guten Sache hätte ich alle zum sprichwörtlichen Sprung aus dem Fenster bitten können, aus der von allen geteilten Einsicht heraus, daß jeder dieselben Opfer brachte.

Sobald ich mit den leitenden Angestellten fertig war, wandte ich mich den Gewerkschaften zu. Hier hatte ich die Hilfe von Tom Miner, einem echten Profi, der für unsere Beziehungen zu den Gewerkschaften zuständig ist. Heute nimmt die Wirtschaft Konzessionen der Gewerkschaft als selbstverständlich hin. Aber damals waren wir Pioniere.

Die Gewerkschaft war immer der Meinung gewesen, daß die Manager die fetten Hamster und die Arbeiter die armen Schweine seien. Ich sagte: »Also, jetzt seht ihr ein paar ziemlich magere Hamster, was habt ihr dazu zu sagen?«

Von diesem Tag an war ich ihr Kumpel. Die Gewerkschaft schätzte mich. Sie sagte: »Hier ist jemand, der uns ins Gelobte Land führen wird.«

Ich möchte nicht behaupten, daß es einfach war. Ich mußte alle Register ziehen. Ich redete nicht um den heißen Brei herum. »Also Jungs«, sagte ich, »ich setze euch die Pistole auf die Brust. Ich habe Tausende von Arbeitsplätzen für 17 Dollar Stundenlohn, aber keinen einzigen für 20 Dollar. Also werdet lieber vernünftig.«

Ein Jahr später, als die Dinge noch schlechter standen, mußte ich ihnen ein zweites Mal zusetzen. An einem bitterkalten Winterabend sprach ich um zehn Uhr mit dem Verhandlungsausschuß der Gewerkschaft. Es war eine der kürzesten Reden, die ich jemals gehalten habe: »Ihr habt für eure Entscheidung bis morgen früh Zeit. Wenn ihr mir nicht helft, liefert ihr euch selbst ans Messer. Ich werde am Morgen den Konkurs anmelden, und ihr werdet alle auf einmal sehr viel Freizeit haben. Ihr habt acht Stunden, um euch zu entschließen. Es liegt an euch.«

Viel härter kann man nicht verhandeln, aber manchmal führt kein Weg daran vorbei. Fraser meinte, daß es das mieseste Tarifabkommen gewesen sei, dem er jemals zugestimmt habe. Nur die einzige Alternative wäre schlimmer gewesen – überhaupt kein Arbeitsplätze mehr zu haben.

Unsere Arbeiter machten ziemlich massive Zugeständnisse. Von Anfang an wurden ihre Lohntüten um 1,15 Dollar pro Stunde erleichtert. Innerhalb der nächsten anderthalb Jahre wuchs diese Differenz auf zwei Dollar pro Stunde an. Auf 19 Monate verteilt, verzichtete der Durchschnittsarbeiter bei Chrysler auf annähernd 10 000 Dollar.

Die Gewerkschaftsleute hatten sich an mein neues Gehalt von einem Dollar pro Jahr so sehr gewöhnt, daß sie mich tadelten, als sich dies im zweiten Jahr nicht wiederholte. Sie wurden sogar ausgesprochen sauer. Aber ich habe nicht gesehen, daß die großen Tiere bei Ford und GM Gehaltskürzungen in Kauf nahmen, nachdem die Gewerkschaft zu Konzessionen bereit gewesen war.

Nachdem GM und die UAW einen Vertrag ausgehandelt hatten, wonach die Arbeiter auf Lohnerhöhungen und Sozialleistungen in Höhe von 2,5 Milliarden Dollar verzichteten, was tat da der Konzern? Roger Smith, der Vorsitzende von GM, kürzte sein Gehalt um ganze 1620 Dollar im Jahr! Um das Ganze noch schlimmer zu machen, kündigte GM am selben Tag, an dem die Gewerkschaft einen Vertrag unterzeichnete, der große Lohneinbußen vorsah, einen neuen und aufgestockten Prämienplan für seine Spitzenmanager an. Ein markantes Beispiel für eine Firma, die das Prinzip der gleichen Opferbereitschaft aller noch nicht verstanden hat.

Zum ersten Mal seit vielen Jahren begann sich die Einstellung der Arbeiter bei Chrysler zu bessern. Als die kanadische Gewerkschaft 1982 streikte, hat niemand, wie sonst üblich, Autos sabotiert oder Produktionsanlagen zerstört. Die Arbeiter wollten mehr Geld, aber sie wollten der Firma nicht schaden.

Eine der Bedingungen der Darlehensbürgschaft war ein Aktienbeteiligungsplan für unsere Belegschaft. Er hat uns vier Jahre lang 40 Millionen Dollar pro Jahr gekostet. Aber er war wirtschaftlich gesehen äußerst vernünftig. Wenn man die Mitarbeiter am Profit teilhaben läßt, sind sie viel motivierter, gute Arbeit zu leisten. (Jeder Mitarbeiter hat jetzt etwa 5600 Dollar auf seinem Konto gutgeschrieben – eine nette Rücklage.)

Auch dieser Plan brachte die Verfechter der freien Marktwirtschaft auf die Palme. Aber ich hatte meine Antwort für sie parat. Ich wies darauf hin, daß die großen Rentenfonds in diesem Land eine Menge Aktien besitzen. Ihnen gehört ein erheblicher Anteil von General Motors und vielen anderen an der Börse vertretenen Unternehmen. Was ist also falsch daran, die Arbeiter daran teilhaben zu lassen, *während sie noch im Arbeitsleben stehen?*

Die Vertreter des Wirtschaftsliberalismus meinen, daß dies der erste Schritt zum Sozialismus sei. Ich kann nichts Falsches daran finden, die Mitarbeiter am Gewinn zu beteiligen. Sicherlich tut es gutem Management keinen Abbruch. Was kümmert es mich, ob die Firmenaktien einem Börsenmakler an der Wall Street oder einem Mann am Fließband gehören? Wer kann mehr für mich tun? Heute gehören übrigens etwa 17 Prozent des Konzerns den Beschäftigten.

Auch in der Abwesenheitsfrage brachten wir die Gewerkschaft auf unsere Seite. Es gibt immer einige Typen, die nicht zur Arbeit kommen, aber trotzdem bezahlt werden wollen. Zusammen mit der Gewerkschaft erarbeiteten wir härtere Bestimmungen, um uns gegen chronischen Mißbrauch wehren zu können.

Zur selben Zeit mußten wir eine Reihe von Fabriken schließen. Viele verloren ihren Arbeitsplatz. Das geht Menschen sehr nahe, wenn sie zwanzig oder dreißig Jahre im selben Betrieb gearbeitet haben. In manchen Fällen hatten bereits die Eltern dort gearbeitet. Plötzlich wird ihnen klar, daß die Tore zum letzten Mal hinter ihnen zufallen.

Es erhob sich eine Menge Geschrei wegen mancher Schließung. Die Gewerkschaft begriff jedoch sehr gut, daß wir drastische Maßnahmen ergreifen mußten. Weil sie wußte, daß wir gleichartige Zugeständnisse von unseren Zulieferern, Managern und Banken verlangten, konnte sie unsere Handlungsweise verstehen.

1980 ging ich zu jeder einzelnen Chrysler-Niederlassung, um persönlich mit den Arbeitern zu reden. In einer Reihe von Massenversammlungen dankte ich ihnen, daß sie uns in diesen schlechten Zeiten die Treue gehalten hatten. Ich erklärte ihnen, daß wir nach einer Besserung der Lage versuchen würden, sie wieder mit den Ford- und GM-Arbeitern gleichzustellen, daß dies aber nicht von heute auf morgen geschehen könne. Ich habe ihnen meinen Standpunkt erläutert, dazu schrien und johlten sie, einige applaudierten und andere buhten mich aus.

Ich hielt auch mit den Fabrikdirektoren Konferenzen ab. Ich ersuchte um Fragen an mich. Wir stimmten in den Antworten nicht immer überein, aber es war bereits ein großer Fortschritt, miteinander gesprochen zu haben.

Das ist Kommunikation, wie sie sein sollte: Der Chef spricht mit den Vorarbeitern. Alle hören mit, und jeder fühlt sich beteiligt. Ich würde das gern öfter tun. Bei Ford hatte ich oft Gelegenheit dazu, aber dort konnte ich es mir auch leisten – die Dinge liefen damals verhältnismäßig reibungslos im Büro.

Bei Chrysler gab es dagegen eine Krise nach der anderen. Es laugt einen aus. Und es wird ein verdammt langer Tag, wenn man Hunderten von Leuten die Hände schüttelt. Manche der Fließbandarbeiter wollen einen umarmen oder einem Geschenke überreichen, oder sie teilen einem mit, daß sie für einen in der Kirche beten, weil man ihren Job gerettet hat.

Während dieser Zeit schrieb eine Frau namens Lillian Zirwas, eine Wartungsangestellte der Lynch Road-Niederlassung in Detroit, einen Artikel im dortigen Firmenblatt. Darin appellierte sie an ihre Kollegen, sich zusammenzureißen. Sie schrieb: »Jetzt, wo es Entlassungen hagelt, habt ihr reichlich Gelegenheit, über die Zeiten nachzudenken, da ihr herumgegammelt oder schlampig gearbeitet habt.«

Ich schrieb ihr, wie sehr mir der Artikel gefallen hatte, und lud sie in mein Büro ein. Sie kam mit einem selbstgebackenen Kuchen. Ich erinnere mich noch daran, daß er einen Schokoladenguß hatte und daß eine der Zutaten Bier war. Wie auch immer: Es war der beste Kuchen, den ich jemals gegessen hatte. Meine Frau schrieb an Lillian Zirwas und bat sie um das Rezept.

Natürlich teilten nicht alle unsere Angestellten ihre Meinung. Es ist schwer, sich über eine Kürzung des Stundenlohns um zwei Dollar zu freuen. Trotzdem ist es nicht ganz richtig, wie die Medien immer behaupteten, daß die Mitarbeiter von Chrysler um zwei Dollar schlechter gestellt seien als die Belegschaft von Ford und GM.

Das liegt an dem ungleich höheren Anteil der pensionierten Arbeiter bei Chrysler. Zum einen waren unsere Arbeiter im Durchschnitt älter als die von Ford und GM. Zum anderen waren wir dann gezwungen, Tausende in den Ruhestand zu versetzen. Für alle Mitarbeiter, die jetzt zu Hause saßen, mußte die Firma Renten, Krankengelder und Lebensversichungsprämien zahlen. Und es ist der aktive Teil der Arbeitenden, der für diese Ausgaben aufkommen muß.

In normalen Zeiten ist das kein Problem. Mindestens zwei Arbeitende kommen auf einen pensionierten Mitarbeiter, und sie erarbeiten genug, um seine Rente und andere Kosten abzudecken. Aber 1980 waren wir bei dem untragbaren und noch nie dagewesenen Verhältnis von je 93 Arbeitenden zu 100 Ruheständlern angekommen. Mit anderen Worten, wir hatten mehr Leute, die zu Hause saßen, als solche, die zur Arbeit kamen! Im Endeffekt hatte jeder Chrysler-Arbeitnehmer die wirtschaftliche Last zu tragen, nicht nur sich selbst, sondern noch einen zweiten zu erhalten.

Dies ist ein weiteres Gebiet, auf dem die Probleme von Chrysler die unserer Gesellschaft spiegeln. Am selben Problem wird auch die Sozialversicherung scheitern. Die Menschen gehen früher in den Ruhestand, leben länger, und es fehlt an der arbeitenden Masse, die groß genug ist, um sie zu unterstützen.

Obwohl unsere Arbeiter zwei Dollar weniger pro Stunde bekamen, wurden unsere Arbeitskosten wegen der großen Anzahl der Rentner nicht entsprechend geringer. Einige unserer Beschäftigten haben das nicht so gesehen. Ihre Einstellung war: »Das ist nicht mein Problem. Ich bin nicht der Ernährer meines Bruders.«

Meine Reaktion war: »Momant mal. Eure Gewerkschaft ist auf unverbrüchliche Solidarität aufgebaut. Ihr habt diese Betriebsrenten eingeführt, und jetzt sitzen viele Leute zu Hause. Die Autobranche ist am Boden zerstört. Chrysler war zu groß, also verkleinerten wir den Konzern entsprechend. Jemand muß diese Kosten bezahlen. Wir können diese Rentenzahlungen doch nicht stoppen.«

Bereits bevor die Gewerkschaft irgendwelche Zusagen gemacht hatte, lud ich Doug Fraser ein, an unseren Aufsichtsratssitzungen teilzunehmen. Entgegen den Presseberichten war Frasers Ernennung nicht Teil unseres Abkommens mit der Gewerkschaft.

Es stimmt zwar, daß die Gewerkschaft seit Jahren gefordert hatte, im Aufsichtsrat vertreten zu sein. Doch war das quasi zu einem Ritual geworden. Ich glaube nicht, daß sie damit gerechnet hatte, diese Forderung je erfüllt zu bekommen. Ich habe Doug Fraser in unseren Aufsichtsrat aufgenommen, weil ich wußte, daß er einen speziellen Beitrag leisten konnte. Er ist klug, politisch gewieft, und er sagt, was er denkt.

Als Aufsichtsratsmitglied bekam Doug aus erster Hand mit, wie es bei Chrysler aus der Sicht des Managements zuging. Er erfuhr, daß unsere Zulieferer ihren Teil leisteten und daß wir unsere Rettung nicht allein den Arbeitern zu verdanken hatten. Er verstand, daß unsere Gewinn- und Verlustaufstellungen der Wahrheit entsprachen und daß Profit kein schmutziges Wort ist. Er lernte und begriff so viel, daß einige Arbeiter anfingen, ihn als Abtrünnigen anzusehen, denn er nahm kein Blatt vor den Mund, wenn wir uns zurückhielten.

Er hatte enormen Einfluß. Wenn es darum geht, eine Fabrik zu schließen, berät er uns, wie die damit verbundene Entwurzelung und das Leiden der Leute so gering wie möglich gehalten werden können. Er ist Vorsitzender unseres Ausschusses für Öffentlichkeitsarbeit. Er sitzt außerdem im Gesundheitsausschuß zusammen mit mir und Joe Califano, dem früheren Gesundheitsminister unter Carter, und Bill Milliken, dem ehemaligen Gouverneur von Michigan. Wir vier wissen über das Gesundheitswesen so gut Bescheid wie nur wenige. Wir repräsentieren die Arbeitnehmer, das Management, die Bundes- sowie die Staatsregierung. Über die Jahre haben wir die Entscheidungen gefällt, welche uns in die Misere gebracht haben, in der das amerikanische Gesundheitswesen heute steckt. Alle vier Gruppen waren daran beteiligt, es lahmzulegen, und diese werden es auch wieder auf die Beine stellen müssen.

Als ich Doug Fraser in unseren Aufsichtsrat einführte, wurde die Geschäftswelt natürlich wütend. »Das können Sie nicht machen! Sie stecken den Fuchs in den Hühnerstall. Sie sind verrückt geworden!« bekam ich zu hören.

»Moment mal«, sagte ich, »warum ist es o.k., Bankiers im Gremium zu haben, denen wir 100 Millionen Dollar schulden, aber keinen Arbeiter? Liegt etwa kein Interessenkonflikt vor, wenn wir Zulieferer im Aufsichtsrat haben?«

Bis dahin war noch nie ein Arbeitnehmervertreter im Aufsichtsrat eines großen amerikanischen Konzerns vertreten gewesen. In Europa ist das aber durchaus üblich. Und in Japan wird es immer so gemacht. Also wo liegt das Problem? Es liegt darin, daß der durchschnittliche amerikanische Geschäftsführer ein Gefangener seiner Ideologie ist. Er ist ein Purist. Er glaubt immer noch, daß die Gewerkschaft der natürliche Todfeind des Arbeitgebers sein muß.

Das ist überholtes Denken. Ich möchte, daß die Arbeiterschaft das innere Räderwerk des Konzerns versteht. Die alten Tage sind längst vorbei. Einige Leute wollen es nicht wahrhaben, werden es aber sehr bald herausfinden. Die wirtschaftliche Zukunft Amerikas hängt von der verstärkten Zusammenarbeit zwischen Regierung, Gewerkschaft und Arbeitgebern ab. Nur durch Zusammenarbeit können wir es mit dem Weltmarkt aufnehmen.

Nicht nur Manager operierten gegen die Aufnahme von Fraser. Auch viele Gewerkschaftsmitglieder waren dagegen. Sie befürchteten, daß Frasers Gegenwart im Aufsichtsrat seiner Fähigkeit schaden könne, das letzte aus uns herauszupressen. Ihr ganzes Leben lang hatten sie die Einstellung gehabt, soviel wie möglich zu verlangen, weil das Management ja doch niemals etwas zugunsten des Arbeiters tun würde, es sei denn, es würde durch Gewalt oder Blutvergießen dazu gezwungen.

Um diese Einstellung zu ändern, bedarf es vernünftiger Männer, die das Konzept einer Gewinnaufteilung nur dann diskutieren, wenn es etwas aufzuteilen gibt, und die nur dann für Lohnerhöhungen plädieren, wenn die Produktivität gestiegen ist. Vielleicht ist das ein Konzept, dessen Zeit noch nicht gekommen ist. Aber es wird kommen, denn wenn wir weiterhin dagegen ankämpfen und uns gegenseitig um ein größeres Stück vom Kuchen bekriegen, während der Kuchen immer kleiner wird, werden uns die Japaner weiterhin zum Frühstück verspeisen.

Als ich bei Ford war, trafen sich Gewerkschaft und Management nur alle drei Jahre, wenn es an der Zeit war, einen neuen Vertrag auszuhandeln. Und alle drei Jahre ging man mit Vorurteilen in den Konferenzraum. Man kannte den Menschen nicht, und man dachte automatisch: »Ich mag ihn nicht, er ist mein Gegner.« Es ist wie bei einem Agentenaustausch auf einer Brücke. Man haßt die andere Seite, obwohl der Austausch an sich eine gute Sache darstellt.

Ich bin stolz darauf, Doug Fraser in den Aufsichtsrat geholt zu haben, weil er große Klasse ist. Ich würde ihn in jeden Ausschuß einführen, in dem ich bin. Er ist einfach Spitze. Er weiß, wie man verhandelt, und er weiß, wie man Kompromisse schließt. Er kennt den Unterschied zwischen einer guten Vereinbarung und einer schlechten Vereinbarung. Er ist so gut, daß ich ihn sogar einmal Präsident Reagan als Regierungsunterhändler vorschlug.

Wenn Doug Fraser im Aufsichtsrat von Lynn Townsend gewesen wäre, hätte Chrysler vielleicht nicht die schlechtesten Firmen in Europa aufgekauft. Manch eine dieser verfehlten Aktionen hätte durch die Frage eines mutigen Mannes aufgehalten werden können: »Warum tun wir das? Ist das wirklich sinnvoll?«

Außerdem, was haben wir vor der Gewerkschaft zu verbergen? Was wollen wir unseren Mitarbeitern vorenthalten? Wir müssen bessere Autos für weniger Geld bauen. Und wer kann uns beim Erreichen dieses Ziels besser zur Hand gehen als der Gewerkschaftsboß?

Jedesmal, wenn ich wegen Frasers Mitgliedschaft im Aufsichtsrat getadelt wurde, war mein Standardargument: »Warum diese Aufregung? Ihr könnt in jedem Fall nur gewinnen. Wenn es sich als Fehler herausstellt, dann werdet ihr es erst gar nicht versuchen. Dann habt ihr Gesprächsstoff für den Country Club. Dann könnt ihr sagen: ›War Iacocca nicht ein Trottel?‹

Aber wenn es klappt, werde ich das Versuchskaninchen gewesen sein, und alle werden mir für den aufgezeigten Weg danken. Eines Tages werdet ihr vielleicht sogar davon profitieren!«

# XXI
# Die Banken: Feuerprobe

Keinem der Beteiligten fielen die nötigen Zugeständnisse leicht. Aber sobald sie begriffen hatten, wie ernst die Lage war, und sobald sie überzeugt waren, daß andere Gruppen ebenfalls ihren Beitrag leisteten, waren sie ziemlich schnell zur Kooperation bereit.

Ausgenommen waren die Banken. Es dauerte länger, von unseren vierhundert Geldgebern Zugeständnisse in Höhe von 655 Millionen Dollar zu bekommen, als die Darlehensgarantien in Höhe von 1,5 Milliarden Dollar vom US-Kongreß. Verglichen mit den Banktransaktionen waren die Kongreßdebatten so problemlos wie ein Reifenwechsel an einem warmen Frühlingstag.

Ich war über die Haltung der Banken zwar enttäuscht, aber nicht überrascht. Während der Anhörungen in Kongreß und Senat hatten sie sich sehr ablehnend verhalten. Walt Wriston, der Chef der Citibank, Tom Clausen, der Präsident der Bank of America, und Pete Peterson, der Vorstand von Lehman Brothers, hatten sich alle gegen die Darlehensgarantien ausgesprochen. Peterson war so weit gegangen, unsere Situation mit der des Vietnamkrieges zu vergleichen, indem er andeutete, daß Chrysler ein Sumpf sein könne, aus dem man nicht mehr herausfinde.

Ich hatte einige sehr harte Auseinandersetzungen mit Peter Fitts, der die Citibank repräsentierte, und mit Ron Drake von Irving Trust. Fitts und Drake waren ausführende Organe – Spezialisten für finanzielle Umstrukturierungen. Ihre grundsätzliche Einstellung war die, daß wir bei Chrysler Dummköpfe seien, die nicht wissen, was sie tun.

Den beiden ging es nicht um Arbeitsplätze oder Investitionen. Das einzige, was sie interessierte, war ihre Kapitalverzinsung.

Wie fast alle im Bankwesen rieten sie uns zu einer Konkurserklärung. Aber ich gab nicht nach. Ich tat mein Bestes, um sie davon zu überzeugen, daß wir es bei Chrysler mit der Opferbereitschaft aller und einem neuen Management-Team schaffen würden.

Ron Drake und ich hatten einige besonders erbitterte Auseinandersetzungen, aber dann passierte etwas Merkwürdiges: Heute ist er mein persönlicher Finanzberater bei Meryll Lynch. 1980 haßten wir einander, aber wir gingen auch gemeinsam durch dick und dünn und wurden schließlich gute Freunde.

Als der Bürgschaftsbeschluß Ende 1979 verabschiedet wurde, waren die Chrysler Corporation und die Chrysler Financial, unsere Finanzierungsgesellschaft, mit 4,75 Milliarden Dollar bei über vierhundert Banken und Versicherungen verschuldet. Diese Anleihen hatten sich über etliche Jahre hinweg angesammelt, in denen unsere Geldgeber wohl am Steuer geschlafen haben mußten. Keiner von ihnen schien sich um das finanzielle Wohlergehen der Firma Sorgen zu machen, obwohl die unheilvollen Vorzeichen jedem ins Auge stechen mußten.

Chrysler war für die Banken eine Goldgrube gewesen, und keiner wollte dem geschenkten Gaul ins Maul schauen. Über fünfzig Jahre hinweg hatte Chrysler ständig von den Banken Anleihen genommen, ohne einen einzigen Rückzahlungstermin zu versäumen.

Chrysler hatte immer schon mit Leihkapital gearbeitet, hatte großzügige Dividenden gezahlt und enorme Kredite von den Banken aufgenommen. Das mag für die Banken gut gewesen sein, aber es war nicht immer günstig für Chrysler. Wenn man mit fremdem Geld arbeitet, unterliegt man starken Schwankungen. Gute Zeiten erscheinen besser, aber schlechte Zeiten treffen einen viel härter.

Außerdem bedeutete es, daß unsere Bonität nie so gut wie die von GM oder Ford gewesen ist. Daraus resultierte, daß wir für alles Geld, das wir aufnahmen, immer die höchsten Zinssätze zahlen mußten. Während General Motors groß und profitabel genug ist, um als seine eigene Bank zu fungieren, mußte Chrysler das Geld zu den geltenden Zinssätzen borgen. Und den Banken kam das äußerst gelegen.

Während der fetten Jahre waren die Bankiers immer auf unserer Seite. Aber in schlechten Zeiten zogen sie sich schnellstens zurück.

Als eingeschworenen konservativen Republikanern war der Bürgschaftsbeschluß den meisten Bankiers suspekt. Weil die meisten Bankkredite an die Chrysler Financial und weniger an die Chrysler Corporation selbst gegangen waren, dachten die Bankiers, daß sie immer noch relativ gut dabei wegkämen, wenn wir das letzte Kapitel aufschlagen würden.

Für sie kam jedoch das große Erwachen. Jerry Greenwald beauftragte gegen Ende 1979 Steve Miller und Ron Trost, einen Experten für Konkursverfahren in Los Angeles, ein Liquidationsgutachten zu erstellen. Dieses Dokument stellte klar, daß es keine Rolle spielte, wem die Kredite gewährt worden waren, ob nun Chrysler Corporation oder Chrysler Financial. Im Fall eines Bankrotts wären *alle* Kredite während der Prozesse fünf bis zehn Jahre eingefroren gewesen, und die Banken hätten einen beträchtlichen Prozentsatz ihrer Investitionen verloren. Und aufgrund einer sonderbaren Bestimmung in den Gesetzen von Michigan wären die Zinsen für die ausstehenden Kredite auf 6 Prozent im Jahr gefallen, bis die Angelegenheit geregelt war. Es dauerte nicht lange, bis die Banken einsahen, daß es in ihrem eigenen Interesse war, uns die Zugeständnisse zu gewähren, die uns geschäftsfähig hielten.

Trotzdem waren sie weit weniger kompromißbereit als unsere Zulieferer und Mitarbeiter. Einerseits hing ihr Überleben nicht von unserer Rettung ab. Andererseits war die bloße Anzahl der Banken überwältigend. Als Lockheed 1971 eine staatliche Darlehensbürgschaft in Anspruch nahm, waren nur 24 Banken involviert, und zwar ausschließlich amerikanische. Unsere Banken aber waren über fast alle fünfzig Bundesstaaten verteilt – und über die ganze Welt. Sie reichten von Manufacturers Hanover Trust in New York, dem wir über 200 Millionen schuldeten, bis zur Twin City Bank in Little Rock in Arkansas, bei der wir mit ganzen 78000 Dollar in der Kreide standen. Banken in London, Toronto, Ottawa, Frankfurt, Paris und Tokio hatten uns Geld geliehen – sogar eine in Teheran.

Jede Bank hatte ihre eigene Verfahrensweise. Manufacturers Hanover, in der Geschäftswelt als »Manny Hanny« bekannt, war mit Chrysler jahrelang verbunden. Lynn Townsend hatte neun Jahre ihrem Aufsichtsrat angehört, während zwei Leute von Manny Hanny in unserem saßen. Mehr als einmal hatten sie uns über harte Zeiten hinweggeholfen. John McGillicuddy, der gegenwärtige Vorsitzende, hatte ein 455-Millionen-Dollar-Revolvingabkommen für Chrysler erwirkt. Außerdem sprach er sich im Kongreß für die Darlehensgarantien aus. »Ich finde, daß die Chrysler Corporation überleben sollte«, sagte er dem Ausschuß. »Ich bin nicht kategorisch in jedem Fall gegen eine Unterstützung von seiten der Regierung und sehe dies, in Maßen angewandt, auch nicht als Bedrohung für unser freies Marktwirtschaftssystem an.«

John McGillicuddy war eine unserer Streitäxte. Manny Hanny war unsere Hauptbank, und McGillicuddy überzeugte seine Kollegen von der Notwendigkeit, unserem Paket an Konzessionen zuzustimmen.

Unsere andere Streitaxt war G. William Miller, der Finanzminister. Er bezeugte vor dem Kongreßausschuß, daß Chrysler einen außergewöhnlichen Fall darstellte und daß die Darlehensgarantien sinnvoll seien. Miller war hart im Umgang mit den Banken. Er war der Meinung, daß sie ihre Verluste hinnehmen sollten und den Schaden verkraften konnten.

Aber Walter Wriston von der Citibank war eindeutig gegen die Bürgschaft eingestellt. Als der einflußreichste Bankier im Land war Wriston unser Pleitegeier. Citibank war überzeugt, daß wir in den Konkurs gehen würden – sie wollten so schnell wie möglich ihre 15 Cents pro Dollar – das war unser Schlichtungsvorschlag. (Wir boten außerdem weitere 15 Cents in Vorzugsaktien an.) Die Citibank scheint ihren Ruf als harte Truppe zu genießen. Wann immer sie uns Hindernisse in den Weg legen konnte, tat sie es auch.

Der Konflikt zwischen Manny Hanny und Citibank war jedoch nur die Spitze des Eisbergs. Zu unseren Kreditgebern zählten sowohl große Banken als auch kleine, in- und ausländische Institute und sogar eine Anzahl von Versicherungen. Es gab Anleihen an die Chrysler Corporation selbst, an Chrysler Canada und an die Chrysler Financial. Da waren aber auch Kredite an verschiedene ausländische Tochtergesellschaften sowie Schuldscheine auf zukünftige Warenlieferungen.

Schlimmer noch, wir hatten Schulden zu den verschiedensten Zinssätzen. Es existierten fest verzinsliche Papiere zu bloß 9 Prozent. Dann gab es Hochzinsanleihen mit veränderlichem Zins, der zwischen 12 Prozent im Januar zu Beginn unserer Verhandlungen mit den Banken, 20 Prozent im April, als wir ein Abkommen trafen, und etwa 11 Prozent schwankte, als wir schließlich den Handel perfekt machten.

Da waren die Banken, deren Kreditmöglichkeiten voll ausgeschöpft und andere, die nur zum Teil ausgenutzt waren. Es gab Kredite, die bereits sechs Monate überfällig waren, wie der über fünf Millionen von einer spanischen Bank, der im Juli 1979 abgeschlossen wurde, und innerhalb von 90 Tagen hätte zurückerstattet werden sollen. Und es gab auch die längerfristigen Anleihen, darunter von einigen Versicherungsfirmen, die erst im Jahr 1995 fällig wurden.

Natürlich herrschten unter den Banken große Anspannungen und wenig Übereinstimmung darüber, was eine gerechte Lösung darstellen könnte. Im allgemeinen waren die Bankiers nicht gewillt, Kompromisse zu schließen. Ihre Hauptzwistigkeiten hatten sie nicht mit Chrysler, sondern untereinander. Jeder hatte einen Grund, den anderen die Hauptlast der Konzessionen zuzumuten.

Die amerikanischen Banken sagten: »Die ausländischen Banken können uns gestohlen bleiben.« Ich wußte nichts davon, daß die eigentliche Sorge der Banken Amerikas deren Krediten an Mexiko, Polen und Brasilien galt. Mit all den Aufschüben und Fristüberschreitungen bei ihren internationalen Krediten machen die großen amerikanischen Banken jetzt die gleichen Probleme durch wie Chrysler. Aber im Gegensatz zu uns haben sie einen reichen Onkel, der ihnen aushilft – ohne das große Aufsehen und die unliebsame Publicity.

Vor kurzem, als Mexiko eine Milliarde brauchte, um die Kredite der New Yorker Banken zahlen zu können, schrieb Paul Volcker vom Federal Reserve Board übers Wochenende einen Scheck aus. Das nenne ich prompte Bedienung für die Herren der Bankengemeinschaft. Es gab keine Anhörungen, geschweige denn einen Versuch, Kontrollen aufzuerlegen. Es wurden keine Strafen über die Banken verhängt. Und die eine Milliarde Dollar kam natürlich aus den Taschen der Steuerzahler.

Sicherlich gefiel den Bankiers die Idee einer Darlehensgarantie für Chrysler nicht, doch war ihre Einstellung zu Garantien für sie selbst grundlegend anders. Sie machten ganz offenkundig bei der Gewährung von Krediten ans Ausland viele Fehler, aber der International Monetary Fund half ihnen aus. Die Banken verlangten von uns Kürzungen der Managergehälter, Verzicht auf Dividenden und noch alles mögliche andere. Aber ich sehe niemanden, der bei schlechten Kreditabschlüssen ein ernstes Wort mit ihnen redet. Ich wäre bei Citicorp gern der Umschuldungsfachmann, der den Verzicht auf Dividenden oder Lohnkürzungen der leitenden Angestellten verlangt! Im Federal Reserve Board herrscht eine merkwürdige Einseitigkeit vor – es sind alles Bankiers, keine Unternehmer. Wenn eine Bank wegen falscher Entscheidungen vor dem Ruin steht, wird ihr sofortige Aufmerksamkeit gewidmet. Zwei kleine Banken in Oklahoma sind am Ende, und schon hört man Paul Volcker über eine neue Liquiditätskrise reden und darüber, daß wir die Zügel im Geldwesen lockern müssen. Wenn es jedoch Chrysler und International Harvester trifft, zwei Konzerne mit fast einer Million gefährdeten Arbeitsplätzen, dann wird das als eines der Risiken der freien Marktwirtschaft abgetan.

So geht das nicht. Hier wird mit zweierlei Maß gemessen und außerdem völlig ungerecht.

Währenddessen hatten die Auslandsbanken ihre eigenen Einwände. Die japanischen Banken stellten sich auf den Standpunkt: »Wenn es in Japan ein Problem gibt, decken unsere Banken das ab, und die ausländischen Banken werden ausbezahlt. Hier handelt es sich aber um ein amerikanisches Problem – also sollten die Amerikaner damit allein fertig werden.«

Die Banken in Kanada sagten: »Wir werden uns von den Amerikanern keine Vorschriften machen lassen. Wir sind lange genug herumgeschubst worden.« Die kanadische Regierung unterstützte diese Einstellung. Als Gegenleistung für eine Darlehensbürgschaft der Regierung wollte Kanada von uns Arbeitsplatzgarantien.

Die Kanadier fühlten sich als benachteiligte Juniorpartner. Unsere Fahrzeuge mit Hinterradantrieb wurden in Kanada gebaut – unser großer Lieferwagen und der New Yorker. Damals schienen diese Fahrzeugtypen aus der Mode zu kommen.

Wir einigten uns schließlich auf einen Kompromiß. Anstatt ihnen absolute Zahlen zu nennen, garantierten wir den Kanadiern einen Prozentsatz unseres nordamerikanischen Belegschaftsstandes, und wir einigten uns auf 11 Prozent. Wie sich später herausstellte, konnten wir dieses Versprechen leicht einhalten. Wegen des Fehlens einer Energiepolitik in den USA wurden diese Autos zum Schlager, als die Benzinpreise fielen. Es gab eine Zeit, da die kanadischen Arbeiter 18 Prozent unserer Beschäftigten in Nordamerika stellten.

Die europäischen Banken meinten: »Wir machen da nicht mit. Wie war das mit Telefunken?« Einige Jahre zuvor hatte die deutsche Bundesregierung ein Regierungsprogramm für Telefunken aufgestellt, doch die amerikanischen Banken zogen sich zurück und ließen die deutschen Banken die Suppe auslöffeln. Die Deutschen hatten die gleiche Einstellung wie die Japaner: »Das ist ein amerikanisches Problem. Eure Banken sollen dafür aufkommen.«

Als die amerikanischen Banken merkten, woran sie waren, wurden sie plötzlich fromm. Sie nahmen jetzt dieselbe Position ein wie wir: »Nein, wir stecken da alle mit drin. Bei einem Konkurs behandelt uns das Gericht alle gleich.« Es wurde ihnen klar, daß die einzige Lösung darin bestand, von *allen* beteiligten Banken gleiche und faire Beiträge zu verlangen.

Dennoch gab es Schwierigkeiten. Die kleineren Banken meinten: »Zum Teufel mit New York. Unsere Kredite an Chrysler machen einen größeren Prozentsatz unserer Vermögenswerte aus als die der großen New Yorker Banken. Also laßt uns die Höhe der Nachlässe jeweils von der Größe der Bank abhängig machen.«

Um die Banken zu den nötigen Zugeständnissen an uns zu veranlassen, waren wir zu einem Lockangebot gezwungen: 12 Millionen Aktienbezugsscheine, bis 1990 gültig und einlösbar, sobald die Aktien einen Preis von 13 Dollar pro Anteil erreichten. Als der Bürgschaftsausschuß der Regierung davon Wind bekam, verlangte er ein ähnliches Abkommen, mit der Begründung, daß auch er ein Leihgeber mit einem 50 Prozent höheren Kapitalrisiko als die Banken sei. Also bekam die Regierung ebenfalls 14,4 Millionen Bezugsscheine.

Insgesamt gaben wir 26,4 Millionen Bezugsscheine aus, die eine große potentielle Schwächung unseres Stammaktienpakets repräsentierten. Damals kümmerten wir uns nicht sonderlich um diese Bezugsscheine. Wir benötigten die Mitarbeit aller, und bei einem Anteilwert von 3,50 Dollar schienen 13 Dollar so gut wie unerreichbar.

Es dauerte Monate, bis ein akzeptabler Plan für die Banken erarbeitet werden konnte. Ich brachte das Ganze ins Rollen und nahm an einigen der frühen Zusammenkünfte teil, doch der größte Arbeitsaufwand wurde von Jerry Greenwald und Steve Miller bewältigt.

Die Verhandlungen mit den Banken waren so kompliziert, daß Jerry kaum etwas anderes tat, als unsere Gesamtstrategie von Highland Park aus zu koordinieren. Er stellte 22 Arbeitsgruppen auf, die sich jeden Freitag mit ihm und Steve Miller zu treffen hatten. Miller reiste unterdessen in der ganzen Weltgeschichte herum; er flog abwechselnd nach New York oder Washington, mit Abstechern nach Ottawa, Paris, London und einem Dutzend anderer Städte.

Millers Terminplan war unglaublich. Er verbrachte einen Großteil seiner Zeit in New York, wo ein typischer Tag um halb sieben Uhr morgens mit einer Frühstückskonferenz mit einem unserer Anwälte begann. Darauf folgten den ganzen Tag über Besprechungen mit Bankiers und deren Anwälten. Um sechs Uhr abends traf er noch mehr Bankiers zum Cocktail. Um acht ein Abendessen mit wieder anderen. Um zehn Uhr war er zurück im Hotel und versuchte sich auf die Konferenzen des nächsten Tages vorzubereiten. Um Mitternacht herum telefonierte er mit Japan, um mit Mitsubishi und den japanischen Banken Abkommen auszuhandeln.

Steve setzte sich voll ein und brachte auch etwas Kameraderie ins Spiel. Seine Haltung den Bankiers gegenüber war: »Es ist hart, und ich weiß, daß ihr so was noch nie gemacht habt. Wir auch nicht, also sehen wir zu, daß wir uns gemeinsam in diesen unbefahrenen Gewässern zurechtfinden.«

Steve Miller besaß die ideale Persönlichkeit für diesen Job. Er war zäh und bestens organisiert, aber er wußte auch, wann er sich lockerer geben konnte. Als die Banker bei einer Besprechung alle untereinander stritten, setzte er sich eine Spielzeugpistole an den Kopf. »Wenn ihr euch nicht einigen könnt«, sagte er, »muß ich mich umbringen.«

Bei einer anderen Konferenz wollten die Teilnehmer Sandwiches vom nächsten Feinkostladen kommen lassen. Die prompte Antwort war: »Sie sind von Chrysler? Tut uns leid. Wir liefern nur bei Vorauszahlung!« Das war die Atmosphäre, in der wir lebten. Da versuchen wir, 100-Millionen-Dollar-Nachlässe von den Banken zu bekommen, und der Imbißladen an der nächsten Ecke gab uns nicht einmal unsere Corned Beef- und Pastrami-Sandwiches für eine halbe Stunde auf Kredit.

Zuerst hatte sich Steve mit den Bankleuten in getrennten Gruppen getroffen. Aber diese Methode vergrößerte nur noch ihre Uneinigkeit. Bald beschloß er, alle in einem einzigen Raum zusammenzubringen. Auf diese Weise mußte jeder mit jedem reden, und sie konnten selbst sehen, wie sauer erwachsene Männer werden können.

Es war ein Wendepunkt. Manche der Bankiers sahen sich zum ersten Mal. Steve hielt eine kleine Ansprache. »Ich bin mir bewußt, daß mein Plan keinem fair erscheinen kann«, sagte er den Bankenchefs.

»Ich kann nur hoffen, daß er allen gegenüber gleichermaßen unfair ist. Ich möchte, daß Sie den Plan mit nach Hause nehmen und über das Wochenende studieren. Wir treffen uns nächsten Dienstag, den 1. April, wieder, und dann antworten Sie mir ja oder nein. Aber wir können diese Sache nicht viel weiter diskutieren. Wenn Ihnen der Plan nicht zusagt, dann vergessen wir das Ganze besser.«

Einige Bankenchefs drohten, daß sie am nächsten Dienstag nicht dasein würden, doch sie kamen alle. Wie sich herausstellte, fand das Treffen zu einer Zeit statt, die für die Bankwelt höchst ungünstig war. Der Silbermarkt spielte durch die Gebrüder Hunt verrückt. Bache war in großer Bedrängnis. Die Zinsen waren auf 20 Prozent angestiegen, und es sah so aus, als würden sie auf 25 Prozent klettern.

Wenn wir die Bankiers bei diesem Treffen nicht zu einer Übereinkunft bewegen konnten, war alles vorbei. Und angesichts der miserablen wirtschaftlichen Lage der USA war es sehr wohl möglich, daß ein Bankrott von Chrysler eine Lawine ökonomischer Katastrophen ausgelöst hätte.

Als die ganze Gruppe am 1. April zu der Besprechung zusammentrat, eröffnete sie Steve mit einem echten Schocker: »Meine Herren«, begann er, »letzte Nacht hat der Aufsichtsrat von Chrysler eine Krisensitzung abgehalten. In Anbetracht der furchtbaren Wirtschaftslage, des Niedergangs der Firma und der ins Uferlose steigenden Zinsen – ganz zu schweigen von der mangelnden Unterstützung durch unsere Geldgeber – haben wir heute um halb zehn Uhr morgens beschlossen, den Konkurs anzumelden.«

Im Raum war es totenstill. Greenwald war entsetzt. Er war natürlich Mitglied des Aufsichtsrats, doch dies war das erste Mal, daß er von einem solchen Treffen hörte. Dann fügte Miller hinzu: »Ich sollte vielleicht daran erinnern, daß wir heute den 1. April haben.«

Alle atmeten auf. Leider hatten einige Europäer noch nie etwas vom Aprilscherz gehört. Sie starrten weiterhin gegen die Wand und fragten sich, was um Himmels willen das Datum mit all dem zu tun hatte.

Miller hatte sich diesen kleinen Scherz etwa fünf Minuten vor Konferenzbeginn ausgedacht. Er war gewagt, übte aber seine Wirkung aus – alle Anwesenden besannen sich auf das große Ganze und machten sich die Konsequenzen eines Zerwürfnisses bewußt. Steves Kompromißplan wurde von allen anwesenden Banken gebilligt: Insgesamt sechs Millionen Dollar an Zinsaufschüben und -reduzierungen sowie eine Verlängerung der Laufzeit uns gewährter Darlehen von insgesamt vier Milliarden Dollar um vier Jahre bei 5,5 Prozent.

Der Plan konnte aber nur funktionieren, wenn jede einzelne Bank, der wir Geld schuldeten, zur Kooperation bereit war. Einige dieser Banken, beispielsweise die Bank Tejarat im Iran, machten uns ziemlich nervös. Wir schuldeten ihr nur 3,6 Millionen Dollar, aber das war gerade nach der durch die Geiselnahme hervorgerufenen Krise, und die US-Regierung hatte acht Millionen Dollar an iranischen Einlagen eingefroren. Zu unserer großen Erleichterung stimmten die Iraner dem Plan jedoch ohne Probleme zu.

Bis Juni hatten fast sämtliche Banken diesen Plan akzeptiert. Sobald wir alle überzeugt hatten, konnten wir endlich die ersten garantierten Darlehen in Höhe von 500 Millionen Dollar kassieren. Aber inzwischen ging uns das Bargeld zur Abdeckung unserer Rechnungen schnell aus. Am 10. Juni 1980 mußten wir die Zahlungen an unsere Zulieferer einstellen. Wieder einmal war der Konkurs sehr nahe gerückt.

Die ersten 500 Millionen Dollar an garantierten Darlehen waren nur ein paar Tage entfernt, aber wie lange würden unsere Lieferanten Geduld haben? Selbst wenn sie uns nicht sofort in den Bankrott zwangen, konnten sie jederzeit beschließen, die Lieferungen einzustellen, was fast genauso schlimm gewesen wäre. Da unsere Lagerbestände sehr klein gehalten waren, wäre ein Ausbleiben von Teilen die reinste Katastrophe gewesen. Doch als wir am Rande des Abgrunds standen, spielten die Lieferanten glücklicherweise mit.

Bis zu diesem Zeitpunkt hatten mehr als 90 Prozent der Banken unserem Plan zugestimmt. Sie repräsentierten mehr als 95 Prozent unserer laufenden Kredite. Wir brauchten aber dennoch eine Beteiligung von 100 Prozent, sonst konnten wir das ganze Unterfangen abschreiben. Die Zeit wurde immer knapper. Selbst wenn jede Bank in den Plan einwilligte, mußten immer noch der Papierkrieg abgewickelt und die entsprechenden Unterschriften geleistet werden.

Das war zum Beispiel eine Bank in Alaska, die die Abkommenspapiere unterzeichnet, sie uns aber auf dem normalen Postweg geschickt hatte, statt sie durch Expreßkurier zu übermitteln. Die Papiere würden viel zu spät ankommen, also mußten wir ihnen per Expreß noch einen Satz zuschicken.

In Minnesota hatte ein Bankangestellter die Papiere in eine Ablage neben seinen Schreibtisch gelegt, um sie am nächsten Morgen zu unterschreiben. Am Abend nahm sie die Putzfrau und warf sie in den Reißwolf.

Eine Bank im Libanon hatte die Dokumente unterzeichnet, konnte sie aber während des Bürgerkriegs nicht aus dem Beiruter Flughafen schaffen. Wir bekamen sie schließlich in die US-Botschaft geliefert. Schließlich akzeptierte der Bürgschaftsausschuß die Aussage der Botschaft, daß die Papiere alle unterzeichnet und in Ordnung waren.

Bei einer finanziellen Reorganisation solcher Größenordnung ist es üblich, daß die großen Banken die Forderungen der kleinen zu einem entsprechenden Rabatt aufkaufen, um den Abwicklungsprozeß zu vereinfachen. Wir hielten aber daran fest, daß alle gleich behandelt würden. Wir wußten, daß sich die Schleusen öffnen würden, wenn wir irgendwelche Ausnahmen machten.

Einige der kleinen Banken glaubten tatsächlich, daß sie mit der Verlängerung der Kredite einer schlechten Sache gutes Geld nachwarfen. Ihnen war es lieber, das Verlustgeschäft an diesem Punkt abzuschließen, als es noch weiter zu verschleppen.

Im Mai unternahm Steve Miller eine Blitzreise durch Europa, um die eigensinnigsten Banken dort aufzusuchen. Seine Arbeit wurde ihm durch einen Artikel in der *Financial Times* nicht gerade erleichtert, der behauptete, daß Chrysler einen Geheimplan habe, nach dem die unnachgiebigen Gläubiger ausbezahlt würden. Als er bei den Banken ankam, waren alle begierig, die Einzelheiten zu erfahren. Sie waren sehr enttäuscht, als sie feststellten, daß die einzigen beiden Alternativen darin bestanden, den vorliegenden Kompromiß zu akzeptieren oder uns zum Konkurs zu verurteilen.

Bei uns in den Staaten waren hauptsächlich die kleinen Provinzbanken aufsässig. Eine davon drohte das ganze Chrysler-Abkommen wegen 75000 schuldig gebliebener Dollar auffliegen zu lassen. Auch hier gab es Gerüchte, daß wir im stillen die nichtkooperativen Banken auszahlen würden. Diese Gerüchte ermutigten die Gläubiger, doch wir brachten sie nach und nach auf unsere Seite. Als die Zahl der widerspenstigen Gläubiger immer mehr abnahm, wurde der Druck auf die letzten übriggebliebenen überwältigend. Als der Mai in den Juni überging, fragte ich mich, wann diese Agonie endlich ausgestanden wäre.

Der dramatischste Konflikt bahnte sich in Rockford, Illinois, mit der American National Bank and Trust Company an. David Knapp, deren Präsident, war davon überzeugt, daß Chrysler selbst mit den staatlichen Darlehensgarantien Bankrott machen würde. Er wollte nichts damit zu tun haben. Seine Bank hatte wegen der Rückzahlung ihres 650 000-Dollar-Kredits eine Klage eingereicht, und er war fest entschlossen, bis zum bitteren Ende durchzuhalten.

Wir hatten aber das Glück, daß in Rockford auch eines unserer Hauptmontagewerke ansässig war und viele Einwohner bei Chrysler oder einem unserer Zulieferer arbeiteten. Sobald sie von dem Problem hörten, drängten sie die Bank, sich dem allgemeinen Abkommen anzuschließen.

Als das nichts half, flog Steve Miller dorthin, um sich mit Knapp zu treffen. Miller war nicht einmal sicher, daß Knapp bereit war, ihn zu empfangen. Aber wenn er sich geweigert hätte, wäre Steve zur Regionalzeitung gegangen und hätte denen erzählt, daß Mr. Knapp im Begriff sei, 5000 Leute in Rockford arbeitslos zu machen.

Der Bürgermeister vereinbarte mit Knapp und Miller ein Treffen im Rathaus. Miller hatte eine schwungvolle Rede für Knapp parat. Er versuchte zu erklären, daß das Abkommen nicht jedermann völlig zufriedenstellte, daß aber alle anderen Banken darauf eingegangen seien. Er sagte, daß er nicht mit einer Bank ein Separatabkommen schließen könne. Knapp hörte ihn an, änderte jedoch seine Meinung nicht. Seine Einstellung war: »Tut mir leid, aber wenn ihr einen Kredit aufnehmt, müßt ihr ihn auch zurückzahlen.«

Ein paar Tage später willigte die Rockfordbank in den Plan ein. David Knapp hatte eine Reihe von Anrufen von Firmen erhalten, die von Chryslers Überleben abhängig waren. Politiker aller Ebenen hatten sich bei ihm gemeldet. Tausende von Mitgliedern der UAW hatten gedroht, ihr Konto bei seiner Bank aufzulösen. Es hatte sogar eine Bombendrohung aus dem Ort gegeben, der seiner festen Überzeugung nach von uns gekommen war.

Nach der Fahrt nach Rockford besuchte Miller noch ein oder zwei andere Widerspenstige. Gegen Ende Juni hatten wir sie alle in der Tasche. Damit war diese Schlacht geschlagen.

Glaubten wir jedenfalls. Sobald wir die schriftliche Zustimmung aller Banken hatten, brauchten wir nur noch alle unterschriebenen Dokumente einzusammeln und die Abschlußformalitäten über die Bühne zu bringen. Diese bestehen normalerweise darin, daß eine

Schar von Anwälten zusammenkommt, einige Dokumente einsieht und erklärt, daß der Handel perfekt ist.

Aber der Fall Chrysler lag etwas komplizierter. Erstens waren da zehntausend Einzeldokumente zu überprüfen. Allein die Druckkosten für die endgültigen Vereinbarungen beliefen sich auf beinahe zwei Millionen Dollar! Zu einem Papierstoß zusammengestapelt hätten sie die Höhe eines siebenstöckigen Gebäudes erreicht.

Außerdem waren die Urkunden bei Anwaltskanzleien in ganz New York und einigen anderen Städten verstreut. Die meisten waren jedoch im Westväco-Gebäude in Manhattan, Park Avenue 299, versammelt, im Anwaltsbüro unserer Berater Debevoise, Plimpton, Lyons & Gates.

Am Montag abend, dem 23. Juni, fand in diesem Büro eine Besprechung statt, um die Papiere für den Abschluß am nächsten Tag in Ordnung zu bringen. Wir hatten eine große Gruppe von Anwälten zur Verfügung, denn wenn ein einziges Dokument fehlte, war das ganze Abkommen hinfällig.

Etwa um 19 Uhr 30 war Steve Miller in der Cafeteria im 32. Stockwerk des Westväcogebäudes, als er schwarze Rauchwolken am Fenster bemerkte. Er nahm an, daß es Bratfett von der Küche war, aber bald stellte sich heraus, daß das zwanzigste Stockwerk in Flammen stand.

Steve sagte, die Versuchung sei groß gewesen, das Feuer zu ignorieren, um den Vertragsabschluß nicht zu gefährden. Aber wenige Minuten später wurde das Gebäude evakuiert, und jeder, der konnte, stieg die 33 Stockwerke zur Straße hinunter.

Als die Gruppe ihren Abstieg bewältigt hatte, war die Park Avenue völlig von Feuerwehrwagen versperrt. Flammen schlugen aus den Fenstern. Steves erster Gedanke war: »Das ist ganz sicher eine Botschaft Gottes. Er ist gegen das Abkommen. Vielleicht hätten wir mit dem System der freien Marktwirtschaft doch nicht herumspielen sollen.«

Unsere Leute und die Anwälte sahen mit wachsendem Entsetzen zu, wie ein Büro nach dem anderen den Flammen zum Opfer fiel, während die Scheiben der großen Fenster barsten und auf die Straße stürzten. Zum Glück blieb das Feuer auf das zwanzigste Stockwerk beschränkt. Alle unsere Dokumente befanden sich oberhalb des dreißigsten Stockwerks.

Schließlich war das Feuer unter Kontrolle, und die Chryslerleute gingen zum Abendessen in ein nahegelegenes Restaurant. Miller traf auf der Straße Jerry Greenwald, der gerade in der Stadt angekommen war, um die Dokumente zu unterzeichnen. Jerry war auf dem Weg zum Westvāco-Gebäude, als er Steve begegnete.

»Mann«, sagte Greenwald. »Der Verkehr hier ist unerträglich. Irgendwo muß ein Feuer ausgebrochen sein. Stell dir vor, es wäre unser Gebäude!«

Steve antwortete: »Es *ist* unser Gebäude!«

Da Greenwald mit Millers Humor vertraut war, nahm er natürlich an, daß Steve einen Witz machte. Jerry ging weiter, bis er an die Straßensperre gelangte und begriff, daß die Lage gar nicht so komisch war.

Schließlich, um zwei Uhr morgens, trafen sich Jerry, Steve und die Rechtsanwälte im Citicorp Center. Sie fanden, daß es dringend notwendig sei, die Papiere aus dem qualmenden Gebäude zu holen, weil sonst das gesamte Abkommen gefährdet sein könnte. Um halb drei kämpften sie sich durch die Polizeisperren. Viele Feuerwehrleute hatten bereits Verletzungen erlitten, aber unsere Leute wurden durchgelassen, weil sie geltend machten, daß die Existenz Chryslers von der Sicherstellung dieser Papiere abhing.

Also fuhren zwanzig Leute mit dem Aufzug hoch. Sie warfen alle Dokumente in Kartons und Postkörbe. Eine Stunde später, mitten in der Nacht, schob ein Konvoi von Anwälten seine Postwagen mitten durch die Park Avenue zu den Büros von Shearman & Sterling im Citicorp-Gebäude, eine der Anwaltskanzleien, die die Banken repräsentierten. Den Rest der Nacht verbrachten sie damit, die Papiere zu ordnen, damit der Vertragsabschluß planmäßig stattfinden konnte.

Die Papiere wurden am folgenden Tag zwischen neun und zwölf Uhr neu sortiert. Wunderbarerweise war nichts verlorengegangen oder beschädigt worden. Mittags marschierten zahllose Anwälte und Bankenvertreter in einen großen Konferenzraum bei Shearman & Sterling zu der Schlußverhandlung. Wir hatten eine Konferenzschaltung mit Verbindungen nach Paris, Detroit, zur Wall Street, nach Toronto und Washington – wo der Bürgschaftsausschuß der Regierung bereitstand.

Bill Matteson, unser Hauptanwalt, rief die Namen auf: Er ging die lange Liste der Banken durch, die im Raum vertreten und an den Telefonapparaten angeschlossen waren. Sind Sie zum Abschluß bereit, Toronto? Sind Sie bereit, Paris? Jede Gruppe bejahte.

Am 24. Juni um 12 Uhr 26 mittags war das Abkommen unter lautem Beifall abgeschlossen. Wir waren endlich berechtigt, die erste Rate unseres staatlich gesicherten Darlehens entgegenzunehmen. Später am selben Tag, nachdem unsere Finanzberater, die Salomon Brothers, ihr Honorar in Höhe von 13 250 000 Dollar kassiert hatten, unterzeichnete Steve Miller einen Scheck über 486 750 000 Dollar. Steve ging zur Manny Hanny rüber und füllte genau wie jeder andere Kontoinhaber ein Einzahlungsformular aus.

Damit war die New Chrysler Corporation über den Berg.

# XXII
# Das Kompaktauto: Das hätte schiefgehen können

In unseren schlimmsten Tagen war die Hoffnung auf ein Kompaktauto immer das Licht am Ende des Tunnels gewesen. Einige Jahre lang war die Aussicht auf ein amerikanisches sparsames Frontantriebsauto alles, was wir zu bieten hatten. Bei den Anhörungen im Kongreß und während der endlosen Verhandlungen mit den Banken waren es unsere Hoffnungen auf das Kompaktauto, die uns durchhalten ließen.

Das K-Auto ist ein sensationelles Produkt. Ich darf damit angeben, denn ich fing bei Chrysler zu spät an, um eine besondere Rolle in seiner Entwicklung zu spielen.

Es war das Auto, an dem Hal Sperlich seit seinem Beginn 1977 bei Chrysler arbeitete. In mancherlei Hinsicht hatten Hal und ich genau dieses Auto schon bei Ford bauen wollen. Wir hätten es gebaut, wenn Henry keine so sture Abneigung gegen Kleinwagen gehabt hätte.

Das K-Auto war und ist ein komfortables, frontangetriebenes Fahrzeug, das mit nur vier Zylindern auskommt. Es brauchte nur 9,4 Liter in der Stadt und 5,7 Liter auf der Autobahn. Diese Werte waren an sich schon beeindruckend. Aber was weit wichtiger war, sie lagen etwas unter denen des X-Modells von GM, das anderthalb Jahre früher auf den Markt gekommen war. Detroit hatte schon früher Kleinwagen hervorgebracht, aber das K-Auto war das erste, das gleichzeitig genug Raum bot, um einer sechsköpfigen Familie Platz zu bieten, und leicht genug war, um extrem sparsam im Benzinverbrauch zu sein.

Sperlichs großer Trumpf war, daß das Modell stark und gut gebaut war. Es war solide. Es sah nicht so mickrig aus wie manch andere Kompaktwagen auf dem Markt. Wie der Mustang war das K-Auto klein und schnittig. Der Unterschied lag beim K-Modell darin, daß es mit einem sehr kleinen Motor auskam.

In unserer Werbekampagne kündigten wir das K-Modell als eine amerikanische Alternative an. Um diese Botschaft noch deutlicher zu vermitteln, waren viele der Anzeigen in Rot, Weiß und Blau gehalten. Wir wiesen auch darauf hin, daß das K-Modell »six Americans« Platz bot, ein dezenter Seitenhieb auf unsere japanische Konkurrenz. Wir mußten sogar sechs Sitzgurte in jedem Auto anbringen, was die Kosten etwas in die Höhe trieb.

Aber unser bester Marketingschachzug war die Bezeichnung »K-Modell« statt der richtigen Namen Aries (für die Dodgereihe) und Reliant (für Chrysler). Ich würde mir gern das Verdienst für diese Idee zuschreiben, aber es war nur einer dieser glücklichen Zufälle, die wie von selbst passieren. Nach allem, was wir durchgemacht hatten, stand uns sicherlich ein wenig Glück zu.

Wenn sich ein neues Auto im frühen Entwicklungsstadium befindet, geben ihm die Konstrukteure meist für den Firmengebrauch einen Codenamen. Bei Ford verwendeten wir immer Tiernamen. Chrysler und GM halten sich an die Buchstaben des Alphabets. Später geht ein Marketingteam eine Liste möglicher Namen durch und recherchiert sie detailliert.

Für Chrysler war das K-Auto das letzte Pferd im Stall. Wenn wir hier versagten, war alles vorbei. Mit diesem Bewußtsein sprachen wir über das Auto bereits während seines frühen Entwicklungsstadiums, lange bevor wir uns auf einen endgültigen Namen geeinigt hatten. Der Buchstabe K schien sich ohne unser Zutun im öffentlichen Bewußtsein verankert zu haben.

Sobald die Öffentlichkeit das K-Motiv aufgegriffen hatte, blieben wir natürlich in unserer Werbung dabei und kündigten an: »Die K-Autos kommen.« Wir entschieden uns sogar zu einer gezielten Werbekampagne mit einer großen Einzelhandelskette: »Das K-Auto kommt zu K-Mart.« Das »K« war schnell so populär geworden, daß sich die eigentlichen Namen Reliant und Aries mehr zu Untertiteln entwickelt hatten. Als wir 1983 schließlich die K-Signatur am Heck der Autos wegfallen ließen, war unsere Werbeagentur davon überzeugt, daß dies ein großer Fehler war.

Der Aries wie der Reliant sind eindeutig Autos, die in unsere Zeit passen. Sie sind im Verbrauch sehr wirtschaftlich, sie sind bequem zu fahren, und sie sehen auch ziemlich gut aus. Das ist übrigens nicht nur meine Meinung. Das *Motor Trend Magazine* bezeichnete den Aries und Reliant als Auto des Jahres 1981, eine Auszeichnung, die wir drei Jahre zuvor für den Omni und den Horizon gewonnen hatten.

»Das sind genau die Autos, die wir brauchen«, schrieb die Zeitschrift. »Sicherlich sind das die Wegweiser für Qualität, Zeichen der Zeiten, die eingetreten sind. Vor allem zeigen sie auf, daß vielleicht zum erstenmal ein amerikanischer Autokonzern auf das Verhalten des durchschnittlichen Autokäufers eingeht. Mit dem Aries und Reliant präsentiert Chrysler ein wesentlich verbessertes Auto, dem weder Streusalz noch die traditionelle Vernachlässigung durch den Käufer etwas ausmachen.«

Und Jim Dunne, Kommentator der Autoseiten in *Popular Science*, bemerkte: »Wenn Chrysler erst vor drei Wochen statt vor dreieinhalb Jahren ein Auto entwickelt hätte, das unserer heutigen Marktlage entspricht, wäre es genau derselbe Wagen gewesen.«

Heute dient das K-Auto als Grundlage für fast unsere gesamte Produktion. Nahezu alle unsere anderen Autos sind davon abgeleitet, der LeBaron, die Chrysler E Class, der Dodge 600 und der New Yorker eingeschlossen, außerdem zu einem geringeren Maß unsere Sportwagen Dodge Daytona und Chrysler Laser.

Weil wir aus der K-Grundform so viel machten, mußten wir eine Menge Kritik von seiten der Presse einstecken – allen voran vom *Wall Street Journal*. So wie die es darstellten, konnte man meinen, wir hätten eine neue Form des Kundenbetrugs erfunden!

Es stimmt zwar, daß es vor einiger Zeit in Detroit als erstrebenswert galt, für jede Preisklasse ein ganz neues Auto zu entwickeln. Heutzutage muß man jedoch in ein völlig neues Modell etwa eine Milliarde Dollar investieren. Heute sind »neue« Autos eine Illusion. Jedes »neue« Auto ist mehr oder weniger aus neuen und bereits vorhandenen Teilen zusammengesetzt. Zu den neuen Teilen gehören vielleicht das Walzblech, das Getriebe oder das Chassis. Aber niemand, nicht einmal GM, kann sich heute leisten, ein neues Auto vom Nullpunkt aus zu bauen.

Seit fünfzig Jahren wird ein neues Auto in Detroit aus dem Grundentwurf eines anderen Modells abgeleitet. Die Japaner haben das schon immer so gemacht. GM entpuppten sich als wahre Meister dieser Kunst, und viele Teile des Chevrolet sind heute in Buicks oder Cadillacs wiederzufinden. Und wie wir bei Ford bereits sehen konnten, war der Mustang ein umgestylter Falcon.

Die cleveren Burschen verwenden auswechselbare Teile, um die Kosten niedrig zu halten. Es ist nicht nur erlaubt, sondern auch unerläßlich. Heute ein neues Auto vom Entwurf weg kreieren zu wollen, wenn man sich des Absatzes nicht sicher ist, wäre ein todsicheres Rezept für den Bankrott.

Gleichzeitig gibt es bereits Beispiele, wie man auch in der anderen Richtung zu weit gehen kann. Zweimal mußte es GM auf die harte Tour lernen.

Als GM 1977 die Oldsmobile-V8-Motoren ausgingen, bauten sie in einige ihrer Oldsmobiles, Pontiacs und Buicks vergleichbare Chevrolet V8er ein.

Nur unterließen sie es leider, ihre Kunden über diesen Tausch zu unterrichten. Einige wurden so wütend, daß sie GM gerichtlich verklagten. Als alles gelaufen war, hatte der Motorwechsel GM mehr als 30 Millionen Dollar gekostet.

GM hatte mit dem Cadillac Cimarron ein ähnliches Problem. Die Produktion des Cimarron wurde beschleunigt, als den Marktstrategen auffiel, daß sich das Durchschnittsalter der Cadillac-Käufer zwischen 70 und »scheintot« bewegte.

Das neue Modell war aber wenig mehr als eine aufgemotzte Ausgabe des Chevrolet Cavalier. Sogar Pete Estes, ein ehemaliger GM-Präsident, klagte, daß der Cimarron einem Chevy viel zu ähnlich sehe. Ledersitze und selbstregulierende Scheinwerfer waren nicht genug, um ihn vom J-Basismodell abzuheben. Die Kunden merkten, daß etwas nicht stimmte, und der Cimarron ging baden.

Selbst bei einem perfekten Produkt können einem Fehler unterlaufen. Im Endeffekt war das K-Auto unsere Rettung. Doch sein erstes Jahr auf dem Markt traf mit einigen der schlimmsten Schwierigkeiten zusammen, die wir je hatten.

Zu unserem Leidwesen hatte das K-Auto einen schlechten Start. Im Oktober 1980, als wir den Aries und den Reliant vorstellten, verpufften sie. Wir hatten einige unerwartete Probleme mit unseren neuen Schweißrobotern an den Bändern, die zu Produktionsschwierigkeiten führten. Für eine angemessene Taufe benötigten wir am Einführungstag 35000 Autos für die Schauräume. Statt dessen hatten wir nur zehntausend.

Schlimmer noch, wir hatten die Käufer mit zu hohen Preisetiketten abgeschreckt. Damals waren wir in einen harten Preiskrieg gegen das X-Modell von GM verwickelt, unserem Hauptkonkurrenten im Inland. Das Grundmodell Citation Hatchback war für 6270 Dollar zu haben, also setzten wir das K-Grundmodell bei 5880 Dollar an.

Die einzige Möglichkeit, GM zu unterbieten und dabei trotzdem zu überleben, war die Aufwertung durch wahlweise Sonderausstattung. Also bauten wir eine Menge Autos mit Klimaanlage, Automatik, Velourpolsterung und elektrischen Fensterhebern, wodurch der Preis um einige tausend Dollar in die Höhe getrieben wurde.

Wir hätten die Erkenntnisse unserer Marktforschung ernster nehmen sollen. Wir hatten die Vorausinformation, daß die Kunden mehr an den Grundmodellen interessiert waren, die etwa 6000 Dollar kosteten. Aber wir ließen uns von unserer Krisenmentalität leiten. Das bewirkte, daß wir zu viele Autos mit einem Endpreis zwischen 8000 und 9000 Dollar vom Band schickten.

Das war ein kostspieliger Fehler. Wir hätten warten sollen, bis das K-Modell anfängliche Akzeptanz gewonnen hatte, und dann erst die Sonderausstattung einführen. Wir hätten nicht nach den reicheren Käuferschichten schielen sollen. Diese Leute würden das K-Modell sowieso nicht kaufen.

Die gute Nachricht ist, daß wir das Problem rasch erkannten und fähig waren, es zu lösen. Wir wußten, daß die Kunden in die Schauräume kamen, also konnte kein Zweifel an Interesse bestehen. Aber wir wußten auch, daß die meisten die Schauräume verließen, ohne eine Bestellung aufzugeben. Als wir diese Leute an der Tür befragten, sagten sie uns alle das gleiche: »Ich dachte, daß dieses Auto ein guter Kauf wäre. Dann sah ich das Preisschild.« Sobald wie möglich brachten wir mehr Grundmodelle heraus. Schnell zog der Verkauf an.

Doch im Dezember hatten wir ein neues Problem. Die Zinsen schnellten auf 18,5 Prozent hoch. Zwei Monate zuvor, als die K-Reihe erstmals vorgestellt worden war, waren die Zinsen 5 Prozent geringer gewesen. Wenn sie bei 13,5 Prozent geblieben wären, hätten wir viele Autos verkaufen können. Aber in diesen Tagen änderte sich der Zinssatz fast täglich. Und Immobilienmakler wie Autoverkäufer blieben auf ihren Angeboten sitzen.

Ich war wütend über das wechselhafte Verhalten der Regierung, was die Zinsen anging, aber ich konnte nichts daran ändern. Ich konnte jedoch entsprechend auf die Situation reagieren. Und das tat ich auch.

Um der Drohung hoher Zinsen zu begegnen, führten wir einen flexiblen Rabattplan ein. Wir garantierten jedem Kunden, der ein Auto auf Kredit kaufte, eine Rückzahlung – basierend auf der Differenz zwischen 13 Prozent und dem geltenden Zins, mit dem das Auto gekauft wurde.

Als ich den neuen Plan ankündigte, sagte ich: »Gott hilft denen, die sich selbst zu helfen wissen.« Er muß es im Gegensatz zu Paul Volcker vernommen haben, denn das Risiko lohnte sich. Kurz danach boten Ford und GM ihre eigenen Rabatte an.

Im Frühjahr 1981 hatte der Verkauf beträchtlich zugenommen. Trotz des etwas mißlungenen Starts hatten die K-Modelle bis zum Jahresende 20 Prozent des Kompaktmarktes erobert. Und sie haben sich seither immer gut verkauft. Während uns manche Leute immer noch abschrieben, verkauften wir eine Million Aries und Reliants, die uns das Bargeld für die Entwicklung anderer neuer Modelle verschafften.

Aber das kam später. Weil unsere K-Autos einen so schwachen Start hatten, begannen wir 1981 in sehr schlechter Form. Obwohl wir das ganze Jahr hart darum gekämpft hatten, die schlechten Nachrichten bei Chrysler aus den Schlagzeilen zu halten, mußten wir bald erneut nach Washington gehen, um weitere 400 Millionen Dollar an garantierten Darlehen zu ergattern.

Als es schließlich zur Schuldenaufnahme selber kam, hatte uns der Bürgschaftsausschuß einige Hürden in den Weg gelegt. Wir konnten zum Beispiel die Kredite nicht alle auf einmal bekommen, sondern nur in Raten. Die ersten beiden Raten lagen 1980 ziemlich nah beieinander.

Doch die dritte Rate ein Jahr später wirkte sich katastrophal auf unser Image aus. Die meisten Leute verstanden einfach nicht, was vorging. Sie sahen die Geschichte im Fernsehen und dachten: »Da haben wir es wieder. Jetzt haben sie gerade erst eineinhalb Milliarden

Dollar bekommen. Warum wollen sie noch mehr?« Ich hätte der Schuldenaufnahme in drei Raten niemals zustimmen sollen. Bei jeder Rate mußten wir uns erneut mit den negativen Schlagzeilen auseinandersetzen. Es war furchtbar. Ich glaube nicht, daß uns der Bürgschaftsausschuß die gesamte Summe auf einmal geliehen hätte, aber wir hätten uns wahrscheinlich auf zwei Raten von je 600 Millionen Dollar einigen können.

Jedesmal, wenn wir um mehr Geld baten, ließ unser Verkauf nach. Die Öffentlichkeit hatte den Eindruck, daß Chrysler ein Faß ohne Boden sei. Viele Käufer, die unsere Produkte in Betracht zogen, änderten ihre Meinung und kauften ihre Autos bei der Konkurrenz. Es ist unmöglich, das genau einzuschätzen, doch ich nehme an, daß wir rund ein Drittel der 1,2 Milliarden Dollar an garantierten Darlehen durch Verkaufseinbußen verloren, die eine Folge all der negativen Publicity waren. Trotzdem weiß ich keine andere Alternative, die uns am Leben erhalten hätte.

Um unseren letzten 400-Millionen-Dollar-Kredit zu bekommen, mußten wir erneut eine Umschuldung einleiten. Wir mußten die Banken um weitere 600 Millionen Dollar durch die Umwandlung von Schulden in Vorzugsaktien bitten. Wir mußten unseren Mitarbeitern den Verzicht auf einen Inflationsausgleich abhandeln. Wir verlangten von unseren Zulieferern längere Zahlungsfristen und einen 5prozentigen Preisnachlaß für das erste Quartal des Jahres 1981. Und G. William Miller, der Finanzminister, fragte die Banken, ob sie uns die Hälfte unserer Restschulden erlassen würden. Wieder einmal war die Alternative der Konkurs.

Dieses Mal erließen uns die Banken insgesamt 1,1 Milliarden Schulden als Gegenleistung für Vorzugsaktien der Firma. Vorzugsaktien schütten normalerweise eine Dividende aus, aber in unserem Fall gab es keine, solange wir die garantierten Darlehen nicht zurückgezahlt hatten. Die Bankenvertreter nahmen unser Aktienangebot nicht allzu ernst. Aber die Optimisten unter ihnen wußten, daß sie schließlich einen Großteil ihres Geldes zurückgewinnen würden, wenn es Chrysler gelang, aus dem Grab wieder aufzuerstehen.

Im Jahr 1981 war es von einer Woche bis zur nächsten nicht sicher, ob wir überleben würden. Selbst mit dem K-Modell waren unsere Verluste niederschmetternd – 478,5 Millionen Dollar in diesem Jahr. Was die Sache noch verschlimmerte, der Bürgschaftsausschuß erlegte uns zusätzliche Auflagen auf, was unsere Moral auch nicht gerade hob.

Eine seiner Bestimmungen war, daß wir dem Ausschuß eine Verwaltungsgebühr von einer Million Dollar pro Monat zu zahlen hatten. Das machte mich wirklich ärgerlich, denn allein unsere Januarzahlung deckte ihre jährlichen Kosten ab, also waren die anderen elf Millionen reiner Profit für das Finanzministerium. Wenn ich ein solches Geschäft für Chrysler aufgetan hätte, dann wären wir ohne Bürgschaft ausgekommen!

Nach dem Abkommen war die Regierung gehalten, uns eine jährliche Verwaltungsgebühr von 0,5 Prozent des Gesamtbetrags der Kredite abzuverlangen. Doch William Miller hatte das Recht, die Gebühr auf ein Prozent anzuheben, wenn er der Meinung war, daß die Rückzahlung gefährdet war. Genau dieser Meinung war er, und ein Prozent von 1,2 Milliarden sind 12 Millionen Dollar im Jahr. Wir hatten dabei keinen Verhandlungseinfluß, keine Chance zu sagen: »Das ist zuviel, das gefällt uns nicht.« Diese zusätzlichen sechs Millionen hätten sinnvoller zu unserer langfristigen Sicherung eingesetzt werden können.

Mein zweiter Streitpunkt mit dem Ausschuß war der lächerliche Papierkrieg, den er uns aufbürdete. Ein guter, ausführlicher Rechenschaftsbericht pro Monat hätte sie mit all den Informationen versorgt, die sie benötigten. Statt dessen verlangten sie von uns einen gewaltigen Berg von Dokumenten, und es war mehr als lästig, all dem nachzukommen.

Schlimmer noch, sie lasen das Zeug nicht einmal. Wenn sie irgendwelche Fragen hatten, riefen sie uns einfach an. Ich kann verstehen, daß der Bürgschaftsausschuß am Anfang nervös war und es für ihn wichtig war, sicherzustellen, daß alle über die Vorgänge Bescheid wußten. Aber als wir uns allmählich erholten, gab es keinen Mechanismus, der die Vorschriften vereinfacht hätte.

Dann sahen wir uns einem Problem gegenüber, das nur den produktiven Hirnwindungen eines wahren Bürokraten entsprungen sein konnte. Der Ausschuß verlangte den Verkauf unseres Gulfstream-Firmenjets. Für die Kleingeister in Washington war der Chrysler-Jet das Symbol der Verschwendungssucht eines großen Konzerns. Dabei spielte keine Rolle, daß die Regierung hundert Privatjets zur Verfügung hatte – natürlich alle zu Lasten des Steuerzahlers –, um *ihre* Geschäfte abzuwickeln. Niemand verzieht die Miene, wenn man hundert Millionen Dollar für neue Roboter ausgibt, doch wenn man eine seiner Führungskräfte von Werkhalle zu Werkhalle schickt, um die Arbeiter in der Bedienung dieser Roboter auszubilden, ist das in Ordnung – solange der Betreffende einen Linienflug nimmt.

Aber was ist, wenn er von Highland Park, Michigan, nach Rockford, Illinois, oder Kokomo, Indiana, fliegen muß? Manche unserer Niederlassungen sind mit Linienflügen nicht so einfach zu erreichen. Und wenn ich dem Mann 200 Tausender im Jahr bezahle, will ich nicht, daß er seine Zeit auf Flughäfen verplempert.

Privatmaschinen ersparen unseren Angestellten viel Verschleiß. Die Leute außerhalb des Geschäftslebens haben oft den Eindruck, daß sich die meisten Manager einen Lenz machen. Nicht die, die ich kenne. Sie arbeiten zwölf und vierzehn Stunden am Tag, und ihre Zeit ist wertvoll.

Der Firmenjet ist kein Luxus. Er ist eine Notwendigkeit. Glauben Sie mir, es wäre viel angenehmer, erster Klasse mit einem Linienflug zu fliegen, verwöhnt von einer freundlichen Stewardeß, die uns Drinks serviert. Doch der Firmenjet spart einem viel Zeit – und auch Streß.

Fairerweise muß man zugeben, daß nicht alles, was der Bürgschaftsausschuß von uns verlangte, kleinlich war oder mit übermäßiger Einmischerei zu tun hatte. Eine seiner vernünftigeren Forderungen war, daß wir uns nach einem Fusionspartner umsehen sollten. Als ich anfangs mit dem Gedanken an Global Motors zu Chrysler kam, nahm ich an, daß die einzig denkbare Fusion nur mit einer ausländischen Firma wie Mitsubishi oder Volkswagen stattfinden könnte. Aber nach einem Blick auf unsere Bilanzen wollte man mit mir nicht einmal darüber reden.

1981, als uns das Dach über dem Kopf zusammenbrach, schien es, als wäre eine Fusion die einzig plausible Lösung. Man sagt, daß Not erfinderisch macht. Nun, als sich alles gegen uns kehrte, wurden wir so erfinderisch wie nur möglich. Wir hatten einen Plan für den äußersten Notfall, eine Idee, die, oberflächlich betrachtet, absurd schien, aber eigentlich ganz sinnvoll war. Da wir das K-Modell und sie nichts wirklich Gleichwertiges hatten, schlugen wir eine Fusion zwischen Chrysler und Ford vor.

Einem solchen Plan standen tausend Hindernisse entgegen, aber zuerst beschäftigte sich jeder mit dem personellen Problem. »Nehmen wir an, es klappt alles«, sagten unsere Bankleute. »Aber Henry ist immer noch da und Sie auch – wie könnten Sie miteinander auskommen?«

»Ich werde folgendes tun«, erwiderte ich. »Henry hat bereits angekündigt, daß er seinen Platz freimacht. Ich bin gleichfalls dazu bereit. Ich werde zwölf Monate für die Ausarbeitung dieses Zusammenschlusses dabeibleiben. Wenn er abgewickelt ist, werde ich gehen. Das Ganze ist wichtiger als wir beide.«

Das andere Hauptproblem war, daß diese Fusion normalerweise die Kartellgesetze verletzen würde. Also beriet ich mich mit dem von Watergate her bestens bekannten Pete Rodino und mit einigen anderen Leuten vom Rechtsausschuß. Sie meinten, daß man die Bestimmungen in Anbetracht unseres Zusammenbruchs außer acht lassen könnte. Ich rief auch Bob Strauss an, einen hervorragenden Anwalt und eine Hauptfigur der Demokraten. Auch er war der Meinung, daß wir es durchziehen könnten.

Sobald das Kartellproblem aus dem Weg geschafft war – zumindest theoretisch –, konnten wir uns auf das Positive konzentrieren. Das vergangene Jahr 1980 war für uns die reinste Katastrophe gewesen: Am Ende hatten wir 1,7 Milliarden Dollar Verluste. Aber 1980 war auch für Ford kein Spaziergang gewesen. Sie hatten beinahe so hohe Verluste zu verbuchen wie wir – über 1,5 Milliarden Dollar. Noch schlimmer war, daß ihr Marktanteil in den Keller fiel. 1978 hatte er bei 28 Prozent gelegen. Drei Jahre später war er auf 15 Prozent gesunken.

Ich bat Tom Denomme aus unserem Stab um einen Planungsentwurf. Innerhalb weniger Wochen entwickelte Tom einen bemerkenswert sinnvollen Vorschlag.

Demzufolge sollte Ford Chrysler faktisch übernehmen. Weil Ford der viel größere und gesündere Konzern war, mußte er unbedingt überleben. Chrysler und Dodge würden fortbestehen, aber als dritter und vierter Zweig bei Ford, neben den Ford- und Lincoln-Mercury-Zweigen.

Tom und ich sahen für beide Gesellschaften große Vorteile in einer Fusion. Fords Stärken waren unsere Schwächen – und umgekehrt. Wir waren beide viele Jahre bei Ford gewesen, bevor wir zu Chrysler gekommen waren, also verstanden wir die Probleme und Bedürfnisse beider Seiten.

Wenn die Fusion gelang, lagen die Vorteile für Chrysler klar auf der Hand – so vollkommen klar, daß man sie in einem einzigen Wort zusammenfassen konnte: Überleben.

Doch was war für Ford drin? Eine Menge. Zu dieser Zeit war Ford in Europa sehr stark, wo sie unverhältnismäßig viel Geld ausgaben. Aber in Amerika wurden sie vom Markt verdrängt. Nach der zweiten Ölkrise machten ihnen die Importe das Leben schwer. Außer ihrem Escort/Lynx-Kleinwagen – Fords »Allerweltsauto« und ihrem Gegenstück zu unserem Omni/Horizon – hatten sie keine kleinen Fronttriebler.

Außerdem war Ford gerade dabei, Milliardenbeträge in die Produktion des Tempo und Topaz zu stecken, die nichts als Duplikate des geräumigen Frontantriebsautos waren, das bei Chrysler schon längst in Form des K-Modells vertreten war. Wenn wir fusionierten, konnten wir anstelle unseres Omni/Horizon eine Version ihres Escort herausbringen, und sie würden eine Variante unseres neuen Aries und Reliant verkaufen. Unter den Bedingungen unseres Vertrags würde Ford ein größeres, frontgetriebenes Auto beisteuern, das ursprünglich für 1987 geplant war, und die meisten größeren Modelle wie auch die Laster. Von uns käme der 84er Kleintransporter.

Für Ford stellte die Fusion mit Chrysler die schnellste und einfachste Möglichkeit dar, ihre ursprüngliche Marktposition eines starken Zweiten wieder zurückzugewinnen. Eine Unterschrift, und sie würden GM im Lkw-Absatz überbieten und gleichzeitig die Nummer Eins auf dem kanadischen und mexikanischen Markt sein. Im Inland würde eine Fusion einen Anstieg des Marktanteils von Ford von 17 auf 27 Prozent bedeuten.

Wenn eine Fusion mit Chrysler gelang, wäre Ford bei 75 Prozent des GM-Anteils am US-Verkauf angelangt. Dann hätten wir ein Kopf-an-Kopf-Rennen erlebt. Alfred Sloan hätte sich im Grab umgedreht, denn der neue Konzern hätte vier Divisionen gegenüber den fünf von GM gehabt. Es wäre phantastisch gewesen, diese beiden großen Unternehmen in einem Kopf-an-Kopf-Rennen zu erleben. Es wäre für Amerika großartig gewesen. Und die Bankiers und die Anwälte wären begeistert, denn es wäre die größte Transaktion in der Geschichte der amerikanischen Wirtschaft gewesen.

Andererseits zeigten unsere Analysen, daß die Aktien von Ford nur minimal gestiegen wären, wenn Chrysler einfach zumachte. In diesem Fall hätten GM und die Importeure unseren Marktanteil geschluckt.

Wir zeigten den Plan einigen New Yorker Topbankiers, und sie waren begeistert. »Ideal«, sagten sie. »Die Produkte passen zusammen. Die Verkaufsorganisationen passen zusammen. Wie maßgeschneidert.«

Wir ließen hypothetische Bilanzen anfertigen, und sie sahen großartig aus. Wir hatten einen Operationsplan. Wir waren in der Lage, dieser Kombination eine Milliarde Dollar Profit hinzuzufügen. Diese Zahlen machten einen starken Eindruck.

Salomon Brothers, unsere Investmentbank, fanden den Plan ziemlich überzeugend. Jim Wolfensohn, der den Chrysler-Etat betreute, sagte zu, sich an Goldman Sachs zu wenden, die Ford repräsentierten. Gestützt auf Finanzdaten von Chrysler und alle ihnen zugänglichen Informationen über Ford, gaben Salomon Brothers der Idee Gestalt und brüteten einen in Einzelpunkte gegliederten Plan aus, der darlegte, warum die Fusion für beide Seiten vorteilhaft wäre und wie sie am besten zustande gebracht werden konnte.

Goldman Sachs zeigte einiges Interesse an dem Vorschlag, und sie gaben ihn an die Topleute bei Ford weiter. Zu diesem Zeitpunkt war der Plan absolut geheim. Weil das eine einmalige Gelegenheit war, besuchte ich Bill Ford und suchte ihn dafür zu gewinnen. Aber abgesehen von diesem Treffen hatten wir uns große Mühe gegeben, alles geheimzuhalten. Alles hatte sich hinter den Kulissen abgespielt, sehr diskret, ohne daß irgend etwas an die Öffentlichkeit gelangte.

Plötzlich brach alles in sich zusammen. Philip Caldwell, Vorsitzender von Ford, hatte die Bremse gezogen. Er kam allen Verhandlungen zuvor, indem er eine Bekanntmachung an die Presse gab. Im Kern lautete sie: Chrysler hat uns eine Fusion vorgeschlagen, aber wir wären nie so dumm, darauf einzugehen.

Mit dieser Erklärung wollte uns Ford einen Schuß vor den Bug verpassen. Sie haben aber den Vorschlag zu keiner Zeit gründlich analysiert. Caldwell teilte einfach mit, daß der Aufsichtsrat einstimmig beschlossen habe, keine Verhandlungen mit Chrysler aufzunehmen. Später erzählte mir ein Aufsichtsratsmitglied, daß sie den Plan ganze zwei Minuten einsehen durften. Sie hatten innerhalb von 24 Stunden geantwortet. Ein genaues Studium des Plans hätte jedoch 24 Tage erfordert. In einem einzigen Tag konnten sie nicht anders, als die Idee als schlecht zu bezeichnen und sich dem Management anzuschließen.

Meiner Ansicht nach war das Management von Ford dagegen, weil es wußte, daß wir ihnen die besten Leute bereits weggeschnappt hatten, und sie meinten deshalb, daß sie im Regen stehen würden, wenn der Handel durchkam. Ich kann mir vorstellen, daß es Henry, der sich angeblich zur Ruhe gesetzt hatte, bei dem Gedanken daran schlecht wurde. Also spielten sie nur das schlechtestmögliche Szenarium durch. Ich glaube, sie haben eine große Gelegenheit versäumt.

Ich gab selbst eine Erklärung dazu, daß eine solche Fusion gut für das Land gewesen wäre und daß Amerika dringend eine echte Konkurrenz zu General Motors brauche. Es war schade, denn ich hatte die wichtigen Leute in Washington bereits auf meiner Seite. Sie sagten, wenn es uns gelinge, Ford für diesen Plan zu gewinnen, würden sie ihr Bestes tun, um uns bei der Verwirklichung zu helfen. Doch die Idee wurde von Ford ohne fairen Versuch abgewürgt.

Wenn es uns gelungen wäre, diesen Zusammenschluß zuwege zu bringen, hätte sich nur GM mit Vehemenz dagegen gewehrt. Ihr Standpunkt wäre gewesen: »Wir haben das bereits in den zwanziger Jahren gemacht. Niemandem sollte es wieder gestattet werden. Ein Chrysler-Ford-Kartell? Niemals! Das könnte unsere Existenz bedrohen.«

Wenn die Fusion durchgekommen wäre, hätte sich die Automobilindustrie Amerikas für alle Zeiten verändert. Am Morgen nach der Fusion hätte es bei Chrysler und Ford kein doppelgleisiges Vorgehen mehr gegeben. Wir hätten drei oder vier Milliarden Dollar an Investitionen eingespart. Der Einkauf würde in einer größeren Firma problemloser verlaufen. Und unsere Fixkosten wären drastisch reduziert worden, weil wir wie GM eine Menge austauschbarer Teile gehabt hätten.

Die Zeit war reif. Vielleicht ist sie es immer noch. Aber ich glaube nicht, daß das Justizministerium dies heute noch zulassen würde. Es käme großes Gezeter von dort, weil es eine perfekte horizontale Integration zweier Giganten in einem Oligopol von nur drei Mitspielern wäre. Sie würde aus kartellgesetzlichen Gründen im Ministerium sofort verworfen. Doch in Anbetracht des GM-Toyota-Abkommens und der neuen Fusionsideologie in Washington kann man nie wissen.

Eine Fusion wäre immer noch sinnvoll, obwohl Chrysler jetzt gesund ist. GM hat fünf Produktionszweige, Ford und Chrysler haben nur je zwei. Das ist ein sicheres Rezept, bei den fixen Kosten ständig draufzuzahlen.

So wie es jetzt aussieht, werden im Jahr 2000 sowieso nur noch zwei Kämpfer im Ring übrig sein: GM und Japan, Incorporated. Eine Fusion zwischen Ford und Chrysler ist wahrscheinlich der einzige dramatische Schritt, der die amerikanische Autoindustrie gegenüber den Japanern stärken könnte.

Natürlich hängt das alles von der Perspektive ab. Drüben bei Ford glaubt man immer noch, daß unsere Autoindustrie wieder so stark werden kann wie in guten alten Zeiten und daß Ford noch einmal ein wichtiges Wort mitzureden haben wird. Aber sie werden immer in der Mitte eingeklemmt sein, von den Japanern in der niedrigen Preisklasse unterboten, während GM in der Luxusklasse dominiert. Ford ist das Fleisch im Sandwich, das langsam aufgegessen wird.

Selbst ohne eine Fusion mit Ford hatte ich gehofft, daß wir Ende 1981 wieder Boden unter den Füßen haben würden. Ich hatte nicht mit den unverändert hohen Zinsen und der miserablen Wirtschaftslage gerechnet. Am 1. November spitzte sich die Situation aufs neue zu: Wir hatten *nur noch eine Million Dollar!*

Bei Chrysler geben wir im allgemeinen etwa 50 Millionen Dollar pro Tag aus. Bei unserer letzten Million anzukommen, war absurd. Es war, als habe man nur noch 2 Dollar auf einem privaten Girokonto. In der Autoindustrie ist eine Million Dollar soviel wie das Wechselgeld, das man als Normalverbraucher in der obersten Schublade aufbewahrt.

An diesem Punkt hätte uns jeder der großen Zulieferer den Hahn abdrehen können. Man muß sich darüber im klaren sein, daß unsere Verbindlichkeiten gegenüber unseren Zulieferern etwa 800 Millionen Dollar im Monat ausmachten. Der einzige Ausweg war, unsere Zulieferer um mehr Zeit zu bitten. Das ist jedoch leichter gesagt als getan. Wenn wir ihnen gesagt hätten: »He, wir werden etwas langsam mit der Bezahlung sein«, hätte das eine Kettenreaktion auslösen können. Das Verhältnis zwischen einer Firma und ihren Lieferanten ist auf Vertrauen aufgebaut. Wenn das nicht mehr vorhanden ist, beginnen die Zulieferer, in ihrem eigenen Interesse zu handeln. Sie werden nervös, und ihre Angst kann schnell zur Katastrophe führen.

Einige kleinere Firmen stellten tatsächlich ihre Lieferungen ein.

Wir waren gezwungen, unsere Zweigniederlassung in der Jefferson Avenue für einige Tage zu schließen. Es gelang uns jedoch, Einzelabkommen mit ihnen auszuhandeln und die Zahlungsfristen von 20 auf 22 oder 23 Tage, in einigen Fällen sogar auf 30 Tage zu verlängern. Goodyear-Reifen und National Steel gingen mit uns Sonderabkommen ein. Chuck Pilliod und Pete Love, ich werde euch auf ewig in Erinnerung behalten – ihr seid uns treu geblieben!

Ich sorgte mich außerdem um die Einhaltung unserer Lohnauszahlungen, aber wir verspäteten uns mit keiner einzigen. Wir haben unsere Leute immer rechtzeitig bezahlt. Erstaunlicherweise blieben wir auch keinem Zulieferer etwas schuldig, obwohl wir uns manchmal etwas Zeit ließen – aber nur nach vorheriger Abstimmung. Da waren Tage, an denen ich sagte: »O Gott, wir müssen tausend weitere Autos ausliefern, um am Donnerstag genügend Bargeld für eine 28-Millionen-Dollar-Zahlung oder um am Freitag 50 Millionen Dollar für die Löhne zur Verfügung zu haben.« Tag für Tag war es so knapp, und die Summen waren so hoch.

Wir mußten zaubern. Wir mußten wissen, welche Zahlungen wir verzögern konnten und für wen wir zu sprechen sein mußten. Wenn einem das Wasser bis zum Hals steht, kämpft man wie ein Löwe.

Heutzutage sehen sie natürlich unser Bargeld auf der Bank und geben uns sechzig Tage. Jetzt können wir sogar Kredit bekommen, ohne überhaupt darum gebeten zu haben!

Es ist das alte Catch-22-Prinzip. Sie wollen einen Kredit? Zeigen Sie uns, daß Sie ihn nicht benötigen, und Sie bekommen ihn. Wenn man reich ist, wenn Geld in der Bank ist, gibt's auch immer genügend Kredit. Aber wenn man kein Bargeld hat, kriegt man auch keins.

Mein Vater hatte mich diese Tatsache vor dreißig Jahren gelehrt, aber ich habe anscheinend nicht recht zugehört. Im November 1981 habe ich es endlich begriffen!

# XXIII
# Öffentliche Person – Öffentliches Amt

Als die Firma Mitte 1983 wieder festen Boden unter den Füßen hatte, liefen Gerüchte um, ich würde für das Präsidentschaftsamt kandidieren. Ich nehme an, daß die Gerüchte wegen all der Fernsehspots entstanden sind, die ich für Chrysler gemacht habe. Viele Leute glauben nun, ich sei ein Schauspieler. Aber das ist lächerlich. Jedermann weiß, daß einen der Schauspielerberuf noch lange nicht zum Präsidenten qualifiziert!

Während unserer Kongreßdebatte wurden alle unsere Anzeigen, in denen wir unseren Standpunkt klarmachten, von mir unterzeichnet. Die Kampagne war äußerst wirksam, und als sie vorbei war, beschloß unsere Werbeagentur, meine Verantwortlichkeit einen Schritt weiterzuführen, indem sie mein Gesicht in Werbespots verwendete.

Dieser Gedanke kam nicht zum erstenmal auf. Vor K&E hatte mich schon Young and Rubicam dazu gedrängt, im Fernsehen aufzutreten. Ich war dagegen, und ich fragte meinen alten Freund Leo-Arthur Kelmenson, den Chef von Kenyon & Eckhardt, um Rat.

Leo teilte damals meine Skepsis. »Lee«, sagte er, »an deiner Stelle würde ich das nicht tun. Dies ist nicht der richtige Zeitpunkt.« Kelmenson betonte, der einzig triftige Grund für mein Erscheinen in unseren Anzeigen sei, die Glaubwürdigkeit von Chrysler zu erhöhen. Aber momentan sei ich noch zu frisch in meinem Job, sagte er, und die Firma sei zu schwach. Glaubwürdigkeit könne man nur mit der Zeit gewinnen. Und wenn man sie sich nicht verdient hat, kann man sie nicht nutzen.

Als Kenyon & Eckhardt mich darum bat, im Fernsehen aufzutreten, lag der Fall ganz anders. Ein Jahr war vergangen, und vieles hatte sich geändert. Während der Anhörungen im Kongreß war ich zu einer im ganzen Land bekannten Persönlichkeit geworden. Die Chrysler Story war andauernd in den Nachrichten, und die Werbeleute brannten darauf, aus dieser Tatsache Gewinn zu ziehen.

Bei unseren Strategieversammlungen in Highland Park fuhr die Agentur mit großem Kaliber auf: »Alle glauben, daß Chrysler Bankrott macht. Einer muß ihnen sagen, daß dem nicht so ist. Der glaubwürdigste Mann dafür wären Sie. Erstens sind Sie bekannt. Und zweitens wissen die Zuschauer sehr genau, daß Sie sich nach Ihrem Werbeauftritt wieder der Produktion der Autos widmen müssen, für die Sie sich gerade stark gemacht haben. Das heißt, die Leute wissen, daß Sie Ihren Worten Taten folgen lassen.«

Rückblickend muß ich zugeben, daß sie recht hatten. Es stimmt, daß meine Auftritte im Fernsehen einen wesentlichen Beitrag zur Genesung von Chrysler geleistet haben.

Aber als der Vorschlag kam, hielt ich zunächst recht wenig davon. Die Presseanzeigen zu unterschreiben, war eine Sache. Sie waren wie eine Serie offener Briefe an die amerikanische Öffentlichkeit. Aber Fernsehreklame war doch etwas ganz anderes. Von allem übrigen abgesehen, wußte ich nicht einmal, wo ich die Zeit dazu hernehmen sollte. Aus gutem Grund sind die Werbespots das Beste im Fernsehen – sie werden mit viel mehr Sorgfalt und Kreativität hergestellt, als fast alles andere in diesem Medium.

Aber weil soviel Mühe darauf verwendet wird, verschlingt ihre Herstellung auch unerhört viel Zeit. Die Produktion eines Werbespots ist die ermüdendste Sache der Welt. Es ist, als sehe man dem Gras beim Wachsen zu. Ich möchte schnell vorankommen, doch die Aufnahmen für einen einzigen 60-Sekunden-Spot können leicht acht oder zehn Stunden in Anspruch nehmen. Jeder Tag, den ich vor den Fernsehkameras verbrachte, bedeutete einen großen Verlust an Arbeitszeit im Autogeschäft. Man kann einfach nicht gleichzeitig Schauspieler und Manager sein.

Ich war auch überzeugt, daß sich jeder Chef, der in der Werbung seiner Firma auftritt, auf einem Egotrip befindet. Sooft ich einen Geschäftsführer erlebte, der seine Firma anpries, hinterließ das bei mir einen schalen Nachgeschmack. Ich hatte dreißig Jahre im Marketing zugebracht, und es gab grundsätzliche Verhaltensnormen, gegen die man besser nicht verstieß. Einer der Marketingsprüche lautete etwa so:

Zeigt sich ein Kunde eigensinnig
mach sein Firmenfoto riesig.
Wenn noch immer klagt der Boß,
mach das Zeichen doppelt so groß.
Doch zeige nur im schlimmsten Fall
das Gesicht den Kunden all'.

Natürlich mußte ich befürchten, daß mein Auftritt im Werbefernsehen von der Öffentlichkeit als letzter Verzweiflungsakt angesehen werden könnte – sprich, der ganze Schuß könnte nach hinten losgehen.

Seit Jahren ist es üblich, daß Prominente im Fernsehen Produkte anpreisen. Bei Chrysler waren es Joe Garagiola und Ricardo Montalban. Dann kamen John Houseman und Frank Sinatra dazu. Aber bis vor kurzem war es nur eine Handvoll nationaler Wirtschaftsführer, die in der Werbung ihrer Firma auftraten – und die drei bekanntesten heißen alle Frank: Frank Borman von Eastern Airlines, Frank Sellinger von Schlitz – und natürlich der Hühnchenkönig Frank Perdue.

Außer dem Glaubwürdigkeitsfaktor gibt es noch einen anderen, nicht so guten Grund, den Boß in der Werbung zu bringen. Wenn sie versagt, ist es sein Kopf, den er hinhalten muß. Man kann es ja dann auf sein aufgeblähtes Ego schieben. Die Öffentlichkeit nimmt sowieso automatisch an, daß es seine Idee war – selbst wenn dem nicht so ist.

Ein paar Monate zuvor hatten mich die Leute von K&E gebeten, einen ihrer Mitarbeiter bei unseren Konferenzen mit einer Handkamera zuzulassen, um eine Filmdokumentation über unsere Gesundung zu machen. Sie schossen einige Aufnahmen von mir, als ich vor einer Gruppe von Händlern sprach, und probeweise fügten sie am Ende eines unserer Werbespots ein paar Sekunden davon ein.

Ihnen gefiel das, was sie sahen, und sie fragten mich, ob ich nicht einige Spots ganz allein machen wolle. Obwohl mir ihre Argumente einleuchteten, war ich von dem Einfall immer noch nicht angetan. Aber eines Tages traf ich John Morrissey, den K&E-Chef in Detroit, im Flugzeug, und er machte mir ohne Umschweife klar: »Wir müssen die Öffentlichkeit wissen lassen, daß wir eine neue Firma sind, anders als die alten Chryslertypen. Am besten können wir diese Botschaft vermitteln, indem wir den neuen Chef präsentieren. Ich glaube nicht, daß es eine andere Lösung gibt, als daß Sie das tun.« Also ließ ich mich auf einen Versuch ein.

Es gab an dem Ganzen nur einen Aspekt, der mir gefiel. Im Gegensatz zu manchen der Sprecher, die wir bisher beschäftigt hatten, arbeite ich billig. Einmal habe ich in etwa zehn Stunden 108 Takes gemacht, und mein einziger Lohn bestand in einem Cornedbeefsandwich und einer Tasse Kaffee!

Anfangs sprach ich nur ein kurzes Schlußwort am Ende des Spots, wie z. B.: »Ich erwarte nicht, daß Sie unser Auto in blindem Vertrauen kaufen. Ich bitte Sie, zu vergleichen.« Oder: »Wenn Sie bei Ihrem nächsten Autokauf nicht an Chrysler denken – ist das für uns beide von Nachteil.«

Später wurden wir kühner und entwickelten einen aggressiveren Ton, wie: »Sie können Chrysler wählen, oder Sie können eine andere Firma wählen – wenn Sie's riskieren wollen«, und den inzwischen berühmten Satz, bei dem ich mit dem Zeigefinger in die Kamera deutete: »Wenn Sie ein besseres Auto finden – kaufen Sie's!« Das war übrigens meine eigene Schöpfung, was vielleicht die Überzeugung erklärt, mit der ich ihn vortragen konnte.

Der Slogan »Wenn Sie ein besseres Auto finden – kaufen Sie's!« wurde bereits hundertfach parodiert. Er muß sehr wirkungsvoll gewesen sein, denn ich erhalte ständig Briefe wie: »Ich habe getan, was Sie sagten. Ich habe verschiedene Autos ausprobiert und konnte kein besseres finden.«

Natürlich gab es auch andere Stimmen: »Ich habe Ihren Rat befolgt. Ich *habe* ein besseres Auto gefunden, und es war bestimmt nicht Ihre Marke!« Aber das gehört zum Risiko – und zum Spaß an dem Ganzen. Mein Spruch war in aller Munde. Ich ließ mich von den Hunderten von Variationen nicht beeindrucken, die vom gleichen Thema lebten, wie zum Beispiel einer großen Reklametafel in Dallas, auf der stand: »Wenn Sie einen besseren Bourbon finden, trinken Sie ihn«, oder einem Brief des Inhalts: »Wenn Sie eine saurere Zitrone finden, beißen Sie rein!«

Je mehr Werbefilme ich machte, desto stärkeren Einfluß nahm ich auf den Text, den ich sprechen sollte. Natürlich ist den Werbeleuten jeder gute Slogan, den der Chef vorschlägt, etwas peinlich. Sie fragen sich: »Mann, wenn dieser Spruch so gut ist, warum sind wir nicht darauf gekommen?«

In einem späteren Spot, der ebenfalls berühmt geworden ist, begann ich: »Es gab eine Zeit, da *Made in America* etwas bedeutete. Es bedeutete das Beste vom Besten. Leider glauben das viele Amerikaner nicht mehr.« Ich wollte hinzufügen: »Und mit gutem Grund. Wir haben diesen Ruf wahrscheinlich verdient, weil in manchen Jahren eine Menge Ramsch aus Detroit gekommen ist.«

Als sie das hörten, drehten sie in der Agentur durch. Sie sagten: »Das ist nicht der Ort, um Geständnisse zu machen. Wenn Sie das sagen, wird der Zuschauer, dessen 1975er Volaré durchgerostet ist, von uns eine Entschädigung von tausend Dollars verlangen.« Also einigten wir uns auf einen Kompromiß. Ich sagte nur: »Und vielleicht aus gutem Grund« – und dabei beließen wir es.

Damals war eine solche Werbung ziemlich ungewöhnlich. Aber in unserer Situation brauchten wir etwas Drastisches. Durch Umstände, die wir nicht beeinflussen konnten, hatte Chrysler eine völlig eigene Identität bekommen. Wir wurden schon als Ausnahme in der amerikanischen Autoindustrie angesehen.

Was das Marketing anging, hatten wir eine einfache Wahl – entweder wir paßten uns an und wurden wie die anderen, oder wir akzeptierten unsere eigene Identität und nützten sie zu unserem Vorteil aus. Mit der Entscheidung, den Vorsitzenden in unserer Werbung auftreten zu lassen, schlugen wir den zweiten Weg ein.

In den Fernsehspots wie auch in den vorangegangenen Presseanzeigen beschlossen wir, die öffentlichen Zweifel und Vorbehalte direkt anzusprechen. Es war kein Geheimnis, daß die Amerikaner eine schlechte Meinung von ihren eigenen Autos hatten. Die meisten Leute glaubten, daß deutsche und japanische Autos grundsätzlich besser seien als alles, was in Detroit produziert wird.

Wir ließen sie von Anfang an wissen, daß dem nicht mehr so war. Und wir stützten unsere Behauptung mit einem Angebot von 50 Dollar an jeden Kunden, der eines unserer Autos mit denen der anderen Firmen verglich – selbst wenn er am Ende bei der Konkurrenz kaufte.

Gleichzeitig waren wir aber darauf bedacht, nicht zu kühn zu werden. Wir wollten ein Bild der Zuversicht, nicht der Arroganz vermitteln. Vom Image der Chrysler-Produkte ausgehend, wollten wir nicht geradezu behaupten, daß Chrysler die besten Autos herstellte – obwohl wir dieser Ansicht waren.

Statt dessen wollten wir, daß der Kunde selbst zu dieser Auffassung gelangt. Deshalb betonten wir, daß jeder, der nach einem neuen Auto Ausschau hielt, eines der unseren wenigstens *in Betracht* ziehen sollte. Wir waren überzeugt, daß jedem die Qualität unserer Autos ins Auge stechen mußte, der sie sich genau anschaute. Wenn wir nur genügend Käufer in die Schauräume schleusen konnten, würden sich auch unsere Verkaufszahlen entsprechend erhöhen. Und genauso kam es dann auch.

Ich kann jedoch nicht ewig als Werbeheini Dienst tun. Ich kriege es satt, und mein Bild nutzt sich ab. In einer Wegwerfgesellschaft wie der unseren gibt es keine wirklichen Helden. Niemand hält sich lange. Jede Woche serviert uns das *People*-Magazin einen Haufen neuer Prominenz. Innerhalb weniger Monate sind die meisten wieder verschwunden.

Also will ich mir meine Beliebtheit beim Publikum nicht verscherzen. Ich bin in den Wohnzimmern der Nation verhältnismäßig oft zu sehen, und ich will damit aufhören, bevor die Reaktion der Zuschauer umschlägt in: »Nicht *der* schon wieder.«

Seit ich angefangen habe, Werbespots zu machen, wollte ich damit aufhören. Aber K&E sind bis jetzt immer Gründe eingefallen, mich vor die Kamera zu holen. Erst kürzlich kam mir zu Ohren, daß sie sogar einen Geheimplan für ein Lee-Iacocca-Muppet hatten, das sich zu Miss Piggy, Kermit und den übrigen gesellen sollte. Ohne mich einzuweihen, testeten sie die Idee an verschiedenen Orten des Landes. Das Publikum fand die Spots nett, aber zu wenig ernsthaft. Gott sei Dank.

Die Krise bei Chrysler ist seit einigen Jahren überwunden, und ich möchte das in den Werbespots vermitteln. Wenn ich vom Bildschirm verschwinde, werden die Leute hoffentlich sagen: »Von dem hören wir deshalb nichts mehr, weil er es geschafft hat. Als es ihm schlecht ging, brauchte er uns, doch jetzt ist er wieder obenauf.« Sonst besteht die Gefahr eines blinden Alarms.

Da ist noch ein Problem mit den Werbespots: Sie haben mich meines Privatlebens beraubt. In einer auf einen Industriezweig ausgerichteten Stadt wie Detroit bin ich seit Jahren bekannt wie ein bunter Hund. Aber jetzt kann ich wegen der Werbespots nicht einmal in

New York unerkannt eine Straße entlanggehen. Ständig drehen sich Leute um, ich werde angesprochen, Autofahrer rufen meinen Namen. Ungefähr eine Woche lang hat es mir Spaß gemacht. Danach hat es mich genervt.

Vor ein paar Jahren schaute ich mir eine Fernsehshow in Detroit an. Der Gastgeber interviewte einen Lokalredakteur, und er sagte zu ihm: »Ich möchte Ihnen einige Namen vorsetzen und will von Ihnen wissen, was sie in dieser Stadt bedeuten.«

Der erste Name war »Iacocca«. Sofort antwortete der Mann: »Ruhm«. »Ruhm?« fragte der Gastgeber. »Was meinen Sie damit? Ist er mächtig?«

»O nein«, sagte der Kolumnist. »Er hat keine Macht. Er ist nur berühmt – berühmt wegen seiner Werbespots.«

Ich nickte und dachte: »Genau.« Wie jemand vor ein paar Jahren sagte: In unserer Gesellschaft wird man aufgrund seines Bekanntheitsgrads berühmt.

Ruhm ist vergänglich. Für mich bedeutet er vor allem den Verlust der Privatsphäre. Verstehen Sie mich nicht falsch – es gibt Zeiten, wo es sehr angenehm sein kann. Ich erinnere mich, wie ich im Aufzug des Waldorf-Hotels in New York war und eine Frau hereinkam und auf mich zeigte: »Iacocca«, sagte sie, »wir sind so stolz auf Sie. Machen Sie weiter so. Sie sind ein echter Amerikaner.« Dann schüttelte sie meine Hand und stieg aus.

Eines unserer Aufsichtsratsmitglieder drehte sich zu mir um und fragte: »Schmeichelt Ihnen das nicht?« Und ob!

Ein paar Minuten später kam mir auf der Straße eine kleine alte Dame entgegen. »Ich weiß, wer Sie sind«, sagte sie. »Ich komme aus Puerto Rico. Ich bin erst ein paar Jahre hier, aber ich finde, daß Sie Großes für dieses Land geleistet haben. Sie sind so stark und ein ganzer Amerikaner.« In vielen dieser Begegnungen kommt eine Menge Patriotismus zum Ausdruck, vielleicht wegen des *Made in America*-Werbespot, oder einfach, weil sich Amerika traditionsgemäß für den *underdog* stark macht.

Aber der Ruhm hat auch seine Kehrseite. Jedesmal, wenn ich in einem Restaurant zu Abend essen will, kommt alle fünf Minuten einer daher, um mir von seinem 65er Mustang oder seinem Dodge Dart zu erzählen, der immer noch – oder nicht mehr – läuft.

Ob Sie es glauben oder nicht, ich bin ein zurückhaltender Mensch.

Das hätte auch ich beinahe vergessen, als ich vor einigen Jahren darum gebeten wurde, den Großmarschall bei der Columbusday-Parade in New York zu spielen. Es war eine große Ehre, aber es hat mich auch ziemlich nervös gemacht, vor einer Million Menschen so zur Schau gestellt zu werden und wie Douglas McArthur oder wie ein Kriegsheimkehrer zu winken.

Ich möchte sicherlich wegen meiner Taten anerkannt werden, doch werde ich ständig daran erinnert, daß mein Ruhm wenig mit meinen Leistungen zu tun hat. Bin ich für den Mustang berühmt? Oder dafür, daß ich Ford durch die erfolgreichsten Jahre seiner Geschichte geführt habe? Weil ich Chrysler zum Aufschwung verholfen habe? Eine harte Erkenntnis, aber ich habe das Gefühl, daß man sich nur wegen der Fernsehspots an mich erinnern wird. Verdammte Glotze!

Vor 25 Jahren stieß ich auf eine bemerkenswerte Zahl. Ich erfuhr, daß der Fernsehapparat in amerikanischen Haushalten im Durchschnitt 42,7 Stunden pro Woche läuft. Von diesem Tag an war ich von der Macht des Fernsehens überzeugt. Ich begann Millionen Dollar für den Ankauf von Sendezeit für Werbespots auszugeben. Einmal überkam es mich bei Ford, und ich kaufte hundert Prozent der Sendezeit bei den NFL-Footballspielen. Bei einer halben Million Dollar pro Minute wäre das heute unmöglich.

Ich wußte also damals schon, wie mächtig das Fernsehen war, hatte es aber noch nicht am eigenen Leib erfahren. Durch meine Chrysler-Werbespots habe ich von so ziemlich jedem gehört. Ein Dutzend Augenoptiker beschäftigte sich mit meiner Brille und kam zu dem Schluß, daß die Fassung aus Frankreich stamme. Sie fanden, das sei für jemanden, der eine Made-in-America-Werbung mache, nicht angemessen. Dann waren da drei Kieferchirurgen, die mir wegen meines lockeren Zahnersatzes schrieben. Ich war beleidigt und antwortete ihnen, daß ich noch alle meine Zähne hätte – und in gutem Zustand. Sie kritisierten, daß meine Zähne selbst beim Lachen nie zu sehen seien, aber sie sagten, daß dem leicht abzuhelfen wäre. Sie schlugen einen sogenannten »ästhetischen Eingriff« vor, bei dem meine Zähne nach vorn gedrückt oder meine Lippen zurückgeschnitten würden! Ich tue zwar alles, um Autos unter die Leute zu bringen, aber das ging mir denn doch etwas zu weit.

Meine Post verrät offensichtlich auch, daß ich blaue Hemden mit weißen Kragen populär gemacht habe. Übrigens: Obwohl ich in Werbespots nie eine Zigarre geraucht habe, konnte man mich im Fernsehen wiederholt mit einer Zigarre in der Hand sehen. Und das ist fatal für mein Image, glauben Sie mir! Die Presse verbreitet die Mär, daß ich zwischen zwölf und hundert Zigarren am Tag rauche. Barer Unsinn. Wenn ich drei Zigarren am Tag rauche, ist das schon viel.

Es sind diese verdammten Werbespots, die diese Geschichten über meine Präsidentschaftsambitionen entstehen ließen. Ich wurde patriotisch und sagte: »Laßt uns dafür sorgen, daß Amerika wieder etwas bedeutet«, und die Leute identifizierten sich damit. Ich hatte wirklich keine Ahnung, daß die Werbespots in diesem Licht gesehen würden.

Die Präsidentschaftsgerüchte bekamen im Juni 1982 Auftrieb durch einen Leitartikel im *Wall Street Journal*, der folgendermaßen begann: »Wie in Detroit gemunkelt wird, zieht es Lee Iacocca in ein öffentliches Amt. Nicht irgendein öffentliches Amt, sondern eines, das groß genug ist, um jedem Mann mit einem Superego Genüge zu tun. Wie man hört, sehnt sich Lee Iacocca, der Chef der Chrysler Corporation, danach, unser aller Präsident zu werden. Wenn es einem Hollywoodstar gelingt, warum nicht einem Detroiter Autoverkäufer?«

Die Logik war nicht gerade zwingend. Iacocca hält viele Reden. Er macht diese Fernsehwerbung. Er hat etwas mit der Freiheitsstatue zu tun. Er ist ein bunter Vogel in einer Industrie voll anonymer Gesichter. Er hat offensichtlich ein großes Ego. Also kandidiert er für das Amt des Präsidenten.

Trotzdem zog der Artikel eine große Menge Aufmerksamkeit nach sich. Viele Artikel, viele Briefe. Wie fing es an? Meine persönliche Vermutung ist, daß einige Detroiter Journalisten dieses Windei gemeinsam bei ein paar Drinks ausgeheckt haben. Als sie mich das erste Mal fragten, ob ich Präsident werden wolle, wußte ich darauf keine Antwort. Also machte ich einen Scherz und sagte: »Ja, ich möchte Präsident werden, aber nur durch Ernennung und nur für ein Jahr.« Ich habe nicht einmal eine Amtszeit gesagt, weil es einen zu sehr altern läßt. Ich bin in meiner ersten Amtszeit bei Chrysler genügend gealtert.

Amanda Bennetts Artikel erschien in der halb scherzhaften Kolumne des *Journal* in der Mitte der ersten Seite. Amanda hatte kurz zuvor eine Geschichte über das letzte Bordell in Michigan verfaßt, und der erschien an derselben Stelle. Das gibt eine gute Vorstellung davon, was ich von dem Artikel hielt.

Einige Monate später erschien in *Time* ein Artikel über mögliche Präsidentschaftskandidaten für 1984, und wieder wurde mein Name genannt. Das Magazin schrieb, daß ich mich wegen meines »ausdrucksvollen Gesichts« für die Präsidentschaft bewerben könnte. Ein weiteres Beispiel für überzeugende politische Logik.

Mit dieser Charakterisierung hat es eine merkwürdige Bewandtnis. Im Jahr 1962 gab *Time* einen großen Empfang in Detroit, bei dem Henry Luce, der Gründer, anwesend war. Ich war als vielsprechender junger Ford-Vizepräsident eingeladen, obwohl das ein paar Jahre vor dem Erscheinen des Mustang war.

Es kam der Augenblicks, in dem ich Mr. Luce vorgestellt wurde. Er sah mich an und sagte: »Ein ausdrucksvolles Gesicht.« Wenige Minuten später bemerkte einer seiner Mitarbeiter zu mir: »Er wird Sie eines Tages auf die Titelseite bringen. Er mag ausdrucksvolle Gesichter«. Soll mich doch der Teufel holen, wenn das nicht der Geist von Henry Luce war, der zwanzig Jahre später denselben Ausdruck benutzte, um mich zu beschreiben. Es hat mich echt geschockt. Sind das die Kriterien, nach denen wir unsere Staatsmänner auswählen?

Man kann aus allen möglichen Gründen im Weißen Haus landen. Ich fragte einmal Jimmy Carter, was ihn dazu bewogen hatte, sich um die Präsidentschaft zu bewerben und er sagte: »Als ich Gouverneur von Georgia war, besuchten mich die anderen Mitbewerber um das Präsidentschaftsamt, und sie erschienen mir nicht allzu intelligent.« Dieses Gefühl kenne ich auch.

Obwohl ich es vielleicht genießen würde, Präsident zu sein, ist es bloß ein Hirngespinst, denn ich könnte mir nicht vorstellen, mich um dieses Amt zu bewerben. Diese Leute sind sechzehn Stunden am Tag wie Roboter programmiert – Lunch und Dinner, Empfänge und Bankette, Händeschütteln, Fabriken besuchen – es ist endlos. Um Präsident werden zu wollen, muß man enthusiastisch sein. Um diesen Schlauch aushalten zu können, muß man das alles schon sehr heftig wollen.

Ich habe schon Millionen Hände geschüttelt. In den letzten vierzig Jahren bin ich auf mehr Konferenzen und Kongressen gewesen, als ich mich überhaupt erinnern kann. Ich habe schon so viele Cocktailgläser in meiner rechten Hand gehalten, daß ich sie nicht mehr ausstrecken kann. Ich habe das Gefühl, jede Fabrik der Welt zu kennen.

Ich habe bisher allein im Festsaal des Waldorf Astoria etwa hundert Reden gehalten. Inzwischen kennen die Angestellten dort die Chrysler Story so gut wie ich. Während einer meiner letzten Reden bemerkte ich, daß einige der Ober meinen Text lippensynchron auswendig konnten. Später kam einer zu mir und bat mich um eine Darlehensbürgschaft von 200 Dollar bis zum nächsten Zahltag!

Aber im Ernst, ich bin erschöpft. In meinen Jahren bei Chrysler bin ich alt geworden. Wenn ich zehn Jahre weniger auf dem Buckel hätte, könnte ich es mir vielleicht vorstellen, in die Politik zu gehen. Damals war ich voller Tatkraft und Energie. Aber mein Rausschmiß bei Ford und die lange Krise bei Chrysler und vor allem der Verlust meiner lieben Frau haben mir sehr zugesetzt.

Ich habe auch nicht das Temperament für die Politik. Ich habe McNamara beobachtet, und wenn er es nicht einmal schaffte, diesem Land zu helfen, kann ich es schon gar nicht, denn er ist disziplinierter als ich. Außerdem bin ich viel zu ungeduldig. Ich bin viel zu offen und habe nicht das Zeug zu einem Diplomaten. Ich kann mir wirklich nicht vorstellen, daß ich acht Jahre auf die Verabschiedung eines Energiegesetzes warten würde.

Ich rede viel zu unverblümt, um einen guten Politiker abzugeben. Wenn mir jemand einen Schmarren erzählt, sage ich ihm, er soll abzwitschern, weil das falsch ist, was er sagt. Irgendwie glaube ich nicht, daß sich Staatsmänner so verhalten.

Ich bin jedoch der Auffassung, daß in der Führung dieses Landes zu viele Anwälte und zuwenig Geschäftsleute vertreten sind. Ich würde ein System befürworten, bei dem wir zwanzig Spitzenmanagern die wirtschaftliche Führung des Landes übertragen und sie dafür vielleicht sogar mit einer Million Dollar pro Jahr steuerfrei entlohnen. Dies wäre ein echter Ansporn, und viel mehr talentierte Leute wären dann bereit, sich mit öffentlichen Angelegenheiten zu befassen.

Vor einigen Jahren wollte mich eine einflußreiche Gruppe von Politikern dazu überreden, mich als Kandidat um das Amt des Gouverneurs von Michigan zu bewerben. Weshalb? Weil ein solches Amt das beste Sprungbrett zur Präsidentschaft ist. Sie sagten: »Sie haben Chrysler gerettet, und jetzt läuft der Laden richtig. Wie steht's mit Michigan? Es hat die gleichen Probleme und ist jetzt Ihr Heimatstaat.«

Ich hatte eine gute Antwort parat. »Hört zu«, sagte ich, »wenn ich jemals für das Amt des Gouverneurs kandidieren sollte, findet mir einen schönen bargeldreichen Staat wie Arizona. Das werde ich vielleicht in Erwägung ziehen. Aber ich habe die Nase voll von Leuten ohne Geld auf der Bank. Einmal reicht!«

Seit 1982 diese Geschichte im *Wall Street Journal* erschienen ist, mußte ich viel Zeit darauf verwenden zu dementieren, daß ich für die Präsidentschaft kandidieren würde. Aber das half auch nichts, denn selbst die tatsächlichen Kandidaten behaupten, nicht kandidieren zu wollen, bis sie schließlich mit ihren Absichten an die Öffentlichkeit treten. Also glauben mir viele nicht. »Wenn er nicht kandidiert«, fragen sie, »warum schreibt er dann ein Buch? Warum gibt er sich mit der Freiheitsstatue ab, wenn er nicht vorhat, sich in das Sternenbanner einzuwickeln?«

Als mir niemand meine Dementis abkaufte, beschloß ich, mir einen Spaß daraus zu machen. Jedesmal wenn ich gefragt wurde, ob ich vorhätte, für die Präsidentschaft zu kandidieren, sagte ich: »Machen wir mit diesen Gerüchten endlich Schluß. Sie sind völlig unberechtigt und verunsichern nur. Außerdem verursachen sie große Unruhe unter meinen Wahlhelfern.«

Ich konnte an den Spekulationen ja doch kaum etwas ändern. Wenn man nur über Autos spricht, sagen die Leute, man sei ein Fachidiot. Wenn man über Innen- und Weltpolitik spricht, behaupten sie, man bewerbe sich um die Präsidentschaft.

Ende 1983 unterschrieb ich schließlich einen Drei-Jahres-Vertrag bei Chrysler. Das hat mehr als alles andere den Gerüchten über meine angeblichen politischen Ambitionen ein Ende gesetzt.

Obwohl ich nie selber kandidiert habe, habe ich doch eine Menge aus dem Präsidentschaftsgerede gelernt. Kurz nachdem das Ganze angefangen hatte, unterhielt ich mich mit einem Werbefachmann. Er sagte etwas Interessantes: »Ich weiß, warum alle Sie für einen Präsidentschaftskandidaten halten. Sehr einfach. Es wird keinem mehr geglaubt. Sie sprechen mit den Leuten und machen ihnen begreiflich, welche Ziele Sie haben, und dann setzen Sie sich auch dafür ein. Sie verarschen sie nicht, und die Amerikaner sind zu oft verarscht worden.«

Außerdem mache ich offensichtlich den Eindruck, ein guter Manager zu sein. Ich kann Kosten reduzieren und Geld machen, und ich kann eine große Institution leiten, und wenn ich mir einer Sache sicher bin, dann halte ich mich daran. Ich weiß, wie man ein Budget einhält, und ich habe Erfahrung, wie man ein gestrandetes Schiff wieder flottkriegt. Die Amerikaner scheinen sich nach einem Steuermann umzusehen, der zugleich den Haushalt sanieren und dem Land den Glauben an seine Aufgabe wiedergeben kann.

Ich erhalte wegen der Präsidentschaftsgeschichte viele Briefe. Sie haben mir gezeigt, daß hier eine echte Lücke existiert. Die Menschen sehnen sich nach jemandem, der ihnen die Wahrheit sagt – daß Amerika nicht schlecht ist, sondern großartig oder daß es zumindest wieder großartig werden kann, wenn wir auf den rechten Weg zurückfinden. Die Menschen schreiben mir, weil ich im Fernsehen erscheine, weil ich Reden halte und weil Chrysler wieder auf die Beine gekommen ist. Ein Mann fragt mich in einem handschriftlichen Brief: »Warum sanieren Sie nicht unser Land? Warum verschwenden Sie Ihre Zeit damit, Autos zu verkaufen?«

Die Menschen sehnen sich danach, geführt zu werden. Ich glaube nicht im entferntesten daran, daß in unserer Gesellschaft Helden nicht mehr gefragt sind. Nur haben wir seit Eisenhower keinen Staatschef mehr gefunden, auf den wir uns verlassen konnten. Kennedy wurde ermordet. Johnson hat uns in einen Krieg verwickelt. Nixon hat uns Schande bereitet. Ford war eine nicht gewählte Übergangslösung. Carter kam trotz all seiner Vorzüge zur falschen Zeit. Reagan lebt in der Vergangenheit.

Eines Tages werden wir jemanden finden, der echte Führungsqualitäten besitzt. Ich fühle mich zutiefst geehrt, daß viele Leute meinen, ich könnte derjenige sein. Das allein gibt mir all die Befriedigung, die ich je brauchen werde.

# XXIV
# Ein bittersüßer Sieg

1982, als sich der Rauch nach der Schlacht schließlich verzogen hatte, kamen auch wieder gute Dinge.

Nur drei Jahre zuvor mußte die Chrysler Corporation 2,3 Millionen Autos und Laster verkaufen, um auch nur die Ertragsschwelle zu erreichen. Leider verkauften wir nur etwa eine Million. Man kann sich leicht vorstellen, daß diese Rechnung nicht aufgeht.

Aber durch die gemeinsame Anstrengung vieler verschiedener Menschen hatten wir unsere Rentabilitätsschwelle nunmehr auf 1,1 Millionen Einheiten reduziert. Bald konnten wir tatsächlich neue Arbeitskräfte einstellen und neue Einzelhändler verpflichten.

Mit anderen Worten: Wir standen vor dem großen Aufschwung. Die Wirtschaft aber leider nicht.

Aber gegen Ende 1982 erholte sich die Wirtschaft und mit ihr die Autoumsätze. Endlich! Als das Jahr vorbei war, konnten wir tatsächlich einen bescheidenen Gewinn verbuchen.

Meine erste Reaktion war die Einberufung einer Pressekonferenz, um all die Adjektive aus der Welt zu schaffen, die während unserer langen Krise herhalten mußten, um uns zu beschreiben. Mal herhören, Medienleute. Ab sofort ist Chrysler nicht mehr »pleite«, »vor dem Absaufen«, oder »in finanziellen Schwierigkeiten«. Wenn Sie darauf bestehen, können Sie uns künftig als »drittgrößten Autofabrikanten der Nation« bezeichnen. Aber die anderen Etiketten sind für immer passé!

Im folgenden Jahr, 1983, erwirtschafteten wir einen ehrlichen Reingewinn von 925 Millionen Dollar – bei weitem der größte in der Geschichte von Chrysler.

Wir hatten seit den Hearings für die Darlehensbürgschaft, als wir so viele Versprechungen gemacht hatten, einen weiten Weg zurückgelegt. Wir versprachen, unsere Fabriken zu modernisieren und mit der neuesten Technologie auszustatten. Wir versprachen, in der Treibstofföskonomie führend zu werden. Wir versprachen, die Beschäftigungskapazität für eine halbe Million Arbeiter aufrechtzuerhalten. Und wir versprachen, neue, aufsehenerregende Produkte herzustellen.

Innerhalb von drei Jahren war es uns gelungen, jedes einzelne dieser Versprechen einzulösen.

Im Frühjahr 1983 waren wir sogar in der Lage, ein neues Aktienpaket anzubieten. Ursprünglich wollten wir nur 12,5 Millionen Aktien verkaufen, aber die Nachfrage war so groß, daß wir schließlich mehr als die doppelte Zahl ausgaben.

Die Käufer standen Schlange und warteten. Unser Gesamtangebot von 26 Millionen Aktienanteilen war innerhalb der ersten Stunde ausverkauft. Mit einem Gesamtmarktwert von 432 Millionen Dollar war dies das drittgrößte Stammaktienangebot in der Geschichte Amerikas.

Natürlich wird mit jeder Ausgabe von Anteilen der Wert jeder einzelnen Aktie verringert. In unserem Fall geschah jedoch etwas Eigenartiges. Vor der Ausgabe lag unser Aktienindex bei 16 5/8 Dollar. Innerhalb weniger Wochen entstand eine so große Nachfrage nach Chrysleraktien, daß der Wert auf 25 Dollar schnellte – und kurz danach auf 35 Dollar. Wenn das die Wirkung einer Wertminderung ist, bin ich ganz dafür.

Kurz nach dem Aktienverkauf zahlten wir 400 Millionen Dollar – oder ein Drittel unserer garantierten Darlehen zurück. Dieses war die für uns kostspieligste der drei Anleihen, da die Zinsen dafür gigantische 15,9 Prozent betrugen.

Wenige Wochen später trafen wir eine Entscheidung von großer Tragweite – nämlich den gesamten Kredit auf einmal zurückzuzahlen, sieben Jahre, bevor er fällig wurde. Nicht alle bei Chrysler waren davon angetan. Schließlich mußten wir unserer Sache auch für die nächten Jahre ziemlich sicher sein, um auf soviel Bargeld zu verzichten.

Aber ich war inzwischen sehr zuversichtlich. Außerdem war ich entschlossen, uns die Regierung so schnell wie möglich vom Hals zu schaffen.

Ich kündigte die Kreditrückzahlung im National Press Club an. Es war der 13. Juli 1983 – und durch einen merkwürdigen Zufall auf den Tag genau fünf Jahre, nachdem mich Henry Ford gefeuert hatte.

»Dieser Tag läßt uns die Mühen der letzten Jahre vergessen«, sagte ich. »Wir bei Chrysler borgen uns Geld ganz auf die altmodische Art. Wir zahlen es zurück.«

Ich genoß diesen Augenblick. »Die Leute in Washington haben viel Erfahrung darin, Geld herzuleihen«, sagte ich in meiner Rede, »sie sind es jedoch weniger gewohnt, es zurückzuerhalten. Deshalb sollte vielleicht der Gesundheitsminister anwesend sein, falls jemand ohnmächtig wird, wenn wir den Scheck übergeben.«

Die Regierung konnte an diesem Tag den Scheck nicht einmal entgegennehmen. Wegen des Amtsschimmels brauchte sie über einen Monat, um dafür einen Modus zu finden. Anscheinend hatte ihr noch nie jemand auf diese Weise alles zurückgezahlt.

Bei einer Feier in New York präsentierte ich unseren Bankiers den höchstdotierten Scheck, den ich jemals zu Gesicht bekommen hatte: 813 487 500 Dollar. Ich bekam für meine Mühe auch einen Zentner Äpfel.

Während der Anhörungen im Kongreß hatte Bürgermeister Koch von New York mit mir um einen Zentner Äpfel gewettet, daß die Stadt ihre staatlich garantierten Darlehen vor uns zurückzahlen werde. Aber als wir unsere Schulden tilgten, hatte New York City immer noch mehr als eine Milliarde Dollar zurückzuzahlen.

Jetzt, da wir außer Gefahr waren, war es an der Zeit, wieder an unser Vergnügen zu denken.

Seit Detroit vor zehn Jahren die Produktion von Cabriolets einstellte, hatte ich sie vermißt. Das letzte amerikanische Cabriolet war der Cadillac Eldorado, der bis 1976 hergestellt worden war. Das letzte Chrysler-Cabrio war der Barracuda von 1971.

Viele Leute glaubten, daß Cabriolets plötzlich von der Regierung verboten worden seien. Das stimmt nicht ganz, obwohl manches in diese Richtung zu deuten begann. In Washington machte der Gesetzgeber einen Versuch, das Cabrio abzuschaffen – oder es zumindest in seiner Struktur grundlegend zu verändern. Damals hatten wir schon Probleme mit Regierungsauflagen. Niemand wollte noch mehr Komplikationen, also stellten wir die Cabrioproduktion ein.

Was dem Cabriolet den Garaus machte, waren nicht zuletzt die Klimaanlagen und das Stereo. Beides ist relativ sinnlos, wenn man ohne Dach herumfährt.

1982, als wir aus den roten Zahlen herauskamen, beschloß ich, das Cabrio wieder einzuführen. Als Experiment ließ ich mir aus einem Chrysler LeBaron eines in Handarbeit herstellen. Ich fuhr es über den Sommer und fühlte mich wie der Rattenfänger von Hameln. Mercedes- und Cadillac-Fahrer hielten mich wie die Polizei auf der Straße an. »Was fahren Sie da?« wollten sie alle wissen. »Wer hat das gebaut? Wo kann ich eins kriegen?«

Als sie mein inzwischen vertrautes Gesicht hinter dem Steuer erkannten, ließen sie sich auf der Stelle auf die Warteliste setzen. Eines Tages fuhr ich zum Einkaufszentrum in meiner Nähe, und es bildete sich eine große Menschenmenge um mich und mein Cabrio. Man hätte meinen können, daß ich mit Zehn-Dollar-Noten um mich schmiß! Es war unschwer festzustellen, daß die Leute von diesem Auto fasziniert waren.

In der Firma beschlossen wir, auf die Marktforschung zu verzichten. Unsere Einstellung war: »Bauen wir es einfach. Wir holen dabei zwar kein Geld heraus, aber es ist auf jeden Fall gute Reklame für uns. Wenn wir Glück haben, können wir unsere Kosten decken.«

Aber sobald sich herumsprach, daß wir ein LeBaron-Cabrio herausbrachten, wurden auch schon landesweit Anzahlungen geleistet. Brooke Shields zählte zu den Interessenten, und wir lieferten ihr das erste Cabriolet als besonderen Werbegag. Inzwischen war klar, daß wir unser Baby viele Male verkaufen konnten. Wie sich herausstellte, setzten wir im ersten Jahr 23000 ab statt der 3000, die wir eingeplant hatten.

Es dauerte nicht lange, bis GM und Ford ihre eigenen Cabrios herausbrachten. Mit anderen Worten, Klein-Chrysler führte jetzt die Truppe an, statt ihr nachzuhinken.

Wir brachten das Cabrio aus Spaß an der Freud' und der Publicity wegen heraus. Aber 1984 kam ein neues Produkt von uns auf den Markt, das sowohl Spaß machte als auch kassenträchtig war – der T-115-Minivan.

Dieser Kleintransporter ist ein völlig neues Gefährt für Leute, die etwas Größeres als den üblichen Kombiwagen, aber etwas Kleineres als einen Laster wollen. Der Minivan bietet sieben Personen Platz. Er hat Frontantrieb. Er braucht 7,84 Liter auf hundert Kilometer. Und vor allem paßt er in eine normale Garage.

Sooft ich vor Studenten in unseren Business Schools spreche, fragt mich jemand, wie wir es fertigbrachten, den Kleintransporter so bald nach unserer langen Krise herauszubringen. »Wie konnten Sie als Geschäftsmann 700 Millionen Dollar drei Jahre im voraus riskieren, während Sie gleichzeitig pleite gingen?«

Gute Frage. Aber im Grunde hatte ich keine Wahl. Ich wußte, daß wir nicht unser Saatgut aufessen durften. Unser Überlebenskampf bot keine Aussicht, wenn wir nichts Neues anzubieten hatten, sobald wir einmal auf eigenen Beinen standen. Also pflegte ich – nur halb scherzhaft – zu sagen: »Schauen Sie, mir steht das Wasser sowieso schon bis zum Hals. Also was sind schon weitere 700 Millionen unter Freunden?«

Die Idee des Minivan wurde eigentlich drüben bei Ford geboren. Kurz nach der ersten OPEC-Krise, während Hal Sperlich und ich am Fiesta arbeiteten, entwarfen wir ein Projekt, das wir Minimax tauften. Es ging uns um einen Kleintransporter mit Frontantrieb, der außen kompakt und innen geräumig war. Wir bauten einen Prototyp und waren davon hingerissen.

Dann investierten wir 500 000 Dollar in die Marktforschung. Und wir lernten drei Dinge. Erstens mußte die Einstiegshöhe niedrig sein, um Frauen anzusprechen, die damals überwiegend Röcke trugen. Zweitens mußte das Auto niedrig genug sein, um in jede Garage zu passen. Drittens mußte es eine »Nase«, einen Kühlervorsprung vor dem Motor haben, um eine einige Fuß tiefe Knautschzone für den Fall einer Kollision zu schaffen.

Wenn wir diese Dinge berücksichtigten, trompetete die Marktforschung heraus, konnten wir auf einen Markt von 800 000 pro Jahr hoffen – und das im Jahre 1974! Natürlich ging ich gleich zum King persönlich.

»Vergeßt es«, sagte Henry. »Ich will keine Experimente«.

»Experimente?« sagte ich. »Der Mustang war ein Experiment. Der Mark III war ein Experiment. Dieses Auto ist ein weiterer Renner.«

Aber Henry wollte uns das nicht abkaufen.

Ich bin der Meinung, daß man innovativ sein muß, wenn man nicht die Nummer Eins ist. Wenn man Ford ist, muß man es GM zeigen. Man muß Marktlücken finden, an die die nicht einmal gedacht haben. Man kann sie nicht frontal angreifen – dafür sind sie einfach zu groß. Man muß von der Flanke kommen.

Statt den Kleintransporter also 1978 bei Ford herausbringen, machten ihn Hal und ich 1984 bei Chrysler. Und jetzt stehlen wir Ford die Kundschaft.

Dieses Mal ist die Marktforschung übrigens sogar noch eindeutiger. Während ich diese Worte Mitte 1984 niederschreibe, ist der neue Minivan restlos ausverkauft.

Überdies überkugeln sich Ford und GM, ihre eigenen Versionen herauszubringen. Nachahmung ist wahrscheinlich das ehrlichste Kompliment.

Schon bevor der Minivan herauskam, wählte ihn das Connoisseur-Magazin zu einem der schönsten Autos, die jemals gebaut wurden. *Fortune* nannte ihn eines der innovativsten Produkte des Jahres. Und die Zeitschriften der Autofans schmückten ihre Titelblätter damit Monate, bevor es auf den Markt kam.

Seit wir den Mustang 1964 vorstellten, war ich nicht mehr so begeistert von einem neuen Produkt – und so überzeugt von seinem Erfolg. Ich erinnere mich noch gut, wie ich den Minivan zum erstenmal auf unserer Teststrecke ausprobierte. Ich konnte einfach nicht genug bekommen. Ich fuhr eine Runde nach der anderen. Ich war entzückt von der Leistung der Konstrukteure in puncto Handhabung und Fahrverhalten. Dieses Auto zu fahren, war eine einzige Freude.

Rekordgewinne, Kreditrückzahlung, der Kleintransporter – das waren alles Teilaspekte unseres Triumphs.

Aber unser Erfolg hatte auch seine Schattenseite. Als wir unsere Siegesparade schließlich abhalten konnten, fehlten viele unserer Mitstreiter. Wir haben den Krieg gewonnen, aber nicht ohne viele Opfer. Viele Menschen – Arbeiter, Angestellte und Händler – die 1979 Chrysler angehört hatten, waren nicht mehr an unserer Seite, um die Früchte des Sieges auszukosten.

Da war auch noch die Sache mit den Aktienbezugsscheinen im Wert von 14,4 Millionen Dollar, die wir dem Bürgschaftsausschuß im Juni 1980 ausgestellt hatten, kurz bevor wir unsere ersten garantierten Kredite in Höhe von 500 Millionen Dollar erhielten.

Diese Bezugsscheine ermächtigten den Eigner, 1,4 Millionen Aktienanteile von Chrysler zum Preis von 13 Dollar zu erwerben. Als wir sie zur »Versüßung« herausgaben, lag unser Index bei etwa 5 Dollar. Zu dieser Zeit schienen 13 Dollar pro Anteil noch weit entfernt.

Aber jetzt, da unsere Aktien bei etwa 30 Dollar standen, fiel der

Regierung ein Vermögen in den Schoß. Zudem konnte sie die Bezugsscheine jederzeit bis 1990 einlösen, wenn die Kredite spätestens abgegolten sein mußten.

Diese Bezugsscheine waren das Damoklesschwert über unserem Kopf. Zu jeder Zeit während der nächsten sieben Jahre konnte uns die Regierung – oder wer immer Eigner der Bezugsscheine war – zur Ausgabe weiterer 14,4 Millionen Chrysler-Aktien zu Dumpingpreisen zwingen.

Nach unserer Ansicht zahlten wir bereits viel zuviel für unsere staatlich garantierten Darlehen. Wir hatten uns auf zehn Jahre 1,2 Milliarden Dollar geborgt, zahlten sie aber schon nach drei Jahren zurück. Während dieser drei Jahre hatten wir 404 Millionen Dollar an Zinsen geblecht, 33 Millionen Dollar Verwaltungsgebühren für die Bundesregierung und weitere 67 Millionen Dollar an die Anwälte und Investmentbanken.

Je nach dem Aktienpreis konnten die Bezugsscheine bis zu 300 Millionen Dollar wert sein. Zusammen mit den Zinsen und Gebühren hätten Gläubiger und Regierung den Gegenwert von 24 Prozent pro Jahr einkassiert. Wenn man bedenkt, daß die von der Regierung verbürgten Anleihen nie einem Risiko ausgesetzt waren – sie hatte das Pfandrecht auf alle unsere Besitztümer, die mehr als 1,2 Milliarden Dollar wert waren –, war dieser Profit fast schon Wucher.

Was noch wichtiger war, von allen Beteiligten, die uns bei unserer Sanierung zur Seite gestanden hatten, war keiner in der Lage, aus unserem Erfolg irgendeinen Nutzen zu ziehen. Wir alle hatten dieselben Opfer gebracht, als wir in Schwierigkeiten waren – also sollten wir auch in gleichem Maße belohnt werden. Wenn die Regierung durch Einlösung der Bezugsscheine einen Riesengewinn machte, was für ein Beispiel würde das unseren Mitarbeitern und Zulieferern geben – und den Händlern, die so hart gearbeitet hatten?

Also baten wir die Regierung diskret, uns die Bezugsscheine gegen geringe oder ohne Gegenleistungen zu überlassen.

Was für ein Fehler! Unser Ansinnen löste empörte Proteste aus. »Chuzpe!« schnaubte das *Wall Street Journal.* »Es gibt einfach kein anderes Wort für das Ersuchen von Chrysler.« Dieses Mal stand das *Journal* nicht allein da. Alle hielten uns für habgierig. Für unsere Public Relations war es ein Fiasko. Zuerst waren wir die Helden, weil wir unsere Kredite sieben Jahre früher zurückzahlten. Plötzlich, ehe wir uns versahen, waren wir die Halunken. Es war eine schmerzliche Erfahrung.

Wir traten schnellstens den Rückzug an. Als Kompromißlösung machten wir dem Bürgschaftsausschuß ein Angebot: 120 Millionen Dollar für die Bezugsscheine. Kein Interesse. Wir erhöhten unser Angebot auf 187 Millionen Dollar. Nichts zu machen.

Schließlich, am 13. Juli, dem gleichen Tag, an dem wir unsere Anleihen zurückzahlten, boten wir 250 Millionen Dollar für die Bezugsscheine.

»Kommt nicht in Frage«, sagte der Ausschuß. »Wir verkaufen sie an den Meistbietenden«.

Und genau das taten sie auch. Bei Don Regan, einem ehemaligen Börsenmakler, brach die alte Natur wieder durch. Er bestand auf einer Versteigerung – was natürlich hohe Gebühren für die Wall Street-Macher bedeutete. Hätten wir uns denken können. Von Anfang an war er aus ideologischen Gründen gegen die Darlehensbürgschaft gewesen. In den drei Jahren ließ er den Bürgschaftsausschuß nicht ein einziges Mal zusammenkommen, und er rührte auch keinen Finger, um uns zu helfen.

Die Reagan-Leute unter Führung von Don Regan sagten immer: »Was immer auch die Carter-Regierung versprochen hat, das werdet ihr bekommen. Wir werden keinen Finger rühren, um daran etwas zu ändern. Ob es euch nun schadet oder nützt, interessiert uns nicht.«

Als wir uns zu erholen begannen, sagte ich: »An meine Brust. Heftet unseren Erfolg auch an eure Fahnen. Schließlich macht es immerhin politisch einen guten Eindruck.« Aber Don Regan und der Großteil der Regierung meinten: »Ideologisch sind wir nach wie vor gegen die Sache. Wir glauben den Resultaten nicht.« Bis zum bitteren Ende blieben sie dabei, daß die staatlich garantierten Darlehen für Chrysler einen schlimmen Präzedenzfall geschaffen hätten.

Das Thema war so heiß geworden, daß ich Präsident Reagan zweimal aufsuchte. Er sagte, daß mein Fall aus Gründen der Fairneß klar auf der Hand liege. Auf einem Flug, den ich mit ihm in der Air Force One nach St. Louis unternahm, beauftragte er Jim Baker, sich der Sache anzunehmen.

Und wie er sich der Sache annahm! Er gab den Schwarzen Peter lediglich an Don Regan weiter, der mich weiter schmoren ließ. Ich weiß nicht, was im Weißen Haus vorgegangen ist, doch am Ende behielt Regan die Oberhand.

Ich kann es bis heute noch nicht fassen. Wenn ich in meiner Branche als Vorstand jemanden beauftrage, etwas zu tun, und dann nie eine Antwort bekomme, feuere ich den Mann. Es ist unglaublich, daß so jemand wie Regan einen Mann wie Reagan aussitzen kann.

Am Ende waren wir gezwungen, gegen unser eigenes 250-Millionen-Dollar-Angebot zu bieten und mußten die Bezugsscheine für über 311 Millionen Dollar zurückkaufen. Damals war ich stocksauer. Eigentlich bin ich es immer noch. Warum spielt die Regierung mit unseren Bezugsscheinen an der Börse? Ich hatte 250 Millionen Dollar angeboten, eine großzügige Summe. Aber es war nicht genug. Ihre Einstellung war: »Zeigen wir's Chrysler. Wir wollen jeden Cent, den wir kriegen können.«

Ein Kongreßmitglied sagte: »Was für eine Gelegenheit! Nehmen wir die 311 Millionen Dollar und investieren sie in die Umschulung arbeitsloser Autohandwerker. Das Geld kam von Chrysler, also stekken wir es wieder in die Autobranche. Helfen wir den Leuten, die ihren Job verloren haben, als Chrysler Leute abbauen mußte.« Doch die Regierung war daran nicht interessiert.

Ich schlug einen anderen Plan vor. »Da ihr diesen Gewinn nicht erwartet habt«, sagte ich der Regierung, »warum nehmt ihr nicht das Geld, verzehnfacht es und verwendet die drei Milliarden Dollar, um unsere Industrie gegen Japan konkurrenzfähig zu machen?«

Doch die Regierung entschied sich dafür, das Geld in den Staatssäkkel zurückzuzahlen. Ich fürchte, daß unsere 311 Millionen Dollar für das Staatsdefizit nur ein Tropfen auf dem heißen Stein waren. Aber jedes bißchen hilft!

Die ganze Episode mit den Bezugsscheinen hinterließ bei mir einen schlechten Nachgeschmack. Doch was mir die Freude über den Chrysler-Sieg wirklich trübte, ist sein Zusammentreffen mit dem schwersten persönlichen Verlust meines Lebens.

Während meiner gesamten Karriere bei Ford und später bei Chrysler war meine Frau Mary mein größter Fan und Mutmacher. Wir hatten eine sehr enge Beziehung, und sie war immer an meiner Seite.

Doch Mary litt an Diabetes, ein Umstand, der zu vielen anderen Komplikationen führte. Unsere beiden Töchter mußten durch Kaiserschnitt auf die Welt gebracht werden. Mary erlitt außerdem drei Fehlgeburten.

Vor allen Dingen sollten Diabetes-Patienten jeglichen Streß vermeiden. Leider war das bei dem Weg, den ich eingeschlagen hatte, praktisch unmöglich.

Mary erlitt 1978, kurz nachdem ich von Ford gefeuert worden war, ihren ersten Herzinfarkt. Sie war seit einiger Zeit leidend gewesen, aber das Trauma dieses Vorfalls verschlechterte ihren Zustand noch mehr.

Ein zweiter Herzinfarkt ereilte sie im Januar 1980. Sie war damals in Florida, während ich mit all unseren Lobbyisten in einem Washingtoner Restaurant saß. Präsident Carter hatte soeben das Bürgschaftsgesetz unterzeichnet, und wir feierten unseren Sieg. Mitten in unserem Abendessen rief man mich aus Florida an, um mir mitzuteilen, daß Mary erneut einen Herzanfall erlitten hatte.

Zwei Jahre später, im Frühling 1982, hatte sie einen Schlaganfall. Jeder dieser Attacken, bei denen ihre Gesundheit sie im Stich ließ, war eine starke Streßperiode bei Ford oder Chrysler vorausgegangen.

Jeder, der an Diabetes leidet oder mit einem Diabetiker lebt, wird die Symptome erkennen. Mary war eine sehr empfindliche Diabetikerin. Ihre Bauchspeicheldrüse arbeitete nur zeitweise. Sie hielt sich brav an ihre Diät, aber die Insulininjektionen, die sie sich zweimal am Tag selbst verabreichte, waren eine andere Geschichte. Insulinschocks traten, gewöhnlich mitten in der Nacht, häufig auf. Da war der Orangensaft mit Zucker, die Erstarrung des ganzen Körpers, kalte Schweißausbrüche und manchmal der Notarzt im Schlafzimmer und der plötzliche Transport ins Krankenhaus.

Wenn ich verreisen mußte, was oft vorkam, rief ich Mary zwei- oder dreimal am Tag an. Schließlich erkannte ich ihren Insulinpegel allein schon am Klang ihrer Stimme. In den Nächten, in denen ich nicht bei ihr sein konnte, war immer jemand im Haus. Immer drohte die Gefahr eines Schocks oder Komas.

Meinen Töchtern ist es hoch anzurechnen, daß sie sich nicht nur mit der Krankheit ihrer Mutter abfanden, sondern sich auch wie zwei kleine Heilige um ihre Bedürfnisse kümmerten.

Im Frühjahr 1983 wurde Mary sehr krank. Ihr müdes Herz gab einfach auf. Am 15. Mai starb sie. Sie war erst 57 und immer noch sehr schön.

Ihre letzten Jahre waren nicht einfach. Mary verstand nie, wie ich Henry Ford ertragen konnte. Nach der Spitzelei von 1975 wollte sie, daß ich an die Öffentlichkeit gehe und daß ich ihn nötigenfalls verklage. Aber obwohl sie meine Entscheidung, im Team zu bleiben, nicht billigte, respektierte sie sie und unterstützte mich weiterhin.

Während meiner letzten beiden Jahre bei Ford ersparte ich Mary und den Mädchen die Details der Dinge, die sich in den Büros abspielten. Als ich gefeuert wurde, fühlte ich mich ihretwegen schlechter als meinetwegen. Schließlich wußten sie nicht, wie schlimm alles gekommen war.

Nach dem Rausschmiß hatte sich Mary wirklich stark gezeigt. Sie wußte, daß ich im Autogeschäft bleiben wollte, und sie ermutigte mich, zu Chrysler zu gehen – wenn es das war, was ich wollte. »Gott fügt alles zum Besten«, sagte sie. »Vielleicht war der Rausschmiß das Beste, was dir jemals passieren konnte.«

Aber nach den ersten paar Monaten bei Chrysler geriet unsere Welt wieder aus den Fugen. Benzin ist das Lebenselixier der Autoindustrie, und die Zinsen sind die Luft zum Atmen. 1979 trafen uns die Krise im Iran und die steigenden Zinsen. Hätten diese beiden Vorfälle ein Jahr früher stattgefunden, wäre ich nie zu Chrysler gegangen.

Ich wollte nicht aufgeben, aber vielleicht waren uns die Ereignisse inzwischen aus der Hand geglitten. Einmal drängte mich Mary wegzugehen. »Ich liebe dich, und ich weiß, daß du alles, was du dir vornimmst, auch erreichen kannst«, sagte sie. »Aber das ist eine Sisyphusaufgabe. Es ist keine Schande, einer unlösbaren Aufgabe den Rücken zu kehren.«

»Das weiß ich«, sagte ich, »aber es wird aufwärts gehen.« Ich ahnte nicht, daß es noch viel schlimmer kommen würde, bevor sich die Dinge schließlich zum Besseren wandten.

Mary war wie ich erschüttert, wie uns alte Freunde nach meinem Rausschmiß bei Ford im Stich ließen. Aber sie ließ sich davon nicht unterkriegen. Sie war immer geradeheraus und mutig – und so blieb sie auch.

Kurz nachdem ich zu Chrysler gegangen war, las sie eines Tages in der Zeitung, daß die Tochter eines ehemaligen guten Freundes heiratete. Wir mochten das Mädchen beide sehr.

»Ich gehe zu ihrer Hochzeit«, sagte Mary zu mir. »Das kannst du nicht«, antwortete ich. »Du bist *persona non grata* und außerdem nicht eingeladen.«

»So, meinst du!« sagte Mary. »Ich kann selbstverständlich zu der Trauung gehen. Ich mag das Mädchen und will ihre Heirat miterleben. Wenn ihre Eltern wegen deinem Rausschmiß mit uns nichts mehr zu tun haben wollen, ist das ihre Sache.«

Sie ließ es sich auch nicht nehmen, zur Jahresversammlung von Ford zu gehen, nachdem ich abserviert worden war. »Ich gehe schon seit Jahren«, sagte sie. »Warum jetzt nicht mehr? Vergiß nicht, daß wir nach der Fordfamilie den größten Aktienanteil besitzen.«

Wenn es hart auf hart ging, lief Mary zu Superform auf. In Notfällen übernahm sie das Kommando. Als wir einmal unseren guten Freund Bill Winn besuchten, erlitt er einen Herzinfarkt. Während ich von Panik erfaßt wurde, rief sie die Feuerwehr mit einem Pulmotor und einem Herzspezialisten, der mit Herzkatheter bereitstand – alles innerhalb von 20 Minuten.

Ein anderes Mal bekam sie einen Anruf von Anne Klotz, einer guten Freundin, die über starke Kopfschmerzen klagte. Mary fuhr zu ihr, fand sie bewußtlos auf dem Boden liegend vor, rief einen Krankenwagen, fuhr mit ihr zum Krankenhaus und blieb während der ganzen Notoperation am Gehirn an ihrer Seite.

Sie war durch nichts aus der Ruhe zu bringen. Es konnte jemandem nach einem Unfall der Kopf fehlen, und sie war dort und fragte: »Was mache ich als nächstes?« Sie handelte prompt, und deshalb haben ihr zwei Menschen das Leben zu verdanken. Als unsere Tochter Kathi zehn Jahre alt war, versagten einmal die Bremsen ihres Fahrrads, sie flog über den Lenker und landete auf dem Kopf. Vor Jahren hatte mir ein Arzt erklärt, wie man feststellen kann, ob jemand eine Gehirnerschütterung erlitten hat, wenn sich nämlich die Pupillen der Augen so erweitern, daß sie die ganze Iris wie ein einziger schwarzer Fleck ausfüllen. Ich schaute mir Kathis Pupillen an – sie waren riesig und schwarz. Ich fiel prompt in Ohnmacht. Mary hob sie auf, raste zum Notdienst und hatte sie innerhalb einer halben Stunde in einem Krankenhausbett untergebracht. Dann kam sie nach Hause, kochte mir meine Lieblingssuppe, hatte mich in einer halben Stunde im Bett und verlor kein einziges Wort. In Krisenzeiten wuchs sie über sich selbst hinaus.

Wenn man heute mit Freunden über Mary spricht, sagen sie: »Ach ja, das ist es, woran man sich bei ihr erinnert – ihre Kraft in schweren Zeiten. Ihr Lebensmut.«

Mary befaßte sich ernsthaft mit der Diabetesforschung, und sie opferte sich für andere Diabetiker auf. Sie trug ihren Zustand mit großer Tapferkeit und sah dem Tod gelassen entgegen. »Du denkst, daß ich schlimm dran bin?« sagte sie immer. »Du hättest die Leute sehen sollen, die mit mir im Krankenhaus waren.«

Sie glaubte an die Diabetesaufklärung, und zusammen bauten wir im Joslin-Diabetes-Center in Boston die Mary-Iacocca-Stiftung auf. Mary erklärte immer, daß Diabetes nach Herzinfarkt und Krebs die dritthäufigste Todesursache sei. Doch da das Wort Diabetes selten auf einem Totenschein als Todesursache angegeben wird, unterschätzt die Öffentlichkeit die Schwere des Problems. Als sie starb, sorgte ich dafür, daß ihr Totenschein der Wahrheit entsprach: Komplikationen durch Diabetes.

Wir hatten viele schöne Stunden miteinander, doch Mary ließ sich nie in das Geschäftsleben hineinziehen. Sie beteiligte sich nicht am Wettlauf um Statussymbole. Für uns beide hatte die Familie Vorrang. Die Aufgaben der Ehefrau eines Geschäftsmannes kannte sie genau, und sie erfüllte sie mit einem Lächeln. Aber was ihr wie auch mir am Herzen lag, war das Zuhause.

Wir unternahmen viele Reisen zusammen, vor allem nach Hawaii, ihrem Lieblingsort. Aber wenn wir zu Hause waren, verbrachten wir die Abende und Wochenenden zusammen mit unseren Kindern in unserem Heim.

Es war nie nach meinem Geschmack, meine Freizeit golfspielend mit den Bürokollegen zu verbringen. Außerdem glaube ich, daß dieser ganze Aspekt der Geschäftswelt überschätzt wird. Ich behaupte keineswegs, daß es notwendig ist, den Einsiedler zu spielen. Aber im Endeffekt zählt nur die Leistung. Die Arbeit nimmt genug Zeit in Anspruch, so daß man das Familienleben nicht noch mehr einschränken sollte.

Wir unternahmen zu viert viele Autoreisen, vor allem, als die Kinder noch klein waren. Dabei wuchs die Familie so richtig zusammen. Was ich in diesen Jahren auch sonst unternahm, ich weiß, daß zwei Siebtel meines ganzen Lebens – die Wochenenden und viele Abende – Mary und den Kindern gewidmet waren.

Manche Leute glauben, daß man seine Familie um so mehr vernachlässigen muß, je höher man in einer Firma steigt. Das stimmt beileibe nicht! Im Grunde sind es die Leute an der Spitze, die die Freiheit und die Flexibilität haben, genügend Zeit mit ihren Frauen und Kindern zu verbringen.

Trotzdem habe ich viele Manager erlebt, die ihre Familien vernachlässigen, und das macht mich jedesmal traurig. Nachdem ein junger Mann an seinem Schreibtisch tot zusammengebrochen war, verschickte McNamara, damals Präsident bei Ford, folgendes Rundschreiben: »Jeder hat das Büro bis spätestens neun Uhr abends zu verlassen.« Die bloße Tatsache, daß er eine solche Anweisung erlassen mußte, sagte einem, daß da etwas faul war.

Eine Firma darf nicht in ein Arbeitslager ausarten. Harte Arbeit ist notwendig. Doch muß es auch Zeit zur Ruhe und Erholung geben, Zeit, um den Kindern bei einer Schüleraufführung oder bei einem Schwimmwettbewerb zuzusehen. Und wenn man diese Dinge nicht tut, solange die Kinder noch klein sind, wird man es nie nachholen können.

Eines Abends, zwei Wochen vor ihrem Tod, rief mich Mary in Toronto an, um mir zu sagen, wie stolz sie auf mich war. Wir hatten soeben unsere Gewinne für das erste Quartal bekanntgegeben. Doch in den letzten schwierigen Jahren habe ich ihr nie gesagt, wie stolz ich auf sie war.

Mary hielt mich aufrecht, und sie gab Kathi und Lia alles, was sie hatte. Ja, ich habe eine großartige und erfolgreiche Karriere gemacht. Aber neben meiner Familie erscheint sie mir unbedeutend.

# EIN OFFENES WORT

# XXV
# Unfallverhütung

Im großen und ganzen sind wir Amerikaner gute Autofahrer. Verglichen mit den Fahrern anderer Länder sind wir sogar Spitze. Obwohl jedes Jahr viel zu viele Menschen auf unseren Straßen und Autobahnen umkommen, ist unsere Todesrate von 3,15 pro 160 Millionen Fahrkilometer die niedrigste auf der Welt.

Ich gebe nicht vor, ein Fahrexperte zu sein. Aber ich verstehe ein wenig von Autos. Und ich möchte erklären, warum Sicherheitsgurte – und nicht Luftsäcke – den Schlüssel zur Verminderung der Zahl von Verkehrstoten in den Vereinigten Staaten darstellen.

Seit Jahren habe ich mich für ein sehr unpopuläres Anliegen eingesetzt: den obligatorischen Gebrauch von Sicherheitsgurten. 1972 habe ich als Präsident von Ford jedem einzelnen der fünfzig Gouverneure geschrieben, daß unser Konzern den obligatorischen Gebrauch von Sicherheitsgurten fordert, und eindringlich an sie appelliert, diese lebensrettende Maßnahme zu unterstützen.

Zwölf Jahre später, während ich diese Worte schreibe, hat noch kein einziger Bundesstaat in unserem Land ein solches Gesetz durchgebracht. Früher oder später werden wir ein Einsehen zeigen. Aber wir brauchen dazu viel zu lange.

Gegen die vorgeschriebene Anwendung von Gurten wird von mehreren Seiten opponiert. Aber hier, wie bei so vielen Fragen, ist das Hauptargument ideologisch. Der Gedanke, Sicherheit vorzuschreiben, geht manchen Leuten gegen den Strich. Viele meinen, daß dies nur ein weiteres Beispiel für Eingriffe der Regierung in ihre Bürgerrechte darstellen.

Das trifft vor allem auf die Reagan-Administration zu. Leider erstreckt sich ihre altmodische Laissez-faire-Einstellung zur Wirtschaft auch auf Sicherheitsbestimmungen.

Es ist kaum zu glauben, aber selbst heutzutage gibt es noch viele Leute, für die es einfach nicht *the American way* ist, wenn man sie davor bewahren möchte, sich selbst (oder ihren Nachbarn) umzubringen. Aus ideologischen Gründen lassen sie es zu, daß Tausende von Menschen sterben und Zehntausende weitere verletzt werden. Nach meiner Ansicht leben diese Leute noch im 19. Jahrhundert.

Aber jedesmal, wenn ich mich dafür einsetze, Sicherheitsgurte gesetzlich vorzuschreiben, bekomme ich mit Garantie einen großen Stapel negativer Post von Leuten, die sich beschweren, daß ich mich in ihr Recht einmische, sich umzubringen, wenn es ihnen gefällt.

Aber tue ich das wirklich? Sie müssen, um fahren zu dürfen, einen Führerschein vorweisen können, oder etwa nicht? Sie müssen bei Rotlicht anhalten, oder nicht? In einigen Staaten ist für Motorradfahrer das Tragen eines Sturzhelms vorgeschrieben, oder etwa nicht?

Sind diese Gesetze Beispiele für eine unangemessene Einmischung der Regierung? Oder sind sie nicht vielmehr notwendige Regeln einer zivilisierten Gesellschaft? Wir hätten an jeder Ecke ein Blutbad, wenn wir nicht einige Spielregeln hätten.

Und was ist mit den Gesetzen einiger Staaten, die von bestimmten Leuten verlangen, daß sie eine Brille tragen, wenn sie fahren? Auch ich gehöre zu denen. Wenn ich in Pennsylvania von einem Polizisten angehalten werde und meine Brille nicht trage, bekomme ich einen Strafzettel. Ich meine, es ist höchste Zeit, daß wir dem Führerschein eine weitere Zeile hinzufügen, die lautet: »Ohne Sitzgurt ungültig.«

Es tut mir leid, aber ich kann in der Verfassung keinen Passus entdecken, der Autofahren als unveräußerliches Recht deklariert. Weil es keines ist! Autofahren ist ein Privileg. Und wie alle Privilegien geht es mit bestimmten Pflichten einher.

Würde eine gesetzlich vorgeschriebene Anschnallpflicht eine übertriebene Einmischung des Staates darstellen? Natürlich nicht. Wenn es um Eingriffe des Gesetzgebers geht, stellen sich manche Leute auf einen Alles-oder-nichts-Standpunkt – entweder vollkommen dafür oder ganz dagegen.

Doch wie bei allem muß man die Begleitumstände berücksichtigen. Es gibt Lebensbereiche, in denen die Regierung Entscheidungen zum

Schutz der Gesellschaft treffen muß. Nur in Amerika geben wir den Ideologen den Vorrang gegenüber Sicherheitserfordernissen.

Diese Puristen vergessen aber anscheinend, daß der Nichtgebrauch von Gurten unsere Steuern und unsere Versicherungsbeiträge erhöht und uns und unseren Nächsten schadet. Wenn das nicht eine Einschränkung meiner Freiheit bedeutet, was dann?

Aber ich möchte mich über die Anschnallpflicht nicht in einen philosophischen Streit einlassen, denn das hieße, das Spiel der Ideologen mitzuspielen. Wir müssen uns mit der Praxis befassen, mit dem, worauf es in der Realität ankommt.

Die simple Wahrheit ist, daß man mit einem kombinierten Schulter- und Beckengurt kaum umkommen kann, wenn man unter 50 Kilometer pro Stunde fährt. Neben anderen Vorteilen kann einen ein Sitzgurt vor Bewußtlosigkeit nach einer Kollision schützen, was bereits bei relativ niedriger Geschwindigkeit vorkommt.

Am meisten ärgert mich, daß selbst die Gegner von Sicherheitsgurten einräumen, daß sie Leben schützen können. Sollte jemand immer noch Beweise hierfür verlangen – die berühmte Studie der University of North Carolina untersuchte Verkehrsunfälle und stellte fest, daß das Anlegen eines Sitzgurts ernsthafte Verletzungen um 50 Prozent und tödliche Verletzungen um 75 Prozent reduziert. Und in den späten 60er Jahren überprüfte eine Studie in Schweden fast 29 000 Unfälle mit angelegtem Gurt und stellte fest, daß kein einziger tödlich ausgegangen war.

Die National Highway Traffic Safety Administration (Verkehrssicherheitsbehörde der USA, kurz NHTSA) schätzt, daß tödliche Unfälle *von heute auf morgen um mindestens 50 Prozent* reduziert werden könnten, wenn jeder den Gurt anlegte. Doch zur Zeit schnallt sich in den USA nur jeder achte Fahrer an.

Immer wieder wird mir gegenüber behauptet, daß die Anschnallpflicht ein Wunschtraum sei. Ich glaube aber nicht, daß die meisten tatsächlich gegen Sitzgurte sind. Sie machen sich einfach nicht die Mühe, sich anzugurten. Umfragen haben ergeben, daß die Kunden nicht gegen Sitzgurte an sich sind. Nur finden die meisten Leute sie unbequem, störend und lästig. Das sind sie auch.

Diese Beschwerden sind auch nicht neu. 1956, als Ford Sitzgurte zum erstenmal als Sonderausstattung anbot, bestellten sie etwa zwei Prozent unserer Käufer. Die Gleichgültigkeit, die die anderen 98 Prozent an den Tag legten, hat uns eine Menge Geld gekostet.

Sie hätten die Argumente der Leute gegen den Einbau hören sollen. Einige beschwerten sich, daß die Gurte in der Farbe nicht zum Innenraum paßten. Ich habe einen Brief mit folgendem Inhalt nie vergessen: »...Sie sind sehr klobig, und man sitzt unbequem auf ihnen.«

Befassen wir uns auch mit den anderen Argumenten, obwohl sie nicht überzeugender sind. Ich habe von Leuten gehört, die deshalb nicht angeschnallt sein wollen, weil ihr Auto bei einem Unfall Feuer fangen könnte und sie dann nicht entkämen. Natürlich kann so etwas vorkommen, doch ist Feuer tatsächlich nur zu einem Zehntel eines Prozents die Todesursache im Verkehr.

Außerdem, selbst wenn man in ein Feuer gerät, ist es genauso einfach, den Gurt zu öffnen wie die Autotür. Und bis jetzt hat noch niemand vorgeschlagen, daß wir mit offenen Türen herumfahren.

Ein weiteres Argument gegen die Anschnallpflicht ist, daß man bei einem Zusammenstoß aus dem Auto heraus »in Sicherheit geschleudert« werden könnte, statt im Auto festzusitzen. Auch dieses Argument birgt ein Körnchen Wahrheit. Gelegentlich wird ein Autoinsasse bei einem Unfall freigeschleudert.

Doch das kommt selten vor. Die Chancen, das Leben zu verlieren, sind 25mal höher, wenn man aus dem Fahrzeug geschleudert wird, als wenn man im Inneren bleibt und durch das Auto geschützt ist.

Ein weiteres Argument ist die Behauptung, daß Sitzgurte eigentlich nur für auf Autobahnen notwendig seien. Doch den meisten Menschen ist nicht klar, daß sich 80 Prozent aller Unfälle und ernsthaften Verletzungen in Stadtgebieten ereignen, bei Geschwindigkeiten von weniger als 65 Kilometern in der Stunde.

Wir haben seit den Zeiten, als Sitzgurte nur in Flugzeugen üblich waren, viel erreicht. Sie wurden in der Frühzeit der Luftfahrt entwikkelt, als eine der größten Schwierigkeiten beim Fliegen einfach der sichere Verbleib im Cockpit war. Um etwa 1930 verlangen die Bundesgesetze, daß auf allen Passagierflugzeugen Sitzgurte angelegt wurden.

Während die Linienflüge heutzutage viel fortschrittlicher und sicherer sind, schreibt das Gesetz immer noch vor, daß man nicht fliegen darf, ohne sich beim Start und der Landung des Flugzeugs anzuschnallen, weil Sitzgurte auf dem Boden noch wirkungsvoller als in der Luft sind. Wenn man dieses Gesetz mißachtet, hat die Fluglinie das Recht, einen aus dem Flugzeug zu verweisen.

Ursprünglich wurden Sitzgurte in Autos nur für Rennzwecke installiert. Als Ford und Chrysler Sitzgurte in ihren 56er-Modellen anboten, gab es wenige, die sie nahmen. Nur acht Jahre später, 1964, zählten Sitzgurte zur Standardausstattung bei allen Personenwagen.

Seit fast dreißig Jahren setze ich mich für das Anlegen von Sitzgurten ein. Es begann 1955, als ich einer Marketinggruppe bei Ford angehörte, die Sicherheitsvorkehrungen für unsere Modellreihe von 1956 vorschlug. Das Sicherheitspaket, das wir zusammenstellten, war primitiv, verglichen mit dem heutigen Standard, aber damals war es geradezu revolutionär. Außer Sicherheitsgurten enthielt es Sicherheitsriegel an den Türen, Sonnenblenden, ein tiefergelegtes Lenkrad und eine Aufprallpolsterung am Armaturenbrett. In unserer Werbekampagne für die 1956er Modelle wiesen wir darauf hin, daß Ford-Autos sichere Autos seien.

Zu der Zeit war es in Detroit revolutionär, die Sicherheit bei Autos herauszustellen – und zwar so sehr, daß einige Spitzenleute von GM Henry Ford anriefen und verlangten, daß er damit aufhöre. Ihrer Ansicht nach war unsere Sicherheitskampagne schlecht für die Industrie, weil sie den Gedanken an Verletzlichkeit und sogar den Tod heraufbeschwor – wohl kaum die Voraussetzung für erfolgreiches Marketing. Robert McNamara, dessen Werturteile sich eindeutig von denen seiner Mitarbeiter in der Autobranche bei Ford und anderwo unterschieden, hatte sich für die Sicherheitskampagne entschieden. Das brachte ihn beinahe um seine Stellung.

Während wir Sicherheit verkauften, warb Chevrolet, unser Hauptkonkurrent, mit auffallenden Radkappen und kräftigem V8-Motor. Chevrolet steckte uns in diesem Jahr in die Tasche. Im nächsten Jahr hatten wir unsere Strategie auf »heiße« Autos mit starker Beschleunigung verlegt. Anstatt Sicherheit verkauften wir Leistung und Schnelligkeit – mit viel größerem Erfolg.

Seit der Kampagne von 1956 wurde ich als derjenige zitiert, der gesagt haben soll, »Sicherheit verkauft sich nicht«, als ob es mir um eine Ausrede gegangen sei, keine sichereren Autos zu bauen. Doch stellt das eine grobe Verdrehung dessen dar, was ich gesagt habe, und natürlich dessen, woran ich glaube. Nach dem Fehlschlag unserer Kampagne, Sicherheitsausstattung an den Mann zu bringen, sagte ich so etwas wie: »Hört zu, Leute, Sicherheit hat sich offenbar nicht verkauft, obwohl wir uns weiß der Geier bemüht haben, sie zu verkaufen!«

Und das haben wir wirklich. Wir gaben Millionen Dollar aus und setzten alles auf eine Karte, aber die Öffentlichkeit zeigte nicht das geringste Interesse. Wir entwickelten die Hardware, wir warben dafür, promoteten und demonstrierten sie und konnten das Zeug doch nicht loswerden. Wir hatten Kunden, die folgendes äußerten: »Sicher, ich nehme das Auto, aber ihr müßt diese Sitzgurte herausnehmen, oder ich bin nicht interessiert.«

Als ich 1956 nach Detroit kam, war ich ein Sicherheitsfanatiker. Ich bin es immer noch. Aber ich habe die ernüchternde Erfahrung machen müssen, daß Sicherheit ein ziemlich schlechtes Verkaufsargument ist, weshalb hier der Staat eingreifen muß.

Zumindest in dieser Hinsicht bewahrheitete sich das Argument der Zyniker: Wenn man den Sicherheitsfaktor betont, denkt der Kunde an die Möglichkeit eines Unfalls, woran er bestimmt nicht erinnert werden möchte. Er sagt instinktiv: »Vergiß es. Ich werde nie einen Unfall haben. Vielleicht mein Nachbar, aber ich nicht.«

Obwohl diese Kampagne mißlang, bin ich stolz, schon 1956 an der Entwicklung der ersten Sicherheitsvorkehrungen beteiligt gewesen zu sein, als der Champion des Verbraucherschutzes, Ralph Nader, meines Wissens noch auf einem Fahrrad herumfuhr.

Trotz des Mißlingens unseres Sicherheitsfeldzugs von 1956 bot Ford weiterhin jedes Jahr wahlweise Sitzgurte an, auch wenn unsere Konkurrenz sie wegen mangelnden Publikumsinteresses wegließ. Ich erinnere mich daran, daß viele Leute uns für verrückt hielten: »Sitzgurte, wie in einem Flugzeug? Aber wir fahren, wir fliegen doch nicht!«

Aber ich kann mich auch gewisser Frühstückskonferenzen entsinnen, bei denen uns Sicherheitsingenieure Farbdias von Autounfällen zeigten, um uns drastisch vor Augen zu führen, was bei einem Zusammenstoß passiert. Es war ziemlich grauenhaft, und einmal mußte ich von Brechreiz übermannt den Raum verlassen. Aber es war auch eine wirksame Lehre. Ich begriff dadurch, daß der Sitzgurt den größten Sicherheitsfaktor darstellt – vorausgesetzt, man benutzt ihn auch.

Manchmal muß man den Leuten Angst einjagen, um sie zu überzeugen. 1982 aß ich mit den Redakteuren der *New York Times* zu Mittag. Ich redete viel über Gurte und gab einige anschauliche Beispiele, wie wichtig sie zur Vermeidung von schweren und tödlichen Verletzungen sind.

Wenig später erhielt ich von Seymour Topping, dem Chefredakteur, einen Brief. Bis zu unserem gemeinsamen Mittagessen war er ein überzeugter Gegner von Sicherheitsgurten gewesen. Aber nachdem er meine erschreckenden Schilderungen gehört hatte, beschloß er, sich anzuschnallen.

Als er in der gleichen Woche während eines Sturms nach Hause fuhr, schleuderte das Auto vor ihm und blockierte seine Spur. Er bremste scharf, um einen Unfall zu vermeiden, doch auf der regennassen Fahrbahn brach sein Auto aus und krachte gegen eine Seitenmauer. Dank seines Sitzgurts blieb er unversehrt. Heute ist auch er ein Verfechter der Gurte.

Auch als ein ausgezeichneter Fahrer sollte man immer den Sitzgurt anlegen. Niemand glaubt daran, daß er jemals in einen Autounfall verwickelt werden könnte. Doch 50 Prozent aller Unfälle werden von alkoholisierten Fahrern verursacht, und wenn man von denen angefahren wird, kann es bös ausgehen, wenn man nicht angeschnallt ist.

Vor ungefähr zehn Jahren wurde mir klar, daß wir in den USA in nächster Zukunft kein Gesetz bekommen würden, das das Anlegen des Sitzgurts vorschreibt. Also entwickelte ich einen Plan, der Fahrer und Autoinsassen zwang, sich anzuschnallen. Mit Hilfe der Ingenieure bei Ford entwickelte ich eine Vorrichtung, »Interlock« genannt, wodurch die Zündung des Autos nicht funktioniert, solange Fahrer und Beifahrer sich nicht angeschnallt haben. American Motors unterstützte uns bei Interlock, doch GM und Chrysler stellten sich dagegen.

Nach hitzigen Debatten entschied die NHTSA 1973, daß alle neuen Autos mit Interlock ausgestattet sein müßten. Doch das Gesetz war ein Reinfall. Die Leute haßten Interlock und fanden schnell Wege, es zu umgehen. Viele schlossen ihre Sitzgurte zusammen – doch auf dem Sitz – ohne sie zu tragen. Und da fast jedes Gewicht auf den Vordersitzen die Zündung blockieren konnte, kam es sogar vor, daß man eine schwere Einkaufstasche anschnallen mußte.

Die öffentliche Empörung gegen Interlock war so groß, daß das Repräsentantenhaus unter der Führung von Louis Wyman, einem republikanischen Kongreßmitglied aus New Hampshire, das Gesetz bald außer Kraft setzte. Unter dem Druck der Öffentlichkeit brauchte der Kongreß etwa zwanzig Minuten, um gegen Interlock abzustimmen. Sie ersetzten es durch einen Acht-Sekunden-Summer, der die Insassen daran erinnerte, sich anzuschnallen.

Interlock hatte seine Nachteile. Aber ich glaube immer noch, daß es hätte perfektioniert werden können und daß es Leben gerettet hätte. Als es vom Kongreß abgeschafft wurde, schlug ich einen neuen Plan vor: ein spezielles Licht am Auto, das grün aufleuchtet, wenn man den Sitzgurt trägt, und rot, wenn nicht. Leute mit rotem Licht hätten mit einem Bußgeld belegt werden können. Mir schwebte etwas ähnliches wie eine Radarpistole vor, wodurch die Polizei das betreffende Auto nicht einmal anzuhalten brauchte: Sie schickt dem Fahrer den Strafzettel einfach mit der Post. Aber nach Interlock zeigte niemand Interesse.

Wenn es um Sicherheit geht, denken die Menschen nicht immer in ihrem eigenen Interesse. Weil dabei so viele Menschenleben auf dem Spiel stehen, ist die einzige Lösung eine gesetzlich vorgeschriebene Anschnallpflicht.

Offensichtlich bin ich nicht der einzige auf der Welt, der so denkt. Mehr als dreißig Länder und fünf der zehn Provinzen Kanadas haben bereits solche Gesetze vorzuweisen. In Ontario, nur ein paar Minuten von meinem Arbeitsplatz entfernt, sind seit Einführung der Anschnallpflicht die tödlichen Verkehrsunfälle um 17 Prozent gesunken. In Frankreich fiel die Todesrate bei Autounfällen nach dem Inkrafttreten eines ähnlichen Gesetzes um 25 Prozent.

In einigen Ländern wird die Mißachtung der Vorschrift durch ein Bußgeld geahndet. In anderen verliert man den Versicherungsschutz, und in einigen passiert beides. Doch die Vereinigten Staaten haben so ein Gesetz noch zu erlassen. Die Bundesregierung hat bisher die Auffassung vertreten, daß die einzelnen Staaten zu entscheiden hätten, doch die Staaten haben nicht reagiert. Wie viele Menschen müssen noch sterben, bevor wir hinsichtlich der Sitzgurte zur Einsicht kommen?

Einige Staaten schreiben inzwischen das Anlegen von Sitzgurten für Kinder vor. Es wird Zeit, daß wir auch ihre Eltern schützen. Nichts wäre tragischer, als hier nur halbe Arbeit zu leisten und dabei zahllose Waisen zu hinterlassen.

Ich war schon immer der Meinung, daß Michigan als Heimatstaat des Automobils mit gutem Beispiel vorangehen sollte. Sobald die

Frage der Anschnallpflicht vor dem Gesetzgeber in Lansing aktuell wird, werde ich entweder aussagen oder öffentlich für sie eintreten.

Manche sind der Überzeugung, daß Luftsäcke die Lösung sind. Ich stimme nicht mit ihnen überein. Ich habe mich seit ihrer Entwicklung vor beinahe zwanzig Jahren gegen sie ausgesprochen. Manchmal habe ich das Gefühl, daß mich nach meinem Tod – angenommen, ich komme in den Himmel – Petrus am Tor erwarten wird, um mit mir über Luftsäcke zu diskutieren.

Luftsäcke wurden in den sechziger Jahren von einer Ingenieurgruppe der Eaton Corporation entwickelt, einer Zulieferfirma für Autoteile in Cleveland. 1969 entschied die National Highway Traffic Safety Administration, daß die Luftkissen der beste Weg zur Erhöhung der Sicherheit auf den Straßen darstellten, und die NHTSA startete eine Kampagne zu ihrem obligatorischen Einbau in allen amerikanischen Wagen.

Im selben Jahr verabschiedete der Kongreß ein Gesetz, das den Verkehrsminister ermächtigte, Autosicherheitsvorkehrungen zu erlassen. Luftsäcke wurden schließlich 1972 vorgeschrieben, doch der Erlaß wurde bald durch ein Bundesgericht widerrufen. Die Ford-Unternehmensführung ließ die Luftsäcke fallen, doch die Carter-Leute griffen sie wieder auf. 1977 empfahl die NHTSA den Autokonstrukteuren den Einbau von sogenannten »passiven Hemmeinrichtungen« – womit im allgemeinen die Luftsäcke gemeint waren – bis 1982. Die Luftkissenfrage hängt nun seitdem in den Gerichten und im Kongreß fest.

Der Luftsack selbst besteht aus mit Neopren überzogenem Nylon, das in der Mitte des Lenkrades und unter dem Handschuhfach zusammengefaltet ist – zusammen mit etwa 100 Gramm Natriumazid. Im Augenblick des Unfalls werden spezielle Sensoren aktiviert, die eine schnelle Entzündung der Natriumazide bewirken und so genügend Stickstoff freisetzen, um das Kissen zu füllen. Wenn das System funktioniert, wirkt der Luftsack wie ein großer Ballon, der die Wucht des Aufpralls auffängt.

Luftsäcke scheinen die ideale Lösung zu sein, doch bestehen Probleme, große Probleme – über die ihre Befürworter in der Regel nicht reden. Zum einen sind sie, obwohl sie eine »*passive* Hemmeinrichtung« sein sollen – was bedeutet, daß der Insasse nichts dazutun muß, um sie zu aktivieren – nur dann wirksam, *wenn sie zusammen mit*

*Sicherheitsgurten verwendet werden.* Ohne Sicherheitsgurte haben die Luftsäcke nur bei Frontalkollisionen eine Wirkung. Allein nützen sie bei über 50 Prozent der Unfälle überhaupt nichts, auch nicht bei einem »zweiten« Aufprall.

Viele Leute glauben irrtümlich immer noch, daß Luftsäcke den Gurt ersetzen können. Ich fürchte, daß wir in Detroit bei der Aufklärung dieses Aspekts nicht sehr erfolgreich waren.

Luftsäcke können auch gefährlich sein. Es besteht immer die Möglichkeit, daß das Kissen sich nicht füllt, wenn es sollte, oder daß es sich doch füllt, wenn es nicht sollte. Die Kissen können sich versehentlich aufblasen, und wenn das vorkommt, können sie Verletzungen oder sogar den Tod herbeiführen. Ein Kissen, das sich zum falschen Zeitpunkt füllt, kann den Fahrer zurückwerfen und einen Unfall verursachen. Selbst in relativ harmlosen Fällen kann ein sich vorzeitig aufblasender Luftsack in der Reparatur sehr teuer kommen. Außerdem ist Natriumazid nicht gerade eine Substanz, mit der ich herumfahren möchte.

Ob das Kissen zur richtigen Zeit versagt oder ob es zu früh explodiert, das Ganze ist ein gefundenes Fressen für Rechtsanwälte auf dem Gebiet der Produkthaftung. Weil viele Leute die Luftsäcke als Allheilmittel ansehen, werden sie nicht zögern, die Hersteller zu verklagen, wenn – was zweifellos passieren wird – Autoinsassen selbst in mit Luftsäcken ausgestatteten Wagen umkommen oder verletzt werden.

Fairerweise muß man einräumen, daß die Technologie heute auf einem Stand ist, der die Luftsäcke sehr zuverlässig macht.

Nehmen wir an, sie funktionieren in 99,99 Prozent aller Fälle. Wenn alle Autos mit Luftsäcken ausgerüstet wären und wenn es, wie jetzt, 150 Millionen Autos auf der Straße gibt, würde das bedeuten, daß 0,01 Prozent der Luftsäcke nicht verläßlich sind. Und das bedeutet, daß etwa 15 000mal im Jahr – etwa vierzigmal am Tag – eines dieser Luftkissen versagt. Wenn auch nur ein Prozent dieser Leidtragenden vor Gericht gehen, könnte das immer noch ziemlich teuer kommen.

Luftsäcke sind ein Thema, bei dem die Lösung schlimmer als das Problem sein könnte. Schließlich sind sie ein ziemlich gewalttätiges Stück Technologie. Auf einem meiner Besuche in Europa fiel mir eine englische Zeitung in die Hände, deren Schlagzeile mich sehr erstaunte: »Yankee schlägt Luftsack als Todesstrafe vor.« Ich nahm an, daß es sich um einen Scherz handelte, doch offensichtlich ging es hier um einen ernst gemeinten Vorschlag. Der Typ, der sich das ausgedacht hatte, war ein pensionierter Sicherheitsingenieur in Michigan, und er vertrat die Auffassung, daß Luftkissen eine humane Alternative zum elektrischen Stuhl und anderen Hinrichtungsarten darstellten.

In seiner Anmeldung zum US-Patent gab der Erfinder an, daß das Aufblasen eines Luftkissens direkt unter dem Kopf eines Verurteilten durch die Wucht von fünfeinhalb Tonnen sein Genick augenblicklich viel wirkungsvoller bricht als die Schlinge des Henkers, und zwar so schnell, daß kein Schmerz mehr spürbar ist. Ich bin nicht sicher, daß ich so ein Ding in meinem Auto will.

Luftsäcke sind bisher nur einmal von einem amerikanischen Autohersteller angeboten worden. GM investierte 1974 80 Millionen Dollar in ein Luftkissenprogramm und rüstete sich für eine Produktion von 300 000 Einheiten. Sie wurden zwischen 1974 und 1976 als Sonderausstattung bei Cadillacs, Buicks und Oldsmobiles angeboten. Aber nur 10 000 Käufer bestellten sie, so daß jedes Luftkissen die Firma 8000 Dollar kostete. Wie es ein GM-Sprecher ausdrückte: »Wir hätten besser getan, die Kissen zu verkaufen und die Autos zu verschenken.«

Ich hege den Verdacht, daß unsere Regierung zehn Jahre nach Erscheinen dieses Buches immer noch über Luftkissen debattieren wird. Wenn sich die Missionare auf ihre hohen Rösser schwingen, kann man sie nicht aufhalten. Die Luftsackdebatte war von Anfang an ein Ablenkungsmanöver. Die Diskussion wird wohl, wenn nichts Unvorhergesehenes passiert, noch lange andauern.

Was wir brauchen, ist eine gesetzliche Anschnallpflicht. Je früher wir sie bekommen, um so mehr Leben werden wir retten.

Bis wir diese Gesetze haben, tun Sie doch bitte sich und Ihren Lieben diesen Gefallen. Schnallen Sie sich an! (Anmerkung des Übersetzers: Seit Anfang 1985 gilt auch in den USA die Anschnallpflicht. Mißachtung wird mit 50 Dollar Bußgeld belegt.)

# XXVI
# Die hohen Kosten der Arbeit

Als jemand, der aus einer Familie hart arbeitender Einwanderer stammt, glaube ich an die Würde der Arbeit. Meiner Ansicht nach sollen arbeitende Menschen für ihren Zeitaufwand und ihre Mühe gut bezahlt werden. Ich bin sicherlich kein Sozialist, aber ich bin für die Aufteilung der Gewinne – solange ein Unternehmen Gewinne macht.

Bereits 1914 entschloß sich der erste Henry Ford, seinen Arbeitern 5 Dollar pro Tag zu zahlen, und schuf dadurch einen Mittelstand. Er hatte die richtige Idee, denn wenn die arbeitende Bevölkerung in diesem Land nicht gut verdiente, würden wir unseren Mittelstand hinwegwünschen. Das Fundament unserer heutigen Demokratie ist der Arbeiter, der einen Stundenlohn von 15 Dollar verdient. Er wird ein Haus und ein Auto und einen Kühlschrank kaufen. Er ist das Öl im Getriebe.

Die Massenmedien tendieren dazu, sich mehr mit den sehr Reichen und den sehr Armen zu beschäftigen; doch es ist der Mittelstand, der uns Stabilität verleiht und die Wirtschaft in Gang hält. Solange jemand genug Geld verdient, um seine Miete zahlen zu können, verhältnismäßig gut zu essen, ein Auto zu fahren, sein Kind aufs College zu schikken und mit seiner Frau einmal in der Woche zum Abendessen und ins Kino oder Theater auszugehen, ist er auch zufrieden. Und solange der Mittelstand zufrieden ist, werden wir keinen Bürgerkrieg und keine Revolution haben.

Amerika ist anders als Europa. Hier sind die Autoarbeiter so kapitalistisch eingestellt wie das Management. Kein Wunder. Gemessen an den Stundenlöhnen stellen die UAW-Mitglieder die Elite der Welt dar. Und wenn das Geld spricht, geht die Ideologie baden.

Doch die hohen Löhne sind nicht das wirkliche Problem zwischen dem Management und der UAW. Das eigentliche Problem sind die ganzen Sozialleistungen.

Solange Detroit Profit machte, war es immer einfach für uns, den gewerkschaftlichen Forderungen nachzukommen und sie später auf dem Weg der Preiserhöhung wieder hereinzuholen. Die Alternative war, einen Streik in Kauf zu nehmen und dabei den Firmenruin zu riskieren.

Die Manager von GM, Ford und Chrysler waren nie sonderlich an langfristiger Planung interessiert. Sachzwänge, Profitsteigerung im kommenden Quartal und der Gedanke an eine gute Leistungsprämie nahmen sie viel zu sehr in Anspruch.

Sie? »Wir« wäre richtiger. Schließlich war ich einer von ihnen. Ich war Teil dieses Systems. Allmählich, Schritt für Schritt, gaben wir praktisch jeder Forderung der Gewerkschaft nach. Wir verdienten so viel, daß wir uns keine Sorgen machten. Wir waren selten gewillt, einen Streik auf uns zu nehmen, also beharrten wir nie auf unseren Grundsätzen.

Ich gehörte dazu und sagte: »Spielen wir nicht den Helden. Geben wir ihnen, was sie wollen. Denn wenn sie streiken, verlieren wir hunderte Millionen Dollar, unsere Prämien, und ich selbst eine halbe Million Dollar in bar.«

Unsere Motivation war Gewinnsucht. Wir strebten instinktiv immer eine schnelle Schlichtung an, einen möglichst raschen Kompromiß. In dieser Hinsicht hatten unsere Kritiker recht – wir dachten immer nur an das nächste Quartal.

»Was ist schon ein weiterer Dollar mehr pro Stunde?« argumentierten wir. »Sollen sich doch die nächsten Generationen damit herumschlagen. Wir sind dann sowieso nicht mehr da.«

Doch jetzt ist die nächste Generation da, und einige von uns sind immer noch hier. Heute bezahlen wir den Preis für unsere Willfähigkeit.

Wenn ich zurückblicke, sehe ich drei Schlüsselbereiche, in denen das Management nachgab und von denen wir jetzt erdrückt werden: der unbegrenzte Inflationsausgleich (*cost of living allowance*, kurz COLA); die sogenannte »Dreißig-und-aus«-Bestimmung und die Übernahme der medizinischen Kosten von der Wiege bis zum Grab.

COLA, der erste dieser Bereiche, ist der Motor, der die galoppierende Inflation antreibt. Die zwei Millionen Arbeiter, die ihn ursprünglich erhielten, waren in der Autoindustrie beschäftigt. Heute sind Millionen amerikanischer Arbeitnehmer in der Wirtschaft und im öffentlichen Dienst durch COLA geschützt.

So gerne ich auch die Gewerkschaften für COLA verantwortlich machen würde, so war diese Zahlung doch im Grunde nicht ihre Idee. COLA war eigentlich eine Erfindung des Managements, nicht der Gewerkschaften. 1946 schlug Charlie Wilson, Präsident von General Motors, die Zahlung eines Lebenshaltungszuschusses vor, um der vorübergehend auftretenden Inflation zu begegnen, die entstand, als die Regierung die Preisbindung aufhob.

Die Inflationsrate sank schnell, doch die Gewerkschaften bekamen Angst. In dem Abkommen von 1948 führte GM COLA ein, eine Klausel, die die Anpassung der Löhne an die Lebenshaltungskosten garantierte, die an den Preisindex gekoppelt waren.

Wie bei allen neuen Vertragsabschlüssen zogen Ford und Chrysler bald mit ähnlichen Plänen nach. Ein paar Jahre lang gelang es uns, ein Limit für COLA einzuhalten. Doch schon bald streikten die Autoarbeiter, und das Limit wurde überschritten. Jetzt entpuppte sich COLA als äußerst heimtückisch. Unter dem Vorwand, die Inflation zu bekämpfen, trägt COLA in Wirklichkeit zur Geldentwertung bei.

COLA ist ein Teufelskreis: je mehr man versucht, mit den steigenden Preisen Schritt zu halten, um so stärker steigt die Inflation. Doch wie jede andere Sozialleistung konnte man COLA nicht mehr abschaffen oder auch nur verändern, sobald sie einmal eingeführt war. Die Vereinbarung ist wie eine rollende Lawine.

Während der fünfziger und sechziger Jahre war das kein großes Problem. Das waren die Jahre der Hochkonjunktur. Die amerikanische Industrie erfreute sich riesiger Absatzmärkte. Westeuropa und Japan waren durch den Krieg verwüstet und brauchten Jahre, um sich zu erholen. Während der fünfziger und sechziger Jahre war unsere Inflationsrate niedrig – etwa zwei Prozent im Jahr. Gleichzeitig war unsere nationale Produktivität hoch – sie stieg jährlich um drei Prozent an. Das bedeutete, daß COLA nicht wirklich die Inflation anheizte, denn Lohnerhöhungen konnten aus dem Produktivitätszuwachs geschöpft werden.

Doch in den letzten Jahren war es genau umgekehrt: die Inflation ist hochgeschnellt, während die Produktivität kaum noch steigt.

Wenn wir diesen Trend nicht rückgängig machen können, wird COLA zu einem noch größeren Problem werden.

Als COLA zuerst eingeführt wurde, war diese Vereinbarung ein wichtiger Gewinn für die Arbeitnehmer. Doch über die Jahre hat sie sich allmählich in ein Ritual verwandelt. Im Gegensatz dazu sind Produktivitätssteigerungen früher ein Ritual gewesen. Jetzt sind sie Geschichte. Ist es also verwunderlich, daß uns die Arbeitskosten davonlaufen?

Heute findet man die Anpassungsklausel in der Sozialversicherung, der Gesundheitsfürsorge, bei den Streitkräften und im öffentlichen Dienst. Wir haben ihnen allen die schlechten Gewohnheiten beigebracht. Die Schwierigkeiten, die in diesen Bereichen heute bestehen, sind durch die unbegrenzten Kosten von COLA bedingt.

Im Gegensatz zu COLA war die »Dreißig-und-aus«-Bestimmung eine Erfindung der Gewerkschaft – und eine schlechte dazu. Walter Reuther, der Gründer der UAW, machte sie zum Hauptkonfliktstoff gegenüber GM, kurz bevor er 1970 starb. Zusammen mit der Forderung nach unbegrenzter COLA war diese Bestimmung die Basis des großen Streiks bei GM in jenem Herbst.

»Dreißig-und-aus« bedeutet, daß jeder Arbeitnehmer das Recht hat, sich nach dreißig Arbeitsjahren zur Ruhe zu setzen, gleich, in welchem Alter, und eine volle Pension zu beziehen – sechzig Prozent seines Arbeitslohns oder Gehalts – als ob er bereits 65 sei. »Dreißig-und-aus« klingt zwar gut, denn diese Vereinbarung sollte der Schaffung von Arbeitsplätzen für die jüngere Generation dienen, die ins Arbeitsleben eintritt. Doch genau solche Programme machen Amerika immer weniger konkurrenzfähig. Warum? Wir stellen einen guten, hart arbeitenden Achtzehnjährigen ein, bilden ihn jahrelang aus, und mit 48 macht er einfach Schluß. Wir verlieren nicht nur einen Facharbeiter, sondern wir müssen auch bis ans Ende seines Lebens seine Pension zahlen – und das heißt im Durchschnitt, für die nächsten dreißig Jahre!

Nach den Bestimmungen darf dieser »pensionierte« Arbeitnehmer nicht mehr arbeiten. Wenn er arbeitet, verliert er seine Pension. Aber wenn er 48 ist, wird er nicht lange zu Hause herumsitzen. Häufig wird er Taxifahrer oder nimmt Gelegenheitsjobs an und arbeitet gegen Bargeld. Ein hoher Gewerkschaftsfunktionär gab mir gegenüber einmal zu: »Sie hören nicht auf zu arbeiten. Sie wechseln bloß ihren Job. Die

Bestimmungen sagen zwar, daß man nicht arbeiten darf, aber wer macht sich schon die Mühe, das zu überprüfen?«

Deshalb fahren einige der besten Elektriker, die für mich bei Ford und Chrysler gearbeitet haben, jetzt Taxi. Und die Ironie des Ganzen ist, daß ich erst eine Menge Taxifahrer ausbilden muß, die keinen blassen Schimmer von der Autobranche haben, wenn ich neue Leute als Elektriker einstellen will. Verrückt! Das Land ist durch seine plötzliche Flucht in die Mittelmäßigkeit auf den Kopf gestellt worden.

Das Programm »Dreißig-und-aus« macht mich wütend. Es ist ein Verbrechen, einen Menschen in den Ruhestand zu schicken, bloß weil er dreißig Jahre gearbeitet hat. Mit fünfzig kommt er erst richtig in Schwung. Er hat sich bis dahin einen Erfahrungsreichtum angeeignet und eine Vielzahl an Qualifikationen. Statt diese anzuwenden, fährt er Taxi oder sitzt däumchendrehend zu Hause.

Ich bin nicht gegen eine gute Ruhestandszahlung, aber wir können es uns nicht mehr leisten, bereits Leuten, die fünfzig oder 55 sind, eine Pension auszuzahlen. Ich würde die »Dreißig-und-aus«-Bestimmung so abändern, daß man sich immer noch früh zur Ruhe setzen und eine Pension kassieren kann, wenn man dreißig Jahre gearbeitet hat – aber erst, wenn man sechzig oder älter ist.

Sonst zahlen wir den Leuten, die uns im Wettbewerb gegen die Japaner unterstützen sollten, 800 Dollar im Monat, damit sie nicht zur Arbeit kommen. Ist es wirklich sinnvoll?

Der dritte große Mißbrauch im System sind die Krankheitskostenzuschüsse. Als ich zu Chrysler kam, sah ich, daß die Versicherung Blue Cross/Blue Shield bereits zu unserem größten »Zulieferer« geworden war. Sie schickten uns höhere Rechnungen als unsere Stahl- und Gummilieferanten! Chrysler, Ford und GM zahlen jetzt drei Millionen Dollar im Jahr an Krankenhaus-, chirurgischen, ärztlichen und zahnärztlichen Versicherungskosten (H-S-M-D) plus Medikamentenkosten. Bei Chrysler macht das 600 Millionen oder 600 Dollar pro Auto aus. Alles zusammengerechnet kommt das auf über eine Million Dollar pro Tag!

Wie jede andere Sozialleistung, die das Management der Gewerkschaft vorschlägt, hatten die Krankengeldregelungen einen bescheidenen Anfang. Doch im Lauf der Jahre sind wir von der Ausgangssituation, daß wir überhaupt keine Krankheitskosten zu zahlen brauchten, an dem Punkt angelangt, wo die Firma für alles nur Erdenkliche zahlt: Dermatologie, Psychiatrie, Kieferorthopädie – und sogar Brillen.

Schlimmer noch, es gibt bei Arzthonoraren und Krankenhauskosten keine Lohnabzüge. Nur bei ärztlich verschriebenen Arzneien besteht eine kleine Ausnahme: Der Betreffende muß die ersten drei Dollar selbst zahlen. Ich rühme mich, das erreicht zu haben. Die Selbstbeteiligung lag bei zwei Dollar und wurde durch mich auf drei Dollar erhöht. Fünfundzwanzig Jahre dauerten die Verhandlungen, und das war mein einziger greifbarer Erfolg.

Der Kern des Problems liegt darin, daß es bei den medizinischen Dienstleistungen und den Medikamenten kein Käufer/Anbieter-Verhältnis mehr gibt. Die Einstellung ist, entweder Uncle Sam oder Uncle Lee die Rechnung zahlen zu lassen. »Was macht es schon, wenn man mir zuviel für die Untersuchungen oder eine Operation berechnet – ich brauche es nicht zu bezahlen.«

Wie Medicaid führt dieses System zu unglaublichem Mißbrauch. Kürzlich stieß ich auf vier Fußspezialisten, die allein an der Behandlung der Familien von Chrysler-Mitarbeitern 400 000 Dollar im Jahr verdienten. Verdammt, wie kann ein Fußspezialist so viele Patienten betreuen? Vermutlich behandeln sie bei jedem Besuch nur eine Zehe! Ich habe auch festgestellt, daß wir in einem einzigen Jahr 240 000 Bluttests zahlen mußten. Das ist eine Menge Blut in einer Zeit, in der wir nur 60 000 Beschäftigte hatten.

Die Gesundheitsvorsorge kostet uns 600 Dollar für jedes Auto beziehungsweise jeden Laster, den wir herstellen. Für einige unserer kleineren Autos macht das sieben Prozent vom Endpreis aus. 1982 zum Beispiel zahlen wir 371 Millionen Dollar Krankenversicherungsprämien für Arbeitnehmer, Rentner und deren Angehörige. Außerdem zahlten wir 20 Millionen Dollar Medicair-Steuern. Und schließlich wurden nach unseren Schätzungen ungefähr 200 Millionen Dollar unserer Zahlungen an Zulieferer für die Krankenversicherungen von deren Beschäftigten verwendet.

Jedesmal wenn wir mit der Gewerkschaft ein Abkommen treffen, müssen wir unseren Büroangestellten ähnliche Zuschüsse gewähren, beim Vorsitzenden angefangen.

Vor ein paar Jahren war Mary zwei Wochen im Krankenhaus. Die Gesamtrechnung belief sich auf etwa 20 000 Dollar. Raten Sie mal, wieviel ich zahlen sollte? Ganze zwölf Dollar! (Und das war für den

Fernseher.) Chrysler bekam eine Rechnung über 19 988 Dollar. Daß ich nicht einmal zur Zahlung der ersten tausend Dollar aufgefordert wurde, ist ein Skandal. Aber so funktioniert das System eben.

Wir haben hart an der Abschaffung dieser Mißbräuche des Systems gearbeitet, aber es gibt noch viel zu tun. Eine denkbare Lösung des Problems wäre, die Arbeitnehmer durch die Regierung für die Beiträge besteuern zu lassen, die wir ihnen auf ihre Krankenversicherungsprämie leisten. Dann würde es sich jeder zweimal überlegen, ob er zusätzliche Untersuchungen durchführen läßt. So wie das System jetzt funktioniert, bringen uns die Ärzte und Krankenhäuser noch ins Grab.

Das sind die drei großen Gebiete, bei denen wir den gewerkschaftlichen Forderungen zu schnell nachgegeben haben. Es gab fast noch ein viertes – die Vier-Tage-Woche. Darüber spricht die Gewerkschaft seit Jahren, obwohl sie das Kind nie beim richtigen Namen nennt: nämlich fünf Tage bezahlt zu bekommen, aber nur vier Tage zu arbeiten.

Immer wenn das zur Sprache kommt, werde ich an den Zweiten Weltkrieg erinnert: Frankreich hatte die Vier-Tage- Woche und Deutschland die Sechs-Tage-Woche. Wer hat gewonnen?

Die Gewerkschaft weiß ganz genau, warum sie nicht offen über die Vier-Tage-Woche spricht. Sie weiß, daß die Öffentlichkeit das nie akzeptieren würde. Leonard Woodcock, damals Vorsitzender der UAW, sagte einmal zu mir: »Lee, ich werde die Vier-Tage-Woche einführen, und Sie werden es nicht einmal merken.« Sein hinterlistiger Plan war, so viele arbeitsfreie Tage durchzusetzen, daß die Gewerkschaft bald das Äquivalent einer Vier-Tage-Woche gehabt hätte.

Das ist der Ursprung jenes brillanten Einfalls, des sogenannten bezahlten persönlichen Urlaubs, bei dem jeder Arbeitnehmer eine gewisse Anzahl freier Tage pro Jahr einfach so bekommt. 1976 gewann die Gewerkschaft zwölf bezahlte Urlaubstage hinzu, fünf in ihrem zweiten Vertragsjahr und sieben im dritten. Eine Zeitlang war sogar der Geburtstag jedes Arbeitnehmers ein bezahlter Urlaubstag. Doch verursachte das große Kopfschmerzen, also ließ sich die Gewerkschaft auf eine Änderung ein. Heute feiern wir den

Geburtstag aller am gleichen Tag, indem wir normalerweise den letzten Sonntag vor Weihnachten als Arbeitstag gelten lassen.

Alle diese Einrichtungen sind nicht mit dem gesunden Menschenverstand zu vereinbaren. Egal, wie kultiviert sich ein bezahlter Urlaub auch anhören mag, es gibt keine logische Erklärung, warum man jemanden dafür bezahlen sollte, daß er zu Hause bleibt.

Wenn wir überleben wollen, ist es notwendig, daß Arbeitnehmer und Arbeitgeber eine neue und praktikablere Art der Zusammenarbeit finden. Die gemeinschaftliche Anstrengung, die Chrysler gerettet hat, wird zur Richtschnur unseres Handelns werden müssen.

Ich weiß, daß es nicht einfach sein wird. Die Arbeiter haben ein gutes Gedächtnis. Einige der gewaltsamen Auseinandersetzungen mit den Autofirmen vor einigen Jahrzehnten sind noch immer nicht vergessen. Es ist noch nicht so lange her, seit die Nationalgarde 1937 nach Flint gerufen wurde, um den Aufstand der rebellierenden GM-Arbeiter und ihrer Gewerkschaftsorganisatoren niederzuschlagen.

Außerdem repräsentieren Arbeiter und Management verschiedene soziale Schichten, und das war schon immer ein Spannungsgrund. Der Arbeiter am Fließband ist voller Ressentiments gegen die Unternehmer, die, wie er meint, den ganzen Tag lang Kaffee trinken und sich nicht allzusehr anstrengen.

Das System der Betriebszugehörigkeit ist ein weiterer Faktor, der zur Opposition der Gewerkschaft führt. In harten Zeiten trifft es immer zuerst die jüngeren Arbeitnehmer. In der UAW haben Arbeitslose noch sechs Monate nach Einstellung der Arbeitslosengeldzahlungen das Recht, bei Tarifverträgen mitabzustimmen. Danach müssen sie jeden Monat Formulare ausfüllen, wenn ihr Stimmrecht nicht verfallen soll. Die meisten Arbeiter kümmern sich einfach nicht darum.

Die Leute, die daher über einen neuen Vertrag oder ein vorgeschlagenes Zugeständnis abstimmen, sind daher die Arbeiter mit der längsten Firmenzugehörigkeit. Ältere Arbeiter können es sich leisten, zu opponieren, weil sie vor einer Kündigung geschützt sind, es sei denn, die ganze Firma muß schließen. Doch wie steht es um den jüngeren Arbeiter, der zeitweise arbeitslos ist? Er ist bereit, Zugeständnisse zu machen, um seine Arbeit wieder aufnehmen zu können, hat jedoch für gewöhnlich dabei kein Wort mitzureden.

Die Gewerkschaft wurde gegründet, um die Rechte der Arbeiter zu wahren, die schlecht behandelt oder unterbezahlt wurden. Und sie war dabei mehr als erfolgreich. Doch heute besteht sie aus einer Elitegruppe, die gut verdient und bestens abgesichert ist. In gewisser Weise hat es die UAW einem jungen ungelernten Arbeiter schwerer gemacht, einen Arbeitsplatz in der Autoindustrie zu bekommen. In vielerlei Hinsicht hat die Gewerkschaft seine Arbeitskraft so verteuert, daß er auf dem Arbeitsmarkt ausgespielt hat.

Wie kam es zu diesem traurigen Zustand? Es begann in den goldenen Zeiten der Autoindustrie.

Selbst als ich Ford 1978 verließ, hatten wir gerade die gewinnträchtigsten Jahre seit Bestehen hinter uns. Bis zu diesem Zeitpunkt war der Werdegang der großen Drei fast ausnahmslos mit einem Begriff verknüpft: Erfolg.

Das traf vor allem nach dem Zweiten Weltkrieg zu. Damals waren Autos fast so wichtig wie Nahrung, und die Möglichkeit, sie zu produzieren, kam einer Lizenz zum Gelddrucken gleich. GM entsprach – und entspricht in dieser Hinsicht – mehr einem Staat als einer Firma. Ford war das drittgrößte Industrieunternehmen in Amerika. Selbst Chrysler, der Kleinste der Großen Drei, war bis vor kurzem das zehntgrößte Industrieunternehmen der Welt.

Dieser Riesenerfolg entstand durch die Zusammenarbeit zweier sehr unterschiedlicher Gruppierungen. Einerseits gab es das Unternehmertum, von hochbezahlten Managern angeführt. Heute besteht das Unternehmertum vorwiegend aus MBAs. Aber es war nicht immer so. Die meiste Zeit wurde die Autoindustrie von rauhbeinigen Individualisten geleitet – arrogant, mächtig und reich.

Andererseits gab es die Gewerkschaften. Die UAW (United Autoworkers), die sich erst nach dem Zweiten Weltkrieg selbständig machte, war auf ihre Art so mächtig wie die Unternehmer. Sie hatte schon immer eine Monopolstellung. Sie allein stellte die Arbeitskraft, die die ganze Industrie in Schwung hielt.

Die UAW begann in den 30er Jahren als Teil der CIO (Congress of Industrial Organizations), der sich 1935 von der American Federation of Labor löste. Davor hatte die AFL wiederholt versucht, die Autoindustrie gewerkschaftlich zu erfassen, jedoch ohne Erfolg. Schließlich, nach entscheidenden und oft brutalen Machtkämpfen mit jedem einzelnen der großen Autohersteller wurde die UAW gegründet, ein Machtblock, mit dem man rechnen mußte.

Ich war zu jung, um Walter Reuther gekannt zu haben, den Gewerkschaftsgründer und -präsidenten von 1946 bis 1970. Er starb bei einem Flugzeugabsturz etwa zu der Zeit, als ich bei Ford Präsident wurde. Aber ich weiß, daß er ein ziemlich vorurteilsfreier Mann war. Seine Einstellung kann man schnell zusammenfassen: Die Aufgabe der Gewerkschaft ist es, den Kuchen so vorteilhaft wie möglich zu teilen. Je größer der Kuchen, desto mehr Geld springt für die Arbeiter heraus.

Nach den Berichten der Alteingesessenen in Detroit setzte sich Reuther tatsächlich an den Beratungstisch und zeichnete einen Kuchen. »Sache des Managements ist es, diesen Kuchen zu backen«, kündigte er an. Dann deutete er auf die verschiedenen Kuchenstücke und erklärte, als ob er mit Schulkindern redete: »Soviel für Rohstoffe, so viel für allgemeine Kosten und Mieten, soviel für Vorstandsgehälter und soviel für die Arbeiterschaft. Wir sind heute hier, Gentlemen, weil wir mit der Teilung des Kuchens nicht ganz einverstanden sind. Wir möchten ihn etwas anders anschneiden.«

Die Reden von Walter Reuther wurden in der Stadt zu einer Anekdote, weil er bei jeder Sitzung das gleiche sagte. Es war wie eine Schallplatte. Einige Journalisten verfaßten ihre Berichte gewöhnlich vorab, und sie lagen nie falsch.

Weil für Reuther Profit und Produktivität wichtig waren – er wußte, daß das Schicksal des Arbeiters von Natur aus von dem der Firma abhängig war –, gewann er den Respekt der Unternehmer und der Arbeiter. Ich erinnere heutige Gewerkschaftsführungen gerne an Reuthers Einstellung. Obwohl Reuther die UAW gegründet hat, berufen sich seine Nachfolger heutzutage nicht oft auf seinen Namen. Und aus gutem Grund. Die Gewerkschaft fordert immer noch lautstark nach einem größeren Stück, doch der Kuchen wird immer kleiner.

Reuther kämpfte nie gegen die Automatisierung. Er stand dem industriellen Fortschritt nie im Wege, auch wenn das kurzfristige Gewerkschaftsinteresse dadurch bedroht schien. Von Anfang an unterstützte er die Aufstellung von Robotern. »Wir sollten die neuen Maschinen nicht ablehnen«, sagte er seinen Leuten, »weil sie mehr Produktivität bedeuten. Und wenn die Firmen produktiver werden und größere Profite erwirtschaften, sind wir in einer besseren Verhandlungsposition.«

Mit dieser Einstellung gediehen beide – Management und Arbeiterschaft. Und beide Gruppen haben in Detroit mehr Geld gemacht als ihre Pendants sonstwo auf der Welt.

Trotz all meiner Vorbehalte gegenüber der UAW muß ich zugeben, daß die aufgeklärte Einstellung von Reuther seiner Gewerkschaft einen weiteren Vorsprung gegenüber anderen Gewerkschaften verlieh, wie zum Beispiel der Eisenbahnarbeiter oder der Drucker mit all ihren unnötigen Arbeitskräften und der Arbeitsbeschaffung. Als die Diesellok herauskam, brauchten die Züge keinen Heizer mehr, um die Kohlen unter den Kessel zu schaufeln. Doch die Gewerkschaft bestand darauf, daß ein Heizer mitfuhr, obwohl seine Arbeit inzwischen überflüssig geworden war.

Walter Reuther konnte verdammt hart und sogar uneinsichtig sein. Trotzdem sah er wirklich in die Zukunft. Der Journalist Murray Kempton sagte einmal, daß Reuther der einzige Mann sei, den er kenne, der sich in Erinnerung über die Zukunft ergehen konnte.

1948 entwickelten das Management und die Gewerkschaft unter Reuther ein Konzept über langfristige Vertragsverhandlungen. Davor hatte es jährliche Verhandlungen gegeben, eine Situation, die für labile Arbeitsverhältnisse wie geschaffen war. 1948 hatte das Tarifabkommen zwei Jahre Gültigkeit anstatt einem. Ihm folgte 1950 eine fünfjährige Vereinbarung. Schließlich einigte sich die Gewerkschaft auf eine Serie von dreijährigen Abkommen mit jedem der Großen Drei.

In einigen Industriezweigen, wie etwa Gummi oder Stahl, schlossen sich die Firmen zeitweise zusammen und verhandelten gemeinsam. Doch die Autoarbeiter haben immer separat mit GM, Ford und Chrysler verhandelt. Jedes dritte Jahr wählte die Gewerkschaft eine Musterfirma und handelte ein Abkommen mit dieser Firma aus, das – oft nach einem Streik oder zumindest einer Streikdrohung – zum Modell für die anderen Firmen wurde.

Musterverhandlungen machten uns allen das Leben leichter. Ein Vorteil war, daß keine Firma im Lohn unterbieten konnte. Doch auf der anderen Seite machten Musterverhandlungen das Management bei der Behandlung der Gewerkschaften selbstgefällig. Wenn schließlich dasselbe Tarifabkommen für alle vier Autofirmen galt (American Motors war in diesem Abkommen inbegriffen), gab es weniger Anreiz für das Management, bei den Verhandlungen einen besseren Abschluß zu erzielen.

Ich war bei einer Reihe von Tarifverhandlungen in den siebziger Jahren dabei, als ich Ford-Präsident war. In all diesen Jahren war mir immer klar, daß die Unternehmen gegenüber der Gewerkschaft im Nachteil waren. Sie hatte uns in der Zange, denn in ihrem Waffenarsenal war die ultimative Waffe: das Streikrecht. Die bloße Androhung einer Arbeitsniederlegung war das Schlimmste, was wir uns vorstellen konnten.

Jeder in Detroit wird sich noch an den Streik von 1970 bei General Motors erinnern, der in den Vereinigten Staaten 67 Tage und in Kanada 95 Tage dauerte. Für die Unternehmerschaft und die Arbeiter war er gleichermaßen eine Katastrophe. Die 400 000 untätigen Arbeiter verloren 760 Millionen Dollar Lohn. Der Streikfonds der Gewerkschaft war bald erschöpft, und die Arbeiter mußten von ihrem Ersparten leben.

GM ging es genauso dreckig. Der Unternehmensgewinn fiel 1970 auf 64 Prozent gegenüber dem Vorjahr. Als Resultat des Streiks konnte GM mindestens 1,5 Millionen geplante Autos und Laster nicht herstellen, die mehr als 5 Milliarden Dollar eingebracht hätten. Ich dachte damals, daß eine Gewerkschaft, die GM in die Knie zwingen kann, ganz schön stark sein muß.

1950 hatte Chrysler einen 104-Tage-Streik ausgehalten. Damals wurde Chrysler von Ford überrundet. Also kann man in gewisser Weise noch heute die Auswirkungen dieses Streiks erkennen. Wir hatten bei Ford ebenfalls unseren Anteil an Streiks, in deren Verlauf unsere Verluste bei etwa 100 Millionen Dollar pro Woche lagen. Bei solchen Ausmaßen spricht man ziemlich bald über das wahre Geld.

Weil die Streiks so verheerend waren, taten die Industriebosse fast alles, um sie zu vermeiden. In diesen Tagen konnten wir es uns leisten, großzügig zu sein. Weil wir den Markt im Griff hatten, konnten wir ständig mehr Geld für die Arbeiter ausgeben und die zusätzlich entstehenden Kosten in Form von Preiserhöhungen auf den Kunden umlegen.

Eine Aussperrung wäre die Antwort gewesen. Sie wäre natürlich teuer gewesen, aber wir hätten vielleicht einen letzten Aderlaß gehabt. Vielleicht hätten wir den Spieß zwischen Gewerkschaft und Unternehmertum umdrehen können, bevor es zu spät war.

Aber es hat in der Autoindustrie nie eine Aussperrung gegeben.

Als ich bei Ford war, drängte ich auf diese Lösung. Doch GM tendierte immer dazu, sich den Gewerkschaftsforderungen zu fügen, weil Geld für sie kein Problem war. Chrysler wollte auch nachgeben, aus dem entgegengesetzten Grund – als Zünglein an der Waage waren sie die ersten, die im Falle eines längeren Streiks Bankrott gemacht hätten.

Vor jeder Tarifverhandlung, wenn die Spitzenmanager der Großen Drei sich zur Absprache einer Strategie trafen, wurde die Möglichkeit einer Aussperrung in Erwägung gezogen. Wir erörterten alle Schritte, doch waren wir untereinander immer zu uneinig, um irgendeine Entscheidung zu treffen. Ford, GM und Chrysler konnten sich das ganze Jahr über nicht abstimmen. Es gab keinen Grund anzunehmen, daß sie bei einer so wichtigen Sache irgendeine Ausnahme gemacht hätten. Die Gewerkschaft hatte absolut nichts zu befürchten.

# XXVII
# Die japanische Herausforderung

Kurz nachdem ich zu Chrysler gekommen war, flog ich nach Japan, um an einer Reihe von Besprechungen mit den Leuten von Mitsubishi Motors teilzunehmen. 1971 hatte Chrysler 15 Prozent von Mitsubishi angekauft und mit ihnen vereinbart, einige ihrer ausgezeichneten Kleinwagen unter den Namen Dodge- und Chrysler zu importieren. Seitdem sind wir Partner.

Die Sitzungen wurden in der Heiligen Stadt Kyoto abgehalten. Während einer der Pausen machte ich mit Dr. Tomio Kubo, dem dynamischen Chef von Mitsubishi, einen Spaziergang. Während wir durch die Privatschreine und Tempelgärten der Stadt schlenderten, fragte ich meinen neuen Freund, warum seine Firma ihre gigantische Motorenfabrik in dieser stillen und ländlichen Umgebung errichtet hatte.

Kubo lachte und erwiderte: »Eigentlich fing unsere Fabrik in Kyoto als Hauptproduzent von japanischen Flugzeugen an. Hier bauten wir während des Kriegs unsere Bomber.«

»Aber warum gerade hier«, fragte ich, »inmitten all dieser Schönheit?«

»Eben deswegen«, antwortete er. »Sehen Sie, vor dem Krieg waren Ihr Präsident und Mrs. Roosevelt hier gewesen, um Urlaub zu machen. Sie haben sich auf Anhieb in diese Stadt verliebt. Und als der Krieg begann, gab Mr. Roosevelt den Befehl, Kyoto nicht zu bombardieren. Sobald unser militärischer Nachrichtendienst von dieser Order erfuhr, beschlossen wir, unsere Flugzeugfabrikation an einen Ort zu legen, dessen Sicherheit bereits garantiert war.«

Als ich diese Geschichte hörte, schüttelte ich nur den Kopf. »In der Liebe und im Krieg geht wohl alles«, sagte ich.

Kubo nickte. »Was hätten Sie gemacht?« fragte er. »Wir hier in Japan achten auf unsere eigenen Interessen. Ich verstehe nicht, warum Ihr Land nicht immer das gleiche tut.«

Verstehe ich auch nicht. Gerade jetzt befinden wir uns inmitten eines neuen Kriegs mit Japan. Dieses Mal handelt es sich nicht um einen Krieg, in dem geschossen wird, und ich glaube, wir sollten dafür dankbar sein. Der gegenwärtige Konflikt ist ein Handelskrieg. Doch weil unsere Regierung sich weigert, diesen Krieg so einzuschätzen, wie er tatsächlich ist, befinden wir uns auf dem besten Wege, besiegt zu werden.

Täuschen Sie sich nicht: Unser Wirtschaftskonflikt mit den Japanern ist für unsere Zukunft ausschlaggebend. Wir stehen einem starken Gegner gegenüber, und bei gleichen Chancen können wir von Glück reden, wenn wir mit einem Unentschieden davonkommen.

Aber die Chancen stehen nicht gleich. Das Spielfeld ist nicht eben. Es ist eher zugunsten der Japaner geneigt. Deshalb spielen wir mit einer Hand auf dem Rücken. Kein Wunder, daß wir den Krieg verlieren!

Zum einen trägt die japanische Industrie sich nicht selbst. Sie wird in allem durch ihre enge Beziehung zur japanischen Regierung unterstützt, und zwar durch das MITI, das Ministerium für Internationalen Handel und Industrie. Das MITI hat die Aufgabe, die für Japans Zukunft wichtigen Industrien zu ermitteln und bei ihrer Forschung und Entwicklung Hilfe zu leisten.

Für den amerikanischen Beobachter scheint das MITI eine mitmischende Versammlung entstirniger Bürokraten zu sein. Das trifft aber nicht zu. In Japan ziehen die Regierungsstellen viele der besten und fähigsten jungen Leute an. Wenn man dabei bedenkt, daß die Handels-, Wirtschafts- und Finanzministerien die angesehensten Abteilungen der Regierung darstellen, bekommt man einen Eindruck davon, welche Begabungen das MITI anlockt. Das Ministerium hat auch einige klassische Fehler gemacht, doch ist sein Einfluß auf die japanische Industrie außergewöhnlich stark gewesen.

Als Japan nach dem Krieg mit dem Wiederaufbau begann, konzentrierte sich die Regierung auf die wichtigen Industrien: Autos, Stahl, Chemie, Schiffs- und Maschinenbau. Mit anderen Worten, das wirtschaftliche Schicksal Japans war nicht der Improvisation einer Laissez-faire-Wirtschaft überlassen. Trotzdem entspricht Japan beileibe nicht der Sowjetunion mit ihrer totalen Planwirtschaft. Aber Japan hat ein Ziel- und Prioritätensystem, das der Industrie und der Regierung gestattet, bei der Umsetzung ihrer nationalen Vorhaben zusammenzuarbeiten.

Daraus entstand ein Schutzschild für die Autoindustrie Japans: Regierungskredite, beschleunigte Abschreibung, Forschungs- und Entwicklungshilfe. Importbeschränkung und ein Verbot für Investitionen des Auslands. Durch diese gemeinsame Anstrengung steigerte sich Japans Autoproduktion von 100 000 Fahrzeugen in den Mittfünfzigern auf die heutigen elf Millionen.

Aber ungeachtet der Unterstützung, die die japanischen Hersteller erfuhren, verdienten sie trotzdem unseren Respekt und unsere Achtung. Sie haben sich als umsichtige Planer und Ingenieure bewiesen. Sie haben sich hinter ihren Schutzwällen nicht ausgeruht.

Statt dessen zogen Management, Aktionäre, Regierung, Bankiers, Zulieferer und Arbeiter alle an einem Strang. Sie entwarfen Weltklasseprodukte unter Einsatz von neuester Technologie. Sie bauten benzinsparende Autos, angeregt durch eine nationale Energiepolitik mit hohen Benzinsteuern und knapp bemessenen Vorräten. Kein Wunder, daß die Japaner auf den arabisch-israelischen Krieg von 1973 und auf die hastige Flucht des Schahs 1980 reagieren konnten.

Ein weiterer Vorteil Japans besteht darin, daß seine Steuern die niedrigsten aller Industrienationen der Welt sind. Ein Grund, warum die Japaner sich solche niedrigen Steuern leisten können, sind ihre geringen Verteidigungsausgaben. Seit dem Ende des Zweiten Weltkriegs haben wir ihnen diese Last abgenommen. Nach ihrer Kapitulation sagten wir zu ihnen: »Hört mal, Leute, keine Waffenproduktion mehr. Ihr seht doch, wohin euch das gebracht hat. Keine Sorge, wir werden euer Land für euch verteidigen. Wir wollen, daß ihr zur Abwechslung mal etwas Nettes, Friedliches hervorbringt – zum Beispiel Autos. Wir zeigen euch sogar wie. Die Leute aus Detroit werden euch unter die Arme greifen!«

Und genau das taten wir. Dadurch gebaren wir ein Monster. Heute ist es etwa 35 Jahre alt, voll ausgewachsen, mit starken Muskeln. Es läuft auf dem amerikanischen Automarkt Amok und wird es weiterhin tun, wenn wir es nicht aufhalten.

Doch wie tritt man gegen ein Land an, das pro Jahr nur 80 Dollar pro Einwohner für Rüstung ausgibt, während wir mehr als das Zehnfache zahlen? Während wir damit beschäftigt sind, beide Länder zu beschützen, können die Japaner ihr Geld völlig frei in Forschung und Entwicklung investieren.

Ein weiterer großer Vorteil der Japaner ist die künstliche Schwäche des Yen. Ihre Währungsmanipulation reicht aus, um andere in die Knie zu zwingen. Ihre Banken und ihre Industrie haben sich verschworen, den Yen niedrigzuhalten, damit der Preis ihrer Exportwaren für westliche Absatzmärkte attraktiv bleibt.

Leider läßt sich die Manipulation des Yen sehr schwer nachweisen. Jedesmal wenn ich mich in Washington darüber beschwere, fragt mich die Regierung nach Beweisen. Jeder will genau wissen, wie Japan das macht.

Ich habe keinen blassen Schimmer. Und ich habe keine Botschaft in Tokio oder London oder Zürich, die mir bei der Beantwortung dieser Fragen behilflich sein könnte. Das US-Schatzamt verfügt über 126 000 Angestellte. Sollen sie das doch herausfinden!

Wenn etwas wie eine Ente watschelt und wie eine Ente quakt, so viel weiß ich, sind die Chancen, daß es sich tatsächlich um eine Ente handelt, recht hoch. Wenn unser Zins von 10 Prozent auf 22 Prozent steigt und zurück auf 10 Prozent fällt und wenn während all dieser Schwankungen der Yen unverändert auf 240 zum Dollar steht, weiß ich, daß in Tokio irgend etwas nicht stimmt.

Der Yen ist um mindestens 15 Prozent unterbewertet. Das hört sich vielleicht nicht nach sehr viel an. Doch das entspricht einem Preisvorteil von über 1000 Dollar für einen neuen Toyota. Wie um alles in der Welt sollen wir in Detroit damit konkurrieren?

Bei diesem Thema behaupten die Japaner immer, daß nicht der Yen zu schwach, sondern der Dollar zu stark sei. Natürlich hat dieser Vorwurf eine gewisse Berechtigung, und unsere Finanzpolitik hat in jüngster Zeit hier nicht geholfen. Die Reagan-Administration muß eine gewisse Schuld auf sich nehmen, denn ihre Hochzinspolitik hat unseren Dollar für Auslandsanleger zu attraktiv gemacht.

Eine meiner schlimmsten Befürchtungen ist, daß wir in zehn Jahren ein außerordentlich leistungsfähiges System bei Chrysler haben mit einer erhöhten Profitspanne von 1000 Dollar pro Auto. Und dann wird der Yen plötzlich einen großen Wertverfall erfahren, und der Vorteil ist zunichte gemacht, den wir uns so hart erarbeitet haben.

Wir können so nicht weitermachen. Es wird Zeit, daß unsere Regierung das Kind nach dem Unterricht für sein Benehmen zur Rechenschaft zieht. Seine Entschuldigungen überzeugen nicht mehr, und sein Verhalten stört unsere Wirtschaft. Wir sollten den Japanern neunzig Tage geben, um uns zu erklären, warum der Yen unterbewertet ist und was sie dagegen zu unternehmen gedenken.

Und schließlich ist da das Problem der freien Marktwirtschaft. Oder vielleicht sollte ich sagen, der *Mythos* einer freien Marktwirtschaft. Soweit ich weiß, wurde eine freie Marktwirtschaft nur viermal in der Geschichte praktiziert. Einmal auf dem Papier. Die drei Marktwirtschaftler in der Realität waren für kurze Zeit die Holländer, die Engländer zu Beginn der industriellen Revolution und die Vereinigten Staaten nach dem Zweiten Weltkrieg.

Die Engländer konnten sie vor zweihundert Jahren einführen, weil sie keine ebenbürtige Konkurrenz hatten. Sobald sich andere Industrienationen entwickelten, gab England die freie Marktwirtschaft auf.

Auch die Vereinigten Staaten hatten die Welt einmal für sich. Im Lauf der Jahre hat sich unsere Vorherrschaft aufgelöst, doch meinen wir immer noch, auf dem Stand von 1947 zu sein.

Freie Marktwirtschaft ist gut – solange sich jeder an dieselben Regeln hält. Doch Japan hat seine eigenen Regeln, also sind wir permanent im Nachteil.

Und so funktioniert es: Wenn ein japanisches Auto auf ein Schiff in die USA verladen wird, gewährt die japanische Regierung dem Hersteller eine Rückvergütung von 800 Dollar. Das ist eine Warensteuerrückvergütung, und die ist nach dem Internationalen Handelsabkommen (GATT) völlig legal. Anders ausgedrückt, eine Hausfrau in Tokio zahlt für einen Toyota mehr als in San Francisco.

Wie sollen wir reagieren? Nun, in Europa wird routinemäßig eine Einfuhrsteuer aufgeschlagen, die die von den Japanern für ihre Exporte gewährte Rückvergütung wieder zunichte macht.

Ist das freie Marktwirtschaft? Wohl kaum. Ist es vernünftig? Allerdings.

Nehmen wir einen Toyota, der in Japan 8000 Dollar kostet. Sobald er in San Francisco ankommt, fällt der Preis auf 7200 Dollar. Doch wenn der gleiche Toyota nach Frankfurt geht, erhöht sich der Preis auf 9000 Dollar. Wenn er nach Paris geht, wird er für 10500 Dollar verkauft. Weil wir uns als letzte Bastion des freien Handels sehen, stempelt man uns zu Trotteln ab.

Wie können wir 25 Prozent eines Zwölf-Millionen-Automarktes den Importeuren überlassen und sie dann darum ersuchen, nicht 35 Prozent zu nehmen? Es ist in der Geschichte noch nie dagewesen, daß wir unsere Produkte anbieten und den Japanern dann sagen: »Nehmt euch, was ihr wollt. Laßt die sozialen Konsequenzen nur unsere Sorge sein.«

Bis ein Gleichgewicht in unserem nationalen Handelsdefizit erreicht ist, sollten wir den japanischen Teil unseres heimischen Automarkts begrenzen, indem wir sagen: »Ihr könnt 15 Prozent haben – nicht mehr.«

Europa ist viel älter als wir und viel erfahrener. Wenn die freie Marktwirtschaft so wichtig ist, warum schränkt man dann dort die Importe ein?

Italien toleriert nicht mehr als 2000 japanische Autos pro Jahr. In Frankreich liegt das Limit bei drei Prozent. Und wie ist das mit Deutschland, dem großen Fürsprecher der freien Marktwirtschaft? Dort werden keine so strengen Grenzen gesetzt. Doch was hat man dort gemacht, als der japanische Anteil in Deutschland elf Prozent erreichte? »Zehn Prozent und nicht mehr«, war die Antwort. In England war es nicht anders.

Leider kann sich unsere Regierung eine solche Handlungsweise nur schwer vorstellen. Viele unserer Spitzen meinen immer noch, daß wir die einzigen existierenden Produzenten seien und daß wir großherzig sein müssen. Doch sind seit dem Zweiten Weltkrieg vierzig Jahre vergangen, und es wird Zeit, daß wir begreifen, daß sich die Situation geändert hat.

Verhalten sich denn die Japaner fair gegenüber den Importen aus Amerika? Keineswegs! Vor kurzem trafen sich einige unserer Handelsrepräsentanten mit den Japanern, um diese Diskrepanzen zu besprechen. Unsere Leute wollten über Rindfleisch und Zitruserzeugnisse sprechen, die in Japan geschützt sind, und über neue Märkte für unsere Exporte.

Doch die Japaner weigerten sich, diese Themen zu verhandeln.

Vollen Ernstes erklärten sie sich dazu bereit, den Zoll für Tomatenpüree aufzuheben. Nicht etwa von Tomaten, nur Tomatenpüree. Hervorragend! Das wird unser Handelsdefizit von 30 Milliarden Dollar mit Japan um über 1000 Dollar reduzieren.

Inzwischen schränkte Japan den Verkauf amerikanischer Medikamente ein. Sie blockieren unsere Kommunikations- und Glasfasererzeugnisse. Sie haben um sich ein Sicherheitsnetz von fast fünfhundert von der Regierung geschützten Kartellen aufgebaut, die eine Preisfestsetzung mit zweierlei Maß und eine konkurrenzlose Auftragslage garantieren. Der japanische Absatzmarkt ist durch eine Unmenge unglaublicher Ausführungsbestimmungen und bürokratischer Vorschriften dermaßen geschützt, daß es so gut wir unmöglich ist, dort verschiedene amerikanische Waren anzubieten.

Ihr System der Umbenennung von Konsumartikeln zum Beispiel ist eine reine Farce. Nehmen wir einmal Kartoffelchips, die in Japan äußerst beliebt sind. Kartoffelchips wurden ursprünglich als vorgefertigtes Nahrungsmittel deklariert und mit einem Einfuhrzoll in Höhe von 16 Prozent belegt. Doch raten Sie mal was passierte, als ein amerikanischer Hersteller entscheidend in den japanischen Markt einzudringen drohte? Kartoffelchips wurden plötzlich als »Konfekt« eingestuft, und der Einfuhrzoll wurde auf 35 Prozent erhöht.

Mein Lieblingsbeispiel sind Zigaretten. Unsere Zigaretten dürfen in Japan verkauft werden – aber nur in acht Prozent der Tabakläden. Außerdem liegt eine Zollgebühr von 50 Cents auf jeder Packung. Hat das noch was mit freier Marktwirtschaft zu tun?

Bis 1981 durften amerikanische Zigarettenhersteller in Japan nicht werben – nur in Englisch. Vielleicht sollten wir zum Ausgleich Datsun und Toyota hier nur auf Japanisch werben lassen. Wenn wir das täten, könnten Sie sich den Verzweiflungsschrei vorstellen? Ich frage mich, was wohl »Oh, what a feeling« auf japanisch heißt?

Wenn ich gefragt werden, ob ich eine freie Marktwirtschaft oder Protektionismus bevorzuge, gebe ich zur Antwort:

Keines von beiden. Ich bin gegen Protektionismus. Ich bin auch gegen eine Gesetzgebung, die Inlandswaren bevorzugt. Aber die Vereinigten Staaten sind so ziemlich als einzige Industrienation auf der ganzen Welt übriggeblieben, die keine aufgeklärte moderne Handelspolitik betreibt. Wir sind die einzige Nation auf der Welt, die einen annähernd uneingeschränkten Handel betreibt – und bekommen dabei eins übergebraten.

Darum bin ich für einen Mittelweg, den ich *fairen* Handel nenne. Dieser Begriff umfaßt einige ausgewählte und vorübergehende Beschränkungen gegen dieses eine Land auf der Welt, das so eine einseitige, negative Handelsbilanz mit uns betreibt.

Sehen wir uns einmal an, was wirklich vor sich geht. Wir schicken ihnen Weizen, Mais, Sojabohnen, Kohle und Bauholz. Und was bekommen wir von ihnen? Autos, Laster, Motorräder, Ölbohrausrüstungen und Elektronik.

Frage: Wie nennt man ein Land, das Rohmaterialien exportiert und Fertigprodukte importiert?

Antwort: Eine Kolonie.

Wollen wir eine solche Beziehung mit Japan eingehen? Wir waren schon einmal in einer ähnlichen Situation und haben am Ende einen Haufen Tee im Bostoner Hafen versenkt!

Doch dieses Mal sitzen wir nur da und schauen zu, wie sich die Japaner eine Industrie nach der anderen aufs Korn nehmen.

Den Elektronikmarkt beherrschen sie bereits. Sie haben die Sportartikel in der Hand. Kopierer und Fotokameras haben sie auch übernommen. Sie haben ein Viertel der Autoindustrie.

Ganz nebenbei haben sie auch ein Viertel der Stahlindustrie übernommen. Die Japaner haben eine raffinierte Art, ihren Stahl in die Vereinigten Staaten zu schmuggeln. Sie malen ihn an, stellen ihn auf vier Räder und nennen das Ganze Auto.

Die Japaner schicken uns Toyotas, aber in Wirklichkeit exportieren sie etwas viel Wichtigeres. Sie schicken uns Arbeitslosigkeit. Ihre Subventionen zielen auf eine Beibehaltung der Vollbeschäftigung in Japan, und ihre Rechnung geht auf. Ihre Arbeitslosigkeit liegt bei 2,8 Prozent. Unsere ist drei- bis viermal so hoch.

Was kommt als nächstes? Das ist kein Geheimnis, denn sie sind freundlich genug gewesen, uns ihre Pläne mitzuteilen: Flugzeuge und Computer.

Ich möchte jedoch nicht, daß jemand einen falschen Eindruck von meiner Haltung gegenüber den Japanern bekommt. Ja, ich bin über die ungleiche Chancenverteilung verärgert. Und ich bin verärgert, daß wir währenddessen still alles über uns ergehen lassen. Doch Japan tut eigentlich nichts Unrechtes. Wie Kubo schon sagte, handeln sie nur in ihrem eigenen Interesse. Nun kommt es auf uns an, daß wir in unserem handeln.

Weil ich diese Ungerechtigkeiten anspreche, während viele meiner Kollegen in der Autoindustrie schweigen, meinen die Leute, ich sei gegen die Japaner. Es macht zur Zeit sogar eine Geschichte im Land die Runde, in der ein Geschichtslehrer der dritten Klasse ein kleines Fragequiz veranstaltet:

»Also Kinder,« sagt der Lehrer, »wer hat gesagt: ›Ich bedaure, nur ein Leben für mein Land opfern zu können‹?«

Ein kleines japanisches Mädchen in der ersten Reihe steht auf und antwortet »Nathan Hale, 1776.«

»Sehr gut«, sagt der Lehrer. »Nun, und wer hat gesagt, ›Gebt mir die Freiheit oder den Tod‹?«

Das kleine japanische Mädchen steht abermals auf. »Patrick Henry, 1775.«

»Ausgezeichnet!« sagt der Lehrer. »Kinder, ich finde es großartig, daß Kiko hier die Antworten weiß. Doch der Rest sollte sich schämen. Vergeßt nicht, ihr seid Amerikaner, und sie ist Japanerin.«

Da murrt ein Junge von den hinteren Bänken: »Scheiß-Japaner.«

»Na schön«, sagt der Lehrer schroff, »wer hat das gesagt?«

Worauf eine Stimme ruft: »Lee Iacocca, 1982!«

Die Geschichte ist witzig, aber in Wirklichkeit bewundere ich die Japaner sehr. Warum? Weil sie wissen, wo sie herkommen, woran sie sind und wo sie hinwollen. Und am allerwichtigsten, sie haben für ihr Ziel eine nationale Strategie.

Sie wissen auch, wie man gute Autos baut. Während der siebziger Jahre waren ihre Autos eigentlich besser als unsere. Das ist zwar nicht mehr so, aber viele Amerikaner glauben immer noch daran.

Wie kam es, daß die japanischen Autos so gut wurden? Es fängt bei den Arbeitern an. Die Lohnkosten sind dort viel niedriger als bei uns. Japanische Arbeiter verdienen etwas sechzig Prozent dessen, was ihre amerikanischen Kollegen nach Hause tragen. Sie haben im Gegensatz zu den amerikanischen Arbeitern keinen automatischen Lebenshaltungsausgleich, der sich am Preisindex orientiert. Und sie verfügen auch nicht über dasselbe Aufgebot von der Firma bezahlter Gesundheitsvorsorge, das die Kunden mehrere hundert Dollar pro Wagen kostet.

Die japanischen Arbeiter sind auch produktiver als die unseren. Ich will damit nicht sagen daß sie *besser* sind, sie arbeiten lediglich nach anderen Regeln.

Es gibt in Japan eigentlich nur zwei Arbeitseinstufungen: qualifizierte und nichtqualifizierte. Der Arbeiter ist bereit, die verschiedensten Arbeiten zu übernehmen. Das hängt nur davon ab, was an einem bestimmten Tag getan werden muß. Wenn der Boden gekehrt werden muß, wird er dies tun, ohne sich Gedanken darüber zu machen, ob das zu seiner Stellenbeschreibung gehört. Dieses Verantwortungsbewußtsein führt natürlich zu viel größerer Leistung.

Solch ein System ist in Detroit, wo jeder Arbeiter nur bestimmte Tätigkeiten ausführt, undenkbar. Verglichen mit der Einfachheit und Vernunft, die die Abläufe einer japanischen Fabrik bestimmen, sieht unser System der Gewerkschaftsbestimmungen ziemlich lächerlich aus. Die UAW kennt bis jetzt etwa 150 Arbeitsbeschreibungen. Während die Einstellung eines japanischen Arbeiters ist: »Wie kann ich helfen?« ist die seines amerikanischen Kollegen allzu oft: »Das ist nicht mein Bier.«

Die japanischen Gewerkschaften arbeiten sehr eng mit der Unternehmenführung zusammen. Beide wissen, daß ihr Schicksal vom Erfolg des jeweils anderen abhängt. Das Verhältnis zwischen Arbeiterschaft und Unternehmensführung ist durch Kooperation und gegenseitigen Respekt gekennzeichnet; ganz anders als die traditionelle Feindseligkeit und das gegenseitige Mißtrauen in unserem Land.

Der japanische Arbeiter ist äußerst diszipliniert. Wenn etwas nicht stimmt, wird er es ausbügeln. Wenn es am Fließband hapert, hält er es an, bis es repariert ist.

Diese Menschen sind sehr stolz. Sie sehen ihre Arbeit als eine Mission an. Es gibt in Japan keine Geschichten über Arbeiter, die nach einer durchzechten Nacht mit einem Kater bei der Arbeit erscheinen. Es gibt keine Industriesabotage und keine sichtbare Arbeitsentfremdung.

Ich las sogar einmal, daß einige japanische Firmen ihre leitenden Angestellten mit einer Geldstrafe belegen mußten, weil so viele von ihnen darauf bestanden hatten, sowohl an ihren Urlaubstagen als auch an ihren arbeitsfreien Tagen zu arbeiten. Können Sie sich das in Michigan oder Ohio vorstellen?

Auch das Management in Japan arbeitet mit Voraussetzungen, die uns seltsam erscheinen mögen, die aber zum Enderfolg beitragen. Der typische leitende Angestellte in Japan verdient nicht annähernd den Betrag, den sein Kollege in Detroit bekommt. Er erhält auch keine Aktien-Bezugsrechte oder Gutschriften.

Irgendwann im Laufe seiner Karriere hat er vielleicht am Fließband gearbeitet. Amerikanische Manager wären wahrscheinlich schockiert, wenn sie erführen, daß der Verwaltungschef von Mitsui einmal der Vorsitzende der Gewerkschaft seiner Firma war. Im Gegensatz zu seinen Kollegen in Detroit lebt der japanische Manager eher in der Welt seiner Arbeiter als in einer völlig exklusiven Atmosphäre.

All das führt dazu, daß in Japan Regierung, Arbeiterschaft und Industrie am selben Strang ziehen. In unserem Land sind Industrie und Gewerkschaft traditionelle Gegner. Und entgegen der in der Öffentlichkeit vorherrschenden Meinung arbeiten auch Privatindustrie und Regierung nicht zusammen.

Auch hier muß ich den Ideologen die Schuld in die Schuhe schieben, die zu glauben scheinen, daß jede Regierungsbeteiligung an der nationalen Wirtschaft irgendwie unser System der freien Marktwirtschaft untergräbt. Natürlich kann es zuviel Intervention geben. Doch während wir hinter Japan zusehends zurückfallen, ist es eindeutig klar geworden, daß es auch zuwenig geben kann.

Wir müssen etwas tun. Wir müssen den freien Handel durch den fairen Handel ersetzen. Wenn Japan – oder irgendeine andere Nation – seine Märkte schützt, sollten wir das gleiche tun. Wenn sie die Inlandsindustrie unterstützen, sollten wir entsprechend reagieren. Und wenn sie mit ihrer Währung ausgefeilte Manipulationen veranstalten, sollten wir Schritte unternehmen, den Wechselkurs auszugleichen.

Ich weiß nicht, wann wir endlich aufwachen werden, aber ich hoffe bald. Sonst wird unser Wirtschaftsarsenal in wenigen Jahren nur noch aus Drive-in-Banken, Hamburger-Treffs und Videospiel-Centern bestehen.

Soll Amerika am Ende des 20. Jahrhunderts wirklich so aussehen?

# XXVIII
# Wie wir Amerika wieder groß machen

Heutzutage redet jeder über das nationale Defizit. Doch weil wir vor wenigen Jahren beinahe Chrysler verloren hätten, hatte ich die zweifelhafte Ehre, mich mit diesem Problem schon etwas früher als die meisten Leute zu beschäftigen. Wir wurden von den hohen Zinsen erdrückt, und es war klar, daß sie nicht viel zurückgehen konnten, solange die Regierung mehr als fünfzig Prozent der ihr gewährten Kredite verbrauchte.

Also schrieb ich schon im Sommer 1982 einen Artikel in *Newsweek*, in dem ich eine einfache Methode vorschlug, das Staatsdefizit zu halbieren. Damals betrug das Defizit nur – *nur*! – 120 Milliarden Dollar. Mein Plan schloß die Kürzung von 30 Milliarden Dollar an Staatsausgaben ein und verlangte, weitere 30 Milliarden Dollar über öffentliche Einnahmen zu beschaffen.

Ich hatte aus erster Hand die Erfahrung gewonnen, daß Chrysler nur durch die Zusammenarbeit von Management, Arbeiterschaft, Banken, Zulieferern und Regierung existierte. Und so fragte ich mich: Warum konnte das Prinzip der »Opferbereitschaft aller Beteiligten« nicht auch auf das Staatsdefizit angewandt werden?

Mein Plan war einfach. Zuerst würde ich das Verteidigungsbudget um fünf Prozent pro Jahr kürzen. Das hätte 15 Milliarden Dollar gebracht, ohne ein einziges Hardware-Programm zu gefährden.

Dann würden wir die Demokraten hinzuziehen und ihnen sagen: »Okay, Jungs, ich möchte, daß ihr dieser 15-Milliarden-Kürzung mit einer entsprechenden Kürzung im Sozialbereich entgegenkommt, dessen Programme ihr in den letzten vierzig Jahren beschlossen habt.«

Dann kommt der schwierige Teil. Sobald wir die dreißig Milliarden Dollar in Ausgaben gekürzt hatten, hätten wir die gleiche Summe Dollar für Dollar an Steuern eingetrieben. Zuerst gewinnen wir 15 Milliarden Dollar durch eine Zusatzsteuer auf Import-Öl, damit die OPEC, die Organisation erdölexportierender Staaten, ihren Ölpreis bei 34 Dollar pro Barrel halten kann. Dann erheben wir eine Benzinsteuer von 15 Cent, was uns weitere 15 Milliarden Dollar bringt.

Selbst mit diesen neuen Steuern wären Benzin und Öl in Amerika immer noch billiger als irgendwo anders außerhalb der arabischen Welt. Zusätzlich zu all diesen Einkünften hätten wir endlich eine Energiepolitik. Wenn die OPEC das nächste Mal zuschlagen würde, wären wir gerüstet.

Zusammengenommen würden diese »viermal 15« das Defizit um 60 Milliarden Dollar pro Jahr verringern. Die Stärke dieses Programms liegt in der gleichen Verteilung des Opfers auf alle Seiten – Republikaner und Demokraten, Unternehmer und Arbeiterschaft.

Als ich diesen Plan entwarf, ging ich zu jedem Geschäftsführer in der Wall Street, den ich kannte und fragte: »Was würde passieren, wenn der Präsident im Fernsehen ankündigt, daß er das Staatsdefizit um die Hälfte reduziert?« Sie stimmten alle darin überein, daß diese Ankündigung die größte Investitionswelle unserer Geschichte hervorrufen würde. Dieser Schritt würde unsere Glaubwürdigkeit in der Welt wieder herstellen. Er würde beweisen, daß wir wußten, was wir taten.

Ich brauche wohl kaum zu erwähnen, daß nichts dergleichen geschah. Nicht, daß man mich nicht gehört hätte. Tausende *Newsweek*-Leser schrieben mir, daß ihnen mein Plan gefiel. Ich bekam sogar einen Anruf aus dem Weißen Haus, ich solle den Präsidenten aufsuchen.

Als ich ins Oval Office kam, begrüßte mich Präsident Reagan mit der *Newsweek*-Ausgabe in der Hand. »Lee«, sagte er, »mir gefällt, was Sie hier geschrieben haben. Und auch ich bin über das Ausmaß des Defizits besorgt. Doch hat mir mein für Umfragen zuständiger Mann Richard Wirthlin gesagt, daß eine Benzinsteuer so ungefähr das unbeliebteste ist, was ich tun kann.«

»Moment mal«, dachte ich. »Wird dieses Land durch Meinungsumfragen regiert? Macht das die Führung aus?«

Der Präsident wollte über den Verteidigungsetat sprechen. »Wir haben unter Carter hierfür zuwenig aufgewendet«, sagte er mir. »Wir müssen für unsere nationale Sicherheit viel mehr aufbringen. Sie haben nicht den Gesamtüberblick.«

»Stimmt«, antwortete ich. »Ich habe ihn wirklich nicht. Und ich möchte nicht anmaßend erscheinen. Doch beträgt der Verteidigungsetat jetzt mehr als 300 Milliarden Dollar. Ich bin Geschäftsmann. Glauben Sie mir, ich kann aus allem fünf Prozent herauskürzen, und Sie werdes es überhaupt nicht merken. Ich habe das mein ganzes Leben lang getan.«

Nun, wir haben das Defizit im August 1982 auch nicht verringert. Und jetzt ist es auf über 300 Milliarden Dollar angewachsen. Und während ich diese Worte im Frühling 1984 schreibe, zerbrechen wir uns die Köpfe über das, was zu tun ist.

Leider ist das Haushaltsdefizit nur die Spitze des Eisbergs. Falls jemand bezweifeln sollte, daß wir etwas von unserer wirtschaftlichen Größe eingebüßt haben, betrachte er die folgenden Fragen:

Warum hat ein Land, das Walter Chrysler, Alfred Sloan und den alten Henry Ford hervorgebracht hat, solche Schwierigkeiten, konkurrenzfähige Autos herzustellen und zu verkaufen?

Warum hat das Land von Andrew Carnegie solche Schwierigkeiten, bei der Stahlproduktion mitzuhalten?

Warum muß das Land von Thomas Edison den Großteil seiner Plattenspieler, Radios, Fernsehapparate, Videorecorder und anderer Formen von Konsumelektronik importieren?

Warum hat das Land von John D. Rockefeller Ölprobleme?

Warum muß das Land von Eli Whitney soviel Maschinenwerkzeug importieren?

Warum steht das Land von Robert Fulton und den Wright-Brüdern solcher starken Konkurrenz auf dem Verkehrssektor gegenüber?

Was wurde aus dem Industrieapparat, der einmal den Neid und die Hoffnung der restlichen Welt hervorrief?

Wie konnten wir innerhalb weniger als vierzig Jahren das »Arsenal der Demokratie« abbauen, und bei einer Wirtschaft landen, bei der es an so vielen kritischen Stellen hinten und vorne fehlt?

Der Verlust unserer Führungsqualität entstand nicht von heute auf morgen. Die allmähliche Erosion unserer Stärke und Macht begann in den glücklichen Tagen nach dem Zweiten Weltkrieg. Aber zu keiner Zeit hat sich Amerika verletzbarer gezeigt als in den letzten zehn Jahren.

Punkt eins: Wir wachten eines Morgens auf und stellten fest, das etwas mit dem Namen OPEC die Macht hatte, Amerika in die Knie zu zwingen. Wie Pawlow, der seine Glocke läutete, um bestimmte Resultate zu erzielen, hat die OPEC ihre Glocke geläutet, und wir haben reagiert. Und jetzt, mehr als zehn Jahre später, haben wir immer noch kein passendes Programm, um dieser monumentalen wirtschaftlichen Bedrohung entgegenzutreten.

Punkt zwei: Wir sehen im Namen freien Handels zu, wie uns Japan systematisch unser industrielles und technologisches Fundament entzieht. Indem es die Fertigkeiten und Leistungsfähigkeit seiner Kultur mit einer ganzen Reihe unfairer ökonomischer Vorteile verbindet, ist es Japan gelungen, unsere Märkte ungestraft zu plündern!

In Washington läuft dieser Zustand unter der Bezeichnung Laissez-faire-Wirtschaft, und man ist begeistert. In Tokio nennt man ihn die *Veni-Vidi-Vici*-Wirtschaftspolitik, und man ist dort, das können Sie mir glauben, noch viel begeisterter davon. Die Japaner sind gekommen, haben gesehen und erobert. Und unsere Abhängigkeit von Japan wird weiterhin anwachsen, bis wir der Ausnutzung unserer Märkte einen Riegel vorschieben.

Punkt drei: Die Sowjetunion hat uns im nuklearen Gesamtpotential überholt. Amerika hat die militärische Überlegenheit verloren. Wir haben jetzt ein Programm zu ihrer Wiederherstellung entwickelt, aber dieses Thema beherrscht jetzt die nationale Tagesordnung in einem solchen Übermaß, daß ich mich frage, was alle diese neuen Waffen sichern wollen. Ohne eine starke, vitale industrielle Infrastruktur sind wir ein Land voller Raketen, die ein Gebiet mit leeren Fabriken, Arbeitslosen und verfallenden Städten umzäunen. Was ist klug an einer solchen Politik?

Schließlich hat Amerika in seiner jüngsten Vergangenheit die eigentliche Quelle seiner Macht und Größe aus den Augen verloren. Aus einer Nation, deren Stärke schon immer darin lag, daß sie in die Produktion und den Konsum von Gütern investierte, haben wir uns irgendwie zu einem Land gewandelt, das sich für die Investition in Papier begeistert.

Und so schütten unsere größten Konzerne riesige Geldsummen in den Ankauf von Aktienanteilen anderer Firmen. Wo wird dieses ganze Kapital angelegt? In neue Fabriken? In neue Produktionsausrüstung? In Produktionsinnovation? Ein gewisser Teil, der aber nicht maßgeblich ist. Das meiste Geld landet in Banken und deren Finanzinstitutionen, die es dann entgegen jeder Vernunft an Länder wie Polen, Mexiko und Argentinien ausleihen. Das hilft Amerika nicht viel weiter. Doch immerhin, als diese Länder pleite waren und die Banken blinden Alarm schlugen, erreichten sie, was Chrysler, International Harvester und die Baubranche niemals geschafft hatten: Sie überredeten das Schatzamt, seine unnachgiebige Geldpolitik aufzugeben.

Jeden Monat wird ein neues Finanzinstrument geschaffen zu dem ausschließlichen Zweck, die Kaufkraft des Konsumenten zu absorbieren und die Maklerfirmen zu bereichern. Wenn ich auf diese Zeit der riesigen Rabatte hier und Zero-Coupons dort zurückblicke, fällt mir unwillkürlich auf, daß niemals zuvor in der Geschichte soviel Kapitalinvestition so wenig bleibenden Gegenwert hervorbrachte.

Momentan sind unsere wichtigsten Arbeitgeber die Auto-, Stahl-, Elektronik-, Luftfahrt- und Textilindustrien. Wenn wir Millionen Arbeitsplätze erhalten wollen, müssen wir diese Industrien sichern. Sie schaffen die Märkte sowohl für den Dienstleitungssektor als auch für moderne Technologie. Sie sind auch für unser Nationalinteresse von entscheidender Bedeutung. Können wir das Rückgrat unseres Verteidigungssystems wirklich aufrechterhalten, ohne eine starke Stahlwirtschaft, ohne Maschinenbau- und Autoindustrien?

Ohne ein solides Industriefundament können wir unserer nationalen Sicherheit Lebewohl sagen. Außerdem können wir die Mehrzahl unserer hochwertigen Arbeitsplätze vergessen. Wenn wir die Arbeitsplätze mit 10 bis 15 Dollar pro Stunde innerhalb der Industrie entfernen, unterminieren wir unsere gesamte Wirtschaft. Hoppla, schon ist die Mittelschicht verschwunden!

Wir müssen also einige grundlegende Entscheidungen fällen. Wenn wir nicht bald etwas unternehmen, werden wir bis zum Jahr 2000 sowohl die Stahl- als auch die Autoindustrie an Japan verloren haben. Und das schlimmste ist, daß wir sie ohne Kampf aufgegeben haben werden.

Manche scheinen zu glauben, daß diese Niederlage unvermeidlich ist. Sie meinen sogar, wir sollten diesen Prozeß durch Aufgabe unseres industriellen Fundaments beschleunigen und uns statt dessen auf hochentwickelte Technologien konzentrieren.

Ich möchte keinesfalls die Bedeutung hochentwickelter Technologie für Amerikas industrielle Zukunft anfechten. Doch sie allein wird uns nicht retten. Sie ist genau deshalb für unsere Wirtschaft wichtig, weil so viele andere Sektoren der amerikanischen Industrie ihre Kundschaft ausmachen.

Vor allem die Autoindustrie. Wir sind diejenigen, die die ganzen Roboter verwenden. Wir haben mehr Computergraphik und Herstellungseinrichtungen als alle anderen. Wir verwenden Computer für eine bessere Treibstoffökonomie, sauberere Abgase und für mehr Präzision und Qualität bei der Herstellung unserer Autos.

Nur wenige wissen, daß die drei größten Kunden der Computerindustrie (mit Ausnahme der Verteidigung) GM. Ford und Chrysler sind. Ohne Detroit gäbe es kein Silicon Valley. Wenn jemand Silikon-Chips produziert, muß ein anderer sie verwenden. Und wir tun es. Es gibt jetzt mindestens einen Computer in jedem von uns gebauten Auto. Einige unserer exotischeren Modelle sind mit nicht weniger als acht verschiedenen Rechnern ausgestattet.

Man kann seine Silikon-Chips nicht in einer braunen Papiertüte im nächsten Haushaltwarenladen verkaufen. Sie sind zur Weiterverwendung gedacht. Und Amerikas Basis ist die weiterverarbeitende Industrie. Schließt man uns, dann schließt man auch den eigenen Markt. Wenn wir keine Autoindustrie mehr haben, gibt es auch keine Stahl- und Gummiindustrie – und wir haben jeden siebten Arbeitsplatz in diesem Land verloren.

Wo wären wir dann? Wir wären ein Land, dessen Leute sich gegenseitig Hamburger und dem Rest der Welt Silikon-Chips servieren.

Verstehen Sie mich nicht falsch: Hochentwickelte Technologie ist für unsere wirtschaftliche Zukunft wichtig. Doch so bedeutend sie auch sein mag, dieser Wirtschaftszweig wird nie so viele Beschäftigte haben wie unsere Konsumgüterindustrien von heute. Diese Lektion hätten wir durch den Niedergang der Textilindustrie lernen sollen. Zwischen 1957 und 1975 wurden 674 000 Textilarbeiter in Neuengland arbeitslos. Trotz der florierenden Hochtechnologie in dieser Region fanden nur 18000 dieser Arbeiter – etwa drei Prozent – eine neue Anstellung in der Computerindustrie.

Fast fünfmal soviel kamen in Einzelhandels- und Dienstleistungsbetrieben mit niedrigen Löhnen unter. Mit anderen Worten, wenn jemand seinen Job in der Textilverarbeitung in Massachusetts verloren hatte, war die Chance fünfmal so hoch, daß er bei K-Mart oder McDonald's enden würde, als bei Digital Equipment oder Wang. Man kann einfach keinem vierzigjährigen Rohrleger aus Detroit oder Pittsburgh oder Newark einen weißen Kittel verpassen und von ihm erwarten, daß er in Silicon Valley Computer programmiert.

Die Lösung liegt also nicht in einer Förderung hochentwickelter Technik auf Kosten unserer Schlüsselindustrien. Man muß beide vorwärtsbringen. Im Füllhorn ist für uns alle Platz, doch wir müssen auf nationaler Ebene zusammenarbeiten.

Anders ausgedrückt: Unser Land braucht eine vernünftige Wirtschaftspolitik.

Heutzutage ist »Wirtschaftspolitik« kein wertfreier Begriff mehr. Als ob man in einem vollbesetzten Theater »Feuer!« schreit. Viele Leute geraten in Panik, sobald sie dieses Wort nur hören.

Wollen sie etwa nicht, daß Amerika stark und gesund wird? Natürlich wollen sie das. Doch sie hätten das am liebsten ohne Planung. Sie wollen, daß Amerika durch *Zufall* groß wird.

Die Ideologen argumentieren, daß eine wirtschaftsfördernde Politik das Ende der freien Marktwirtschaft, wie wir sie kennen, mit sich bringen würde. Nun, unsere wunderbare freie Marktwirtschaft hat jetzt ein 200-Milliarden-Dollar-Defizit, ein Ausgabenprogramm, das außer Kontrolle geraten ist, und ein Handelsbilanzdefizit von hundert Milliarden Dollar. Die Wahrheit ist einfach, daß der freie Markt nicht immer erfolgreich sein kann. Wir leben in einer komplizierten Welt. Ab und zu muß die Pumpe überholt werden.

Im Gegensatz zu manchen Leuten, die sich mit Wirtschaftspolitik befassen, bin ich nicht der Meinung, daß die Regierung die Spreu vom Weizen trennen sollte. Sie hat immer wieder bewiesen, daß sie dazu nicht fähig ist.

Was mich betrifft, bedeutet Wirtschaftsförderung eine Umstrukturierung und Wiederbelebung unserer älteren Industrien, die in Schwierigkeiten sind – deren sogenannte Sonnentage längst vorüber sind. Die Regierung muß die amerikanische Industrie mehr in ihrem Bestreben unterstützen, der Herausforderung durch die ausländische Konkurrenz und einer sich verändernden Welt zu begegnen.

Fast jeder bewundert den klaren Blick der Japaner für die Zukunft; die Zusammenarbeit zwischen Regierung, Banken und Gewerkschaften und die Art, wie sie ihre Stärken zu nutzen wissen. Doch sobald jemand vorschlägt, daß *wir* in ihre Fußstapfen treten sollten, taucht plötzlich das Gespenst der Sowjets mit ihren Fünfjahresplänen auf.

Doch muß Regierungsplanung nicht immer gleich Sozialismus bedeuten. Sie ist lediglich ein Spielplan, eine Zielvorstellung. Sie käme einer Koordinierung aller Teile der Wirtschaftspolitik gleich ohne die stückweise Verlegung in Dunkelkammern, durch Leute, die ihre eigenen eigennützigen Interessen verfolgen.

Ist Planung unamerikanisch? Wir bei Chrysler planen sehr viel. Jedes erfolgreiche Unternehmen tut das auch. Football-Mannschaften planen. Universitäten planen. Gewerkschaften planen. Banken planen. Regierungen auf der ganzen Welt planen – nur unsere nicht.

Wir werden keine Fortschritte machen, solang wir nicht den lächerlichen Gedanken aufgeben, daß jede Planung auf nationaler Ebene ein Eingriff in das kapitalistische System ist. Wegen dieser Angst sind wir das einzige fortschrittliche Land auf der Welt ohne eine Wirtschaftspolitik.

Eigentlich stimmt das nicht ganz. Amerika hat bereits eine Wirtschaftspolitik, aber eine schlechte. Niemand, der sich in Washington auskennt, kann behaupten, daß die Regierung dem freien Unternehmertum schadet, wenn sie der amerikanischen Industrie hilft. Washington ist Subventionsstadt! Und jede Subvention ist Wirtschaftspolitik.

Fangen wir mit den staatlichen Darlehensgarantien an. (Ich bin ein Experte auf diesem Gebiet.) Chrysler war nicht das erste Unternehmen. Bevor wir kamen, gab es bereits 409 Milliarden Dollar garantierte Darlehen. Jetzt sind es schon 500 Milliarden Dollar, und es werden immer mehr. Das ist Wirtschaftspolitik.

Dann die Verteidigung. Eisenhower erhob warnend seine Stimme, als er über den militärisch-industriellen Komplex sprach. Dieser Bereich kostet uns über 300 Milliarden Dollar pro Jahr. Es ist die einzige abgesicherte Industrie, über die wir in diesem Land noch verfügen, die einzige Industrie, die durch Gesetzesauflagen vor einer Beteiligung der Japaner geschützt ist.

Als wir bei Chrysler unsere Panzerabteilung an General Dynamics verkauften, fragten uns deshalb viele Leute: »Warum verkauft ihr nicht das Autogeschäft und behaltet die Panzer? Die Panzer bringen euch 60 Millionen Dollar pro Jahr garantiert und abgesichert!«

Dann gibt es die NASA und das Weltraumprogramm. Auch das ist Wirtschaftspolitik. Die Mondlandung hat unserer Computerindustrie eine Erfolgsspritze verpaßt.

Dann die Export-Import-Bank. Achzig Prozent ihrer Geschäfte unterstützen vier Luftlinien. Kann ich verstehen, aber mich stört, daß sie 95 Millionen Dollar Steuergelder an Freddie Laker leiht. Und wofür? Damit er DC-10-Flugzeuge im Wert von 95 Millionen Dollar einkaufen kann, um PanAm und TWA, zwei amerikanische Konzerne, bei den transatlantischen Flügen zu unterbieten. Aber Freddie Laker machte bankrott, und die 95 Millionen Dollar sind verloren. Was war das für eine Wirtschaftspolitik?

Oder was ist mit dem Internationalen Währungsfonds (IWF)? Er hilft dem Ausland aus der Patsche, das sich über seine Möglichkeiten hinaus verschuldet hat und seine Zahlungen nicht einhalten kann. Vor kurzem vergab Paul Volcker an Mexiko eine weitere Milliarde Dollar, um dessen Kredit aufrechtzuerhalten und einigen US-Banken Erleichterung zu verschaffen, die das Geld zunächst verliehen hatten. Volcker vergab seinen Kredit über Nacht, ohne eine Beratung. Aber um 1,2 Milliarden Dollar für die Rettung von Chrysler, einem amerikanischen Konzern, zu bekommen, mußten wir den Kongreß wochenlang beschäftigen. Was ist das für eine Wirtschaftspolitik?

Inzwischen vergibt der IWF an Polen sechsprozentige Kredite, während wir von Amerikanern polnischer Abstammung 14 Prozent Zinsen für den Hausbau verlangen. Wenn die Demokraten daraus keinen Zündstoff machen können, verdienen sie ihre Niederlage.

Und wie ist das mit der Steuerpolitik? Die Autoindustrie zahlt insgesamt fünfzig Prozent ihres Einkommens Steuer. Das Bankgewerbe zahlt nur zwei Prozent. Das ist eine weitere Form der Industriepolitik.

Also haben wir eine Wirtschaftspolitik – oder genauer Hunderte von wirtschaftspolitischen Maßnahmen. Das einzige Problem ist, daß die Betreffenden alle über den Berg sind und wenig, wenn nicht gar nichts für unsere Schlüsselindustrien tun.

Ist Wirtschaftspolitik eine so radikal neue Idee? Ganz und gar nicht.

Wir hatten in Amerika eine Wirtschaftsförderung, bevor wir überhaupt eine Nation hatten. Schon 1643 gewährte Massachusetts einer neuen Schmelzhütte exklusive Eisenproduktionsrechte für 21 Jahre, um diese sich entwickelnde Industrie zu fördern.

In neuerer Zeit, im 19. Jahrhundert, bestand unsere Wirtschaftspolitik aus einer weitläufigen Unterstützung der Regierung für unsere Eisenbahnen, für den Erie-Kanal und sogar für die Universitäten.

Im 20. Jahrhundert erlebten wir die Hilfe der Regierung beim Bau unserer Highways, bei der Entwicklung synthetischen Gummis, bei modernen Düsenflugriesen, der Mondlandung, der weiterverarbeitenden Industrie, bei hochentwickelten Technologien und vielem mehr.

Während der letzten Jahrzehnte erlebten wir eine außergewöhnlich erfolgreiche Wirtschaftspolitik – in der Landwirtschaft. Drei Prozent unserer Bevölkerung ernährt nicht nur die übrigen Amerikaner – sondern obendrein auch noch einen Großteil der restlichen Welt. Das nenne ich Produktivität!

Wie kam das zustande? Dahinter steckt mehr als gutes Klima, fruchtbare Erde und hart arbeitende Landwirte. Wir hatten das alles schon vor fünfzig Jahren, und uns blieb nur Staub zwischen den Fingern und Katastrophen.

Der Unterschied besteht in einer Vielzahl von Projekten, die von der Regierung gefördert wurden. Es gibt die staatlichen Forschungszuschüsse. Bezirksvertreter, die die Leute ausbilden; Experimentierfarmen der Staaten; ländliche Elektrifizierungs- und Bewässerungsprojekte; Hagelschlagversicherungen; Exportkredite; Preisnachlässe; Anbaukontrollen und jetzt die artbezogene Prämienzahlung, die den Landwirt für den *Nicht*anbau bestimmter Getreidesorten belohnt. Dieses Programm allein beläuft sich auf über zwanzig Milliarden Dollar jährlich.

Mit dieser ganzen Regierungshilfe (oder wie einige behaupten: Einmischung) haben wir ein Wunder geschaffen. Unsere Landwirtschaftsförderungspolitik hat uns den Neid der Welt zugezogen.

Da wir also eine Förderungspolitik für die Landwirtschaft und die Verteidigung haben, warum zum Teufel haben wir dann kein Unterstützungsprogramm für die *Privatindustrie*?

Ich würde sagen, daß meine Haltung gegenüber einer Wirtschaftspolitik der von Abraham Lincoln entspricht. Als ihm jemand sagte, daß Ulysses S. Grant sich oft betrank, meinte Lincoln: »Finden Sie seine Whiskeymarke heraus, und lassen Sie eine Flasche meinen anderen Generälen zukommen.«

Hier ist mein Sechs-Punkte-Programm, das die Basis für eine neue Wirtschaftspolitik bilden kann.

Erstens sollten wir bis 1990 eine Energieunabhängigkeit anstreben, indem wir den Energieimport aus dem Ausland besteuern, sowohl im Hafen als auch an der Zapfsäule, um das Energiebewußtsein zu verbessern und Investitionen für alternative Energiequellen anzukurbeln. Wir sollten uns nicht vom momentan nachlassenden Verbrauch einlullen lassen. Die OPEC wird immer in ihrem eigenen Interesse handeln, dieses Interesse wird sich immer in hohen Preisen und einem knapp gehaltenen Nachschub niederschlagen. Das amerikanische Volk ist bereit, einen Preis für seine Unabhängigkeit im Energieverbrauch zu bezahlen. Es weiß, daß diese nicht ohne ein Opfer erreicht werden kann.

Zweitens sollten wir eine klare Höchstgrenze für einen Marktanteil Japans bei bestimmten wichtigen Industriegütern setzen. Wir sollten einen wirtschaftlichen Notstand für diese Industrien ausrufen und während dieser Zeit die beschränkenden GATT-Bestimmungen einseitig abschaffen. Wir müssen uns für dieses von der Vernunft diktierte Verhalten im Handel mit Japan nicht entschuldigen. Wir können uns zum gegenwärtigen Zeitpunkt keinen Handelspartner erlauben, der auf seinem Verkaufsrecht besteht, der sich aber selbst weigert, etwas einzukaufen.

Drittens müssen wir uns als gesamte Nation über die Kosten und Finanzierungsmechanismen staatlicher Förderungsprogramme klar werden. Man beschäftigt sich damit in Washington mit unglaublicher Akribie, weil es politisch ein heißes Eisen ist. Doch die Antwort lag immer ganz klar auf der Hand: Wir können nicht weiterhin mehr auszahlen als wir einnehmen, und das wird einige einschneidende Umstellungen bedeuten.

Viertens braucht Amerika mehr Ingenieure, Wissenschaftler und Techniker. Gemessen am Umsatzkapital bringt Japan viermal soviel Ingenieure wie wir hervor (wir dafür fünfzehnmal so viele Anwälte!). Technische Studiengänge sollten gesonderte Ausbildungszuschüsse und Darlehen erhalten. Sowjets und Japaner widmen sich beide einem Aufbau ihrer technologischen Elite – und wir fallen zurück.

Fünftens brauchen wir einen neuen Anreiz, um die Forschungs- und Entwicklungsanstrengungen im privatwirtschaftlichen Bereich zu verbessern und um die Fabrikmodernisierung und Produktivität in den entscheidenden Industrien zu beschleunigen. Eine Möglichkeit besteht in der Gewährung von Steuernachlässen bei den Investitionen in Forschung und Entwicklung und zwölfmonatigen Wertminderungsabschreibungen bei produktionsbezogenen Investitionen.

Und schließlich sollten wir ein langfristiges Programm für den Wiederaufbau von Amerikas Handelswegen schaffen – von Straßen, Brükken, Bahnstrecken und Wasserkanälen. Unsere Infrastruktur, die für die Stärkung und Expansion unserer Industriemacht lebenswichtig ist, verschlechtert sich in erschreckendem Maße. Es muß etwas getan werden. Ein solches Programm könnte teilweise durch die OPEC-Energiesteuer finanziert werden. Es könnte auch Arbeitsplatzverlagerungen entscheidend lindern helfen, die sich unweigerlich aus Produktionszuwachs und industrieller Automatisierung ergeben werden.

Um alle diese Programme in die Praxis umzusetzen, müßten wir eine Kommission der bedrohten Industrien bilden – ein Forum für die Zusammenkunft von Regierung, Arbeiter- und Unternehmerschaft, um einen Weg aus dem Chaos zu finden, in dem wir uns befinden. Wir müssen lernen, wie wir miteinander reden, bevor wir eine gemeinsame Aktion starten.

Diese Drei-Parteien-Koalition würde Sondermaßnahmen empfehlen, mit denen unsere lebenswichtigen Industrien gestärkt und ihre Wettbewerbsfähigkeit auf internationalen Märkten wieder hergestellt und gesteigert werden könnten.

Ich möchte klarstellen, daß ich nicht ein Wohlfahrtssystem für jede Firma vorschlage, die in Schwierigkeiten gerät. *Wir brauchen ein Programm, das nur dann eingesetzt wird, wenn in Schwierigkeiten geratene amerikanische Unternehmen einer gleichen Opferbereitschaft zwischen Management, Arbeiterschaft, Zulieferern und Geldgebern zugestimmt haben.* Dieses System hat sich bei Chrysler als erfolgreich erwiesen und kann für ganz Amerika funktionieren.

Wenn eine Industrie oder ein Konzern um Hilfe ersucht, wie ich das vor fünf Jahren in Washington getan habe, sollte die Kommission im Sinne der das Risiko übernehmenden Steuerzahler sagen: »Was ist für uns drin?« Was ist für das Volk drin? Anders ausgedrückt: »Leisten Unternehmer und Arbeiterschaft ihren Teil?«

Ich habe es durchgemacht, und es ist einfach. Das Management ergreift die Initiative, *bevor* die Regierung überhaupt *irgend etwas* einleitet – wie Darlehensgarantien, Importbeschränkungen, Investitionssteuerkredite oder Forschungs- und Entwicklungsunterstützung. Das Management müßte damit einverstanden sein, seinen Gewinn wieder in arbeitsplatzschaffende Investitionen hineinzustecken – in *diesem* Land. Es wird vielleicht den Profit mit seinen Angestellten teilen müssen. Möglicherweise wird es sogar in einen Preisstopp einwilligen müssen.

Was die Gewerkschaften anbelangt, so müssen sie aus dem finsteren Mittelalter aufwachen. Sie müßten einer Veränderung vieler die Produktivität hemmender Arbeitsregeln zustimmen – wie zum Beispiel der 114 Arbeitsbeschreibungen in Montagewerken, in denen etwa sechs völlig ausreichend wären. Sie müßten vielleicht sogar Kürzungen der weglaufenden Krankenkosten zustimmen, die jetzt zum System gehören.

Wenn weder Management noch Arbeiterschaft bereit sind, Opfer zu bringen, ist jede Diskussion sinnlos. Man kann keine Regierungshilfe erwarten, wenn man nicht vorher die eigenen Angelegenheiten in Ordnung gebracht hat. Anders ausgedrückt, es gibt keinen Freischein. Wer um Hilfe bittet, muß sich darüber im klaren sein, daß damit Bedingungen verbunden sind.

Wenn sich das alles ein wenig wie ein Marshallplan für Amerika anhört, so ist es kein Zufall, denn das soll es auch sein. Wenn es Amerika möglich war, Westeuropa nach dem Zweiten Weltkrieg wiederaufzubauen, wenn wir einen Internationalen Währungsfonds schaffen und ein Dutzend amerikanischer Entwicklungsbanken beim Wiederaufbau der Welt mithelfen konnten, sollten wir zum Wiederaufbau unseres eigenen Landes imstande sein. Wenn die Weltbank – eine profitorientierte Institution – erfolgreich unterentwickelten Ländern aushelfen kann, warum sollte nicht eine nationale Entwicklungsbank den in Schwierigkeiten geratenen amerikanischen Industrien helfen können?

Vielleicht brauchen wir einen *amerikanischen* Währungsfonds. Was ist gegen einen nationalen Fünf-Milliarden-Dollar-Entwicklungsfonds einzuwenden, der unsere Schlüsselindustrien wieder wettbewerbsfähig machen würde?

Im Frühjahr 1984 beantragte die Kissinger-Kommission acht Milliarden Dollar für die wirtschaftliche Entwicklung Mittelamerikas. Ich war immer der Meinung, daß mit Mittelamerika Staaten wie Michigan, Ohio und Indiana gemeint seien. (Sie sehen, wie einfältig ich bin!) Was ist mit *unserem* Mittelamerika? Wie können wir acht Milliarden Dollar für die wirtschaftliche Stärkung anderer Länder ausgeben, wenn wir gleichzeitig krankende Industrien auf unserem eigenen Territorium vernachlässigen?

Einige meinen, daß eine Industriepolitik nichts anderes als sauerster Sozialismus sei. Wenn dem so ist, bin ich bereit, in die Zitrone zu beißen – denn wenn wir nicht schnell handeln, wird sich unser industrielles Kernland in eine Industriewüste verwandeln.

Jede realistische Wirtschaftspolitik für Amerika schließt zwangsläufig eine Geld- und Steuerpolitik ein.

Wir können mit Hochzinsen keine stabile, gesunde Wirtschaft haben – auch nicht mit Zinsen, die sich alle zehn Minuten ändern. Hohe Zinssätze sind von Menschen geschaffene Katastrophen. Und was der Mensch macht, kann er auch ändern.

Ich erinnere mich an den 6. Oktober 1979, einen berüchtigten Tag in diesem Land, als Paul Volcker und der Zentralbankvorstand die Zinsbindung aufhob. Damals meinten die Finanzleute: »Der einzige Weg, um die Inflation im Zaum zu halten, ist eine Kontrolle der Geldzufuhr – zur Hölle mit den Zinsen.«

Wir mußten alle die schmerzhafte Erfahrung machen, daß diese Entscheidung eine Flut wirtschaftlicher Zerstörung auslöste. Es muß einen besseren Weg zur Eindämmung der Inflation geben, als die Arbeiter in der Auto- und Bauindustrie zu belasten. Wenn spätere Historiker auf unsere Methode der Inflationseindämmung zurückblikken, werden sie sie wahrscheinlich mit dem Aderlaß im Mittelalter vergleichen!

Detroit war zuallererst betroffen. Wir haben den größten Rückgang in den Autoverkaufszahlen seit fünfzig Jahren erlebt. Die Bauindustrie war als nächste dran. Danach war fast jeder im Land betroffen.

Vor dem Freigeben des festgelegten Leitzinssatzes waren die Zinsen nur ein einziges Mal in unserer gesamten Geschichte auf zwölf Prozent gestiegen, und das war während des Bürgerkriegs. Doch als sie jetzt zwölf Prozent erreicht hatten, stiegen sie weiter. Einmal erreichten sie sogar 22 Prozent. Das ist legalisierter Wucher. Einige Bundesstaaten haben Gesetze, die bei 25 Prozent von kriminellem Vorsatz reden. Die Mafia nennt das schwunghaft.

Aber so hart die zwanzig Prozent Zinsen auch sind, der Jojo-Effekt ist weit schlimmer. Zwischen dem 6. Oktober 1979 und dem Oktober 1982 stiegen (oder fielen) die Zinsen 68mal, was einmal in 13,8 Tagen entspricht. Wie kann man damit überhaupt noch planen?

Wenn die Zinssätze hoch sind, wird viel Geld in kurzfristige Wertpapiere gesteckt. Doch Geldgewinn aus Geld ist nicht produktiv. Es werden keine Arbeitsplätze geschaffen. Und diejenigen von uns, die Arbeitsplätze schaffen, die in Produktivität investieren und expandieren wollen und die bereit sind, ihren fairen Anteil an Steuern zu zahlen, warten als letzte in der Schlange zur Bewilligung von wenigen, mickrigen Krediten, um wieder einigen Leuten ihre Arbeitsstelle zurückzugeben.

Durch hohe Zinsen werden die großen Tiere ermutigt, ihr neues Gewinnspiel fortzusetzen, Geld mit Geld zu machen. Wenn Geld teuer ist, wird die Investition in Forschung und Entwicklung riskant. Wenn die Zinsen hoch sind, ist es billiger, eine Firma aufzukaufen, anstatt eine aufzubauen.

Von den zehn größten Fusionen in der US-Geschichte haben neun während der Reagan-Administration stattgefunden. Eine der größten war die von US-Steel. Durch künstliche Hochpreise abgesichert (die für uns den Kauf von amerikanischem Stahl um hundert Dollar pro Auto verteuerten), kaufte US-Steel mit 4,3 Milliarden Dollar Marathon Oil auf. Das meiste Geld war geliehen. Es war eigentlich für den Ankauf von modernen Hochöfen und Schnellgußformen bestimmt, um mit den Japanern mithalten zu können.

Als die Stahlarbeiter davon Wind bekamen, waren sie so aufgebracht, daß sie die Reinvestition jeglicher Gehaltsaufbesserungen in das Stahlgeschäft forderten. Es ist fast unglaublich, daß das Management in Amerika von den Arbeitern über die Funktionsweise unseres Systems belehrt werden muß.

Oder was ist mit dem Aufkauf von Conoco für 7,5 Milliarden Dollar durch DuPont, das damit seine Schulden auf vier Milliarden Dollar verdreifachte? Allein für die Zinstilgung dieser Schulden muß DuPont sechshundert Millionen Dollar pro Jahr aufbringen. Wäre es nicht für uns alle besser, wenn DuPont dieses Geld zur Entwicklung weiterer neuer und einfallsreicher Produkte verwendete, die den Konzern einmal weltberühmt gemacht haben?

Und was ist mit der Schuldenaufnahme von 5,6 Millionen Dollar durch Bendix, United Technologies und Martin Marietta, um ihren Firmenkannibalismus zu finanzieren, ohne dabei auch nur einen einzigen neuen Arbeitsplatz zu schaffen? Dieser Drei-Manegen-Zirkus wurde beendet, als Allied ein Zelt überstülpte.

Betrachten wir einmal folgendes: Im Jahrzehnt von 1972 bis 1982 ist die Gesamtzahl der Beschäftigten in den 500 größten Industriefirmen Amerikas im Grunde genommen gesunken. Alle neuen Arbeitsplätze – gut über zehn Millionen – stammten aus zwei anderen Bereichen. Einer war der Einzelhandel. Der andere war – und ich bedaure, das sagen zu müssen – die Regierung, wohl die einzige Wachstumsindustrie, die noch übriggeblieben ist.

Warum erlassen wir nicht ein Gesetz, das es unmöglich macht, Zinstilgungen bei Krediten für Kannibalenaufkäufe von der Steuer abzuschreiben? Das würde Exzesse im System relativ schnell beenden.

Momentan kann man eine Konkurrenzfirma generell nicht aufkaufen. Das käme einer Verletzung von Kartellgesetzen gleich. Aber wenn man eine Firma aus einem völlig anderen Industriebereich aufkauft, geht das in Ordnung.

Wo liegt hier der Sinn? Warum soll ein Mann, der in der Stahlbranche beschäftigt war, plötzlich zum Ölexperten werden? Es ist eine vollkommen andere Welt. Er wird Jahre brauchen, bis er sich auskennt. Und vor allem bringt es nichts.

Wenn wir die Zinsen senken und diesen Fusionsschwachsinn unterbinden würden, könnten wir die Geldwechsler aus dem Tempel der Nationalökonomie vertreiben. Wir könnten wieder Business nach amerikanischer Art betreiben, durch Reinvestition und Wettbewerb, anstatt uns gegenseitig aufzukaufen; indem wir mehr Arbeitsplätze schaffen, damit mehr Leute an unserem Wirtschaftswachstum teilhaben können. Sozialfürsorgekosten der Gemeinde-, Staats- und Bundesverwaltung würden reduziert. Kapital würde sich ansammeln. Niederlassungen könnten erneut expandieren.

Wie jeder weiß, müssen für eine Zinsermäßigung große Einsparungen im Bundeshaushalt vorgenommen werden. Es ist Zeit, daß jemand der Regierung die Kreditkarte entzieht. Heute verbraucht Washington mehr als die Hälfte der verfügbaren Kredite (genau 54 Prozent), um die nationalen Schulden zu finanzieren.

Entgegen aller Wahlversprechungen von Reagan ist der nationale Schuldenberg außer Kontrolle geraten. 1835 betrugen die Staatsschulden ganze 38000 Dollar. 1981 wurde zum ersten Mal in der Geschichte die Hundert-Milliarden-Dollar-Grenze überschritten. Heute sind es etwa 200 Milliarden Dollar. In den nächsten fünf Jahren wird eine Summe um die 1,5 *Billionen* Dollar erwartet!

Wir haben schon einmal so ein hohes Defizit erwirtschaftet – in der Zeit von 1776 bis 1981. Bedenken Sie das. Wir brauchten dazu 206 Jahre mit acht Kriegen, zwei großen Wirtschaftsdepressionen, einem Dutzend Rezessionen, zwei Weltraumprogrammen, der Erschließung des Westens und den Amtszeiten von 39 Präsidenten. Jetzt sind wir drauf und dran, diese Leistung in Friedenszeiten in nur fünf Jahren zu verdoppeln – und während einer sogenannten Wirtschaftsgesundung

Anders gesagt, es gibt 61 Millionen Familien in diesem Land, und wir verschulden sie mit 3000 Dollar im Jahr – ohne ihre Erlaubnis. Es ist, als ob Uncle Sam ohne Erlaubnis ihre Kreditkarte verwendet. Im Endeffekt verbauen wir unseren Kindern und Enkelkindern die Zukunft. Da die meisten noch nicht wählen können, haben wir ihre Handlungsvollmacht. Und wir machen nicht gerade das Beste daraus. Wenn es nach mir ginge, bekämen die Jungs in Washington – alle – die niedrigste Note für das Budget verpaßt.

Wir müssen das Haushaltsdefizit und unsere Wirtschaftsprobleme bekämpfen, bevor sie uns völlig über den Kopf wachsen. Natürlich muß man zu unpopulären Maßnahmen bereit sein, wenn es darum geht, große Probleme zu lösen. Als Kind der großen Depression war ich schon immer ein Fan von F. D. R. Er erreichte viel für sein Land, obwohl ihm die Ideologen bei jedem Schritt Knüppel zwischen die Beine warfen. Er schweißte die Massen zusammen. Er machte das Unmögliche möglich. Er hatte die Kühnheit, die Leute vom Apfelverkauf an den Straßenecken wegzuholen und ihnen Arbeit zu geben.

Er war vor allem ein Pragmatiker. Wenn er vor große Probleme gestellt wurde, *unternahm* er etwas – und das verlangt grundsätzlich mehr Mut, als nichts zu tun. Roosevelt ging an die Probleme der Depression nicht mit statistischen Aufstellungen und Graphiken heran, auch nicht mit Laffer-Kurven oder Harvard-Business-School-Theorien. Er tat konkret etwas. Er war immer zu etwas Neuem bereit. Und wenn das nicht half, war er gewillt, etwas anderes zu versuchen.

Wir brauchen heute in Washington wieder etwas mehr von diesem Kampfgeist. Unsere Schwierigkeiten sind gewaltig, und sie sind kompliziert. Aber es gibt Lösungen. Sie sind nicht immer leicht und nicht immer angenehm. Aber sie existieren.

Die großen Streitfragen von heute sind weder republikanische noch demokratische Probleme. Die politischen Parteien können die Mittel diskutieren, aber das Endziel, nämlich Amerikas Größe wiederherzustellen, sollten beide Parteien anstreben.

Kann uns dieses Vorhaben gelingen? Jemand sagte einmal, daß bei großen Projekten sogar der Mißerfolg ehrenvoll sei. Also sollten wir es auf den Versuch ankommen lassen, von dessen erfolgreichem Ausgang ich überzeugt bin.

Wir sind schließlich ein einfallsreiches Volk in einer von Überfluß gesegneten Nation. Mit einem Wegweiser, Führung und der Unterstützung des amerikanischen Volkes können wir unser Ziel nicht verfehlen. Ich bin überzeugt, daß dieses Land einmal mehr das helle und strahlende Symbol der Macht und Freiheit sein kann; durch keinen bedroht und von allen beneidet.

# Epilog
# The Great Lady

Als mir Präsident Reagan den Vorsitz des Ausschusses zum hundertjährigen Bestehen der Freiheitsstatue auf Ellis Island anbot, steckte ich bis über beide Ohren bei Chrysler im Schlamassel. Ich nahm dennoch an. Man fragte mich: »Warum haben Sie das auf sich genommen? Haben Sie nicht genug zu tun?«

Aber diesen Liebesdienst schuldete ich meinen Eltern, die mir immer von Ellis Island erzählt hatten. Meine Eltern waren Greenhorns. Sie konnten die Sprache nicht. Sie wußten nicht, wo sie anfangen sollten, als sie hier ankamen. Sie waren arm und mittellos. Die Insel war ein Teil meines Daseins – nicht der Ort selbst, aber das, wofür er stand, und die harten Erfahrungen, die damit verbunden waren.

Aber meine Beteiligung an der Wiederherstellung dieser beiden großen Symbole ist mehr als ein Denkmal für meine Eltern. Auch ich selbst kann mich ihrer Empfindung anschließen. Jetzt, da ich mich damit befasse, habe ich festgestellt, daß fast jeder Amerikaner, dem ich begegne, das gleiche fühlt.

Diese 17 Millionen Einwanderer, die an Ellis Island vorbeigezogen sind, hatten eine große Nachkommenschaft. Sie gaben Amerika 100 Millionen Nachkommen, und das bedeutet, daß fast halb Amerika dort seine Wurzeln hat.

Und dieses Land verlangt nach Wurzeln. Die Leute sehnen sich nach der Rückkehr zu Grundwerten. Harte Arbeit, die Würde der Arbeit, der Kampf um das Recht – für diese Werte stehen die Freiheitsstatue und Ellis Island.

Außer den Indianern Amerikas sind wir alle Einwanderer oder die

Kinder von Einwanderern. Also ist es wichtig, daß wir über die Klischeevorstellungen vergangener Zeiten hinauswachsen. Die Italiener haben uns mehr als Pizza und Spaghetti gegeben. Die Juden brachten uns nicht nur Bagels. Die Deutschen haben uns mehr als Knackwurst und Bier zu bieten. Alle ethnischen Gruppen haben ihre Kultur, ihre Musik, ihre Literatur eingebracht. Sie waren der Schmelztiegel Amerikas – aber es ist ihnen auch irgendwie gelungen, ihre Kulturen zu bewahren, während sie aufeinander abfärbten.

Unsere Eltern kamen hierher und nahmen an der industriellen Revolution teil, die das Gesicht der Welt verändern sollte. Jetzt haben wir eine neue Revolution hochentwickelter Technologie, und jeder ist zu Tode erschreckt. Wenn wir uns wie jetzt in einem Stadium der Umwälzung befinden, geht die große Angst um, viele könnten darunter leiden. Darum sind so viele Leute besorgt. Sie fragen sich: »Können wir uns auf diese Veränderungen so gut wie unsere Eltern einstellen, oder bleiben wir links liegen?« Und unsere Kinder fragen: »Müssen wir unsere Erwartungen und unseren Lebensstandard zurückschrauben?«

Nun, ich will Ihnen sagen: Es muß nicht so sein. Wenn es unsere Großeltern schaffen konnten, können wir es vielleicht auch. Ihr habt vielleicht nie daran gedacht, daß sie die Hölle durchgemacht haben. Sie haben viel aufgegeben. Sie wollten, daß ihr ein besseres Leben habt.

Als es nicht zum besten stand, hat es meiner Mutter nichts ausgemacht, in den Seidenspinnereien zu arbeiten, damit ich Essensgeld für die Schule hatte. Sie hat getan, was sie tun mußte. Als ich zu Chrysler kam, stand ich vor einer unwahrscheinlichen Schlamperei, aber ich tat, was getan werden mußte.

Denken Sie darüber nach. Die letzten fünfzig Jahre können Ihnen den Weg für die nächsten fünfzig weisen. Die vergangenen fünfzig haben uns den Unterschied zwischen Recht und Unrecht gelehrt, gezeigt, daß nur harte Arbeit zum Erfolg führt, daß man nichts umsonst bekommt und daß man produktiv sein muß. Das sind die Werte, die dieses Land groß gemacht haben.

Und das sind die Werte, die die Freiheitsstatue symbolisiert. Die Statue verkörpert, was es bedeutet, frei zu sein. Die Verwirklichung dessen ist Ellis Island. Freiheit ist die Eintrittskarte. Aber wenn Sie überleben und erfolgreich sein wollen, ist ein Preis zu zahlen.

Ich habe eine glanzvolle Karriere hinter mir, und dieses Land ermöglichte sie. Ich habe die Gelegenheit ergriffen, dennoch war das nicht in neunzig Tagen möglich. Es hat mich fast vierzig Jahre harter Arbeit gekostet.

Die Leute sagen mir: »Sie sind das Beispiel eines schlagenden Erfolgs. Wie ist Ihnen das gelungen?« Ich kehre zu dem zurück, was meine Eltern mir beigebracht haben. Streng dich an. Versuche, soviel Ausbildung wie möglich zu bekommen, und dann, um Himmels willen, *tu* etwas! Steh nicht herum, werde zum Teil des Geschehens. Es ist nicht einfach, aber wenn Sie hart arbeiten und sich richtig ins Zeug legen, ist es erstaunlich, wie Sie in einer freien Gesellschaft so weit kommen können, wie Sie wollen. Und natürlich sollten Sie für die Segnungen dankbar sein, die Gott Ihnen zuteil werden ließ.